李达全集

汪信砚 主编

第七卷

人民出版社

国家社会科学基金重大招标项目
"李达全集整理与研究"（批准号：10ZD&062）最终成果

国家出版基金项目
"《李达全集》（1—20卷）的整理、编纂与出版"最终成果

目　　录

1

马克思主义经济学基础理论^{*}

（1930.6）

---

 * 《马克思主义经济学基础理论》系日本河上肇所著,上篇"马克思主义之哲学的基础"由李达、王静、张栗原合译,下篇"马克思主义经济学的出发点"由钱铁如、熊得山、宁敦五合译,1930年6月由上海昆仑书店出版,至1938年共印行4版,各版内容相同。——编者注

序

马克思主义经济学,如果离开了那哲学的基础,要正当地理解它,是不可能的。本书上篇,就是努力从那种旨趣去阐明马克思主义之哲学的基础的。论述的顺序,一切都是踏着由抽象的东西到具体的东西的那种阶段。即是在第一章述说了唯物论一般。其次,在第二章,为了要说明辩证法的唯物论是什么东西,主要地把辩证法的特征论述了。再次,在第三章,又论述了关于适用辩证法的唯物论于人类社会的史的唯物论(唯物史观)。但是这史的唯物论,只是关于人类社会的进化的很一般的因而又是抽象的理论。我们一面把这一般的理论作为导线,又必得进而发现现代社会之特殊的运动法则。所以我们的研究,由为全世界观的辩证法的唯物论进到为一个史观的史的唯物论;更由为一般的史观的史的唯物论进到为一个历史的社会形态的资本主义社会之研究;要而言之,由最抽象的东西渐次进到较具体的东西。

下篇是由《资本论》中商品的分析之解说而成的。商品是资本主义社会的细胞。而本来的细胞学是"生物学的基础","当然是给生物界的现象以终极的说明的东西"(参看由羽博士《细胞》引言)。同样,这商品的分析,是资本主义社会的经济学的基础,当然是对于现代化社会的一切矛盾给以终极的说明的东西。这下篇的内容,和我在今年春天用《资本论入门》的名称发表了的东西,大略相同。这部分的论述,在现在的我看来,好像是早已没有更加改善的余地了(插入在下篇本文中的引用页数之中,凡是没有指示书名的,都是指《资本论》第一卷的页数)。

我能在书斋过生活的时间,近来正在以急速度递减着。因此,本书的脱稿,超过了预定的时期不少,且并在上篇之中,也还有未能实现预定计划的部分。但是,纵然还不免有许多不完备的本书,对于开始研究马克思主义的人们,总还可以成为某种程度的有用的阶梯,这是著者能够安然自信的地方。

　　著者想在本月中离开京都移居到东京去。在二十余年间住惯了的京都,我能够执笔著作的最后的东西,就是这本书。刻下临到搁笔的时候,私衷不能不有多少的感慨。

　　　　　　　　　　　　1929 年 12 月 3 日,在洛东古今洞的

　　　　　　　　　　　　南窗受着日光的时候写的　河上肇

上　篇

马克思主义之哲学的基础

第一章　唯　物　论

第一节　观念论与唯物论

辩证法与唯物论,正如在后面所说明的一样,本来是不能分离的东西。即是说,辩证法,是因为要在唯物论的立场上——换言之,即是要以正确的方法——去把握事物,是因为这样被把握的事物自体就是辩证法的,所以才成立的一种法则。因此,即令辩证法曾被黑智儿(Hegel)的观念的神秘的云雾所蒙蔽,然而在本质上,它的基础,还是建立在以唯物论的方法去把握事物这种观点上面的。因而我们对于事物的研究,如果真能彻底地使用唯物论的把握方法,辩证法的认识的成立,便成为不可避免的事实。但是,我们首先要分析以什么作为我们考察的开始。即是说,最初暂且把辩证法的唯物论的一个方面,即辩证法,搁置起来,先考察那剩下来的另一方面,即唯物论。

唯物论究竟是什么东西?恩格斯(Engels)曾就如下所示的标准,把一切哲学者分为观念论者与唯物论者两大阵营。

随着这个问题[思维对于存在,精神对于自然的关系的问题,全哲学的最高问题]的解答的不同,于是哲学上便分裂为两大阵营。凡属主张精神对于自然的本源性,因而结局承认某种世界创造的人们,——这种创造,在哲学家说来,例如在黑智儿说来,往往比较基督教的创造,还要荒唐无稽,——便形成了观念论的阵营。反之,那些把自然看作本源的东西的别的人们,就属于唯物论的种种流派。观念论和唯物论这两个名词,本来除此以外是再没有其他的意义的。①

――――――――――

① 《费尔巴哈论》,德文本,第14页。

列宁认定恩格斯以上的说明,是"异常正确而且深刻的考察"。他所著的《唯物论与经验批判论》,完全是站在这种见地上面的。

在蒲列哈诺夫(Plechanov)所著的《史的一元论》中,也是完全采用恩格斯这种意见的,他曾说道:

> 唯物论与观念论是正相反对的东西。观念论要由精神的某种性质,去说明一切自然现象,物质的一切性质,而唯物论却在和这正相反对的方面行动着。就是说,唯物论要由物质的某种性质,由人体或一般生物体的某种有机组织(Organization)去说明心的现象的。凡属把物质认为第一义的动因的一切哲学家,是属于唯物论阵营的人,凡属把精神认为第一义动因的一切哲学家,都是属于观念论者。

关于这种意见,蒲列哈诺夫在其他的著述中,还比较详细的说过,其论旨如下:

> 哲学的课题,究竟在什么地方? 据泽勒尔(Eduard Zeller)的回答,是在于"讨论究竟意识与存在的最后基础,在和这种基础相关联的地方把握一切实在的东西"。在我看来,这种意见是正确的。但在这里便立即引起一个新的问题,即是:意识的基础,不就会可以当作和"存在的基础"分离了的某种东西去观察的么? 我们对于这个新的问题,必须用决定的否定去回答。我们通常称说的"我",虽然感觉到自己和外界(非我)的对立,但同时也感觉到自己和外界的关联。所以,当着人类开始做哲学思索时,即在人类发生了要建立某种整顿了的世界观的希望时,他必然遇到我对非我,意义对存在,精神对自然,究有怎样关系的问题。固然,这个问题,不成为哲学家的问题的时代,也是有的。古代希腊哲学发展的初期,便是这样的。当时有个哲学家,叫做退利斯(Thales)。据他主张,水是本源的实体,一切东西,都由水发生,一切东西,都复归于水。可是这时候,他不曾提起过意识对于这本源的实体究有何等关系的疑问。就是当时不以水为本源的实体,而以空气为本源的实体的安邦希麦勒斯(Anaximenes),也没有提起过这种疑问。但是以后的希腊哲学家,便渐渐

走进了怎么也避免不开这个"我"对"非我",意识对存在的问题的时代。那时,这个问题,就变成了哲学上的根本问题。即在现代,这个问题,依旧还是哲学上的根本问题。

种种的哲学体系,对于这个问题,给以种种不同的解答。但是我们如果把种种哲学体系所提出的种种解答,精密地加以考察,就知道这些解答,绝不是像初见时所想到的那样复杂。他们所有的意见,都可以分为两个部门。

属于第一部门的,便是那般思想家,把客体,换言之,把存在,再换言之,把自然作为出发点时所发生的一切解答。在这种情形,这些思想家,关于主体依存于客体,意识依存于存在,精神依存于自然,这些问题,都不得不加以说明。不过他们关于这些问题的说明,绝不是一样的,因此,他们的出发点,尽管相同,但是他们所构成的体系,便不相同了。

属于第二部门的,乃是以主体或意识或精神为其出发点的一切哲学体系。属于这一部门的思想家,关于说明客体依存于主体,存在依存于思维,自然依存于精神,便成为他们的义务。这件事实是很容易了解的。不过他们完成他们自己的这种义务的方法,彼此是不能一样的,所以属于这个部门的哲学体系,也就随之而各不相同了。

在由客体出发的思想家,——假若他们具有彻底的思维能力和勇气,——就能产出一种唯物论的世界观。

以主观为其出发点的思想家,——如果他们不惮彻底的精进,——结果便成为一个有系统的观念论者。

但是那般没有彻底的思维能力的人们,就中道徘徊,把唯物论与唯心论混合起来,便心满意足。像这样不彻底的思想家,我们可以称之为折中派。①

思维与存在、精神与自然、心与物或主体(主观)与客体(客观),不拘是用哪一个名词,所指示的内容毕竟是相同的。不过怎样去观察这两者对立的关系,这件事,便成为全哲学上最高的而且最后的问题;由于对这问题所下的解

---

① 原文见蒲列哈诺夫替德波林(Deborin)著《辩证法的唯物论之哲学》所作的序文。

答如何,在哲学的领域内,便区分为唯心论与唯物论的两大阵营。主张精神(心)先自然(物)而存在,自然由精神所派生的那般哲学家便形成为观念论的阵营,这般哲学家既然主张自然是由精神派生的,就不能不以某种方法来说明自然何以会由精神产生出来的道理。这样弄下去,结局就"承认某种的世界创造";这种创造,在哲学上往往比较基督教和古代神话等里面所说的创造,还要荒唐无稽。然而在另一方面,又有一般哲学家,他们的主张,是和上面所说的恰恰相反。他们认为自然(物或存在)是本源的东西,精神(心或意识)是由自然派生的。在他们中间,虽分为种种流派,但是归根结底,都是属于唯物论的阵营。①

第二节　为被压迫阶级的哲学的唯物论和无神论

唯物论与无神论,是不可分离的结合着的(如前所述,观念论在结局上要

---

① 如上所述,观念论与唯物论的区别,一见似乎是很明了。凡属具有健全常识的人们——没有被烦琐的布尔乔亚哲学所迷惑的人们——无论是谁,都不会想象物是由心生出来的;无论是谁,都会承认精神作用,不外是特殊的有机物的一种特殊机能。换言之,在一般的原理的立场上,不拘哪个有健全常识的人,都会拥护唯物论。但是他们一旦遇着了实际生活的问题,便立刻无意识地陷于观念论的见地。在这里,我可举一个关于国家的问题的例证。列宁对于这个问题,曾经这样说过:"像关于国家的问题这样被布尔乔亚的科学、哲学、法律学、政治学或操□业的代表者们有意识地或无意识地弄得成了一个混乱不堪的问题,恐怕找不出第二个了。这个问题,就是到现在,还往往被人拿来与宗教问题混为一谈,这不仅宗教教义的代表者是如此(不待说,我们是不能从这般人期望什么的),就是那般□宗教的偏见自以为自由的人们,也往往把国家的特殊问题与宗教的问题混同起来,他们往往拿观念的哲学的基础,努力创建一种复杂的教理,说国家是某种神圣的东西,是某种超自然的东西,是人类靠它生活而来的力,是一种给予人类以什么或可以给予人类以什么的力,一种具备着不是由人类所给予而是从外界给予人类的力——这种力,是神之本源的力。说到这里,我们不得不断言,这种教理是与榨取阶级——地主和资本家的利益密切结合,而大有利于他们的东西,因此,这种教理,便深深地浸润于布尔乔亚代表者的一切习惯、一切见解、一切科学之中,因此,这种教理的残渣,便一步一步地迫着诸君,遂至于发生了孟雪维克或社会革命□的国家观,但他们还是确信着,他们能够慨然排斥为宗教的偏见所囿的思想,而冷静地去考察国家……"

一旦碰着了国家问题时,人们便会这样的陷入宗教的偏见,便会抛弃唯物论的见地而堕落在观念论的泥沼之中,终至于在那里看到一种神秘的东西。可是马克思主义对于一切问题,总是彻底地站在唯物的见地上,这种见地,如果一般的抽象的概括起来,看来好像不大重要,但是说到能够使我们的认识合乎科学,这种效果,那就任凭加以怎样重的评价也决不能认为是失当的。

承认某种神或某种神秘的东西。反之，唯物论就不是这样，只要它是彻底的，就绝对不承认那些东西。它是把持着绝对的无神论的）。因为这样，所以只要社会分成了阶级，因而只要由少数人结成的榨取阶级，有凭借武力或精神镇压由多数人结成的被榨取阶级的必要，那么，在那种社会里面，就会有这种现象，即是：在一方面，为武力的压迫的工具的国家，便成为公共的权力发生出来；它一方面，为精神的压迫的工具的观念形态，便成为观念的上层建筑被维持下来。不拘在什么时代，贫苦的民众们，开始想到关于他们困厄的真正原因一件事，在支配阶级看来，是非常不安的事情。所以从来在阶级的社会里面，为使这般贫苦的民众的注意，离开地上的物质生活的考察，于是某种观念论的哲学便成为必要。为使这般贫苦的民众，对于现世的不满情怀，转移到来世的希望方面，于是某种形态的宗教便成为必要（这里所说的宗教或哲学，我们并不以为它们是由于支配阶级的意识所发明的，关于它们起源的社会的根据，在后面是要论及的，这里只要注意它们常常是被支配阶级所利用的东西便够了）。"宗教是一种精神的压迫，这种精神的压迫，到处都是重压着那些被抑压于替他人做的永久的劳动，陷困苦和孤独的人民大众的，对榨取者实行斗争的被榨取阶级的无力，会唤起他们对于来世的更善的生活的信仰这件事，恰如对自然实行抗争的野蛮人的无力，会唤起神明、恶魔、奇迹和别的东西那件事一样。宗教对于终身劳苦的人们，教他们在地上屈从忍耐，以天国得报的希望，作为他们的慰藉。"（列宁，《宗教论》）像这样的宗教，不是为榨取者的支配阶级为了他们自己的信仰因而形成的，乃是因为他们要使被榨取阶级信仰这种宗教，把它当作最有用的精神的工具来利用的，这是容易明白的道理。因为这个缘故，所以在阶级社会中，观念论以及与观念论结了不解之缘的宗教，是决不会彻底地被断绝的。

但是，在另一方面，从来被压迫阶级对支配阶级实行抗争获得了新的势力，到了这个时代，观念论以及和观念论结了不解之缘的宗教，便会在某种程度以内，由利用它们作为精神羁轭的阶级的手中，被颠扑下来。到了那时，破坏那种旧信仰的有用的精神的武器，当然是唯物论。所以从来当被压迫阶级将要获得新势力的"变革时代"，唯物论总是勃兴起来。——大凡从来的历史（阶级社会的历史）上唯物论的消长，只有由这种见地才可以理解，绝不是由唯物论本身可以理解的。那种把有名的哲学家们的大体的思想,从社会的根源分离起来,而只是编年地叙述了的哲学史,一般对于唯物论和观念论的消长,所以不能说明它的必然性的原因,就在这里。不过关于这事,在这里是无须作进一步的讨论的。

唯物论的勃兴,如果具有上述社会的根源,那么,在今日以前,唯物论就应该已在布尔乔亚的革命时代勃兴着,并且在事实上也确是这样。不过布尔乔亚的革命——即是从来曾为被压迫阶级的布尔乔亚为着打破封建的束缚而行的革命——不是为了消灭阶级的本身而实行的革命,而是为了从支配阶级的地位,驱除封建领主,而由布尔乔亚从新占取支配阶级的地位一件事而实行的革命。所以这种革命尽管告终了,而社会依然是阶级的社会,阶级一般地废止,不待说是无从实现的。布尔乔亚,一旦确立了自己的支配地位,得到了自身的立脚地,立刻就变成了压迫阶级,把多数的普罗列达里亚压伏在他的脚下。"在1797年的时代,布尔乔亚早已不需要那些似乎只是不断地威胁着他们的新利益的诸学说了。他们已不能不弃掉唯物论了。"①这就是说,在昨天以前,那种当作谋布尔乔亚自身解放的精神的武器而有用的唯物论,到了这个阶级已经爬上支配地位的今天,就不仅变为对于它自身已无用处的东西,并且这种唯物论,如果渗透到普罗列达里亚层里面去,它就转化为威胁布尔乔亚从新得到的支配的地位的东西了。随着布尔乔亚自身由被压迫阶级转化为支配阶级,由进步的阶级——为打破人类进步上的种种桎梏的革命阶级——转化为保守的阶级,那由布尔乔亚之手所发展了的唯物论,就转化而为布尔乔亚所应该当作危险思想而加以迫害的东西了。用一句话说,布尔乔亚,是从唯物论的保育者转化而为它的反对物的迫害者,并且不是得不这样转化了。

因为这个缘故,所以在世界各国实行了的唯物论的展开,以及伴它而起的对于宗教的批判。在时代上和程度上,每每是与布尔乔亚革命发生的时代和程度相适应的。这就是说,布尔乔亚的革命如果发生得早,唯物论的发展和对于宗教的批判,也便发生得早;如果布尔乔亚的革命发生得迟。唯物论的发展和对于宗教的批判,也便发生得迟。另一方面,如果布尔乔亚的革命是不完全

---

① 蒲列哈诺夫:《近代唯物论史》。

的,唯物论的发展和对于宗教的批判,也是不完全的,反之,布尔乔亚的革命如果是比较彻底的,唯物论的发展和对于宗教的批判,也便是比较彻底的。

像那样的布尔乔亚的革命,曾经由布尔乔亚之手实行的东西,比较最彻底的,已被那约莫在 130 年以前的法兰西大革命所实现了。但是列宁所指导的 1917 年的革命,因为是由普罗列达里亚之手所实行的,所以决定地彻底地完成了布尔乔亚革命的任务,其所完全的程度是今日以前任何布尔乔亚的革命所未能成就的。列宁对于这件事实有一个较长的说明,现在引用在这里。

俄国革命当前的直接任务,是布尔乔亚民主主义的任务,这种任务就是废绝中世纪的残滓并彻底地驱除它。而从这种野蛮,从这种污辱,以及从阻止我国一切文化和进步的这种大制动机,把俄罗斯扫除得干干净净了。我们从人民大众及人民团体所得到的效果看来,我们是比 125 年以前的法国大革命更为决定的,更迅速的,更果敢的,更有效的,更广泛地完成了这种扫除的工作,这件事实:是我们有权利引以自夸的。……

革命的布尔乔亚民主主义的内容,——它是具有从一国的社会诸关系(秩序与制度)一扫中世纪的制度,农奴制和封建主义的意义的。

1917 年以前,俄罗斯农奴制的遗物和残滓主要的表现,究竟是什么东西呢? 就是俄皇制、身分制、土地所有权、妇人的地位、宗教以及诸民族的压迫等。从这种'奥杰夫的小厕'(污秽物的意思)中,选出哪一样是你所好的东西来罢——顺便说来,这些东西,哪怕在进步的国家中,当 125 年前,250 年前,以至更远以前(在英国是 1649 年)的布尔乔亚民主主义革命,也是不曾完全铲除而残留得很多的,从这种"小厕"中,挑选出那一样所好的东西来罢! 在俄国,这类污秽的东西是干干净净地被扫除着,这件事,诸君会注意到罢。

……我们关于这个经历了许多世纪的身份制的建筑物,连一瓦一石,也不曾让它残留着(哪怕就是在英、法、德等最进步的国家里面,直到今日,身份制的遗物,还是不曾扫除的)。身份制的最根深蒂固的残存物,即建立在土地所有权上面的封建制与农奴制的残存物,已经被我们彻底的拔除了。……

其次我们试就宗教,妇人的无权利,以及诸民族的压迫与不平,这类东西说罢!这一切都是布尔乔亚民主主义革命的问题。……向着民主主义的途径,彻底解决这些问题的国家,就是在世界最进步的国家中,也找不出一个。但是我们由十月革命的立法,把这些问题,根本地解决了。我们曾与宗教斗争,将来也还会与宗教斗争。像那些在地球上无论哪一国都是无例外地存在着的农奴制及中世纪制度下的可憎遗物,如妇人的无权利或民族的抑压这一类下劣,卑污,野蛮的东西,都是被贪欲的布尔乔亚,与暧昧的小资产阶级所弥缝过的。这些东西,在我们俄国,现在一样也不存在了。

布尔乔亚民主主义革命的内容,都是由以上的一切东西成立的。在150年前乃至250年前,这种革命(如果就各个民族的姿态说到那具有共同形态的革命,那就可以说是这一些的革命)的进步的指导者,曾与一般民众这样的约定过:说他们将由中世纪的特权谋解放,由妇人的权利的剥夺谋解放,由某种宗教(乃至宗教观念,一般的宗教信仰)的国家特权谋解放,以及由其他种种对于民族的压迫谋解放。他们虽然约定了这个,但是却不曾实行。这也许说:不是他们不肯实行,而是不能实行。因为对于神圣私有财产的"尊崇",是会阻止其实行的。我们普罗列达里亚的革命,却不曾知道对于这种中世纪的秩序或神圣的"私有制度"的可诅咒的"尊崇"。……因为我们是已经把布尔乔亚民主主义革命的种种问题,当作我们主要而且根本的事业,即普罗列达里亚革命的或社会主义的事业之副产物,而一一解决了。①

普罗列达里亚革命,在它的路程上,同时把民主主义革命的诸般内容,彻底地实现了。因为普罗列达里亚,是要扬弃一般榨取,一般压迫,以及一般阶级的阶级;他们对于中世纪的一切封建的束缚,是能够彻底地否认的。因为这个缘故,所以我们就是从观念形态(Ideologie)的领域看去,也知道唯物论及无

---

① 以上见《列宁著作集》第一卷;《新经济政策》第九篇十月革命第四周年;《马克思主义文库》第十一卷;安朵托拉斯基:《列宁主义的理论与实践》。

神论(一切宗教之绝对的否认)也只有在普罗列达里亚的代表者们手里,才能使其彻底地发展起来。从布尔乔亚传承那种被中断了被阻害了它的发展的唯物论,那种经布尔乔亚在未完成的原来的样子弃置了的唯物论,那种人类精神的遗产,而能够加以无拘束地发展的拍车①的人们,用马克思的话来说(《资本论》第二版的跋文),就只是"代表着以资本家的生产方法之颠覆及阶级之终局的废止为其历史使命的阶级——普罗列达里亚"。在过去为了生产诸力的发展而拼命努力过的布尔乔亚,到现在竟成了生产诸力发展的阻害者;在今日以前为布尔乔亚发展下来的生产诸力——在今日早已发展到了有产阶级自己收拾不了的程度的生产诸力,——这种人类物质的遗产,却由那负有历史使命的人们,从布尔乔亚手里传承下来,并打破对于它的社会的桎梏,而加以无拘束的发展的拍车②了。普罗列达里亚在物质生产的领域内所负的那种历史的使命,自然是和这里所说的这个阶级在精神生产的领域内所负的历史的使命是相适应的。于是人类的一切遗产——不论是精神的遗产或物资的遗产,——是被放在合理的形态上,在比较它们在隆盛期所具有的更坚固的基础上,成就着充分的发展,并被包摄在普罗列达里亚建设的社会之中。为普罗列达里亚的哲学的辩证法的唯物论,也还是要使以前的唯物论的合理的诸部分,更为发展,更为丰富,更为具体,并把它吸收在它自身的体系中。

　　所以我们关于唯物论的考察,至少必须从它开始被布尔乔亚所建设的时代起。

第三节　16世纪时代的荷兰及17世纪的英国的唯物论与无神论

　　由布尔乔亚之手所育成的唯物论与无神论,除现代而外,在法国大革命的时候,显示了它的最灿烂的繁荣期。这件事,除1917年的俄国革命而外,与法国大革命曾经是比较最彻底的布尔乔亚革命的事实,是正相适应的。

---

① 　此处疑有印刷错误。——编者注
② 　此处疑有印刷错误。——编者注

现在我们在叙述法国的唯物论以前,先看看其他若干国家的历史吧。关于这点,德波林曾说着下述一段话。

　　荷兰这个国家,是政治的及精神的自由原理占了胜利的欧洲最初的国家。因为这国的工商业最为繁荣,所以布尔乔亚在16世纪之时,就已经获得了政权。荷兰是由西班牙解放出来的。西班牙虽早就萎弱不振,但荷兰还是继续繁荣着,因为这样,所以革命以后经过了数十年,在这个地盘上面,便依着那适应了新生活条件的新观念而贯通了的斯宾挪莎(Spinoza)那样堂皇的哲学体系,就能够生长起来,这是当然的事情。……荷兰在这个时代,启蒙学者先后辈出,这些人虽各自有着某种的宗教,却曾和僧侣阶级做过执拗的斗争。青年斯宾挪莎结纳的所谓柯拿派,都否定了一切的僧侣阶级。……在这里于我们最要紧的事情,就是要注重在当时的空气里面,活动着的东西,有怀疑的观念,理神论的观念,甚至无神论的观念,此外又有自然主义的观念。斯宾挪莎把这一切的潮流,和没有十分被意识到的体验,都导入了一个哲学的体系之中。

　　英国在17世纪,经过了和荷兰在16世纪所经过的同样的发展阶段。类似的经济的社会的诸条件,在大体上,也产出了类似的观念形态。

　　在观念形态的云雾上面,斗争本是在那被神秘化了的宗教的盖被之下实行的,但在这种盖被底下,仍旧隐伏着地上的经济的内容。如像先前在荷兰所行的,后来在法兰西所行的一样,从法王和僧侣阶级的权力下及封建的压迫下解放国家的问题,就是在英国也早已列上了日程。人类的思考,已在向着基督教的基础,加了批判。不过这种批判,在同一程度,又触犯着绝对主义的基础。在英国,因为有它的独特的发展条件的缘故,所以在这种斗争中的战士,并不像别国那样是下层阶级或布尔乔亚的代表者,却是上流身份的代表者。

　　由于这件事,可以说明那不曾进到理神论以上的英国"启蒙主义"的微温的中道徘徊的性质。英国下层阶级,是一任贵族出身的这些改良主义者所羁勒而前进的。这些贵族阶级具有许多世纪的政治的及观念形态的经验;这些经验,使得他们就是在现在也能巧妙周旋于一切危险之间,显然地保持他们自己的地位、自己的财富和自己的势力。[顺便地说,]法国的贵族,在革命以前,就已经把自己的政治的破产完全暴露着。他们对于袭来的危险,缺乏着理解、预知以及防范的能力。他们所能做到的,只是行所无事地享乐,而伺奉自己们的王上,换句话说,他们只无所顾惜地榨取人民而君临于人民之上。因为这样,所以贵族阶级中比较好的代表者们,理解了自己阶级的地位没有希望时,就投入了布尔乔亚的阵营,至于英国的贵族阶级却不是那样的。他们就是到了现在,还保持他们对于其他诸阶级的某种封锁性或特殊性,同时还把他们的势力凌驾于其他诸阶级之上。……

英国在理神论的名称下面所推进的运动的意义,与经验过和这相当的发展阶段的其他的各国相同,在观念形态上,都归结于确认理性对于权威优越地位。一切自由思想家(free thinkers)——哈巴特,托兰德,布郎,柯林斯,布纳闻托,基蒲希夫伯里,特安达——都主张理性的权利,即主张思维与良心的自由。自然,这些思想家之中,除托兰德一人以外,其余的就是在思想的领域内,也不是大革命家。他们有的竟说自由地使用理性,只不过对于宗教是利益的。他们所做的,只想使宗教合理化,并不想破坏它(这恰和近代的社会改良主义者们,只想把资本主义社会合理化那件事,具有同一的旨趣)。理神论者们,在本质上,也还只能成为见到宗教之中某种真理的信仰家就停止着。但是他们却要求借理性的帮助去解释并承认这些真理的权利。能够由理性承认的东西,和自然的法则相一致,因而形成自然的乃至理性的宗教。这般思想家和他们代表的布尔乔亚,对于宗教和理性这样拙劣的妥协,是已经心满意足。……在宗教的领域上,英国的布尔乔亚,并没有进到法国急进主义的程度。及到19世纪之初,欧文受了法国无神论的影响,方才上进到把宗教是谬见和人类的不幸的源泉一件事,看作是社会主义者即劳动阶级的观念形态而完全否认它。①

*　　　　*　　　　*

---

① 德波林:《哲学与马克思主义及法国唯物论》。

德波林还继续说："在最一般的轮廓上,为我们附有特色的解放思想的历史,是在16世纪发端到18世纪方始完成的杜尔巴克(d'Holbach)的'自然体系'中获得的。一方的布尔乔亚,与他方的贵族阶级及僧侣阶级之间的矛盾,越是尖锐化,经过了长期纷议的大革命团结越加迫近,那具有与旧世界斗争的唯一武器即新社会阶级的纲领的,可以使这纲领的观念的形态公式化之职分的这一阶级的思想家们,便越发变成勇敢了。到现在,革命的思想家们,已成为思想的支配者。他们在第三身份的广泛大众中间,早已引起了生动的反响。杜尔巴克⋯⋯无论就他的博识说,就他的异常果敢说,或就他的彻底的思想说,都是最优越的思想家。⋯⋯他是为了做宗教的及哲学的思想领域中一切先驱运动的总决算,而应运出生的。"

像这样由杜尔巴克之手行过总决算的18世纪的法国唯物论及无神论,——我们将在次节略略加以说明。

第四节　18世纪中法国的唯物论与无神论

一、麦里亚

德波林曾就英国的神论这样说过:"理神论的性质,哪怕是过于微温,而且含有内在的矛盾,但对于主张人类的思考与科学的研究的自由一点,总算是有过大贡献。可是对于为了这种科学世界观而行的斗争,而在自己著述中把持着并宣传着这种世界观的人们,却常常会惹起大的危险。这是我们不能不说明的,'战斗的教会'不止是用言语去庇护有害的学说的,它还采用了现实的手段,这就是说,它们要拔去那些敢于批评宗教教理的人们的舌根,或者把他们投在薪材上,用火烧死。⋯⋯在这样的情形下面,无怪大多数自由思想家,都把他们真正的见解隐蔽起来了。"[1]

在荷兰及英国,因为工商业与都市生活的发展,早就比较其他任何国家更为显著,所以对于宗教批判的自由,也早经确立了。例如荷兰,在17世纪时代,就已成了政治的及宗教的亡命者的避难所。

---

[1]　德波林:《哲学与马克思主义及法国唯物论》。

　　法国的工商业——因而布尔乔亚——的发展,是很落后的。所以法国成为英国理神论见解发展的丰沃地,也是进到18世纪时代以后的事情。"有教养的法国人,以直接研究英国社会的、政治的及智的生活为目的而开始去英国旅行的这件事,还是18世纪20年代以后的事情。"

　　我们现在才知道,当着法国恰如上述那样气运刚刚开始的时候,曾有一个醉心唯物论与无神论而寂然死去了的牧师。在介绍杜尔巴克的思想以前,我想关于这个生死年月无从确知的牧师——这个牧师,大约是1664年乃至1678年生于法国希恩巴易地方的一个村落中的家里,他以后许久还是在希恩巴易的爱脱落比易为牧师,这样当他55年的生涯将告终结的时候,他要求把他的死骸葬在自己住宅的庭园里,留下生前的遗著三册而寂然死去了的,实是一个平和的村牧师——约翰·麦里亚(John Malie)的思想,专从德波林著述中所能够知道的一部分,先在这里把它写下。因为这个成了18世纪唯物论的先驱者的思想家的他的生涯,很打动了我的心。

　　　　18世纪的唯物论与无神论在思想的内容上,完全和麦里亚相一致,
　　　　那是不待说的。在18世纪的法国从事于唯物论与无神论的说教的人,他
　　　　是最先的一个。从这点看来,他的功绩是最大的。他实在可以说是18世
　　　　纪的唯物论与无神论之"父"。

　　麦里亚"在害了致死的病的时候,他拒绝了一切饮食,甚至连少许的葡萄酒也拒绝了。因此他的亲近的人,都相信他是过于厌世而自己饿死的",这件事,也许竟是事实。他的"全生涯,过于害怕受迫害,所以不能不把他的真实见解粉饰隐蔽了。就他的性格说,他并不是那种为了思想,而不惜遭难,为了真理,和人民的福祉而不惜死去的英雄。可是在胸中有着大的创伤的他,果然是没有吃过大苦的么? 他在悱恻动人的忏悔中,表白着他内心的苦恼说: '……但是,当我不能不以全副精神,向诸君宣讲那样可憎恶的信仰上的虚伪时,我的内心该是如何的苦闷啊! ……诸君的信赖,在我心中该唤起了多少的悔恨! 在我,虽每每想公开地向诸君忏悔,但是我的力量所不能战胜的恐怖,总是即时抑制着我,使我到死都守着沉默。'"

他曾有遗言给人民,要和压迫者做不容情的斗争。他对于宗教的偏见之破坏的批判,实有造于人民自觉的启蒙与开发,变成了人民"解放"事业的协力者。他在生前虽未能表明他的真正见解,他却留下了那种可惊叹的"遗著",在死后把它说出来了。他在为他自己教区的人民所作的遗著的解题上,写了下面这一段话:"我对于人们的罪恶、过失、贫乏、无智和怨恨,都见过了,也都经验过了。我实在鄙薄并且憎恶这些东西。我在生存中虽没有说出这些事情的决心,但至少在死后会把它们说出来。我编成这个笔记〔即遗著〕,并且加以装订,让人们知道这类事情吧。"同样的思想,他还在用下述那样动人的语句开始在本文当中,也反复地说明着。"我的亲爱的朋友们呵!我在生时,要表述我自己就人们的统治或支配,以及他们的宗教或他们的权力所思考了的事情,在我是不可能的,而且那对于我也过于危险了。所以我就下了决心,至少在我死之后,要把那对于许多迷信的防预手段留给诸君。这是我能够赠给诸君的最宝贵的赠物。诸君也会谅解这个罢。"

他曾预先知道:那般一意从物质方面精神方面榨取人民的僧侣或权力者们,是会极力诬谤他的,但是当着他的生涯到了最终决算的时候,诬谤早以无损于他了。他早已没有在残忍的暴君之前感受恐怖的理由了。现在能够把握住他的,就是一个如次的最后的思想——即是他当去世时,把终生几经思考的几经感知的一切真理说给人民的一件事。现在不论是谁,都不能压抑他,钳制他。他对于真理、正义及社会幸福的欲求,他在宗教上所见到所感到的一切欺瞒的憎恶与反抗,毕竟战胜了他的一切个人的悬念。

固然从这个将要去世的人来看,对于公然表白那隐匿着的思想一层,并不必要什么英雄主义。但是,问题不在于英雄主义,而在于麦里亚心中横溢着对于被压迫人民的火一样似的热忱,并在于他的深刻而透彻了的思想;只有这种思想,是在平静,流动着的言语里,像电光样的闪烁,预报着革命的雷雨,用明显的光亮照着历史的地平线。

麦里亚那个人,说起他为人虽是极度害怕暴君的和平的村牧师,但在他的头脑中,却驰聘着为支配阶级所认为实在危险的思想,活着的麦里亚,虽对于谁并没有过什么危险,而死去的麦里亚,对于僧侣或支配阶级却成了极端危险的东西。……这样看来,麦里亚是用死克服了他自己的恐怖,他在墓石底下横躺着,向人民表述一切真实的……

麦里亚指摘出支配着世界的罪恶与不正,他在结束那遗著以后,复对于那些有智慧,有分辨的人们,或有学识能雄辩的人们,——可以在真理与正义的工作上进出的这些人们,这样的呼唤着说:他们会做出那种我所比不上的事情吧。对于正义与真理的爱,对于社会福利的爱,对于解放一切呻吟而无告的人民的爱,也许使他们不能不那样做的吧。我所说过的一切可憎的迷妄、一切可憎的欺骗、一切可憎的暴政,他们也许要非议、追求、惩治,并扑灭,而把这些东西戮辱并扫灭得体无完肤的吧。

麦里亚这个最后的遗言,到后来已被实行到某种程度了。在他死以后的数十年,至少在法国当时的智识阶级之间,唯物论与无神论的运动,已有广泛的发展,而且这种运动,部分地还透入了大众之中。"有智慧有分辨""有学识能雄辩"的人们相继而起,对于宗教的偏见和暴政,对于僧侣阶级和贵族阶级的支配,已经实际地进行了有组织的斗争,这种斗争,最后是以法国的大革命而告终结的。

但是麦里亚的理想,却决没有被实现过。因为他的终极理想,是在共产主义的社会改造之中看出来的,而在布尔乔亚正在准备着确立自己的权力的18世纪的法国,是缺乏着实现这种理想的任何物质的前提的。因麦里亚在他的遗著中展开的共产主义的思想的一部分,就完全被抹杀了。福禄持尔(Voltaire)在麦里亚的遗著的精萃里面,完全忽视了这个。并且麦里亚那样热烈地争斗过的宗教上"一切可憎的欺骗"——虽然对于这点,法国唯物论者曾做过无神论的宣传——也并没有从地上消灭了去,为什么呢?因为正如前面所说,已经掌握了权力的布尔乔亚,仍旧复归到那种当作欺骗并压迫人民的手段的宗教了。

唯物论,无神论及共产主义,形成着现代普罗列达里亚世界观的内容,要想把无神论完全实现,只有在共产主义的社会里面,才有可能。所以现代辩证法的唯物论或马克思主义,无论怎样和麦里亚的世界观隔绝着,而这个天才的牧师,却已经用那唯物论、无神论及共产主义的思想做楔子,在某种程度上,是和那些为着实现共产主义而在马克思主义旗帜下斗争着的现代普罗列达亚里相合流了。①

*　　　　*　　　　*

以上所述的麦里亚的不幸生涯,也就可以使我们推测得到,在布尔乔亚尚未得胜以前的时代提倡唯物论无神论该是如何困难的事情了。然而这不仅是麦里亚一个人的命运。当时先驱者中,也有过为了自己的信念而至于以身殉教的。就是 18 世纪的许多思想家们,也还不得不在困难的情形下,从事劳作,从事斗争。由权力与僧侣方面所加的迫害,在那时是还未中止的。可是其中的情势,却根本起了变化。在以前,异教者们虽被处焚身之刑,现在幸而被焚烧的不是著者本身,而是他们的著作。而且从著作者本身说,也不一样。许多有价值的著作,已能够免掉焚劫,而在某种限度内得到流布的机会了。

这样看来,革命思想到了 18 世纪,无论是在观念形态的领域内,或在政治的领域内,都达到了顶点,卒至爆发了一种最大的革命。这种革命——如前所述——是具有全世界的历史的意义的,在某种意义上,可说是预先决定了全欧洲的未来的发展的东西。先行的诸世纪的一切潮流,到了 18 世纪末叶,便把一切旧社会,连带它的寄生物或上层建筑,一齐涌进有力的潮流中了。在下面,我们就拿这个有力的代表者的杜尔巴克说说。

二、杜尔巴克

"杜尔巴克是一个 18 世纪的布尔乔亚的最伟大的思想家和指导者,但到现在,却被布尔乔亚所忘记所诅咒了。法国的布尔乔亚,不只是在这二百年之间获得了政权,为自身实现了杜尔巴克以及和他具有同一思想的人替他们确立了的程序,并任意地享受了人间的快乐,同时还失却了青年的热情,而老衰而趋于殁落了。在青年时代,有的是健康,在老年时代,便只有死。青年所固

---

① 德波林:《哲学与马克思主义及法国唯物论》。

有的东西,就是热情。布尔乔亚在登上历史的舞台时,他们兴奋于强烈的热情之中,易受先驱的诸般思想所鼓舞,这是当然的事情。但是一到老年,世界就在和它似是而非的黑暗之光上被表象了。现在的布尔乔亚,正患着这个老病。它在前途,只见着自己的终局、自己的没落、自己的墓场。同时,那些时时刻刻为要完成自己的历史使命而行使自身的力量的强有力的'掘墓人',却在布尔乔亚的眼前成长起来,强壮起来。"

"世界的普罗列达里亚,在现在,正和在 18 世纪末叶的法国的布尔乔亚处于同样的状态。封建组织的倒坏,布尔乔亚组织的代兴,已是具有为全世界的历史事情的意义。法国的革命,对于后进诸国,已经预言那些国家的本来的发展,而成为对于将来诸种变革的全系列的雏形。欧洲一切国家的以后的时代,都曾向法国革命思想和实践观念的武库里面,提出过从事那种斗争的武器。英国的启蒙主义——这是英国布尔乔亚斗争的产物,同时又是这种斗争的武器——曾为法国的布尔乔亚,造成它们的支持点;同样,当作最彻底的激进思想看的法国启蒙哲学,又是建筑在 18 世纪 40 年代的狂飙突进时期上面的无产者阶级世界观的出发点。"

至于杜尔巴克的思想,对于那种当作急进思想看的法国启蒙哲学,是可以把那些宗教的和哲学的思想领域中,一切先驱的诸运动做总决算的,因此特在下面略加说明。

"这个布尔乔亚的新人(杜尔巴克),是与那般由神所创造出来的中世纪人——那是具着无形不灭的灵魂,在天国世界看出真实生活,并把地上的世界想作是那种真实生活的反影或阴影的中世纪人——截然两样的。人是神的创造物,这是旧世界代表者们的见解。人是自然的创造物,这是新的真理。"①

杜尔巴克说:"假若我们把自然解作死的、没有特质的、完全受动的材料之堆积,那么,我们确实就会不得已要在这种自然以外,探求运动的原理了。但是,假若我们对于自然照着现实的样子,即是说,当作一个整然的全体去理解它——那全体的种种部分,具有种种特质,适应那种特质而活动,互相发生不断的作用及反作用,并且有重力,一方面向着某一共通的中心而被吸引,它

---

① 德波林:《哲学与马克思主义》。

方面又因为向外围活动而互相分离，这样互相吸引着，冲击着，分离着，由这些不绝的离合聚散，就是生产并分解我们所见的一切物体的，——那么，我们为要理解我们所见着的构造及现象上，就不会有什么更强制我们要诉诸超自然的诸力了。"①这就是说，依杜尔巴克的见解，所谓自然，不外就是由于具有种种特质并且表现种种运动的物质之结合与运动而成立的伟大的全体。所以如果就构成这个全体的各分子看来，各个构成分子，也就是一个全体，一个由该构成分子与其他分子相区别的一定的性质、结合、运动或运动方法而形成的全体。人，也是由于具有特殊性质的某种物质结合所形成的某种全体，是一个在其统一上被称为有机体，而其本质又存于超感觉、超思维、超行动的事情上的那种全体。这些各个的体系，是形成伟大的全体系的一部分的东西，这些东西，和这一般体系是不可避免地关联着。所以人类，是构成这种伟大的全体、构成宇宙的自然之一的部分。

照这样，不把自然或人类当作神的创造物，因而不承认观念的神为自然或人类的创造者，并且不拿那种观念的东西作为物质的东西的本源，——在这种处所，唯物论的根本的见地，就被确立了。

然则我们人类究竟怎样能够认识上述的种种物质呢？杜尔巴克说："我们知道物质，只由于知觉、感觉及物质所给予我们的观念。所以不论善恶好坏，只是依照我们五官的特别性质而加以判断。""我们虽能依着物质作用于我们的方法而认识它的特质及其属性中的某种东西，却不能知道物质的本体和它的真实的性质。""在我们看来，物质是以某种方法刺激我们的五官的东西。所以我们使它们归属于种种物质的诸特质，在物质出生于我们感觉之中的种种印象或变化上，具有它们的基础。"②

以上所述的，是杜尔巴克的认识论。我们因外界的物质给予我们感觉器官的刺激，具有关于外界的物质的一定的感觉。我们依着这种感觉，就认识外界的物质。这种认识，当然不能是完全的东西。我们只能"认识外界物质的特质及其属性中的某种东西"罢了。在这种意义上，我们是不能完全知道物

---

① 蒲列哈诺夫:《对于唯物论史的贡献》。
② 蒲列哈诺夫:《对于唯物论史的贡献》。

质的本体及其真实的性质的。不过,在这样经过感觉而得认识的东西以外,要凭空想某种东西的一件事,只是一种观念的、宗教的虚构。杜尔巴克说:"人们不断地反复着说:我们的感觉,只能指示我们以物的外壳,想用我们有限的精神去把握住神,那是办不到的。好! 在我们的感觉,从不会把神的外壳指示我们。……不管它具有怎样的性质,而我们对于它并没有什么观念的东西,在我们看来,毕竟是不存在的东西。"外物通过感觉,才对我们成为现象。"假若我们的感觉器官,并没有从对象受到何等作用,那末,我们关于这个对象,便不能有何等感觉、知觉及观念。如像想象、判断、反省、能动性这一类知的机能,虽都是从对象在我们中间生产的这些第一次的作用发生并发展出来的,而在那些一切的基础上,却横着感觉。"①

"人类,加入一定的体系,是和自己的欲求无关,并且自己也没有意识到,他由于规定他的行动的诸原因,而不断地蒙着变化。他是一个有机的全体,——是规定着那些成为他的本质的诸性质之物质的独特的结合。'自然'本来是没有理性的,但是它却能够使那种由诸物质的结合而被呼为睿智的独特的活动或能力发展起来,由于这件事,它就能够从自己的母胎产生出理性的本体来。所以(这样由自然母胎产出的)人类这个有机体,就是一幅具有感觉能力而能思维能行动的独特机械。人们一切的谬误,都是由于他们想象着人类是离自然法则独立的,或人类的肉体中有一种非物质的本体——灵魂——那样东西存在,人类是由肉体和精神两者结成的这一类的事情发生出来的。杜尔巴克说:'人们往往想象他自己本身中寓有一个与自身相异的,具有神秘之力的某种实体。他并且使那些和作用于他的器官的眼所能见的诸原因的性质既不同,又和这些器官的性质全异的诸般性质,都属于这个想象的实体。'不过在事实上,灵魂之为物,要不外是和某种能力相关联而被观察得到的肉体本身。灵魂是随着肉体同时蒙受变化的。要把灵魂与肉体加以区别,那只有在抽象上才能做到。因为当我们说及'灵魂'时,我们是把肉体或脑髓活动,由脑髓本身上,由人的身体上抽象出来的。哲学家们却把这个抽象物提高为

———————

① 德波林:《哲学与马克思主义》。

独立的实体了。"①我们往后还看看费尔巴哈和这同样的观察。

＊　　　　＊　　　　＊

杜尔巴克自身没有好好地生活下去,他在1789年大革命开始时便死去了。不过对于这个革命的准备,恐怕他所做的比较任何人都要多。布尔乔亚是已经把自己的敌人——贵族社会、僧侣社会和他们的权力——击破了。他们利用唯物论,不过是要与自己的敌人斗争。所以政权一旦拿到手,就立即抛弃唯物论与无神论,为了要压迫人民,便自行和教会结了同盟。现在,法国的布尔乔亚已成为世界反动的支柱。唯物论与无神论旗帜下的革命传统,早经移交到普罗列达里亚了。正如,普罗列达里亚之旗帜的解放,有着阶级社会之完全的扬弃的意义一样,他们之精神的解放,和宗教的及观念论的偏见之完全的清算,是有着联络的。

三、18世纪的唯物论之缺陷

恩格斯在反杜林格论(Anti-Dühring)中说到由德意志的观念哲学到近代唯物论的转换时,曾经说过下面的话。

对于从来德意志观念论,说它是完全不合理的那种洞见,必然地导入了唯物论。但是要注意:这里所说的唯物论,不是指着18世纪的完全形而上学的,纯粹机械论的唯物论。近代的唯物论,反对把从来的历史作素朴革命的、单纯的排斥,它的任务,是在考察历史中人类的发展的过程,并发现这种发展过程的运动法则。哪怕是18世纪的法国人,哪怕是黑智儿,他们都把自然作为一种不变的全体考察,这种不变的全体,是在一种由牛顿(Newton)所主张的恒久天体,或林讷(Linie)所主张的不变有机体而成立狭隘的环中,做着循环运动的。这种考察,是关于自然的支配的考察,恰和近代唯物论的所见不同。近代唯物论包括自然科学上的近代诸进步,据它说来,自然也在时间之中有着它的历史;就是天体,就是在适当的条件下生活着在这个天体上面的各种有机体,都是有发生有消灭的;假若许可用循

---

① 德波林:《哲学与马克思主义》。

环的名辞来说，那就能设想这个循环，是无限地扩大其外延的东西。总之，不拘在这两者(指历史与自然——河上补)的哪一方面，近代唯物论的本质是辩证法的，它早已不需要站在其他诸科学之上的哲学那东西了。①

如读者所见过的，恩格斯在这里认定 18 世纪旧唯物论的特征，是"完全形而上学的，纯粹机械论的"，而和那种唯物论相对立的近代唯物论(马克思主义的唯物论)的特征，"本质上是辩证法的"。即是说，这两者本质的差别，就在于前者是形而上学的，后者是辩证法的一点上的。这种根本的差异，在两者的历史观和自然观上面，就生出显著的差异。在下面试述其梗概。

＊　　　　＊　　　　＊

"18 世纪唯物论的明白弱点，就在它全然不曾具有何等进化的观念。其实这种弱点，不限于 18 世纪的唯物论，一般在马克思以前的一切唯物论，都是这样。一般哲学家对于自然、道德或历史这类东西的考察，都是以同一的方法，同一的缺陷，非辩证法地从形而上学的见地去接近它们。在这里，我们就杜尔巴克为要找出关于地球及人类起源之可信的假说，不知道费了多少心血这一点看来，就知道这是一件饶有趣味的事情。在今日，由进化论的自然科学而决定地被解决的问题，自 18 世纪的哲学家们看来，都像是一些不能解决的东西。"②关于地球及人类起源之杜尔巴克的假说的内容，如果由自然科学的显著进步的今日看来，简直是全无意义的，所以我在这里不想引用这种假说，只要把他所说的几个扼要点附记一下就够了。他在某种前提之下说：我们"可以相信人是不犯矛盾的，总是不断变化的"；同时在别的前提之下又说：我们可以把人类看成"自然之突发的产物"；于是他说："我们人类是不能知道一切的；人类的起源，也在不可知之列。""一切这些事情，在今日的我们，几乎是不能相信的。但是人却不可以忘却自然科学的历史。'自然的体系'公刊之后好久，大学者鸠比雅还在热心攻击自然科学上的进化思想，这件事我们是不能不想起的。"

---

① 《反杜林格论》，德文本，第 101 页。
② 蒲列哈诺夫：《近代唯物论史》。

在我们看来,比较有兴味的问题,是 18 世纪的唯物论者的历史观(因为我们今日,不论是对于自然或对于历史——人类社会——都是以究明马克思的唯物史观——即是在彻底适用辩证法的唯物论这件事上面成立的唯物史观——当作本来的职志,所以哪怕是讨论 18 世纪唯物论的弱点,也不能不置重那种历史观)。

法国的唯物论者,在他们的历史观上,遇着了一个不能解决的矛盾。那就是,他们一方面(俨然是唯物论者)以人类为环境的产物,同时在他方面(宁可说是转向着观念论的立场)又主张人类是支配世界——即人类环境——的东西。

他们把人类作为环境的产物这件事,是容易理解的。如前所述,"法国的唯物论者,曾把人类一切心的活动,看成感觉的变形物。由这个见地去考察人类心的活动,那就是把人类一切的表象、概念及感情看作是环境对于人类的作用的结果。他们非常热心地完全以决定的语气,不断地声明了下述一件事。即,'人类及人类的一切见解与感情,都是由环境,即是说,第一由自然,其次由社会造出来的东西'。爱而伯秋斯从这种种环境的影响的全体意义上,去解释'教育'这个名词,所以他说:'人类完全依存于教育。'像这样把人类看为环境之成果的见解,是法国唯物论者改革的要求之主要的理论基础。事实上,如果人类是完全依存于他的环境的东西,并且,人类自己性格上的一切性质,也是一切环境的产物,那么,性质中所具的缺点,便要归罪于环境了。所以我们人类如果要与自己禀赋的缺点斗争,就不得不以适当的方法,去改变人类的环境,特别是改变社会的环境"。①

然则这个社会的环境——人类之社会的存在——要怎样才能变革呢?法国的唯物论者们对于这个问题,是完全无力的。因为他们对于人类之社会的存在的变革,不能彻底地应用唯物论的见解;他们所见到的,仅仅是历史过程中人类意识的活动,而不去把握那离开这种人类意识独立而形成了的社会的存在,因而他们不能理解社会究竟是由怎样的物质的动力而经历着自然史的变革过程,其当中的结果,他们对于这个问题,便不得不站在和他们本来的立

---

① 蒲列哈诺夫:《史的一元论》。

场正相反对的观念论的见地了,例如依杜尔巴克所见,历史这东西,是没有被何等法则所规定的,在许多情形是极可悲的事变之无限系列。所以,如果借恩格斯的话来说,一切从来的历史,都被看成谬误的历史而"简单地排斥了"。人类把这样不幸的历史描写出来的原因,就是那种谬论,那种偏见,那种无智。"人们对于自己最有关系的对象,在观察上,表现得这样的无智,……其真实根源,恐怕是由于我们政治的及宗教的诸制度之不完全。"直至今日,"人类就是为了这种谬误而陷于不幸"的。所以杜尔巴克说:"差不多一切的人,都信仰着劝善惩恶的神。但是我们无论在哪一国,总看见恶人比较善人特别多。现在我们要探究这一般的堕落的真实的根源,也许能够从神学的概念自身中(即人们的意见中——河上补)发现出来。若从虚构的原因——即地上种种的宗教,是因为说明人类堕落而发现的——中,恐怕是找不出人类堕落的根源的。人类其所以堕落的,不论就任何地方看来,差不多都是由于被恶政治所支配的缘故。他们没有受到合于人生的统治,这是因为宗教,把主权者当作神明尊敬了的缘故。那些被保证了解除这个责任而自己堕落了的主权者们,势不得不使其国民陷于不幸并使其为恶人。人类只要是屈服着在不合理的主人之下,决不受理性所指导。人类的理性,被欺瞒的僧侣所蒙蔽了,就已成为一点用处也没有的东西。"①

照这样,法国的唯物论者,如上面所述,就遇着了一个不能解决的矛盾。那是说,一方面他们认定人类是社会环境的产物。由这个意见,就很合逻辑地生出了舆论不得支配世界的那种结论来。另一方面,他们又主张社会的环境,是由舆论即是人类造成的。由这种意见,就很合逻辑地生出了舆论支配世界,人类为了那个谬见,而陷于不幸的那种结论来。

把这样相对立了的,外表上互相矛盾了的两个命题统一在一个全体里面的一件事,从形而上学的见地说来,那是绝对不可能的。因而"社会生活的种种侧面的交互作用,便成了当时哲学家们能够翱翔空际的最高的哲学的立场"。不过仅仅承认这种交互作用,是决不能根本把握住历史的。鸡由蛋生,但蛋也由鸡而生。因为蛋坏所以生出坏鸡,但坏蛋所以生出来,是因为鸡坏。

---

① 蒲列哈诺夫:《近代唯物论史》。

像这样互相解释,终竟是把问题跑着循环的圈子。由于把那个问题的说明移向其他问题的一件事,应当被说明的问题,在外表上好像是一应被解决了。然而实际上,应当被解决的问题,究不过只把它的姿势变了一下。

"但是——蒲列哈诺夫说——比这更不愉快的事情,往往发生出来。人类是围绕着他的社会环境的产物。而这个社会环境的性质,却是被'政府'的行动所规定的。但那政府的行动,立法的活动,是属于人类意识的活动领域中的东西。这种活动,又是依存于以这种活动使它活动的东西的意见。这样,在不知不觉间,两个相反律中的一项(措定)便起了变化。这一项完全成了与它以前的敌手——即反措定——相同的东西。"为什么呢? 因为人们在这里虽是由"人为社会环境的产物,所以他的意见不得支配世界"的命题出发,迨经过了某种曲折的途径,便到达于"意见支配世界"的反对的命题。像这样"二律相反的外表上的消解,要不外是从唯物论彻底地分离的结果。人类的头脑——依着周围的社会环境与以印象,从而构成自己的这种'白蜡'——是断然要被那个从它接受印象之环境创造者所改造"。① 在这种意义上,18 世纪的唯物论者,并未能使唯物论彻底的应用在历史——人类社会——上,而在不知不觉间,退转到观念论上面去了。他们一方面把人类看作是围绕着他的社会环境的成果,同时又由人类性之不变的性质,去说明那环境之可变的性质,其结果,便陷入一种空想。因为"人类性如果是不变的东西,并且指导着人类的根本性质,而能够从它引出一个在伦理及社会科学方面的在数学上是确实的命题,那么,计划出一个完全适应人类性的要求的,因而又成为理想社会的组织的那种一定社会的组织那件事,便不见得怎么困难了。"后来空想的社会主义,就是从这种唯物论的基础上产生出来的东西。例如 19 世纪英国出现的伟大的空想的社会主义者欧文的思想线索(哪怕他自己意识到他的一切意见,是属于他自己独创的),便完全由上述的法国唯物论的系统所引导出来的。

*　　　*　　　*

这样看来,唯物论对于今后的发展上所剩留下来的主要问题,便是以下

---

① 蒲列哈诺夫:《近代唯物论史》。

两点：

1. 最先急于要做到的，就是必须弃形而上学的见地而采用辩证法的见地。这样一来，庶几可以使 18 世纪唯物论者感觉苦恼的矛盾，在辩证法上统一起来。从形而上学的立场出发，只有社会的环境（人类之社会的存在）和人类意识间的交互作用能够被认识出来。至于发现那种变动人类社会的存在及人类意识之历史的根本动力（也可说是发现人类发展过程的运动法则）这件事，是当作辩证法的唯物论之任务而遗留下来的。

2. 唯物论应该彻底地应用到历史上即人类社会上。人类之社会的存在，是依着它自身的运动法则而发展的。人类之社会的存在，不是依存于人类的意识、企图等；反之，人类的意识企图等，却反由它所规定。不变的人类性那东西是不存在的，它是当作社会的历史的产物而经历着不断地变化。所以这里的问题，是在于依着唯物论的方法去理解人类社会的存在之发展过程，因而舍去旧唯物论之自然主义的、个人主义的、机械论的见地，而导上历史的社会学的生物学的见地这一件事实上。

以下，我将按照顺序，看怎样可以解决这两个问题。

第五节　19 世纪德意志观念论之批评者费尔巴哈

"法国唯物论对于自然及历史上的变化问题之无力，把那哲学的内容，弄得非常贫弱了。……法国唯物论者的历史观，是站在纯粹观念论的见地——即意见支配世界的见地——之上的。虽然是很稀少地企图过要把唯物论彻底地应用到历史观上面，但因为某种轻浮质素闯入了'立法者'的头脑中，致令他们的头脑机能发生了错乱的缘故，他们居然在那个能使全世纪的历史过程变更的论题上去用功夫。像他们这样的唯物论，其实是一种宿命论，并且是一种不承认对于任何事体有预见的余地，即是说，不承认思维着的个人有对于意识的历史的活动的东西。所以这样的学说，在那些没有被卷入社会诸势力斗争中——在这种斗争中，唯物论是极左翼的可怕的理论的武器——的有能的人士看来，觉得是一种干燥无味的，暧昧的，值得失望的学说，这是毫不足怪的。如哥德（Goethe）他对于这种唯物论，就下过这样的批评。唯物论要避免这样的非难，便不得不舍弃干燥无味的抽象的理论，而转身由自己的见地去理解去说明'活动的生命'，或具体的诸现象之多种多样的复杂的连锁。但在当时的状态之下，唯物论却没有解决这个大问题的力量。于是观念论的哲学便乘机把这个大问题，劫夺去了。观念论的哲学发展上的主要的而且最后的一环，就是黑智儿的体系。"①

这个黑智儿哲学，是当作普鲁士王国的官学而在德意志繁荣起来的。关于这点，恩格斯曾照下面那样叙述过。

"在19世纪的德国的情形，与18世纪的法国的情形相同，都是由哲学上的革命，引起了政治的崩坏，但是在这两种的情形下，看来总该有什么相异的地方罢，法国人曾经和被公认了的整个哲学和教会，有时甚至和国家做过公然的斗争。他们的著述，是运到国外的荷兰或英国去印刷的。并且他们自己也往往不知道哪一天要被捕入巴士梯（Bastille）狱去。然而在德国人的情形，便大不相同了。他是大学教授，是被国家任命的青年教师，他的著述，是公认的教科书，而且是以全发展的终极体系自负的黑智儿哲学，是升到所谓普鲁士王国的国有哲学的地位上的！"不过在这个哲学体系之中——当时的政府以及对于这个哲学反对最有力的自由主义者们，都没有看透的；——却含有着哲学的革命的萌芽。黑智儿哲学的体系虽然瓦解了，然而从这个瓦解了的废墟之中——因为黑智儿哲学的方法与唯物论结合的缘故，——却生出了当作无产阶级哲学看的辩证法的唯物论。把观念论的辩证法颠倒过来，便甦生了唯物论的辩证法。

自然，这样一个颠倒的回转，不是一朝一夕所能做得到的，黑智儿哲学的流行，"是继续了数十年的一个凯旋的行列。并且这个凯旋的行列，在黑智儿死后，也一点不曾静止过。不但如此，由1830年到1840年之间，'黑智儿学风'简直蔓延到了独占的地位；就是反对黑智儿的人，也不能不多少受其感染。还有，在这个时代，黑智儿的思想，或是有意识地，或是无意识地侵入了所有一切的科学范围，而且在那些可视为有教育的人们的思想之粮的通俗读本

——————
① 蒲列哈诺夫：《史的一元论》。

或日刊新闻中也充满着。但是这个亘及全线的胜利,转瞬便成了在内部斗争的序曲。原来黑智儿的学说总体,对于包容关于实际问题的种种见解,是存有充分的余地的。当时德意志的理论界,如果谈到实际问题,首先便会涉及宗教及政治二者,黑智儿的体系的主要点,在宗教及政治两方面,具有颇为保守的理由。反之,把黑智儿的辩证法认为主要点的东西,在宗教上,在政治上,都具有属于极端反对派的理由。所以当19世纪30年代终了之时,黑智儿学派的分裂,就越发变得明了了。……及到1842年'莱因新闻'时代,青年黑智儿派,终于舍去了前此的装扮,就赤裸裸地把新兴急进的布尔乔亚的哲学正体显现出来,只不过为了瞒着检阅官而披上哲学的遮盖物罢了。但在当时,说到政治,却是布满了荆棘的原野,所以主要的斗争,势必向着宗教方面发展。并且,特别是在1840年以降,这种斗争,间接地也是政治的斗争。"①这种情形,从我们看来,重要的事体,是:"最坚决的青年黑智儿派一团,因为迫于对已成宗教去战斗的实际的必要,而反转到了英法的唯物论"。可是他们一度站在唯物论的见地上,他们就不能不变成和他们自身的学派的体系相矛盾了。因为唯物论是以自然为本源的东西,以观念为派生的东西;反之,在黑智儿体系观念的"外上,所谓绝对观念却是本源的东西,自然不过是由这个绝对观化"而产出的派生的东西,在这样的矛盾中,他们便左右分途了。

"正当着这个时候,费尔巴哈的基督教的本质出现了"——恩格斯说——"这部书由于无条件地把唯物论重新捧上王座,把上述的矛盾,一举而打得粉碎了。……当时依这部书所引起的助力,究竟到了怎样的程度,不是自己体验过来的人,是想象不到的。这实在是举世风动的名著。我们一时也曾是费尔巴哈的信仰者。马克思是如何欢迎这个新的见解,并且他——虽然保留了对于这个见解的批评——是如何深深地被这个见解影响着,这一点,我们看了神圣家族就知道的。"②

费尔巴哈的唯物论,是把我们前面述及的英法唯物论之成果继承下来的东西。马克思和恩格斯的唯物论,就是直接由于这个费尔巴哈的唯物论之深

---

① 恩格斯:《费尔巴哈论》。
② 恩格斯:《费尔巴哈论》。

化而产生出来的。如蒲列哈诺夫所说，"马克思及恩格斯的唯物论的见解，是在经费尔巴哈的哲学之内面的理论规定了的方向，发展起来的东西"。这就是我们所以要依着顺序而在这里把关于费尔巴哈的唯物论的根本见解，略加说明的原因。

费尔巴哈对于存在与思维之关系的提言，在关于哲学改革之论纲上，主要的是在那终结的部分揭举着。我在这里先把那中间的一二句引用出来。①

没有弃掉黑智儿的哲学的人，就是没有弃掉神学的人。所谓自然或实在是被观念订立出来的黑智儿的理论，要不外是所谓自然由神所创造，物质的东西由非物质的即抽象的东西所创造的神学理论之合理的表白。

自然是不能从存在分开的本质（Wesen），人类是能从存在分开的本质。不能分开的本质，是能分开的本质之基础——所以自然是人类的基础。

思维对于存在之真正关系，就在于存在是主语，思维是客语。思维由存在而生，但存在却不由思维而生。

此外，列宁在他所著《唯物论与经验批判论》中，也曾说过下面一段话。

费尔巴哈，如一般所周知，他是唯物论者；通读他的诸著作的马克思和恩格斯，也如一般所周知，是由黑智儿的观念论，移向他们自己的唯物论的哲学的。费尔巴哈在他对于洛哈伊姆的反驳中，写着下面这些话：

不成为人类的，乃至意识的对象之自然，无论如何，就思辨哲学看来，至少就观念论看来，都是康德的物的自体，是没有现实性的抽象，但是这个自然，却简直暴露了观念论的破绽。自然科学，至少从那现在的见地看来，必然会引导我们，达到下述之点；即是在人类存在的诸条件还未完备的当时，在自然即地球还不是人类的眼中或意识中的对象的当时，自然确实已经绝对地非人类的存在。……

---

① 《著作集》，1846 年版德文本，第 262、264、263 页。

看！费尔巴哈关于唯物论与观念论,是从人类以前的自然的观点,而照那样考察着。①

我们要把上面引用的费尔巴哈的话加以浅近的解释,那就是这个意思,——依据自然科学的教训,地球最初是不会有生物存在过,生物是经过了长期的进化过程,才在这地球上发生的;那种生物又经过了长期的进化过程,人类才从它们当中发生出来。所以,在没有人类,因而在没有人类精神那东西存在着的老远以前,地球的本体,是早经存在着的。这件事是简单明了的并且没有争论余地的,把地球自身绝不是从人类精神产出的那件事证明了。总之,费尔巴哈的说明:物质不是由精神派生出来的,精神却是由物质派生出来的。关于这点,列宁还如下面那样叙述过。

在人类及一般任何生物不曾或不能在地球上栖息的状态以前,地球早经存在着,这件事,是自然科学确确凿凿地证实了的。有机的物质(生物),是比较后代的现象,是经过了长期进化的结果。……物质是第一次的东西,思想、意识、感觉是极高度的进化之产物。像这样,才是唯物论的认识论,自然科学是本能地站在这个基础之上的。②

然则思维(意识、精神)究竟怎样由存在(自然、物质)生产出来呢？

费尔巴哈用脑髓之人类学的解释,来答复这个问题。他说:"不拘是唯物论[这是指着布勒(Ludwig Buchner)及孟希托所代表的粗朴的唯物论——河上补]或观念论,或生理学,或心理学,都不是真理。算是真理的,只有人类学(Anthropology),只有感觉的直观的见地,才是真理。这是什么缘故咧？因为只有这种见地,才能与我以全体性和个性。灵魂不是能想能感的东西——为什么呢？因为灵魂不外是被人格化,并被实在化,被转化为一个本体的思维的感觉和意欲之机能或现象——脑髓也不是能思能感的东西,为什么呢？因所

---

① 《唯物论与经验批判论》,德文本,第68—69页。
② 《唯物论与经验批判论》,德文本,第59页。

谓脑髓,是一个生理学的抽象,是与全体分开了的,与头盖面容及肉体分离了的,被它自身固定了的一个器官。质言之,就是脑髓只有在它与人类的头脑和身体相结合的时候,才是思维的器官。"①思维这个东西,是当作一个物看的人类身体的属性。人类的身体,"不论其各部分的性质如何,总是'一个物',是一个个性的有机的统一。这样的有机的统一,就是表象与感觉的原理。不消说,这个统一是能够被分解的,但是一经分解,它马上便不是一个有机的活动的身体,不是一个存在着的东西了。"②又"我固然能够凭着想象力,把我的脑髓设想为客体,这样一来,自然能够使脑髓与我相区别,但是这种区别,仅仅是理论的,或者宁可说是想象的,绝不是实在的"。"从我自身被区别了的脑髓,单是被想象了的东西,被观念化了的东西,并不是实在的脑髓。"像那样的生理学的抽象物,不是能想能感的东西。思维着的东西,是当作一个被统一了的物质之存在看待的人类——在他自身的里面,不可分离地包含有当作思维机关的脑髓。固然,在心理上,即就思维着的本人看来,思维并不是脑髓的活动。"我完全不知道我具有脑髓这回事而能够思维。""被我们的意识与感情摄住的东西,只是结论而不是前提;只是结果而不是有机体的过程。"所以,我当然把思维从脑髓活动分离起来。"但是却不能以为思维在我不是脑髓活动,倒反是从脑髓被分离了的独立的活动,就说思维在它的自身也不是脑髓活动,却反而应该说思维正是脑髓的活动。在我看来,或者从主观上看来,一个纯粹精神的、非物质的、非感觉的活动那东西,在其自身上,或者在客观上,便是一个物质的感觉的东西。"这样看来,主体与客体的同一性,对于脑髓活动与思维活动是特别妥当的。"脑髓活动,是被我们自身附以基础加以规定的最高活动。——因为这样,所以这种活动,早已成了离开我们,便不能被知觉的活动。"在这种当作最高活动看待的脑髓活动上"任意的、主观的、精神的活动,与非任意的、客观的、物质的活动,是同一的,是不能区别的"。所以就我们的意识来说,思维上的主观的活动与客观的活动之对立是消失的,"正因为这样,所以思维是绝对主观的"。③

———————

① 《反对肉体与灵魂的二元论》,见《著作集》第二卷,第362页。
② 《反对肉体与灵魂的二元论》,见《著作集》第二卷,第357—358页。
③ 《反对肉体与灵魂的二元论》,见《著作集》第二卷,第349—351页。

照费尔巴哈的意见,我对于我自己为"我",同时对于他为"你"。我是主体,同时又是客体。"不是我。否!被区别而又不可分离的结合着的我与你,主观与客观,是思维与生存的,哲学与生理学的真正原理。"(Ueber spiritualismus und materialismus)①"思维不是实在的原因,而是实在的结果,若更精密地说,思维简直是实在的一种属性。我所感觉的,所思维的,并非当作对向客观的主观,而是当作主观—客观(Subjekt-Objekt),当作实在的物质的存在。'客观在我看来,不仅是感觉的对象,而且是感觉的基础、条件,或前提。'客观世界并非仅是在我们外部存在的东西,就是'皮肤内部',也有客观的世界。人类单是自然的一部分,是实在的一部分。所以人类的实在与思维,决不能互相对立。空间及时间,并不是只对思维存在的东西。两者又是实在的形式。两者虽是我的直观的形式,这'只因为我自身是空间与时间的存在,并且只有当作这样的东西,才能感觉,才能直观,才能思维'。就一般而论,实在的法则,也就是思维的法则。"②

第六节　当作马克思主义哲学上的 根本见地看的唯物论

我们在前节所说过的,是费尔巴哈对于意识与存在的关系的根本见解。我们于是知道他的主张是:"思维由存在而生,存在不由思维而生";其次,由观念哲学抬高到一个独立的存在的那种灵魂或精神,不外是把那些和人类肉体不可分离的结合着的脑髓诸机能被抽象起来使它人格化了的结果。这两个主张,我们在第三和第四节已经说过,在 16 世纪的荷兰,17 世纪的英国,以及 18 世纪的法国,都是伴着布尔乔亚的革命(封建束缚的打破)而勃兴了的——因为随着布尔乔亚革命的不彻底而中止其发展的——思想,现在费尔巴哈当着反抗德意志观念哲学的时候,重又把这种思想提出来,因此对于唯物论之普罗列达里亚的发展,便开了一个端绪。

费尔巴哈的这些根本见解,如实地被马克思及恩格斯所采用,"它便成了

---

①　《著作集》第十卷,1890 年版,第 176 页。

②　蒲列哈诺夫的说明见《马克思主义的根本问题》。

他们的哲学的根底这件事"——如蒲列哈诺夫说,"征之恩格斯的《费尔巴哈论》及《反杜林格论》两著作,便能够最明了地证实出来"①。而且这件事,正是使马克思及恩格斯——如后所述——能够把黑智儿的辩证法颠倒过来的一个前提。"因为他们如果不相信费尔巴哈所主张的,不是思维制约存在而是存在制约思维那个命题为正当,他们就不能把黑智儿的辩证法颠倒过来了。"(见前揭书)"不是人类的意识,决定他们的存在,倒是人类社会的存在,决定他们的意识(社会的意识)。"这个唯物史观的命题,不外是费尔巴哈所主张的"思维由存在而生,不是存在由思维而生"这样一般的命题,在特别情形下所形成的东西。现在我们在本节所要弄清楚的,就是限于前节所述的费尔巴哈的根本思想,怎样被马克思及恩格斯继承的一点。至若马克思及恩格斯所主张的唯物论的见解,一切又已经由列宁承继下来且加以阐明了。这件事,打算留在本节的末尾,一为论及。②

---

① 《马克思主义的根本问题》。

② 关于费尔巴哈与马克思及恩格斯的关系,蒲列哈诺夫曾照下面那样说过:"当我们论及马克思与恩格斯曾经暂时做过费尔巴哈的追随者的时候,便往往有人要说:依据这件事实,就表明马克思及恩格斯的世界观,后来变化过来完全从费尔巴哈的世界观分离了。……这是极其谬误的见解。马克思及恩格斯,后来虽说是停止了做费尔巴哈的追随者,但是他们仍和以前一样,对于费尔巴哈哲学上的重要部分,还是共鸣的。不是思维规定实在,倒是实在规定思维的这思想,乃是横在费尔巴哈的一切哲学上的根本的思想,但是同一的思想,却被马克思在唯物史观的基础上把捉了。马克思及恩格斯的唯物论,虽然是比较费尔巴哈的唯物论提示着更为发达的理论,但是他们的唯物论的见解,却是在那个被费尔巴哈的哲学理论所规定了的方向上发展出来的东西。所以在那些不知道费尔巴哈的哲学之中之显著部分,被移入到科学的社会主义创建者之世界观里面去了的人们看来,总觉得马克思与恩格斯的唯物论的见解,是不大分明的东西。"

还有如上面引用了的蒲列哈诺夫文章中所指摘的那样,马克思及恩格斯关于社会的唯物论的见解(唯物史观),"是在那个被费尔巴哈的哲学之内面的理论所规定了的方向上发展出来的东西"。费尔巴哈对于存在与意识之关系的见解,由马克思及恩格斯照原样移到社会方面去了。如像费尔巴哈承认了离开意识而独立的存在一样,马克思和恩格斯承认了离开社会的意识而独立的社会的存在。唯物史观的核心,就存在这种地方,这一点,我们打算留到后面再详加解述。现在只有把列宁的话引用几句。

"一般的唯物论,承认离开人类意识、感觉、经验等等而独立的,在客观上的实在的存在(物质)。史的唯物论(唯物史观)承认离开人类社会意识而独立的社会的存在。意识在后一种情形也和在前一种情形一样,都不过是存在的反映,并且在适当的条件下,意识便几乎是存在的正确(适当的理想上的正确)反映。人们要想不离开客观的真理,不陷于拥护布尔乔亚的反动谬见,便不能从这个浑然一体的马克思主义哲学,单单抽出一个根本的前提,或一个本质的部分。"(《唯物论与经验批判论》,德文本,第 332 页)

＊   ＊   ＊

列宁曾这样说过："马克思及恩格斯……当着唯物论一般的在进步的知识阶级间及特殊的在劳动者的范围内占着优胜的时代,也曾踏入了哲学的领域。所以他们的全注意,不再反复旧有的理论,而在发展唯物论之真理的理论,把它应用在历史上,即是说,他们在使唯物论哲学的建筑,达到登峰造极的境地,这个倾向,是非常自然的。他们在认识论的领域内,订正了费尔巴哈的谬误,……并且极力宣传为通俗的——即在劳动者范围内博得了最多读者的——著述者们所特别欠缺的辩证法,他们以这种工作限制自己,那完全是出于自然的。"①这样看来,马克思与恩格斯并不会把他们的全注意,贯注在反复旧的理论上面。虽然他们的唯物论的见解,在实际上,从费尔巴哈哲学中采取了最显著的部分,他们却是以订正费尔巴哈的谬误一类工作限制自己的。不过这在那些不去"多少具体地理解上述历史的条件"的人们看来,总"觉得马克思或恩格斯的唯物论的见解,是不大分明的东西"。我现在想把马克思及恩格斯与费尔巴哈相关联的这一点弄个明白。

我们在下面所引用的文句,大部分都是取自恩格斯的《反杜林格论》及《费尔巴哈论》,尤其是《反杜林格论》(其中附有 1878 年 7 月 11 日第一版的序文),我们可以说那是贯彻马克思主义全体的一部最堪注目的著述。关于这点,恩格斯自己曾在 1875 年的序文中,这样叙述过。

在这部书里面批判了的杜林格氏的"体系",在非常广阔的理论领域中扩张着。我把它追寻到任何处所,总感觉得有使我的见解与他的见解对立起来之必要。因此消极的批判,竟成了含有积极的内容的东西。论战就一变而为由马克思和我所主张了的辩证法的方法及共产主义的世界观的,多少整理了的叙述,而且这个叙述,涉及了颇广泛的领域。我们这种观察的方法,最初在马克思的《哲学之贫困》里面,又在《共产党宣言》里面,它从问世以来,到《资本论》出现以后,已经以加速度的速度,不断地扩大它的势力范围,现在已远远地超过了欧洲的限界以外,只要一方面

---

① 《唯物论与经验批判论》,德文本,第 204 页。

有普罗列达里亚,另一方面有无所顾虑的科学的理论家的所谓一切国家直到已经发现它的承认和支持为止,已是经过了二十年之久的潜伏期(Inkubationsstadium),因为那样的理由,似乎还有许多人为要得到把那对于今日在许多关系上早就成为无对象的杜林格氏的文章的论战,做一个关联于它而述说着的积极的说明起见,像要耐心等待的那样,对于这个问题大感兴味。①

在这里,为了恩格斯所说的"二十年之久的潜伏期"的一点,而"以为马克思与恩格斯的唯物论的见解是不大分明的东西"那件事,是能够发生的。但是我们如果把《反杜林格论》好好地注意读下去,也许会发现马克思及恩格斯的唯物论的见解,已在这部书里面,充分地表明了。

还有恩格斯于我们在前面引用了的那些话之后,接着做了如下的注意:"顺便地说,在这里所述及的思考方法,大部分都是由马克思树立的;至于由我所树立的,极为有限,所以这个叙述,当然不是没有告知马克思去做的。我的一切原稿,在印刷之前,都曾读给马克思听过……"

我们由上面的引用语看来,就知道《反杜林格论》在阐明马克思主义之哲学的基础这一点上,是有怎样重要的价值的了。同样,关于恩格斯的《费尔巴哈论》(原名为《费尔巴哈与德意志古典主义之终结》),我们也要加以说明。在那部书里面恩格斯自己的序文(1888年)也有促起我们的注意的地方。那就是:当他述及他与马克思在1845年共同执笔从事著作哲学上的论文,终于未得到公刊的机运一层之后(这种论文,是指着被收集在近年苏俄编纂的《马克思及恩格斯全集》第一卷里面的《德意志的观念形成论》),接着说道:

此后,我们两人,都没有机会回头来把这个题目加以讨究,迁延四十余年的岁月,马克思已经死去了。关于我们对黑智儿的关系,虽曾分别在各处发表过,但直至今日,却不会有一个概括的说明。并且我们对于在许多方面实际成为黑智儿哲学及我们的见解之中间点的费尔巴哈,迄今也

① 《反杜林格论》,德文本,第12页。

不曾一度回头论述过。

　　但是在那个期间，马克思的世界观，已经超越了德意志及欧罗巴的境界，而在文明世界的一切国语中，找到了它的代辩者……

　　在这种事情之下，我觉得就我们对于黑智儿的关系，以及我们从黑智儿哲学的出发和分离的经过，越发有加以简单系统地叙述之必要。同样，我还觉得我们对于充分承认费尔巴哈比较任何后期黑智儿派哲学者给予了我们全青年时代最大的影响这件事，是早应了结而尚未了结的名誉债。所以现在当着新时代杂志（Neue Zeit）编辑部请我批评斯塔克（Starcke）关于费尔巴哈的著述的时候，我就喜欢捉住这个机会……

　　"不论是谁，只要他把《反杜林格论》及《费尔巴哈论》稍加注意地去读，他定会发现恩格斯关于物，及物在人类的头脑、意识、思维等上面的映像所说的许多实例。"（列宁）

　　我现在不妨在这里举出这所说的实例中的少数例子看看。

　　　物及其思想的映像即概念……①
　　　精确地叙述世界全体，世界发展和人类发展，以及这种发展在人类头脑中的映像云云。
　　思维是从何处得到这些原则（在这里作为问题的，是一切认识的根本原则）的呢？是由思维自身得来的么？不是的……这些形态［我们由思维去认识的存在的或外界的诸形态］，决不能由思维自身导出，而真正是只能从外界创造并导出的……原理不是被适用在自然或人类历史上的东西，而是由自然或人类的历史抽取出来的东西。自然或人类世界，并不受原理所规律，原理只限于与自然及历史一致时，才是正确的。这几层，是对于事物之唯一的唯物论的观察方法，而和这正相反对的杜林格的观察方法，是观念论的。杜林格氏的观察方法——恰如黑智儿一样——完全把事物颠倒起来，以为现实的世界，是由思维所构成的，由那种被作为

――――――――――――

①　《反杜林格论》，德文本，第6页。

从世界以前即是永劫地存在着的某种图式、计划或范畴所构成的。

大概把以上例示的诸种表现看起来,恩格斯把存在作为本源的东西,把思维作为派生的东西的一件事,已是明白了。而且他的这种主张,与费尔巴哈所说的"思维由存在而生,存在不由思维而生"的主张,完全是同一的见地。为要使这件事更加确定,我还要在《费尔巴哈论》中引出若干文句(虽则有一部分是先前引用过的,但在这里是要把首尾一贯起来)。

这部书(指费尔巴哈的《基督教本质论》——河上补)无条件地把唯物论重新捧上王座,把上述的矛盾(黑智儿观念论里面所含的矛盾——河上补)一举而粉碎了。自然是离开一切哲学(改说为"人类意识"也可以——河上)而独立存在的。自然是为自然的产物的我们人类在它上面发育着的基础。除了自然与人类以外,什么东西都不存在。我们的宗教的空想所造成的人类以上的本质那东西,不过是我们自身的本质之空想的反映。于是束缚被解除了,"体系"被粉碎而抛弃,矛盾当作只在构想中存在的东西被解决了。——这部书使我们从矛盾中解放了的力量究有多大,不是自身体验过来的人,是不会想象的。我们一时曾为费尔巴哈的信仰者。马克思如何欢迎这个新的见解,并如何蒙受这个新的见解的影响——虽然也有不同意的地方,——我们一看《神圣家族》就明白了。

费尔巴哈哲学的哪一部分,被导入了马克思主义之中呢?我们一看上面的文句,当可明了。恩格斯在同一著作中,还说过下面的一段话(这虽然也是前面引用过的,但这里比较上面引用的部分为多)。

一切哲学的,特别是近代哲学的基础的大问题,就是关于思维与存在之关系的问题。……思维对存在,精神对自然之关系的问题,全哲学的这个最高问题,也不亚于宗教,在野蛮时代的狭隘无智的诸观念中,有着它的根蒂。但是,这个问题开始被用于充分地明确提供出来,开始获得它的全意义,那是在欧洲人从基督教的中世纪长久冬眠时代觉醒过来的时候。

关于思维对存在之位置的问题……精神与自然究以何者为本源的问题,——这个问题一提到教会方面,更尖锐化到了究竟是上帝创造了世界还是世界有史以来就存在的那样的地步。

因为回答这个问题的解说不同,于是哲学上便分裂而为二大阵营。主张精神对自然的本源的哲学家,因而结局必定承认某种类的世界创造的人们,……形成了观念论的阵营。反之把自然看作本源的东西的哲学家,就属于唯物论的种种流派。①

在这里,恩格斯把马克思和他自己都认为是属于以自然为本源的唯物论的流派一件事,那是不待说的。他在同一著述的后节,当他述及黑智儿使事态倒立的辩证法,后来由他们的手里再颠倒过来这件事实的时候,他还这样的说过:

我们不是(像黑智儿那样)把现实的事物看作绝对观念的种种阶段的映像,而是把我们头脑中的观念,也看作是在唯物论上面的现实的事物的映像。……同时,观念的辩证法那东西,也不过是现实世界的辩证法的运动之意识的反映;用头脑倒立着的黑智儿的辩证法,就被变为再用脚直立了。②

我在前面,已经把《反杜林格论》中的"物及其思想的映像即概念"那个文句指出了,但在这个《费尔巴哈论》之中,也发现像"我们头脑中物之思想映像即概念"这类文句。③

依据恩格斯,"生活是蛋白质的存在的方法,而这种存在方法,是以该物体之化学的构成要素之不断自己更新为其本质"。④ 且感觉那东西,是"迄今尚未能充分知道的一定蛋白质物"的一种属性。关于这个问题,列宁曾这样

①　《反杜林格论》,德文本,第13—14页。
②　《反杜林格论》,德文本,第38页。
③　《反杜林格论》,德文本,第39页。
④　《反杜林格论》,德文本,第74页。

说过:"这种见解(唯物论者的真实见解)的本质,并不是我们把感觉从物质运动导出或把它还原于物质运动的一件事,倒反是把感觉认为是行着自己运动的物质的诸种属性之一的一件事。在这个问题上,恩格斯……之所以表示他自己与那般'俗学的'唯物论者不同,因为那般唯物论者中如布勒及孟希托等,是迷信着我们的脑髓分泌思想,恰如我们的肝脏分泌胆汁一样。"①在这里,我们当然会想起:费尔巴哈不把思维作为实在的原因,而作为实在的结果,或更精密地说,把思维作为实在的一种属性的那件事来。

所以,恩格斯把费尔巴哈在这里停顿下来的见解,即马克思和他自己继承它而使其内面的发展之进行得以实现的见解,像下面那样规定着。

> 费尔巴哈的发展途径,是一个黑智儿主义者——当然决不完全是正统派的——达到唯物论的途径。在一定阶段上,那种发展,是有和它的先行者之观念的体系完全绝缘的必要的。费尔巴哈卒至迫于一种不可抵抗的力,而采取了以下的见解。即……物质的,在感觉上能够知觉的世界——我们自身也属于这个世界——是唯一现实东西;我们的意识与思维尽管是怎样好像超感觉的东西,不外是一种物质的、肉体的器官即头脑之产物。物质不是精神的产物,反而精神那东西只是物质的最高产物。这种思想,不消说,是纯粹的唯物论。不过费尔巴哈达到这个境地,便停顿下来了。②

更就上述诸问题言,列宁照原样完全承继马克思及恩格斯的见解,就中他在所著的《唯物论与经验批判论》中,对于离开了马克思主义哲学的基础是一切见解,痛加攻击,并努力拥护正统的立场这件事,是世所周知的。我现在从这部书里面,引用几节代表这种意见的文句。

> 尽人皆知其为马克思的协作者,为马克思主义的协同创立者的唯物

---

① 《唯物论与经验批判论》,德文本,第29页。
② 《唯物论与经验批判论》,德文本,第18页。

论者腓特烈·恩格斯,在他的一切著作中,时常而且特别说到物及物之思想的映像或思想的反映,但这所说的思想的反映,绝不是离开感觉能够产出的,这是自明的道理。①

唯物论和自然科学完全一致,把物质作为本源的所与的东西,意识、思维、感觉作为第二次的东西。因为感觉在明白显露了的姿态上,只有与物质最高形态(有机的物质)结合着,而在"物质的建筑物的柱石"中。我们只能够推测那与感觉相类似的某种能力之存在。②

如果彩色是只依存于网膜上的感觉(这是自然科学所强求于诸君去承认的),那就是说由于光线落在网膜之上而造出色彩的感觉,这即是说:在我们的外部而和我们自身及我们的意识独立的物质或种运动存在着,例如具有一定的长度与速率的以太波存在着,它作用于网膜,并对我们造出一定色彩的感觉。这一点在唯物论上是这样,在自然科学上也还是这样。并且关于各样色彩的各种感觉,都是依着在人类的网膜外部——在人类的外部并且不依存于人类——存在着的光波之种种长度而得到说明的。这样才真正的是唯物论。——物质作用于我们的感觉器官而发生感觉。感觉是依存于脑髓、神经及网膜等,即是依存于以一定方法而被组织的物质[像这样以一定的方法,被组织成为最高形态的物质的一种属性,即是感觉——河上补]。物质的存在,不依存于感觉。物质是第一次的东西,感觉、思维、意识,是以一定方法,被组织着的物质之最高产物。像这样的见解,在一般的方面是唯物论的见解,在特殊方面是马克思及恩格斯的见解。③

物质是第一次的东西,思维、意识、感觉是极高度的进化的产物。这就是唯物论的认识论。自然科学就是本能的立在这个基础之上的。④

精神与肉体的二元论之唯物论的排斥(即唯物论的一元论),就以下面一件事做它的本质,即是说,精神不离开肉体而独立存在,精神是第二

---

① 《唯物论与经验批判论》,德文本,第22页。
② 《唯物论与经验批判论》,德文本,第27页。
③ 《唯物论与经验批判论》,德文本,第37页。
④ 《唯物论与经验批判论》,德文本,第59页。

次的东西,是头脑的一种机能,是外的世界之反映。①

第七节 关于研究上的唯物论的出发点

马克思及恩格斯把费尔巴哈的唯物论深化,因而建立了辩证法的唯物论,建立了史的唯物论。所以他们一方面继承着费尔巴哈哲学中的合理的部分,同时对于费尔巴哈的弱点,毫不懈怠地加以批评——这样的劳作,如果借列宁的话来说②,就是:他们"主张比较辩证法的唯物论更进一层的辩证法的唯物论,主张比较史的唯物论更进一层的史的唯物论"。现在我们的目标,是把在马克思主义上被实现了的那个"唯物论哲学向上部的完成"的过程,在和它的隐藏着的基础相连的地方,尽可能地顺着次序,并毫无遗漏地追索下去。因为这样,所以我暂且把辩证法的问题,留到下面讨论,这里首先应该注意到的,就是唯物论本身——即其最初的柱石——的极稳固的建设。不消说,唯物论与辩证法,如后面所说明的一样,本来是有不可分离的关联的;辩证法自身,只有建立在唯物论的基础上,才能采取合理的形象,同时唯物论那东西也只有依着辩证法,才能被深化被强化。所以当我们在这里说明唯物论自身的时候,我们的考察越是推进,便越是渐渐不期然而然地触到辩证法了。这是极自然的事体,也就是不可避免的事体。但是不论辩证法与唯物论的关系是怎样密切,我们暂时在这里是以阐明唯物论为主旨,此外还想把关于唯物论的几个论点弄个明白。

由这个见地出发,首先成为问题的,便是关于研究上的唯物论的出发点。——现在如果从唯物论的见地说,关于研究上的出发点,便是外的现象,是经验的事实。这件事,我们要进而加以说明。

*　　　　*　　　　*

如前所述,自唯物论者看来,存在是本源的东西,意识是由存在派生的东西。意识被存在所规定,存在却不被意识所规定。所以唯物论者以为存在在

---

① 《唯物论与经验批判论》,德文本,第75页。
② 《唯物论与经验批判论》,德文本,第336页。

根本上就不应该由意识去说明。那是自然明白的道理。因为本源的东西，是不能由派生的东西去说明的（如果把这个见地移到人类社会——社会现象——上，就是："人类之社会的存在，不由他们的意识所规定，倒是他们的意识，由他们之社会的存在所规定。所以，他们之社会的存在，不应该由他们的意识去说明，反之，倒是他们的意识，应该由他们之社会的存在去说明的"这样一个关于史的唯物论的根本命题，就产生出来了。但这个特殊问题，仍旧要留在后面讨论）。

然而这种关系上，便可以发生如次的问题。固然，存在不依存于我们的意识，而是离开我们的意识独立存在着，所以存在就不当由我们的意识去说明。但是，假如存在自身是像这样离开我们的意识独立着的东西，那么，它若不在某种地方上成为我们的意识内容、结局，便不能成为关于意识的问题了。存在究竟是怎样能够成为我们的意识的内容的呢？

唯物论者对于这个问题的回答，我们在前节也已经说过了。那，依据唯物论者的回答，由于把那离开我们的意识而独立存在的外的世界，反映到我们的头脑中的一件事，而把外界刺激的能力（energy）转化为我们的意识事实的东西，不外就是我们的感觉（当作我们的感官之一属性看的感觉）。这件事，列宁曾如下面这样极力主张过。

　　就一切没有被教授的哲学所迷住的自然科学者看来，就一切唯物论者看来，在事实上，感觉总是意识的，以及和外界的直接的关联，是外界刺激的能力向着某种意识事实的转形，这样的情形，是各个见过无数百万次的，而且现在也一步步地见着的。①

　　他们（主观主义者及不可知论者）不承认那个当作我们感觉之泉源看的离开人类独立的，客观的实在。他们没有见到感觉中的这种客观的现实之忠实的描写。他们陷入了对于自然科学之直接矛盾，而为一切信仰主义开了一切的门户。反之，在唯物论者看来，世界是比较它的外观更丰富的，更生动，更多样的。因为科学上的发展每进一步，每每会在世界

———————————

① 《唯物论与经验批判论》，德文本，第33页。

中发现新的方面。在唯物论者看来，我们的感觉，是唯一的，而且最后的，客观的实在之映像。——在这里所说的最后的实在，并不是说它已经被人们完全知道到终极，而是说在它以外，别的东西都不存在，也不能存在。①

我们承认，在我们的外部有离开我们独立的客观的实在。这种客观的实在，就是我们的感觉的源泉。例如具有一定的长度与速力的以太波的一定物质的某种运动如果存在，这种外界刺激的能力，便会在我们感官上发生作用，使我们有一种色彩的感觉。这样的感觉，决不能算是客观的实在之完全的映像。可是我们除了这种感觉，便没有法子知道客观的实在之存在。

现在由于把这种感觉做媒介，外界的事物，照原样反映在我们头脑内的最初姿态，那就是所谓外的现象，所谓经验的事实。唯物论者当作他们最初的研究出发点看的，就是这种意义上之外的现象。外的现象是由外的世界，反映在人类头脑中，当作思维之材料，而被提供于人类的东西。唯物论者，不是拿在这种思维材料上被构成了的某种思维的产物，做思维的出发点，而是要求对于这种思维的材料本身为其最初的出发点。

这件事，费尔巴哈在马克思及恩格斯以前，已是极力主张过的。他从"非哲学"方面，寻求"哲学"的出发点。依他的意见，理论不应由抽象的理论出发。他必得在最初而且在本源的方面，由理论以上或理论以前的现象的具体事实出发。关于此点，他曾在《关于哲学改革的论纲》里面，像下面这样的说过：

> 哲学的始点，不是神，不是绝对的东西，也不是看成绝对的或观念的客语的存在，——哲学的始点，是有限的东西，是被规定了的东西，是现实的东西。
>
> 由抽象的东西到具体的东西，由观念的东西到实在的东西的思辨哲学的进路，是颠倒着的。采取这样的进路时，到底不会达到真实的客观的

---

① 《唯物论与经验批判论》，德文本，第116页。

实在性,所达到的,不过是抽象的实在化,所以结局便无从得到精神上的
真正自由。

　　把所有的东西,照它本来的面目去说——即是说,真实地去说真的东
西,看来似乎浅薄;把所有的东西不照它的本来面目去说,——即是说,不
真实地、颠倒事实地去说真的东西,看来倒像深刻。

　　哲学不是以它自己本身为始点,而应该以那个与它反对的非哲学的
东西为始点。这个从思维被区别了的,非哲学的,绝对非烦琐的本质,就
是感觉论的原理。

大凡在这些言论上,可以作为哲学出发点的东西,或说是"有限的东西,
被规定了的东西,现实的东西";或说是具体的东西,现实的东西;或说是"把
所有的东西照它的本来面目去说";或说是"从思维被区别了的,非哲学的东
西"等,都是指着同一件事。用一句话说,结局是:思维不是应该由思维出发;
思维的出发点,必定是看成思维之材料的一定的外界现象——经验的事实。

＊　　　　　＊　　　　　＊

费尔巴哈关于哲学之出发点的这种见地,曾由马克思及恩格斯照原样承
继下来了。他们在 19 世纪 40 年代,就已经这样述说过。

　　在我们所视为开始的诸前提……是现实的前提。这些前提,纯粹是
以经验的方法规定了的。①

　　我们观察的方法,并不是没有前提的东西。它是从现实的诸前提出
发,一瞬时也不看漏它们。可是这所说的前提,不是在某种空想的闭锁性
与固定性上的人类,而是在一定诸条件下,即是说,在现实的,能够由经验
见到的发展过程上的人类。

由这种见地看去,我们对于下面恩格斯关于唯物论的认识的规定——这
与前面引用过的,关于哲学上的两大阵营的文字上的表现,自然是具有不同的

---

① *Marx-Engels Archiv.*Ed.I.S.237.

表现——便可以得到理解。

由黑智儿学派的解体，就产生了实在有果实的唯一的东西即另一倾向，这个倾向，大体上就成了与马克思的名字相连的东西。

而且，由黑智儿的哲学分离出来的一件事，也是由于复归到唯物论的见地一层而显现了。即，这一派决心要把现实的世界——自然及社会，——并不存着先入为主的观念论的妄想，而依照任何人的眼中都是映入的那种原形去捕捉的。即是决心要牺牲那和在它的自身的联络上——绝不是在空想的联络上——被捉住了的事实不可调和的一切观念论的妄想。唯物论的意义，尽在于此。①

概括起来，原理不是研究的出发点，却反而是当作研究的结果产生出来的。费尔巴哈所谓"哲学不能够以哲学为出发点"，这就是这个意思。恩格斯还说——

思维是从何处取来了这些原理呢？是由它自身取来的么？不是……思维决不能由它自身创造出这些形态——存在的，外界的诸形态——这些形态，仅仅是由外的世界创造出来的。

原理不是研究的出发点，而是它的终局的结果。原理不是被应用在自然及人类史上去的，倒可说是由自然及人类史上抽出来的。自然及人类世界，不依从于原理，原理只有和自然及人类历史一致时，才是正确的。像这样的见解，就是对于事物的唯一的唯物论的见解。②

马克思在《资本论》上采取的见地，也不出这个范围。谁都知道《资本论》第二版的跋文中，曾引过俄国《欧洲通信》的评言；关于这个评言，马克思自己说，"这位作者，就他呼为马克思的真正方法的东西，加以这样褒扬的叙

---

① 《费尔巴哈论》，德文本，第 37 页。
② 《反杜林格论》，德文本，第 21 页。

述……"因为在评言中,有下面这一类话。

　　从马克思看来,只有一件事是重要的,那就是发现那种关于他现今正事研究着的诸现象的法则。……所以马克思只努力一件事:用正确的科学的研究,去证明社会关系的一定秩序的必然性,并把那些可以供他的出发点并基点之用的诸事实,务必完全无缺地确认起来。……马克思把社会的运动当作受着种种法则——那些不仅离开人类的意志、意识并意图等而独立的,却宁可说是规定着人类的意志、意识并意图等东西的诸法则——支配的自然史的诸过程去考察。……意识的要素,既然在文化史上是演的这样的一个从属的角色,那么,以文化本身为对象的批判,不能把某种意识的形态或结果为其基础的这件事,当然是自明的事情了。总之,对于这种批评能够发生效力的出发点的,不是观念,而仅是外界的现象。①

　　在以上的章句里面,十分明白地表现了一件事,那就是能够作为马克思的出发点及基点看的东西,只有"事实",只有"外的现象"。这件事虽然具有唯物论的出发的特征,在马克思的经济学上,极其重要,但因为详加论述是属于以后的事,所以这里只略微说起一下。

第八节　唯物论的根据

　　不是以某种观念或原理,而是以(摆在面前的)原原本本的外界现象——经验的事实——为其出发点的唯物论,它本身就是立脚在这种经验的事实上面。

　　主张精神为自然的本源性,外的世界,系由观念派生出来的说法,那是观念论;反之,主张自然为精神的本源性,把观念当作外的世界之反映的说法,那是唯物论。这件事,虽是我们前面已经说过的,但是现在要说这种唯物论的见

---

　　① 《反杜林格论》,考茨基版,第46页。

解本身立脚在什么上面，也只有说是各个人每日重复了千万遍的经验。所谓我们对于物的知识，就是通过我们感觉得来的我们的认识论，要使彻底起来，其结果会无可避免地生出那种引导我们趋向唯物论的哲学的结论。

我们从古以来，即由我们的直接感觉，知道山川木石一类外界物，在我们身外存在。近代望远镜及显微镜被发明出来，我们利用这些器具，把我们的感觉机能，有的扩大了，有的弄精致了，以前注意不到的种种天体、种种微菌，现在也知道它们的存在了。但是假如我们把眼闭起来，以前视为存在的山川现象就消灭了！假如把望远镜及显微镜取了去，那我们由这些器具所能见到的许多天体或微菌，也不成为我们的现象了。这个缘故，就是因为外物尽管是照原样存在，我们的感官，没有受到外物的刺激，所以不会见到它们，不过，这只是我们不能感知外物，却不是外物本身之失其存在，我们的健全常识，常常是这样认识外物的；并且一切自然科学，也是把这种唯物论的认识，当作研究的前提。这是无论何人，由日常生活中几千百万回的经验，而必然会达到的哲学的结论——唯物论的见解。所以列宁说：

> 凡是还没有住在精神病院或没有做着哲学的观念论者的弟子的一切健全的人们的"素朴实在论"，是以肯定事物和环境及世界，不依存于我们的感觉，我们的意识，我们的"我"或一般人类而存在这件事，为其本质的。在我们中间，造出极坚固的确信，使我们相信有不依存于我们的他人存在，又有不是高、低、黄、硬等的单纯合成物的东西存在，把这种确信造出来的正是经验；唯有这经验，是在我们中间，把物、世界、环境并不依存于我们而存在的确信造出来的。因为我们的感觉，我们的意识，不过是外界的映像，所以映像没有被映的东西虽然不能存在，但是被映的东西，不依存于映像而存在的事，那是明明白白的。

> 假使我们一度对于人类的认识，站在从无知发展的立场上，……那不仅是由科学及技术的历史，就是由各个人日常生活的几百万观察，也会知道"物自体"对于"自我们把它看为物"的转化，其过程是这样：我们的感官，由这种那种对象受到外界的刺激的时候，就表示现象的发生；我们知道其存在的对象，因为它在我们感官上发生作用的可能性，为某种障碍夺

去的时候,就表示现象的消灭。这种现象生出来的唯一而不可避免的结论。——是人人由日常生活引出来的结论,而且是唯物论在意识上作为其认识之根底的结论——之本质,就是离开我们独立的对象,物,或体之存在,及我们的感觉,为外界之映像这两点。①

如前所述,"思维对实在,精神对自然的关系的问题"依恩格斯说来,就是"全哲学的最高问题","是一切的,特别是最近的哲学上之根本的大问题"。但就我们看来,对于这个问题的唯物论的见解本身——如前面已经说过的——是立脚在"各个人日常生活中的几百万次的观察"上面,这个全哲学的最高问题,由我们的经验,把它极简单地解决了。马克思及恩格斯在《德意志观念形态论》中说的"一切深奥的哲学上的问题,极简单的,在一个经验的事实里面解消了"的这句话,就是这个意思。

所以,因为布尔乔亚哲学的烦琐与难解,那些一心一意以为哲学就是这样一回事的人,自无怪其见到马克思哲学的平易明快,反而狐疑起来。然而真理毕竟就是这样简单的东西。如前面引用列宁所说的,"我们的感觉,我们的意识,不过是外界的映像;映像没有被映的东西不会存在,被映的东西,却不依存于映像而自能存在"。他这句话,简直把唯物论的见解,明白描写在我们面前了。此外,恩格斯还指着仅仅适用于唯物论历史的唯物史观的根本命题,即指着不是人类的意识,决定他们存在,却反而是人类之社会的存在,决定他们的意识,这个命题说:"这个命题,人们如果没有岔入观念论的迷雾里面去,那就是任何人都要自然明白的那样简单的东西。"

第九节　思维与存在的适应关系

人类是与自然对立的。即是说,人与自然是对立物。不过人类同时又是自然的一部分,人类本身,是自然的产物,这个意思就是说:人类与自然虽是对立物,同时却又是同一物,我们要把握这个对立物的同一性,便是辩证法思维

---

① 列宁:《唯物论与经验批判论》。

的主要特征之一。但此点要留到后面再说,在这里只促起读者注意这个人类与自然的同一性就完了。

若果人类本身不外是自然的一部分,那么,人类头脑内的思维过程,也就不外是一种自然过程。所以"反映自然的意识,与在意识中被反映的自然两者间的一致的问题",与那个照取某种物体的照片,与在照片中被照取的物体两者间的一致的问题,是没有何等本质上的差异的。我们由于这件事就能够理解,在思维上的诸范畴,与自然的诸范畴相适应;并且真实被把握着的思维,随时都能一致的;因为这样,科学才有成立的可能。

关于这点,恩格斯曾如下面那样说明过:

假如我们问到思维及意识是什么,并且它们由何而发生出来的问题。那么,我们便发现这些都是人类头脑的产物,而且人类自身,是置身在环境中并与环境共同发展的一种自然产物。因为这样,所以人类头脑的产物,——在结局,也还是自然的产物——与其余自然的关联,不相矛盾的适应着,这件事,是明明白白的道理。①

又马克思关于价值论的问题,在其寄库格曼(Kugelmann)的书简(1868 年 7 月 11 日)中,还有这样的一段话。

不消说,在其他方面(尽管是关于价值有种种谬见流行着——河上补)如你所正当地认定了的一样,学说史显示着价值关系的理解——其间有明了的与不明了的,有被用幻想粉饰了的与被科学所规定了的差异——不论何时都是同一的,因为思维过程自身,是由关系(就价值论说,就是现实的价值关系——河上补)生长出来的,它的自体就是一个自然过程,所以真实地把握了思维,随时都不能不是同一的。只有适应于发展的,因而又为思维而使用的器官的成熟,而显现出渐次的差异罢了。②

----

① 《反杜林格论》,德文本,第 22 页。

② *Brief an Kugelmann*,S.5.

　　这样看来,思维与现实相适合这件事,并不是什么不可思议的。现实自身,是思维的基础,思维的诸形态,是由现实的诸形态被抽出来的东西,所以这些思维形态,当然适合于现实的自然。不过——如上面引用马克思书简中最后一句所说的——思维的产物,因为是随着对于思维所用的器官之成熟程度不同,所以它在反映外界事物之忠实的程度上,就发生了差异,这件事,我想进一步加以解说。

　　当我们说及"意识为存在所决定",或"意识是存在的反映"的时候,便会有人提出以下的疑问:假如意识是存在的反映,那就无论何人,应该对于一定的存在,具有同一的意识,然而事实上不是这样,这是什么缘故呢? 从前土方博士对于马克思的价值论所发的下面这样的疑问,本质上就和这是同样的东西,他说:

　　　　假若我设想蒸馏法(指着马克思为要探求商品价值的实体而舍去商品的使用价值那件事)为马克思表现其思考之结果的东西,那就有人会说,这绝不是由于单一个人头脑的抽象,究竟是由于谁的头脑的抽象呢? 从所谓是特定社会的历史事实之结果,是它的反射物一事考察起似乎可以说,不论是谁,都不得不当作社会的事实之结果而那样设想,可是也有多数并不那么设想的人,像我就是这种人中的一个,这将如何解说呢?①

　　外物通过感觉,反映于人类的头脑中,但那种反映,决不能常是正确的东西。并且是一般人看来,也不能是同一的东西。现在姑就简单的例子,加以解说罢。例如照相片是外物被反射在干板(Jirm)上面的映像,这是谁都会承认的。因为干板有好坏,技术有巧拙,所以由同一外物所得的映像,决不能都是同一的。

　　安朵拉托斯基关于这点,曾如下面那样说过:

　　　　思维是由存在决定的。这件事,含有这样的意味:在物质的现实性

———————

① 《马克思价值论之排击》,第72页。

中，事实上存在着的人类之现实的关系，是一个事态，而关于这种事态的意识，是另一个事态。……所谓这两种事是相异的一件事实，如我们从历史上一步一步看见的那样，即令特定的社会关系是成熟而且是实的，而对于它的意识，仍旧缺乏着，人们对于他自己所做的一切，还没有详细理解，这件事也是明白的。最初，关系成立，然后意识发生，人们才开始理解它。俄国在 80 年代，虽然资本主义的出现已是无可置疑的事实，但在那时却出现了以论证俄国资本主义为无意味的"学者们"的著述，而且就是在 90 年代，人民派和马克思主义者们关于俄国资本主义存在与否的问题的论争还在继续着。

产业资本主义，已经在世界上存在了 150 年以上，然而多数经济学者，至今还不能把握资本主义的本质及其法则。思维本来是由存在决定的，但就这里所说的看来，思维依从这种决定，有时是显现得极其缓慢的。①

我们的感觉，决不能是客观的实在之完全正确的映像。所以我们决不能够全然知道客观的实在。这件事，是科学的进步在证明着。科学的发现，每每会使我们经验到：我们以外的世界，比较它的外表更是丰富，更是多面的；因而随着我们的研究的进行，以前不知道的方面，也就显露出来。所谓意识是存在的反映一句话，并不是说，意识不论何时何地都是正确地完全反映着存在的意思。

因为暗箱（Camera）或干板的如何，哪怕就是同一物体的写真，也不免呈现种种差异；同样，哪怕生活在同一场所，同一时代的人们，其意识内容，也能有差异。而且特别是关于社会的存在的意识（社会的意识）因人们所属的阶级不同，他们的意识内容，也显然会有差异。所以例如马克思关于劳动价值论的说明，尽管是如何的不厌详尽，但是布尔乔亚的学者们到底理解不来。土方博士指着马克思的劳动价值论发出质问说：它"从所谓是特定社会的历史事实之结果，是它的反射物一事考察起来，似乎可以说，不论是谁，都不得不当作社会的事实之结果而那样设想，可是也有多数并不那么设想的人，像我就是这

① 安朵拉托斯基：《列宁主义的理论与实践》。

种人中的一个,这将如何解说呢?"像这样的一个质问,到底是因为不曾理解暗箱或干板上会反射着种种不同的映像的缘故。由暗箱或干板的不同,外物的映像,原来是不会一样的。但这件事,却不能反证这样撮取而来的写真不是外物的映像的那件事。

一定的意识还通过种种的媒介,传染于别的意识。所以意识虽说是存在的反映,也有时只单是传承着过去的存在的反映的时候。"不能随着变化的实际一同变化的意识,反映昨日的实际。这种意识,是空想着它对于远的将来还持有力量,而被昨日的实际所决定的。"①但是不拘在什么情状下,意识结局都是由存在决定的这件事,那是千真万确的。规定意识内容的东西,最后总归是客观的实在,除此以外,再不能找到什么。所以自唯物论者看来——如列宁所说的——"我们的感觉,是唯一的,而且最后的客观的实在之映像——所说最后的责任,并不是说它已经被知道到了终极的意义,而是说在它以外,别的东西并不存在,而且也不能存在的意思。"②

第十节 相对的真理与绝对的真理

虽然是同一客观的实在到意识的反映,能够采取种种的形相,但因为结局规定我们意识内容的,是存在于我们头脑以外的客观的实在,所以这里便生出了客观的真理的把握之可能性。但我们在这种情形,觉得更为必要的,就是阐明承认这种客观真理之存在一件事,与承认我们现实地把握着的真理都是相对的那件事的区别。列宁在对于波格达诺夫的批评中,曾如下面那样的表白过这两个必须加以区别的问题。

一、客观的真理这东西,是存在的么?换言之,不依存于主体,不依存于人间或人类的某种内容,能存在于人类的表象之中么?

二、假如是那样的,那么,反映客观的真理的人类之表象,能够一次地

① 安朵拉托斯基:《列宁主义的理论与实践》。
② 《唯物论与经验批判论》,德文本,第26页。

全部地无条件地,并且绝对地表现这种真理么？或者还是只能够近似地或相对地表现呢？①

唯物论者对于这些问题将怎样解答,我们上面已经叙述过的,看来便自然明白了。

我们承认不依存于主体的,离开人类意识独立存在的客观的实在之存在。我们又承认由这种客观的实在,给予人类感官以某种刺激,而使一定的意识,在人类头脑中发生。所以,我们在承认我们的意识是客观的实在之映像一件事上面,承认客观的真理之存在。不过我们的感觉,不能够一次地、无遗漏地并且完全正确地摄取那存在于我们外部的客观的实在。外界的事物,具有无限的方面。要把这些无限的方面,一举而吸取净尽,这件事,对于我们在事实上是不可能的。科学上的发现之一步步地向前推进,把这无限的方面,一面一面地显现出来,它证明着昨日以前的认识,绝不是完全的东西。所以一切科学上的命题,只在一定限界(领域)内,具有妥当性。知识的进步,把这个界限或者弄狭了,或者弄宽了。只有在这种限度内,一切真理总是相对的。

不过,尽管一切知识照这样都是相对的,但它确实捉住了离开我们意识完全独立的客观实在之某一方面。知识在它不能完全无遗地把握着这些客观的实在之一切方面一点上,虽不是绝对的真理,但它在把握着客观的实在之某一方面一点上,却构成了绝对真理之一部分。

一部分不是全部分,所以相对的真理,不是绝对的真理。不过舍去部分,无以见全体。绝对的真理,不外是由相对的真理之总和而构成的东西。

我们更从知识发展过程的见地,加以观察罢。一定的现实的知识,不外是表现相对的真理的东西。但新的科学的不断发现,我们就能一步一步地接近于绝对的真理。而这样一步一步地接近,却是无条件的。即是说,就那现实说来,我们的认识能力,虽被限制着,而有一定的界限,但就那可能性说来,那是无限制、无条件的。

恩格斯在《反杜林格论》中,曾如下面那样说明以上这件事的道理。

---

① 《唯物论与经验批判论》,德文本,第109页。

自然界一切事变的全体,成为一个系统的关联……但这个关联之适当的、无遗漏的、科学的叙述,我们居住其中的世界体之精确的思维映像的制作,无论在我们,或其他任何时代,都是一件不可能的事。……所以人类是被位置在如次的矛盾之前;这个矛盾,即是说一方面我们虽然想在世界体系的全体关联上,完全无遗漏地去认识它,而另一方面,在人类自身的性质以及世界体系的性质上,却又决不能完全解决这个问题。①

思维的至上性,实现在最不至上的思维者的系列之中。具有无条件的真理权之认识,实现于相对的谬误的系列之中。但是不拘前者或后者。除了由人类无限的存续以外,是不会完全被实现的。

在这里,我们又持有一种与先前述过的相同的矛盾,即是必然视为绝对的人类思维之特质,与这种思维实于明明受有限制的各个思维者之间的矛盾——也就是,只有在无限的路程上,只有在对于我们至少在实际上是无限的人类的连续上,始能被解决的矛盾。在这种意味上,人类的思维是至上的,同样也是非至上的。那个认识能力,是无限制的,同样也是有限制的。从质素、倾向、可能性或历史的终极目标等说来,是至上的,是无限制的;从个个的实行或其每度的实现性说来,是非至上的,是有限制的。②

我们现在所具有的知识是相对的。即是说,人类的思维,"从个个的实行或其每度的实现性说来,是非至上的,是有限制的"。但在我们的知识的进步与扩大上面,却是不能有际限。它在无限的过程上,在对于我们至少在实际上是无限的人类的连续之中,终极能够获得那绝对性。即是说,人类的思维,"从质素、倾向、可能性或历史的终极目标说来,是至上的,是无限制的"。

列宁在所著《唯物论与经验批判论》中,引用了恩格斯上面说的这段话之后,接着说了下面一段话(因为他关于这个问题所说明的地方再明了也没有了,所以我们不妨多引用几行)。

---

① 《反杜林格论》,德文本,第24页。
② 《反杜林格论》,德文本,第79页。

这种考察,对于相对主义的问题,即是说,对于一切马哈主义极口称道的我们认识的相对性之原理的问题,非常重要。……在波格达诺夫看来,和一切马哈主义者一样,他只承认我们的知识的相对性,而对于绝对的真理任何细微的承认,都是排斥的。但在恩格斯看来,绝对的真理,是由相对的真理构成的。波格达诺夫是相对主义者,恩格斯是辩证论者。……

要之,人类的思维,如果自其质素上说,具有给予我们以相对真理之总计的绝对真理的能力,并且现在也正在这样给予着。科学发展的各阶段,在可以构成绝对真理的总和上,把新的成分追加上去,然而各个科学命题的真理界限,是相对的,这种界限,由知识之更趋进步,或者被弄狭隘,或者被弄得扩大了。

……在辩证法的唯物论说来,相对的真理与绝对的真理之间,没有什么不能逾越的深渊。……

从近代唯物论即马克思主义的立场说来,只有我们对于客观的绝对真理之认识接近的界限,是在历史上被规定的。但这个真理本身之存在,是无条件的,我们接近于真理这件事,也是无条件的。某种绘画的素描,虽在历史上被规定着,但这个绘画,描写着客观上存在着的模特儿这件事,是无条件的。……诸君也许会说,相对的真理与绝对的真理之间的这个区别,不是决定的,但我可以这样回答诸君:这个区别,在足以防止科学转化为坏的意义的独断,即转化为某种死的、凝固的、化石的东西一点上,正是不决定的,但是同时它足以最决定地最断定地把自己与信仰主义或不可知论者,与康德及休谟之追随者的哲学观念论或诡辩分开一点上,却是决定的。……

辩证法——如黑智儿已经说过的——虽含有相对主义的否定的,怀疑主义的一个要素,却不是归结于相对主义的马克思及恩格斯的唯物论的辩证法,固然含有相对主义,却不归结于相对主义。这就是说,唯物论的辩证法,虽然承认我们一切知识的相对性,但它却不是在否定客观的真理之意义上,而是在我们接近客观真理的知识的限界,被历史所规制的意义上。①

---

① 《唯物论与经验批判论》,德文本,第121—125页。

我们现在不期然而对于辩证法这个问题,已涉及不少了。如前所述,唯物论与辩证法本来有不可分离的关系。所以讨论唯物论而涉及辩证法这件事,到底难于避免。在这里,我还想顺便把德波林(Deborin)及鲁波尔(I.Luppol)关于前记列宁的见解所加的若干注释,抄在下面。

德波林在关于列宁之辩证法的遗稿中,对于列宁前记论点之注释是这样:

> 怀疑主义及诡辩论,比如在使相对与绝对分开,而使它成为主观的东西一件事上面,是仅仅把相对纯然当作相对的东西观察着。反之,自辩证法论者看来,相对与绝对的区别,早就是相对的。……列宁说:"主观主义者及怀疑论者主张只有有限与相对是能够被认识的。他们却见不到有限和相对,对于无限和绝对所有的关联。所以他们把一切相对的认识,作为主观的认识,而不是把它作为客观的认识。但是在根本上说来,一切真实的相对的认识,是绝对与无限的认识,是客观的世界过程之认识。"由列宁所说的看来,辩证法所有的元素的胚种,是已经被包含在任何定言之中。这是什么缘故呢? 因为辩证法原是一切人类认识中所固有的东西。绝对只有借相对的媒介始能接近,它自身是由相对的有限的契机而被"建设"着的,因为这样,所以我们不仅在相对上认识绝对,并且为了普遍只有由个别而得到存在,所以我们在个别上认识普遍,个别与普遍间的相互关系,也会形成对立物的同一性,并形成相互的关联,与一个东西向其他东西的推移。

最近看到的鲁波尔的《列宁与哲学》一书中,对于同一问题的说法,是下面这样。

> 一部分不是全体,所以相对的真理,不是绝对的真理,所以各个部分把全体作为前提。全体不是诸部分,而诸部分却形成全体。绝对的真理不是相对的真理,但前者却由后者的总和而成。
>
> 从辩证法的唯物论看来,现象与物之间,现象与本质之间,没有什么不可渡过的深渊;同样,相对的真理与绝对的真理之间,也不会横着什么

难于逾越的裂隙。……

世界万事万物都是相对的！这是不错的。但这个命题，还没有说尽一切。"相对性"这回东西又是相对的。极端的相对主义者，全然没有立足在理论的地盘上，因为他们对于自身的原理，还不见得忠实。他们由于所谓一切东西都是相对的主张，就把相对性，当成一个绝对的东西，这样一来，就他们看，相对性就是绝对的！所以他们的见地，就充满着矛盾，而且是在这句话的最坏的意义上的矛盾，因为这样的矛盾是不能被扬弃的，也不能被克服的。

马克思主义的见解，便和这不同，一切东西是相对的，因而相对性的本身也是相对的，所以相对与绝对之间的关系或区别，也只是相对的，绝不是绝对的。结果，我们在一定的意义上，也能说到绝对。真正把相对性的见地彻底贯彻的时候，那就不可避免地引导到这种见地的否定。

列宁用一个一般的，从而必然是抽象的形态，把上面这件事化为以下的定式。主观主义（怀疑主义、诡辩证等）与辩证法的区别，是存于这一点，即在（客观的）辩证法上，相对与绝对之区别本身，也是相对的一点。从客观的辩证法看来，绝对也是被含在相对之中。从主观主义及诡辩论看来，相对仅仅是相对的，什么绝对，均在排斥之列。……（这几句，是从列宁的《辩证法的问题》中引用来的。——河上注。）

第十一节　当作真理之基准看的实践

我们在前面已经把我们的表象是客观的真理之反映一件事——即令它不是绝对正确的反映，总不能不说是离开我们而独立存在的客观的实在某一方面的反映一件事——述说过了，现在想进一步把这件事如何被证实的一层说说。

实践的基准，就是唯物论的认识论之基础。如列宁所说的这件事，马克思在 1845 年，恩格斯在 1888 年及 1889 年已经当作问题讨论过。我在这里想先把他们讨论过的，略与介绍，然后再介绍列宁的见解。

1845 年，马克思在《关于费尔巴哈的论纲》的第二条当中，曾有这样的一段话。

　　人类的思维是否容受对象的真理的问题,不是什么理论的问题,而是一个实际的(praktisch)问题。人类必须要在实践上去证明真理,即证明他的思维之现实性与力,证明它的此岸性(Diesseitigkeit)。关于思维——离开实践的思维——的现实性的争论,那是一个纯粹烦琐哲学的(Scholastisch)问题。①

　　这里所说的对象的真理,也和客观的真理相同,那种客观的真理究竟是不是反映于人类思维上的东西这个问题——依据马克思——就不是什么理论的问题,而是一个实际的问题。所谓不是理论的问题一句话,就是不能用单纯的理论去解决问题的意思。关于这点,我曾经有过这样的意见。"如果在思想本身当中探求真理的基准,那作为基准的思想之真理性,就更成了问题,这样下去,那将要演出无限的问题。怀疑论或不可知论虽然是从那种地方发生出来的,但它们只是适合于袖手旁观天下事的游民们的哲学,而在人类历史的实践上,没有什么用处。我们只有在人类的总实践中去探求真理的规准(这里所说的人类的总实践,包含有研究室内显微镜下的实验,乃至产业上的诸活动)。例如有的说水是由酸素与水素而成的,有的说水是由酸素与窒素而成的,这两种理论,究以何者为正确呢? 最后的确证,只有取决于实验。又例如某种医药对于治疗某种疾病是否有效的这个问题,也只有征之临床诊断的总实践上,才能得到最后的确证。此外,关于某种天体运动的理论等,除了诉之于望远镜以外,再也不会有其他的方法。要之,一切的理论,其终局都是要这样被证验,被取舍,被订正。所谓'人们必须要在实践上去证明真理'一句话,就是这个意思。实在说,此外再也没有证明真理的途径。所以离开实践之真理的现实性乃至非现实性(不管它是否反映着客观的真理)的争论,那是'纯粹繁烦哲学的问题'。"②

　　恩格斯曾于1888年出版的《费尔巴哈论》中,曾像下面这样说明过这个问题。

---

　　① *Marx-Engels Archiv.* Ed.I.S.227.
　　② 1929年发行的《社会问题研究》第78册,通册,第2706—2707页。

关于思维与存在之关系的问题，还有一个别的方面。即是说，我们关于围绕着我们的世界的思想，对于世界本身，究竟具有怎样的关系呢？我们的思维，有认识现实世界的能力么？我们在关于现实世界的我们的诸表象和诸概念中，能够作为实在之正确的映像么？这个问题，在哲学上的名辞上被称为思维及存在之自同性（Identität von Dingen und Sein）是一般大多数的哲学者所肯定了的，例如就黑智儿说，这个问题的肯定，是自明的事情。……

不过此外还有其他另一系列的哲学者，他们不承认世界之认识的可能性，至少是不承认抉发无遗地认识世界之可能性。属于这派的新人物，可以说是休谟与康德，他们在哲学上，都扮演了很重要的角色，关于反驳这种见解的决定点，在它从观念论的见地说来是可能的限度内，已由黑智儿述说过了。费尔巴哈附加在黑智儿的意上的东西，与其说是深刻，倒不如说是机巧。对于像休谟及康德的哲学上之幻想的最正确的反驳，也如对于其他一切哲学上之幻想的反驳一样，都是实践，即是实验及产业。假若我们能够把某种事象造作出来，并且依着它的条件使它发生，还能够用它适合于我们的目的，于是我们就能够借以证明我们关于某种事象的理解之正确，这样康德的不可把握的"物的本体"就完事了。在动植物气体中发生的化学的气质，在有机化学开始把那种东西逐次说明以前，它老是这种"物的本体"。到了这些物质被有机化学说明了的时候，物的本体（Ding an Sich）就变成了我们的东西（Ding für uns）。例如茜草的色素阿里色林（Alizarin），就是这样，我们再也不让原野中的茜草根去生长这种色素，而是极廉价地、极简单地从柯尔达尔（Kohlenteer）制出来了。哥白尼（Copernicus）的太阳系，也是经过了三百年长久期间的假说，这个假说，虽然有百分之九十九，千分之九百九十九，乃至万分之九千九百九十九是正确的，但它还依旧是一个假说，但等到勒培累（Leverrier）根据这体系所给予的事实，不但推算出有一未知的游星存在的必然性，并算定这游星在天体中所能占的位置，接着加尔来（Galle）又把这游星现实地发现了……这时，哥白尼的体系，才被确证出来。

　　说真理的基准是"实验与产业"的一层,在这里是再明白也没有了。我们造出某种自然事象的本身,并依它的条件使它发生,还使它有用于我们的目的。这样,才能够证明我们关于那个事物理解的正确。这一层是可以举例来说明的。例如我们根据关于色素阿里色林所得知识的,在一定条件之下,把它从柯尔达尔制出的时候,如果能够造出预期的色素,并且这种色素与原来从茜草根得来的色素一样可以作为染料使用,那就在这种限度内,那就可说是我们关于色素阿里色林的知识,是正确地反映着客观的实在之证据了。色素阿里色林,在我们发现它以前,是茜草根或柯尔达尔之中存在着的,即是说,它是完全离开我们的意识而独立存在着的。但我们首先通过我们的感觉,认识它是存在茜草根之中的,就从茜草中把它采取出来了。后来随着我们对于阿里色林这东西的认识有了进步,便知道不一定要在茜草中取得它,还可以从柯尔色林中把它制造出来。在这样的过程上,随着我们关于阿里色林本身,即关于当作"物的本体"看的阿里色林的认识的进步,那当作"物的本体"看的阿里色林的认识的进步,那个当作"物的本体"看的阿里色林,便照应于这种进步的程度,便成为"我们的东西"了。"物的本体"与"我们的东西"之间,并没有什么不能逾越的深渊。"在康德的时代,人们关于自然物的知识,很不完全,能使人想象到自然物背后,还有什么特殊的神秘的'物的本体'。但是此后因为科学的长足的进步,这些不可把握的事物,便渐渐被把握,被分析,更进而被再生产了。我们不能说我们能够制作的东西是确实不能认识的东西"(是后面所引用的恩格斯的《关于唯物史观》的一节)。所谓我们关于某种外物的认识是确实的一件事,由于我们能够依着它的认识而在现实上把它再生产出来的一件事,由于那种实践就被证明出来。

　　恩格斯在他的《空想的社会主义与科学的社会主义》(《反杜林格论》中一部分独立的单行本子)的序文《关于唯物史观》之中,还把同一问题,这样地讨究过。

　　一般的不可知论者,都以为我们的知识,完全是基于我们通过我们的感官而受到了的报告的东西。但是他们(不可知论者)还附加地说:我们何由知道我们的感官是不是把由感官知觉了的事物之正确的影像给予于我们的呢？他们还教训我们说：当人们说到物和它的属性时，他在实际上并不是说着那些物和它们的属性本身。因为他对于那些物不能知道确实的东西，而只能知道那些物给予于他们的感官的印象。像这一类的理论，看来似乎确是难以用单纯的议论去打破的，但是人类在议论之前，就有行动，"最初就有了行为"。人类的行为，在人类的才智发现这个困难许久以前，早已把它解决了。"布丁的证明就是吃"（The proof of pudding is in the eating）。当我们依从我们关于这种物的知觉的属性，把它供我们自身使用的那一瞬间，我们便可进行决无错误的试验，而决定我们的感官知觉的正确与否，假若这些知觉不正确，那就会是我们对于该物之利用性的判断也不正确，那么，我们利用该物的企图，便不得不归于失败。但是假若我们达到我们的目的，即是说，假如物和我们关于那物的表象相适应，而完成我们的某种期待一件事判明了，那么，这件事，在这个范围内，就是我们关于物及其属性的知觉是和存在于我们外部的现实相一致的那件事之实证的证明。

列宁引用了上面那段话之后，因而说道："唯物论的理论，由思想而描写对象的理论，在这里是被最完全的方式明了述说着。事物存在于我们的外部。我们的知觉及表象，就是它的映象。这种映像的吟味，它的正确与否的决定，就是去实践。"①但是再听听恩格斯所说的罢！——列宁这样说着又继续引用恩格斯的话。

反之，我们如果明明知道犯了错误，往往在不久以后，便会发现那错误的原因。这个原因，究竟是由于那成为我们意图之基础的知觉自身不完全呢？或是皮相的呢？或者是因为那当时的事态所不许可的方法而把它和别的知觉的结果相联络了的呢？这些当中，总有一种要发现出来。我们如果正确地养成知觉，正确地使用知觉，并且把我们行动的方法，留置在由那正规地被作成正规地被使用的知觉所设定的界限以内，那我们

---

① 《唯物论与经验批判论》，德文本，第96页。

就会发现我们的行为的结果,就提供一个对于我们的知觉及被知觉的事物之对象的性质相一致的证明。到今日我们是从未曾接近于下述的结论的——即是,在科学上被统制了的我们的感官知觉,在我们头脑中,关于外界,造出那在它的性质上离开现实的表象,或者在外界和我们对于外界的感官知觉之间具有先天的不一致性的那样的结论。①

---

① 《唯物论与经验批判论》,德文本,第96页。

第二章　辩　证　法

第一节　黑智儿辩证法之颠倒

马克思和恩格斯,就他们对于辩证法的关系而论,及对于历史的解释的方法而论,都是和费尔巴哈不同的。在这两方面,马克思和恩格斯所成就的进步,确超出费尔巴哈之上,便很显著地把那唯物论深刻化了。关于历史的解释的问题,留在下一章去检讨,在本章主要的是以辩证法为问题。

前面曾经说过,辩证法和唯物论,本来是不可分离的。但是费尔巴哈却把他的主力集注于黑智儿的观念论之批判,在另一方面,他不能认清黑智儿的辩证法自身的价值。他只是把辩证法当作无用的东西,随随便便地弃置不顾了。后来马克思和恩格斯,由于使费尔巴哈的唯物论深刻化的一件事,却把黑智儿哲学之革命的方面即辩证法完全复活起来了。因此唯物论便成了辩证法的唯物论,而辩证法也就成了唯物论辩证法,本来不可分离的辩证法和唯物论,到这时候才能统一起来。关于这件事实,恩格斯曾有下述的一段话①:

> 费尔巴哈并不曾以批判的手段,处理黑智儿,他只是认为黑智儿没有用处,随随便便把它弃置了。……但是从黑智儿学派的解体,另外又生出了一个学派。这一个学派,是真正获得了结果的唯一的学派。而且大体上,它是和马克思的名字相连的。……黑智儿并不是被人随随便便弃置得了的。反之,这一个学派,却接受了他的革命的一方面,即辩证法的方法。

---

① 《费尔巴哈论》。

68

蒲列哈诺夫关于以上所述的同一的事实,也曾说过下面的一段话:

马克思和恩格斯关于唯物论所获得的最大功绩之一,即是在于正确的方法之研求。费尔巴哈因为注全力于黑智儿哲学之思辩的要素之攻击,所以他对于黑智儿辩证的方法,便不能有所利用。他说:"真正的辩证法,并不是孤独的思想家的自言自语,而是你我之间的一种对话。"但是,黑智儿的辩证法,全然不含有孤独思想家自言自语的意义。除此之外,费尔巴哈的考察,就哲学的出发点而论,固然是适当的。马克思和恩格斯对于这个缺陷,曾有所补救:他们对于黑智儿哲学之思辨的要素,虽是攻击的,但是他们却不曾漠视黑智儿的辩证法。①

但是黑智儿的观念论的辩证法,怎样会转化为唯物论的辩证法呢? 辩证法的基础又为什么是建立在唯物论的基础上面呢? 关于这些问题,我想接着在下面加以阐明。

马克思主义的方法论,从黑智儿哲学所承继下来的地方实在是很多的。就我所知道的范围而论,马克思把"伟大"那样的形容词,加在学者的身上的,通《资本论》全部仅仅只有三个人。第一个便是俄国的第揭里斯旦斯克(N. Tschernyschewski)②。第二个便是"最初分析价值形态和思维诸形态,以及社会诸形态和自然诸形态的伟大的研究家"亚里斯多德(Aristotle)③。最后一个,便是"最初以包括的并且意识的方法叙述了辩证法之一般的运动形态的伟大的思想家"黑智儿④。至于马克思得力于黑智儿的地方,到了怎样的程度,我们只要看马克思在《资本论》第二版的跋文的里面所说的"我自己要公开地承认是这个伟大的思想家的门人"这一句话,便会明白。马克思关于辩证法之一般的运动形态,是直接从黑智儿承继下来的。

但是辩证法,是从观念论者黑智儿转移到唯物论者马克思手里的,依着这

---

① 《马克思主义根本问题》。
② 《资本论》第一卷,考茨基版,第42页。
③ 《资本论》第一卷,考茨基版,第24—25页。
④ 《资本论》第一卷,考茨基版,第48页。

件事实,于是观念论的辩证法遂转化而为唯物论的辩证法了。在这个地方,黑智儿的辩证法和马克思的辩证法,便生出了根本的差异。这种差异,我们可以用如下所示的最简单的语句显示出来。

> 我的思想发展(Entwicklungsmethode),不是黑智儿一流的。我是唯物论者,黑智儿是观念论者。①

此外,马克思在《资本论》第二版的跋文(第 1873 页)里面,更把这种对立的情形,说得比较详细。

> 我的辩证法,在根本上,不但和黑智儿的辩证法不同,宁可说是正反对的。在黑智儿说来,他在理念的名称之下,使它转化到一种独立的主体的思维过程,是现实的事物的创造主;现实的事物,只是它的外部现象。在我是恰恰相反,观念的东西,要不外在人类头脑之中被移植被转置的物质的东西。②

＊　　　　＊　　　　＊

在黑智儿看来,世界之发展,是理念之自己运动。"绝对理念,不但永久存在——存在的地方,是我们所不知道的——而且是现存整个世界之活的灵魂。这个绝对理念,在他所著的《论理学》里面曾经详细论述过的,并且它是被包含在绝对理念之中的一切阶段,发展于自己的那东西。随后绝对理念,就自己'外化',转化而为自然。在自然之中,绝对理念,并不意识自己而采取自

---

① 1868 年 3 月 6 日《马克思致库格曼的书简》。

② 《资本论》第一卷,考茨基版,第 47 页。上面引用的马克思这几句话,应该加以简单的说明。黑智儿以为:思维过程被转化为那名为理念的一个独立的主体,而理念那东西,是创造一切现实的东西,现实的诸现象,不过是当作这个理念的现象表现出来的。但在马克思,却是恰恰相反,他以为一切观念的东西,都不外是物质的东西反映于人类的头脑中了的东西。不是从观念的东西,产生物质的东西,反之,却是从物质的东西,产生观念的东西。理念并不是外界的现象的创造主,而外界的现象,却是理念的本源。所谓"在人类头脑之中,被移植被转置"这句话,含有外部现象印在头脑里面的反映,绝不是正正当当,而是原来在右边的,被移植到左边去,原来在上边的,被转置到下边去那样的意思。

然的必然性的形态,成就新的发展,遂在人类之中,再达到自我意识。这个自我意识,现在又在历史之中,从低级的形态渐渐向上发达。最后,绝对理念,再完全地回到黑智儿的哲学中来。因此,所以黑智儿看来,自然及历史之中所表现的辩证法的发展——换言之,即是由低而高经过一切曲折的运动与一时的退步之进展的因果的关联,——不外是从不知知处的,永久的古昔出发的,但又离开思考着的一切人类的头脑而独立地自行显现的理念自我运动的模写。"①但是马克思的意见,恰好是和黑智儿相反。在马克思看来,世界之发展,即是物的自己运动。他"把头脑里面的观念,本着唯物论的观点去解释,认为是实在的事物的模写"。像所谓从不知出处的永久的古昔行着自己运动的那样被黑智儿所神秘化了的观念,在马克思看来,不外是存在于人类头脑之外的物的自己运动,反映在人类头脑里面所产生出来的一种东西。现实的东西,并不是由思维过程创造出来的。反之,却是物质的东西,在人类头脑之中被移植被转置——例如在暗箱(Camera)上,照下物的映像,就是左右互相置换上下互相颠倒,——即成为人类的观念。物质的东西,并不是从观念的东西产生出来的,反之,倒是观念的东西,从物质的东西产生出来的。马克思说:"辩证法在黑智儿是颠倒了的,我们为得要从神秘的外衣之中发现合理的核心,便不能不再把它颠倒转来。"马克思这几句话,就是这个意思。

物质的运动,本来是采取辩证法的形态的。因为如此,所以这种运动在头脑之内成为反映的思维过程,也是采取辩证法的运动形态。"最初拿包括的而且意识的方法,来叙述了这种辩证法之一般运动形态"的人,便是黑智儿。不过在黑智儿,只是探求这种运动形态的本源于思维过程之中。关于这一点,"马克思的辩证法,和黑智儿的辩证法,是正反对的。"但是马克思这句话,并不是单纯的含有否定黑智儿的辩证法的意思,如果只是这样,那么,马克思的方法,和黑智儿的方法,就不能同样地都称为辩证法了。其实,这两者不但不会绝缘,并且宁可说在一定的形态上——运动之辩证法的形态上——是彼此相通的;正因为如此,所以他们能在共同的地盘上,对立起来。马克思主义的

① 恩格斯:《费尔巴哈论》。

哲学,不是由于单纯地否定黑智儿的辩证法一事而生的,而是由于扬弃黑智儿的辩证法一事而生的。

＊　　　＊　　　＊

马克思从黑智儿所继承下来的东西,是拨去了神秘的外衣以后的辩证法之合理的核心。并且马克思其所以能拂去这种神秘的云雾,而借以发现合理的核心的,实由于黑智儿的辩证法,虽然包裹着观念论的外衣,而实则是基于具有百科辞典的丰富(在详细地占有材料一事之下实行的)的唯物论的考察的缘故。

> 从笛卡儿到黑智儿,从霍布士到费尔巴哈,这一个长时期内,哲学家们向前的进步,绝不是像他们所想象的一样,只是由于纯粹理性的力量所推动的。反之,真正推动他们的,乃是自然科学和产业之强大的与急激的进步。这种事实,在唯物论者一方面,已经在表面上显现出来,但观念论的哲学体系,也是次第带有唯物论的内容,设法要把精神与物质的对立作泛神论的调和。所以结局,黑智儿的体系,不拘从方法或内容(nach Methode und Inhalt)看来,都应该看作是在观念论方面被颠倒了的一种唯物论。"①

据我所见,辩证法之唯物论的性质,在辩证法上所说的对立物并不是单纯的思维的产物那种地方,最能表现出来。如后面所要详细说明的那样,是当作对立物的斗争的自己运动上把握一切世界而进行一件事,是作为一个主要特征的。但是这里所说的对立物,绝不是依着单纯的思辨,由思维自身被表现在形式论理上的东西,却宁可说是在为一切思维所依据的经验事实之分析当中发现出来的。举例来说,譬如:我们把世界看作是人类与自然那样的对立物的斗争过程中去认识的时候,如果我们只是采取形式论理的方式,那么,关于自然与人类,为什么成为对立物的问题,我们便到底不能理解了。还有如后面所要说明的那样,唯物史观,是把人类的历史当作生产力和生产关系那样对立物

---

① 《费尔巴哈论》。

的斗争过程去把握的,同时,建立在这种史观上面的马克思的经济理论,又把资本主义社会的运动过程,当作是含在商品里面的对立物——使用价值和商品价值——的斗争过程的,在这些情形之下,为什么生产力的反对物,便是生产关系？为什么使用价值的反对物,便是商品价值？关于这些问题,也不是用单纯的形式论理所能说明的。这些问题,是要根据于事实的论理——客观的论理——才能够说明的。如果我们仅仅诉之于单纯的思辨,那么,我们不过是把"生产力"的反对物,认为是"一切不属于生产力的东西"罢了；我们不过是把"使用价值"的反对物,认为是"一切不属于使用价值的东西"罢了。然而为生产力的反对物的生产关系,以及为使用价值的反对物的商品价值,其所以在我们面前显现出来,是由于我们就现实的人类社会的生产以及现实的商品,依据经验的事实,所分析出来的,并且在这种经验的事实之中,这种对立物,在我们运用思维之先,便早已存在了。列宁在他所著《关于辩证法的问题》里面,关于对立物的斗争,所列举的事例是："在数学上,有正数和负数,微分和积分；在力学上,有作用及反作用；在物理学上,有阳电和阴电；在化学上,有原子之结合和解离；在社会科学上,便是阶级斗争。"关于这般对立物,我在上面所述的道理,也是可以适合的。这种事实,很显明地证明了离开人类的头脑——意识——而独立的外部的世界之运动过程,其自身在客观上,是以辩证法的形态显现着,由于它反映到人类的意识,才形成辩证法的论理的。在这里,我们可以看出并不是论理先存在的。并不是论理先存在,再从这种论理生出事实的。而是事实先论理而存在,从这种事实生出论理来。"我们不是根据于悟性而把某种意思附丽在自然之上；我们只是翻译或解说自然的书页。"[1]"唯物论,在本质上是辩证法的。"[2]离开人类意识独立存在的外部世界,如果正确地反映到人类意识上时,那么,那种不能从单纯的形式论理产生的辩证法的论理,便产生出来了。

如上所述,辩证法自身,不外就是外部的世界之运动过程的反映,这一点,足以说明辩证法和唯物论不可分离的关系。黑智儿的辩证法,就其本质上讲

---

[1] 费尔巴哈:《对于肉体与灵魂的二元论的抗争》,《著作集》第二卷,1846年版,第379页。

[2] 恩格斯:《反杜林格论》。

来,并不是从离开外部世界而独立的他的意识产生出来的,宁可说是由于离开他的意识而独立存在的外部世界,在他的意识上被翻译出来的一件事产生出来的。这正和蒲列哈诺夫说的话,是一样的。蒲列哈诺夫曾经说道:"在我们的辩证法的基础上,有唯物论的自然观存在着。前者由后者所支持,假令后者倒坏,前者也就随而倒坏。"①但是,"黑智儿为创造哲学体系的种种必要所迫,往往不得不在武断的构思之中求一个逃路,这是自明之理。关于这一点,黑智儿的小论敌们,到现在还是喧嚣地争论着。"②但是,属于这种武断的构思——单纯的观念的构思——的部分,不消说,不是形成黑智儿的辩证法的"合理的核心"的部分。而黑智儿之所谓绝对理念,绝不是指着个人的精神,它完全是使世界——物质世界——的运动,在观念上独立化了的东西,只是这种绝对理念被黑智儿弄得神秘化,被当作从不知出处的永久的古昔就存在的东西——当作"现实事物的创造主"看的"一种独立的主体"——因为这个缘故,所以黑智儿的辩证法,便不得不至于倒立了。但"辩证法在黑智儿弄成了的神秘化,对于他最初用包括的而且意识方法去叙述辩证法之一般的运动形态那种事实,绝不会有妨碍的"。黑智儿的辩证法,不拘在方法上,抑内容上,实不外是一种唯物论,因为这个缘故,所以他的辩证才能被马克思颠倒起来。③

---

① 《马克思主义之根本问题》。

② 恩格斯:《费尔巴哈论》。

③ 在恩格斯寄休米特(Schmidt)的书简(1891年11月1日)中,有下面所述的一段话。

"不拘在哪种情形之下,你研究黑智儿,总不要采用巴尔托研究黑智儿的方法,即是说。不要以发现那些自黑智儿看为他的体系构成之手段的背理与狡计为目的去研究黑智儿,因为这种办法,纯然是书生的迂腐事情。我们在研究上最要紧的事,就是在不当的形式下面,在虚伪的联系当中,去发现正当的东西,或天才的蕴蓄。例如,由一个范畴到另一个范畴,或由一种对抗到他种对抗这样的推移,几乎常常是矫揉造作地出于机智。如像黑智儿由积极与消极转到没落(Zugrunde gehen)这件事达到他所根据(Grund)的范畴,就是一个例证。可是像这样穿凿附会地做下去,结局无非浪费时间而已。……

"黑智儿的办法证之颠倒,是基于以下的事实。即:我们头脑中的辩证法,哪怕只是在自然及人类史的世界里面实现自己的,循着辩证法之形式的事实发展之反影,而黑智儿却把辩证法作为'思维之自己发展',从而事实上的辩证法,就作为只是思维自己发展之反影。

"你试将马克思的由商品向着资本的发展,与黑智儿的由'有'向着'本质'的发展比较一下罢,一经比较,你就知道,前者是原原本本地照应着由事实生出来的具体的发展,反之,在后者却不外抽象的构造;可是在他那种构造中所包含的伟大天才的思想,与不时推阐出来的至关重要的转回(例如质向量的转回及量向质的转回),做成了这个在外表上由一概念到其他概念的自己发展;于是那个自己发展,就是其他不拘多少,都似能够被制造出来的性质的东西,这件事便会被发现出来。"

第二节　辩证法的思维之本质

然则辩证法的思维之本质,是在什么地方呢? 关于这个问题,蒲列哈诺夫,曾论述道:

> 思维之辩证法的方法之本质,是由以下的事实成立的。即:思想家(或许即是"想思考的人"的意思——补注)不能满足于任何肯定的结论,他必得在思维的对象之中,去探求着有没有和这种对象在最初一瞥时所表示的东西相矛盾的质和力。因此思想家就不能不从全面去观察对象。在他看来,真理不外是一切可能的对立的意见之斗争的结果。并且依着这种方法,完全的全面的研究可以渐次出现,关于对象之一切现实的质之活的概念,可以渐次构成,而代替从来的一面的对象概念了。于是现实的说明,成了哲学的思维之本质的义务,而且是向着现实极力注意了。从来是对于现实不加研究的,只是成着自己的偏见,将现实随随便便地弄得歪曲了。①

不满足于任何的肯定的结论,而必须探求和它相矛盾的东西,这一点,就存有辩证法的思维之本质。比如说,我现在所使用的纸和钢笔,它们首先是显现为两种不同的东西。所以我们通常总是说纸和钢笔是两种不同的东西。但是如果稍稍详细观察一下,思考一下,便可发现纸和钢笔,两者都是工业品,都是文具,都是日本内地的制造品,都是当作商品生产出来的,都是我的私有物,

---

关于这件事,恩格斯就是在翌年二月四日寄休米特的书简中,也曾述及,现在也顺便抄录下来。

"概念发展的紧密序列,在黑智儿以为是属于体系即属于经过的东西,我想是一个最大的弱点——虽然这一点正可表现的他绝对的机智。为什么呢? 因为他每当困难的时候,总是凭了机智把他解脱出来。例如他由积极与消极转到没落(Zugrunde gehen)这件事,导入他所根据(Grund)的范畴,就是一个佐证。但是如果要像这样的论列起来,势必有一种文字,就会采用一种相异的方法。你假如把'本质论'中的系列,译成他国的文字,那末其间的推移,便有一大部分成为不可能了。"

① 《史的一元论》。

都是放在同一的桌子上面的,都是同样地存在于地球上面的。所以就无数方面而论,又可说是同一物。因为这个道理,所以说纸和钢笔是两种不同的东西一件事如果是正确的,那么,同时说纸和钢笔是相同的东西一件事,也是正确的。我们由于这样的观察,才算是"从全面观察对象",并且为了那件事,而"必须向着现实极力注意"。所谓"不能满足于任何肯定的结论",这句话,就是这个意思。

其次,我们把列宁的说明,节述几段,更可以把以上诸点弄得明白些。

玻璃杯子无疑是玻璃制的圆筒,是饮水的器具,但是杯子不仅仅具有这两种属性,这两个特征,或这两个方面,实是具有无数的属性,无数的特征,无数的方面,并且具有和杯子以外的全世界发生关联的相互关系和媒介。杯子是能够用来作为投击工具的一种有重量的对象物。杯子就是拿来镇压纸或是拿来当作捕得的蝴蝶的容器,也都是有用处的。此外,杯子还能够说是真有艺术的雕刻,或绘画的物体的价值,至若这种价值,与杯子是否当作饮水的器具,是否是玻璃制造的,以及它的形态或是圆筒形抑是其他样式等等事体,全然没有关系。

更就某一瞬间而论,若我用杯子来饮水,那么,杯子的形态究竟是否为圆筒形以及究竟是否是用玻璃质制造的,这在我都不成为问题,这时顶要紧的事,是杯子的底,一定要没有打破,并且使用杯子的时候,那杯子的口,一定要不会割破我的嘴唇。如果我不是用杯子来饮水,那么,这种玻璃制的圆筒形,如果因为必要上有其他的用途,在这个时候,哪怕就是一个打破了底的杯子或是全然没有底的杯子,也是可以合用的。(这里所说的这种情形,就是上面所说的杯子和杯子以外的"全世界的相互关系"——河上补注)

在学校里面,我们只学到形式论理为止(这里要附带说一句,在初级的班次里面不能不学到形式论理为止),这种形式论理,采取形式上的各种定义,并尽量地由流用颇广的东西,或尽量地由惯常注目的东西诱导出来,而且做到这个就打止了。如果我们采取两个或两个以上不同的定义,到了后来,偶然把这种定义(例如圆筒形和饮水的器具等等)统一起来,在这时候,我们就得到表示对象物之若干方面的折中主义的定义,——此外再没有别的了。

但是辩证法的论理,却不是这样,它更要求我们前进。我们为得在现实的关系上,认识对象,我们便不能不就对象的各个方面、各种联络和媒介,去加以把握,加以探究。我们也许决难完全做到这件事,但是全面性的要求,却防护我们流于误谬和硬化……①

现在我们就是只把上面所说的单纯的杯子作为一个例子,也可以看出杯子具有无数的方面的。上面所说的杯子是玻璃制的圆筒,是饮水的器具,这两者在我们算是"惯常注目"的方面。通常只是采用这种最容易引人注目的两三个方面,从而称杯子是"玻璃制的圆筒"形的,"饮水的器具",这样一来,也就觉得满足了。但是,在实际上,——即现实的杯子,——决不仅具有这两个方面,此外还具有无数的方面。而且,杯子还和杯子以外的全世界之间,具有无数的相互关系,随着这种关系的不同,在杯子成为重要的方面,也就因而改变了。如果杯子是用来镇压纸的,那么,杯子是否是玻璃制的,是否为圆筒形,这都不成问题,但是,如果是用来盛蝴蝶的,或是盛金鱼的,在这种情形之下,那么,杯子是用玻璃制的是透明的,这便成为问题。又如果杯子的边缺了,就怕要割破嘴唇,它就不适宜于做饮水的器具,不过拿来盛水灌溉花草,也还是有用处的。像这类的事实,如果详细计算起来,真可说是数不胜数,并且所谓具有这种无限的属性、无限的特征和无限的方面,以及和杯子以外的全世界所结的相互关系,这一层就是现实上的杯子所具有的真实性。所谓"为玻璃制的圆筒形的饮水的器具",那种东西,不过是在我们的头脑当中的杯子的概念而已,实则纯然像概念上那样的东西,在现实上,是不存在的。不消说,在现实上存在的一定的杯子,我们想把它所具有的无限的方面,一概弄个明白,这在实际上,是做不到的事体。比如说,这里有一个某种特定的杯子,我们认为这个杯子是圆筒形的,但是精密地观察起来,便可发现这个杯子不全是圆筒形的,在它的表面上,还具有无数的微细的凹凸。又如在这个杯子被揩拭得很洁

① 列宁:《关于辩证法的唯物论》。

净而表面上并没有附着什么东西的时候,我们如果拿来放在显微镜下一看,也可以发现多数的微菌附着在它的上面。不单是这样,如果到了将来,比今日我们所用的显微镜还要更加精密些的东西,一旦发明出来,那么,在杯子的表面所附着的微菌,一定比今天发现的还要加多。这就是说,我们对于某种对象,虽也想从"各个方面,各种联络,去把握,去探究",但是在实际上,我们"决不能完全的一一去把握,一一去探究"。虽是如此,假令我们对于某种对象的研究,想达到近于真实的境地,那么,我们便应该不断地努力于某种对象的"各种方面"的把握和探究。不然我们便会为既成的概念所拘泥,而把头脑中抽象的(从无数的方面之中,只抽出两三方面,这当然是抽象的)概念,认成现实的具体的事物,那就必然陷于观念论了。总而言之,所谓辩证法的全面性的要求,不外就是对于现实的事物之真实性的要求。"真理(真实)常是具体的"这个命题,就是从这里产生出来的。

马克思在《资本论》第二版的跋文里面,当他叙述他的探究方法的时候,他便用 Die Forschung hat den Stoff sich im Detail Anzueignen(探究须详细地占有材料)这样一句话。所谓 im Detail(详细地),毕竟就是"全面的"的意义。固然我们只是抽出对象之某一方面,或某一属性,或某一特征,我们也可以作出某种结论来。但是在实际上,和这种结论正相反对的方面(有时这种事实很多)的存在,也是能够有的。因为这个缘故,所以靠着一方面的观察,是极其危险的。由一方面的观察所生出的结论,只不过表示真理的一方面而已。所以"探究须详细地占有材料",马克思这一句话,毕竟不外就是用不同的语句,拿来表示辩证法之全面的探究的要求。

＊　　　　＊　　　　＊

辩证法不满足于任何肯定的结论,它不断地要求我们依次去探求有没有和对象在最初一瞥所表示的断案相矛盾的方面,换句话说,即是辩证法不断地要求我们对于对象下全面的观察。对于这种要求的完全的实现而尽量与之相接近的这种态度;是在科学上研究对象的唯一方法,因而又是科学家在实际上正在采用着的方法。我曾在我标题为《第二贫乏物语》的我的随笔的里面,引用了足立博士最近发表的关于软部人类学的研究,作为采用这样方法的一个例证。但是关于辩证法的思维之本质,一点也不曾理解并且一点也不想去理解的人们,对于它却述说着种种的批评,——其实与其说是批评,毋宁就是感想。我现在因为想阐明这般批评或感想是如何的误谬,所以我先把我的随笔里的一节在这里引用出来。

统一的事物的分解,以及它的充满了矛盾的构成分的认识,是辩证法的本质。"辩证法的内容的这种方面的正确,必得假手于科学的历史,去证明出来。"这都是列宁曾经说过的话,这种科学的证明的一个例证,在关于软部人类学的最近的研究所获得的成果之上,也可以发现出来。

足立博士,亘数十年之久,从事于软部人类学的研究,他根据他研究所得的结果,得到了"一切人种的差异,并不是绝对的"这一个根本的结论。(以下系根据《东京人类学》杂志第四十三卷第八号所载的博士的讲演的笔记)

如果我用统计的方法,把关于涉及解剖学之专门的研究的软部的差异,一一列举出来,恐怕会引起诸君的倦怠,因此,我只把诸君所希望知道的地方,略举几个例子。博士在这个前提之下,他所列举的例子是:

(一)筋系统

(1)胸骨筋　在胸部皮肤之下,有时现出一个细薄的筋肉,这就是所说的胸骨筋。具有这个筋肉的,在日本人里面百人之中,大约有十人,但是在西洋人里面,百人之中,仅仅只有二人。

(2)长掌筋　用腕角力的时候,两腕之前侧,即伸出一条细长的腱。这就是长掌筋的腱。这个长掌筋,西洋人和日本人比较起来,西洋人是往往缺损的。

(3)长跖筋　这是附着筋骨内侧的一条细长的筋肉。这个长跖筋,日本人和西洋人比较起来,日本人是往往缺损的。

(二)血管系统

(1)在两个腕部前侧的皮肤之下,有时现出一条打动着脉的细长的血管。这条血管,在日本人是很稀有的,但是西洋人却是常有的。

(2)在膝部的后面发出一根血管的干,在这条干分为二枝的地方,有时要比较突出些。这种现象,在日本是很稀少的,但是在西洋人却是很寻常的。

（三）末梢神经

（1）视神经，日本人的比较欧罗巴人的要长些，并且迂回也少些。

（2）从脊髓向上肢所发出的许多粗大的神经的干，先结合成为三束，这是很通常的。但是日本人却每每合成一束。这种情形，在西洋人是极少的。

（四）目

在日本人的内眦的黏膜皱皮内面，每每现出一个小的软骨，这在西洋人也是很稀少的。

（五）皮肤

西洋人分泌臭气的汗的腺体，在腋下是很多的。西洋人多半有腋臭，就是因为这个缘故。这样的腺，在日本人里面，是极其稀少的。不过日本人有腋臭的人，也还是具有这种腺的。

"以上只就大家所愿意知道的，略略举了几个例子，实则像这样的例子，还可举出几十个来。这些身体上相异的地方，的确是和人种的不同有关联的。如果我们把不大确凿的地方，也举出来，那么，这种例子，真可说是非常之多的。"

以上所列举的诸特征，究竟有什么意义呢？我们一面要拿人类和种种动物相比较（即是要根据系统发生学的研究），一面要考察人类住在母体内一直到产生以前的历史（即是要根据个体发生学的研究），只有照着这个方法，才能够确定这些特征的意义。

我们试把上面所列举的诸特征，拿来仔细研究一番，便可知道：（一）筋系统内面所包含的（1）和（2）与（三）末梢神经那个项目下所包含的（2）以及（四）目等特征，就下等动物和人类比较起来，而下等动物具有这种特征的，要比较多些。因为这个道理，所以如果单就此等特征而论，日本人和西洋人比较起来，日本人便可说是比较下等的人种了。但是在另一方面，如果单就这个特征以外的其他诸特征而论，日本人和西洋人比较起来，日本人又可说是属于比较高等的人种了。

博士叙述了这些特征以后，于是又进而说道："西洋人并不知道他们自己的身体上的构造,有比较劣于其他的人种的地方。可是,我们根据于日本人的软部之研究,发现了西洋人的身体上的构造有几个地方,在进化的阶级上,确是要比较低下些。在西洋人之间,最初有许多人听见了这件事实,都是十分惊异的。哪怕到了现在,在西洋人之间,对于这件事实,认为是可惊异的,也不能说没有。不过近来,他们多半都很明白了,原来西洋的学者,他们总是想着:甲人种,在身体构造的各点上,总是全然优于乙人种,或是全然劣于乙人种。但是他们的这样的想法,是错了的。譬如就刚才讲过了的长掌筋和长跖筋而论,其性质,是同一的,两者都是在人类的身体上,应该渐次消灭的筋肉;然而就长掌筋而论,日本人劣于西洋人,反之,就长跖筋而论,西洋人却又劣于日本人。依据这些适切的例子,他们现在也知道:在某一特点上,甲人种或是优于乙人种,或是劣于乙人种,在另一特点上,乙人种或是优于甲人种,或是劣于甲人种。"

以上我引用博士的讲演,其所以比较的详细的缘故,约有三个意思:第一个意思,因为博士这种讲演,是他数十年来很忠实的科学的研究的结论;第二个意思,因为博士,这种研究,无意识地对于辩证法的论理之正确给了一个证明;第三个意思,因为这种事例,哪怕在西洋人的著述里面,也还没有看见过。因此,所以我就把博士的讲演,比较详细地引用了。

现在我想进而把以上所引用的例证,和前面所记载的蒲列哈诺夫对于辩证法的说明,对照看着。

西洋人是优于日本人的人种,这句话,是就西洋人和日本人最初一瞥时所得到的一种肯定的结论。但是依照辩证法,我们对于这种肯定结论是不满足的,我们还要进一步探求究竟有没有和这个结论相矛盾的地方。于是我们不但对于某一部分——即是对象之某一方面或某一属性——加以研究,我们还要就各个部分,例如筋肉、血管、神经、内脏等,依次一一加以研究。果然这样做下去,我们便发现了相矛盾的诸结果。这就是在某一部分,西洋人优于日本人,同时在某一部分,日本人却又优于西洋人。并且我们越是进行研究,这种对立的关系也就越是多起来。如果我们把这些研究的结论,综合起来,那么,我们对于日本人和西洋人在人种上异同的问题,便可以全面地理解了。这件事,是一定要我们极力注意于现实,才被实现的。即如足立博士,在过去数十年间,对于无数的尸体的种种部分抱着充分的忍耐力,继续加以解剖学的研究,正因为这个缘故,所以才能达到日本人劣于西洋人,同时日本人又优于西洋人那样含着矛盾的一个辩证法的结论。辩证法在黑智儿的手里,曾为观念的神秘之衣所隐蔽。但是如果我们把这种神秘之衣脱下,我们便可认清辩证法毕竟不外是由于客观世界自身之辩证法的性质,反映到人类头脑的里面所达到的人类的自觉。

＊　　　　　＊　　　　　＊

后来土田杏村氏对于上面我所说明的,曾在《中央公论》①上,加以如下所示的批评。

　　河上氏所举的关于日本人优劣云云的命题,真算得是说明唯物辩证法的例子么? 唯物辩证法的命题,必须含有"充满着矛盾的互相排斥的对立的诸倾向",必须是由肯定转化为其反对物即否定的命题。但是关于长掌筋,日本人劣于西洋人,关于长跖筋日本人优于西洋人,这两件事,究竟在哪一点是相矛盾的是相对立的呢? 难道是从关于长掌筋,日本人劣于西洋人这个命题自身所包含的矛盾,能转化而为关于长跖筋日本人优于西洋人那个命题么? 似此,河上氏连普通的形式论理,也都不知道了。河上氏虽认上面这个命题,是:"日本人劣于西洋人,同时又优于西洋人那样自身含有矛盾的一个命题",但是无形之间,又把他所说的孰优孰劣的长掌筋和长跖筋,抛在一边了。这两个命题,全然是对于不同的事物的叙述,就是把如果两个命题合成一个命题,也不会含着何等的矛盾。现在我们说:河上氏生着两只长脚,同时又说河上氏生着两只短手,在这两个命题当中,究竟有什么矛盾呢? 如果我们说:河上氏具有希望成为一个纯粹的马克思主义者这种意识的努力,同时又说:河上氏具有只会成为一个观念的经济学者那种无意识的倾向,只有在这两个命题当中,才能够成为唯物辩证法的论理的对立。

---

① 498 号 1929 年 7 月 1 日发行。

　　就现实的事物的性质分析起来,和一个命题相矛盾相对立的命题,如果照河上氏的例子看来,绝不只是两个,就是不拘就多少事实的分析,也都可以得到的。比如关于鼻子的高低,在日本人和西洋人之间,是没有优劣的,又如关于爪甲的颜色,如果说日本人和西洋人之间存有优劣,那就更无道理了。依照河上氏的论理,这些命题,岂不都是含有矛盾的对立的辩证法的命题么;结局,某一方向起了运动,这些命题中的某一个命题,就必须消灭而转化为另一命题么?

　　土田氏对于我所引用的足立博士关于软部人类学的研究之结果的说明所下的批评,我在上面,已经全部写出来了。现在我在这里答复土田氏的这个批判,或许能使读者深切地理解这个问题,所以我对于他的批评,加以简单的说明。

　　在上面所引用的范围内,可以看出土田氏的立论包含着关于辩证法的两个谬见。第一谬见,是由于不理解辩证法里面的对立物是什么才发生出来的;第二谬见,由于他没有理解以下两点的区别才发生出来的,即是用塔尔海玛的话说来,(一)"从状态上,从静的方面"去观察事物的关联,便可借以显示事物的"横断面";(二)"从过程上,从进行上,从动的方面"去观察事物的关联,便可借以显示事物的"纵断面",这样的区别,土田氏是不曾理解的(关于这些问题,留在后节详细说明,这里只是为说明土田氏的误谬而在必要的范围内,稍一论及而已)。

　　土田氏说:"唯物辩证法的命题,必须含有充满着矛盾的互相排斥的对立的诸倾向,必须是由肯定转化为其反对物即否定的命题。"可是土田氏这种说法,首先是错了的。试举一个最容易理解的例子来说。"商品是使用价值和交换价值这两种对立物之直接的统一,这是马克思对于商品所定下的'唯物辩证法的命题'。统一事物的分解,以及它所包含的充满了矛盾的构成分的认识,这是辩证法的要求。商品是一个统一物。我们分解商品,发现使用价值和交换价值这两种对立物,这就是所以认识商品所包含的充满着矛盾的构成分,从而商品是使用价值和交换价值两种对立物之直接的统一。"这样一个肯定的辩证法的命题,便发生出来。但是这个命题,固然是辩证法的命题,固然我们指明了这个命题所包含的事物之中所存在的矛盾,然而这个命题自身,却不含有矛盾,所以这个肯定的命题,也就不能由它自身之中所包含的矛盾转化而为它的反对物(我所说的"日本人劣于西洋人同时又优于西洋人这样含有矛盾的一个辩证法的命题",在用语上是不正确的。应该把"含有矛盾"这几个字修改为"含有矛盾的事实的认识",那才正确了。这或许是我使土田氏发生误解的一个原因,也未可知,如果真是如此,这或是我对不起的地方)。

土田氏对我提出两个疑问,第一个疑问,便是:"关于长掌筋,日本人劣于西洋人,关于长跖筋,日本人优于西洋人这两个命题,究竟在哪一点,是矛盾的是对立的呢? 这两个命题,全然是对于不相关联的事物的述说,就是把这两个命题合成一个命题,也不曾含着何等的矛盾。"第二个疑问,便是:"难道从关于长掌筋日本人劣于西洋人这个命题自身所包含的矛盾,就转化而为关于长跖筋日本人优于西洋人那个命题么?"土田氏提出这两个疑问之后,便下了"河上氏连普通的形式论理,也都不知道"这样一个断定。土田氏这样的武断,未必是因为气温的关系么? 无怪乎他的头脑如此混乱极了。

对于土田氏第一个疑问,我的答复是:关于长掌筋日本人劣于西洋人,关于长跖筋日本人优于西洋人这两个命题,并不和土田氏说的一样,是"全然对于不相关联的事物的述说",实则双方都是就日本人与西洋人的比较借以指明日本人之人种的特征那样同一的对象立言的。其所不同的地方,只是为得要把西洋人拿来和日本人比较而被抽出来的方面。这就是说,前者是指明日本人劣于西洋人方面的事实,后者是指明日本人优于西洋人方面的事实(根据于这样种种方面的观察,我们的认识才是全面的)。这两种事实,一方是指明日本人之劣的方面,他方是指明日本人之优的方面,在这一点上,这两件事实,是互相对立的,是矛盾的,在这种情形之下,对立和矛盾,便存在于这两种事实之间了。但是土田氏在他的第二疑问里面,又这样质问道:"难道是从关于长掌筋日本人劣于西洋人这个命题自身所包含的矛盾就转化而为关于长跖筋日本人优于西洋人那个命题么?"土田氏这个质问,未免过于滑稽了。如果唯物辩证法的命题,真是要求如土田氏所说的这样的事实,那么,例如说"商品是使用价值是交换价值"这样的命题的前半,即商品是使用价值这件事实,就必得"由它自身之中所包含的矛盾转化"而为商品是交换价值那件事实了。

若不是这样,那么,所谓"商品是使用价值和交换价值这两种对立物之直接的统一"的马克思的命题,便不是辩证法的命题了。这是多么愚蠢的话。

土田氏其所以提出这样愚蠢的质问,大概就是因为他虽然知道在辩证法的里面有所谓转化到反对物的问题,但是他知道的却极不完全的缘故。在辩证法的里面,所谓一定的事物,由它自身的里面所包含的矛盾转化而为它的反对物这种事实,只有从过程上、从进行上、从动的方面去观察事物的关联,借以显示事物的"纵断面"才是这样的。举例来说,比如幼虫,因为它自身的里面,含着矛盾,于是成长而为蛹,而蛹又因为它自身的里面,含着矛盾,于是发育而成为虫,这就是一个明显的例子。在这种情形之下,就发展过程的全体(这个发展过程自身,又可说是一个统一物)而言,蛹是由幼虫的否定所生出的幼虫的反对物,而成虫又是由蛹的否定所生出的蛹的反对物。

依照这个见地说来,那么,由使用价值和交换价值这两种矛盾物所构成的商品自身,便不得不是因它自身的里面所包含的矛盾而发生运动的一种东西。诸商品的交换过程,即是这种矛盾之展开,同时也就是这种矛盾之一部的而且暂时的解决。这种矛盾的解决,是由于一定的商品变为货币而被实现出来的。在这种情形之下,货币便是商品的反对物。这就是说,一定的商品,由于否定为普通商品的这件事,而转化为它的反对物即货币的,但这种事实,是关于一切商品自身的发展过程的问题,若把这个问题,拿来和依着分析商品因而认识商品所包含的矛盾的构成分那件事所成立的命题相混同,而认定这个命题自身,也是因为它自身里面含有矛盾所以不能不运动,这种想法,是没有道理的。

当然,关于一定事物的命题,只要我们关于那事物的认识在终极上是不完全的,它也会因为一定的矛盾而发生运动,而转化为和最初的事物不同的某种事物。因为一切发生运动的东西,是某种的矛盾。所以我们想理解这种运动,便不得不先理解为这种运动的泉源的矛盾。照这样看来,便可知道:一定的命题,或是由于它自身的里面所含的矛盾,或是由于这种命题与现象的事物之间所存在的矛盾,会转化而成为在它自身以外的东西。黑智儿的哲学体系,在主张命题自身的内容全体是绝对的真理一件事上面,是和他的排斥一切独断的辩证的方法相矛盾的。因为有这种矛盾,所以黑智儿的哲学体系就被否定了。在很长久的期间,流行于西洋人之间的关于日本人在一切人种的特征上是劣于西洋人那样的命题,在实际上是和现实的事实相矛盾的。因为有这种矛盾,所以这个命题便被否定了,于是这个命题便为日本人劣于西洋人同时又优于西洋人那样一个命题所代替了。

以上所述的那些事例,都是由于把"事物的发展过程"当作"对立物的斗争过程"去把握的一件事,而把"转化到反对物"当作一种"自己运动"去理解的事例。而土田氏的奇妙的质问——"难道是从关于长掌筋日本人劣于西洋人这个命题自身所包含的矛盾转化而为关于长跖筋日本人优于西洋人那个命题么?""结局,某一方向起了运动的时候,而这些命题中某一个命题,便必须归于消灭而转化为另一命题么?"等等质问,——不外就是由于他对以上所述的从进行上从过程上从动的方面去观察事物的关联这一个问题,只是一知半解,不能正确地运用而生出来的一种误谬的表现。

土田氏的第三个疑问是:"就现实的事物的性质分析起来,和一个命题相矛盾相对立的命题,如果照河上氏的例子看来,绝不只是两个,就是不拘多少事实的分析也都可以得到的。比如关于鼻子的高低,在日本人和西洋人之间,是没有优劣的,又如关于爪甲的颜色,如果说日本人和西洋人之间,存有优劣,那更无道理了。依照河上氏的论理,这些命题,岂不都是含有矛盾的对立的辩证法的命题么? 结局,某一方向起了运动,这些命题中的那一个命题就必须消灭而转化为另一命题么?"土田氏这第三个疑问,毕竟和前面所述的第□个疑问,是立足于同一的误解的上面的,这倒没有特别说明之必要。以我想来,新的问题,只是在于"一个命题相矛盾相对立的问题,绝不只是两个,就是不拘多少,也都可以得到的"这一点上,但是这个问题,原来也是容易解决的。例如:我们提出日本人比之西洋人在人种的特征上是劣等的这样一个命题的时候,我们对于这个命题,便可提出:关于长足筋日本人优于西洋人的命题,关于血管的某一部分日本人优于西洋人的命题,和关于视神经日本人也同样优于西洋人的命题,以及关于腋臭腺日本人也优于西洋人的命题,和它对立起来。若是我们对于这样的对立觉得太多了,那么,便可把提出的这些命题,结合起来变成日本人关于长足筋、血管的某部、视神经和腋臭腺等等,优于西洋人这样的一个命题,使它和日本人劣于西洋人的命题对立起来,这样的事情,就事物的本质说来,无论怎样都可以的。原来所谓矛盾所谓对立这种用语,如果用形式论理去解释,就会生出如土田氏所提出的疑问。提出这样疑问的人,也便可以提出:为什么使用价值和交换价值是对立物呢? 为什么生产诸力和生产诸关系是对立物呢? 使用价值的对立物岂不是非使用价值么? 生产诸力的对立物岂不是非生产诸力么? 等等疑问来。所有这些疑问,如果不用辩证法里面的"事实之客观的论理"去理解,终是不能解决的。关于这些问题,我打算放在后节详细的说明。

　　但是这里还有一件应该注意的事实。我们曾经说过,从发展上从动的方面去观察事物的关联,这就是说要把事物的关联当作对立物的斗争去观察。但是事物的关联,既然是对立物的斗争,所以不拘在什么时候,一切事物,总是"二者斗争的"(zwieschlächtig)。举例来说,比如说源平(译者按日本昔时有武将源平二氏,其旗一用赤[平],一用白[源],故有此语)而论,则分红白;就围棋而论,则分黑白;就相扑(译者按即日本武士的角力)而论,则分东西,这是一般人所知道的。又,列宁也曾说过:"在数学里面,有正数和负数,微分和积分。在力学里面,有作用和反作用,在物理学里面,有阴电和阳电;在化学里面,有原子的结合和解离;在社会科学里面,便是阶级斗争(即是榨取阶级和被榨取阶级的对立,或生产关系和生产力的对立——河上补)"。在这些事例的里面,都是两种事物互相对立的。土田氏说:"在一个命题里面所包含的矛盾对立的命题,如果照河上氏的例子看来,绝不是两个。"土田氏这种说法,其所以令人感觉不满意的缘故,或许是因为他对于前面所叙述的问题不曾明白,也未可知。但是这个问题,我也打算放在后节去详论,在这里只说这些,其余只得省略了。

第三节　对立物之统一与统一物之分解

　　列宁在俄语杂志《马克思主义的旗下》(1924 年 1 月、2 月号)所发表的关于他的哲学上的论文,他对于辩证法所下的定义,如下所示:

　　　　所谓辩证法,就是说明:对立物,怎样能够同一,而且是同一的呢? 在如何条件之下,对立物又互相转化而为同一的呢? 为什么人类的悟性,不把这般对立物当作死的凝固的东西去观察，宁把它们当作活的、附有条件的、运动的、相互转化的东西去观察呢？ 等等事件的一种学理。

又他在《关于辩证法的问题》冒头的章节里面，曾有如次所示的叙述：

统一的事物之分解（Spaltung），以及它的充满着矛盾的构成分之认识，乃是辩证法的本质（本质的东西）之一，纵然不是唯一的基础，或根本的特性，但总可视为基础的诸特征之一。……

辩证法的这种内容方面的正确，是必得假手于科学去证明的。……

对立物的同一性（比较正确的说，宁称为对立物的"统一"，但是"同一性"与"统一"在表现上的区别，并不是本质上的，在某种意义上，两者同是正确的），含有对于自然（包含着精神与社会）之一切现象与进行的里面所包含的充满了矛盾的互相排斥的以及对立的诸倾向的认识（发现）的意义。

上面所记载的列宁的这段话，究竟含有怎样的意义呢？ 这就是本节所要探究的主要的问题。

辩证法的思维之本质，是由以下的事实成立的，即是辩证法不满意于任何肯定的结论，不得不于思维的对象之中去探究有没有和这种对象在最初一瞥时所表示的东西相矛盾的质和力，这是我在前节曾经说过了的。这里所记载的列宁的一段话，若把它诠释起来，结局就和我在前节所陈述的处所，是指示的同一东西。

现在试举一两个实例，借以说明。我在前节曾经说过下面这一段话——比如说，我现在所使用的纸和钢笔，它们首先是显现为两种不同的东西。所以我们通常总是说纸和钢笔，是两种不同的东西。但是如果稍稍详细观察一下，思考一下，便可发现纸和钢笔，两种都是工业品，都是文具，都是日本内地的制造品，都是当作商品生产出来的，都是我的私有物，都是放在同一的桌子上面的，都是同样的存在于地球上面的。所以就无数方面而论，又可说是同一的物，因为这个道理，所以说纸和钢笔是两种不同的东西一件事如果是正确的，那么,同时说纸和钢笔是相同的东西一件事也是正确的。

如果把上面这个例子,拿来参照列宁的话,那么,纸和钢笔便是对立物,便是相异的东西。但是这种对立物,照以上所述的意义而言,便又是能够互相同一的了。

其实得称为同一物的,并不限于纸和钢笔。凡属映在我们眼帘里的一切东西,诚然都是多种多样的,但这一切东西,在它们都是自然的一部分这一点上,又都是同一的;因为如此,一切多种多样的对立物,都被统一在一个自然的里面。

现在我们考察的方法,假定是和以上相反而从统一物出发,那么,分解统一物而认识这种统一物所包含的充满着矛盾的构成分,便成为我们的工作了。试就大自然说罢。这个大自然是由狭义的自然与人类构成的,而这种自然与人类,是包含在广义的自然的里面的对立物。人类对于自然是对立的,在这个意义上,人类与自然,便是对立物。但是在第一章曾经说过,人类这种东西,又是自然的产物,是自然的一部分,所以在那种意义上人类与自然这种对立物,"是能够同一的而且是同一的"。其次,我们试把那个与大自然正相反对的极小的事物,例如商品,拿来一为考察罢。商品这个东西,在最初一瞥时,只是一种单纯的使用价值,但是当我们走进市场(例如百货店)去,便可看见在这个地方,陈列着衣类、食品、家具、文具、书籍等东西,而这些东西,都是我们必要的东西,即是所谓使用价值。所以如果我们稍稍详细地考察一下,便可看出:这些商品,不但具有使用价值这样的一面,并且具有成为商品价值的其他的一面。这就是说,这些东西,既然都是商品,所以都具有一定的价值(成为作商品的价值——商品价值),都具有值得几元或几十元的价值,所以马克思分析商品,便发现了商品的构成分,即是使用价值和(商品)价值。在这种情形之下,使用价值和价值——正如马克思在《资本论》里面所说明的一样——即是构成商品的统一物的互相排斥的对立物。照这样看来,马克思在《资本论》里面对于商品所下的分析,和列宁所说明的"统一的事物的分解,和统一物所包含的充满着矛盾的构成分的认识"是恰恰相当的。

但是,如像就这商品的情形看来也可以明白的一样,若果我们只是见着商品的某一方面,那就如前所述,商品只是成为使用价值映在我们的眼里。从而商品是使用价值这样一个肯定的命题，便成立了。但是辩证法的思维，如前所述，是不满足于任何肯定的结论的，是要进而要求在思维的对象之中，探究有没有和这种对象在最初一瞥时所表示的东西相矛盾的质和力的。现在我们依从这个要求，对于商品是使用价值这样一个肯定的命题，是不满足的。于是我们便更进一步在思维的对象的商品里面，探究有没有和这个命题相矛盾的其他的方面。这样一来，于是商品是价值的另一个命题，便得到了。因此，商品是使用价值同时又是价值这件事实，便被发现了。

我以上所述的对立物的统一，在塔尔海玛，则叫做"对立物的融合"，现在把他的话引用出来。

辩证法最一般的最包括的法则（其余一切的法则都是由这个法则诱导出来的），便是对立物的融合的法则（Gesetze von der Durchdringung der Gegensätze）。在这个法则的里面，含有两层意义。第一，一切事物、一切现象、一切概念、结局都结合为一个绝对的统一。换言之，不拘如何的对立，不拘如何的差别、结局，不结合而为一个统一的东西是不会有的。第二，这也是无条件的适用的，一切事物，都是同一的，同时又是绝对的差异的，绝对的或无限的对立的。这个法则，我们叫做一切事物之对极的统一的法则。①

第四节　差别的相对性

如上所述，辩证法之本质，在于对于事物的全面的观察（这是在第二节讲过了的）以及对立物之同一性的认识（这是在第三节讲过了的）这一点上，种种的结果，都是从这个根本的特征生出来的。在这里只就其主要之点一为申述。

第一，一切事物的界限，即 A 与 B 的差异，都是相对的。

我在前面曾经说过：足立博士费长久时间，由日本人的尸体的解剖，从事于日本人和西洋人之人类学的比较的研究，结果，达到了"一切人种的差别，都不

——————————
① 《辩证法的唯物论入门》，德文本，第 112 页。

是绝对的"这样一个结论,这就是一切事物的差别都是相对的一个实例。现在从前面曾经引用过的博士的话,就其与目前的问题有关系的部分再引用一次。

> 西洋人并不知道他们自己身体上的构造,有比较劣于其他的人种的地方。可是我们根据于日本人的软部之研究,发现了西洋人的身体上的构造,有几个地方,在进化阶段上,确是要比较低下些。在西洋人之间,最初有许多人听见了这件事实,都是十分惊异的。哪怕到了现在,在西洋人之间,对于这件事实,认为是可惊异的,也不能说没有。不过近来他们都很明白了。原来西洋的学者,他们总是想着:甲人种在身体构造的各点上,总是全然优于乙人种,或是全然劣于乙人种。但是他们这样的想法,是错了的。譬如就刚才讲过了的长掌筋和长跖筋而论,其性质是同一的。两者都是在人类的身体上,应该渐次消灭的筋肉,然而就长掌筋而论,日本人劣于西洋人,反之就长跖筋而论,西洋人却又劣于日本人。依据这些适切的例子,他们现在也知道在某一特点上,甲人种或是优于乙人种或是劣于乙人种,在另一特点上,乙人种或是优于甲人种或是劣于甲人种。

辩证法这种东西,并不是只从人类头脑中推想出来的,而是因为事物自身,就是合乎辩证法的,当事物很正确地反映到我们头脑的时候,于是辩证法的命题——例如一切人种的差别,都不是绝对的命题——便不期而成立了。

上面所说的,不过只是一个例子罢了。实则并不限于人种的问题,世界里面一切的事物,都是多面的,都是极其复杂的,所以如果我们关于一切事物的界限充分地探究的时候,那么,我们对于事物的认识,绝不只是像普通所想象的那样。

恩格斯关于这件事实,曾给我们以种种注意的机会。他在《反杜林格论》这部书的 1885 年的序文里面,对于自然科学的关联说道:

> 因为有把多量的累积下来的纯经验的诸发现加以整理的必要,而为理论的自然科学所要求的革命,就是甚至要使最顽强的经验家也必须意识到自然现象之辩证法的性质的种类的东西。从古以来所认为不变的对

立,和划然区分的界限,都渐渐消灭下去了。自从连最后的"真正的"瓦斯被液体化以来,自从或种物体可以安放在液体和瓦斯形态不能区别的状态之下这件事实被证明以来,于是凝集状态也将以前的绝对的性质,完全失掉了。就完全的瓦斯而论,个个瓦斯分子的运动速力之自乘,在同一温度之下,与分子重量成反比例,随着这种力学的瓦斯理论的命题成立以来,于是热这种东西,也便成为可以直接测定的运动诸形态之一了。在十年以前,关于新被发现的运动的大原则,只是当作能力的保存的法则去理解,只是当作运动的不灭不生的表现去理解,这就是说,只是从量的方面去理解,但这种狭隘的消极的表现,渐次由能力的转化的积极的表现所排除。这样一来,于是过程之质的内容,才能正当地为人所理解,于是对于世界外之创造者所具有的最后的幻想,也就因之而消灭了。从力学上的力(即所谓机械的力),转化为电气热或潜势力状态力,或与此相反,从后者转化而为前者,而运动(即所谓力)的量总之绝不发生变化,这件事实,在今日已经没有当作新的事实去说明之必要。……又,从生物学借助于进化论的光辉,为人所研究以来,哪怕在有机界的区域内,而分类上的确定的境界线,也次第消灭了。另一方面,差不多完全不能分类的中间体,一日一日增加起来,比较精密的研究,每每把某种有机体,从某一种类编入到另一种类里面去,因此,已经成了信仰的条款的区别标准,便失掉了绝对的有效性。到了现在,我们已经知道了有产卵的哺乳动物,如果报告是正确的,那么,连匍匐的鸟类,也是有的。……但是对于近代的理论的自然科学,赋予这种狭隘的形而上学的性质的,正是那种认为不相容的难融合的两极的对立和被勉强固定的限界与分类。这种对立与区别,在自然之中,固然有是有的,但只具有相对的有效性——这种认识,成为自然之辩证法的把握之核心。人们被迫于自然科学所累积下来的诸事实,从而达到了这样的认识。假使我们对于这般事实之辩证法的性质,使之与辩证法的思维法则的意识结合起来,那么,我们达到这样的认识,便更加容易了。要之,现在自然科学,已发展到不能离开辩证法的统辖的境地了。①

——————————

① 《反杜林格论》,德文本,第17—19页。

我们在前面所引用的足立博士之人类学的研究,正是恩格斯在这里所说的一个适当的例子。足立博士,亘数十年之久,由于人类之解剖而"多量的累积下来的纯经验的诸发现"其结果,终至于消灭了"分类之凝固的境界线"。人种的对立与区别,固然是事实,"但是,只是具有相对的有效性",这种认识,不拘在任何的研究的领域以内,只要我们比较多量的集积事实,比较多面地观察所研究的对象,可以说是我们不得不达到的一种结果。为什么呢?我们再三说过,现实的事物,是无限的复杂的,是无限的多面的,如果我们的研究愈近于真实,那么,我们便不得不发现事物的限界,绝不是如三合土所砌成的墙壁一样的明确。辩证法,因为是辩证法的缘故,所以在辩证法看来,是不会有绝对的确定的东西的。——不拘就自然现象而论,不拘就在社会现象而论,我们的研究如果愈加近于真实,那么,形而上学的,观念的,在头脑里构成的概念,便愈没有什么用处,反之,在依据于现实尽可能的范畴内。把客观的事实,很忠实地反映到头脑里面去的唯物的现实的非形而上学的即辩证法的观察之正确程度,往往是要一步一步地被发现出来的。诚如恩格斯所说的那样,辩证法的思维这种东西,就是"与经验的自然研究持有全然同一的极长久的经验的历史的一种思维"①。又辩证法这种东西,不外就是"一面在人类的思维的发展里面,成为一贯的系统,一面又使具有思维的人类,次第去意识它的一种法则"②。

恩格斯又(在1895年3月12日给予休尔特的书简里面)对于同一的问题从不同的观点,作如次之论述。

从我们承认进化论的瞬间起,我们关于有机的生命所有的概念,只是近似地适应于现实。如果不然,那么,变化这件事实便会完全没有了。在有机界里面,如果概念和现实到了绝对一致的时候,即是进化告终的时候。例如鱼的概念,包含着水中生活和用鳃呼吸两件事实。假令这个概念不打破,你怎么能够从鱼的概念达到水陆两栖动物的概念呢?当这个

① 《反杜林格论》,德文本,第15页。
② 《反杜林格论》,德文本,第15页。

概念实际被打破了以后,我们便知道有许多鱼,是从用气囊呼吸空气进化到用肺脏呼吸空气的。又这一方或双方的概念,如果是不和现实冲突的,那么,你又怎样能够从卵生的爬虫类的概念,达到胎生的哺乳类的概念呢?到了现在我们已经知道了单孔类,构成了卵生哺乳类这样的一个小纲目。——我于1842年在曼彻斯特(Manchester)见着了鸭嘴类的卵,我当时以高慢的褊狭的见解,嘲笑着哺乳动物,怎能会有产卵这样奇异的事呢?但是这件事实,到了现在却已明明白白地证实了。

*　　　*　　　*

其次,我想在社会现象的领域里面,举出一两个实例。这时在日本国里面有许多人对于新劳农党树立的计划,基于"普罗列达里亚的党,只是一个",以外的党,都是似是而非的无产党,这样一般的理论,于是断定准备树立新劳农党,当然也不外是一种似是而非的无产党,因此,在某一部分内便起了一种很强烈的反对论。但是关于这个问题,也只要我们不为一般的理论所拘泥——,这种理论既然是属于一般的,当然是抽象的,——而比较在具体的方面去观察,我们必定会发现普罗列达里亚党与其他的诸党的限界,也绝不是截然区分的。我在下面,可以举出一个实例来。

埃及的社会党在第三国际共产党第四回世界大会中,被允许加盟到第三国际共产党里面去,不过附有条件罢了。其条件——在1922年11月30日的会议里面,由日本片山潜氏朗读的——系基于委员会的第二项决议,内容如下所示:

> 委员会在所提出的诸条件实现以前,对于埃及社会党之加盟,必得使之延期。
>
> A.该党须排除党内不良的分子。
>
> B.该党须召集大会,在召集大会之际,须将现在站在党外的埃及的共产主义的分子即承认了第三国际共产党的二十一条的人们努力使之加入埃及社会党。
>
> C.该党的名称改为埃及共产党。

这就是说,埃及社会党于 1922 年之末,由其构成分子之若干的取舍,因而备有普罗列达里亚党所应该具有的实质,从这个例子看来,我们便不得不承认普罗列达里亚党的差别绝不是绝对的。

复次,我们试再举一个例子。商品与货币是对立的,但是照马克思在《资本论》里面所说明的那样,货币却不外是商品的一种①。商品世界里面某种特定的商品,如果为着其他的一切商品,独占着一般的等价的地位,那么,这种特定的商品便因此而转型为货币了。不但如此,并且已转型为资本的货币,例如,货币在它具有生利资本的机能的时候,在成为资本的资格上就成为商品②。我在前面曾引用过"所谓辩证法就是说明对立物怎样能够同一,而且是同一的呢？ 在如何条件之下,对立物又互相转化而为同一的呢？ ……等等事件的一种学理"。列宁的这一段话,在这段话里面所包含的意义,就是就这里所说的商品对货币的关系看来,也是明显的。但是特定的商品,其所以成为货币,既然是由于这种商品,为着其他一切诸商品,独占着一般的等价物的地位,这件事实而来的,那么,所谓一般的或是独占的这种事实,不待说是有程度上的差异的,因为这个缘故,所以一般商品与货币之限界,也绝不是绝对的东西。特定的商品转型而为货币这种事实,乃是商品生产的,——从而也就是商品流通的——发展之结果,而货币这种东西,乃是商品世界的进化之产物。如果我们一旦站在这种进化论的见上,那么,便会如前面所引用的恩格斯在书简里面所申述的那样,我们的概念只是近似地适应于现实。因此,在概念上虽是有普通的商品与货币的区别,但是在实际上,各种商品,在某种程度以内,都是具有货币的机能的。在这个意义上,商品与货币的差别,又是一种全然相对的东西。从而可以说,"不拘在自然里面,抑不拘在社会里面,一切的界限都是可动的东西,都是在一定程度以内附有条件的东西。"③

＊　　　　＊　　　　＊

如上所述,我们便可知道所谓定义这东西的不可避免的缺点了。恩格斯在《反杜林格论》的里面,关于生命下了一个定义以后,便向我们说了如下所

---

① 参照拙著《经济学大纲》,上篇第 1 章第三节。
② 参照拙著《经济学大纲》,上篇第 14 章,第 344 页以下。
③ 列宁:《急进主义小儿病》,德文本,第 60 页。

示的一段话,以促起我们的注意。

> 自然,我们关于生命所下的定义,是很不充分的。因为这个定义,并不是包括一切生活现象的,可说只能限于最一般的而且单纯的生活现象。一切的定义,在科学上,是没有多大价值的。如果我们想对于生命是什么这个问题,要完全了解,那么,我们便不可不涉猎从最低级的以至最高级的一切生命之现象诸形态。虽是如此,然而在日用的关系上,这种定义,倒是极其便利的,是往往不可缺的,只要我们不忘掉定义所不能避免的缺点,那么,定义这个东西,却也是无害的。①

所谓定义这种东西,就是这样的。我们试翻开《资本论》一看,最引起我们注意的特征之一,便是在《资本论》里面,全部没有资本的定义,没有商品及货币的定义。在这一点上,是和一般俗流经济学者所著的通俗教科书类,全然异趣的。恩格斯对于这件事实,在《资本论》第三卷的序文的里面说道:

> 种种的事物以及这些事物的相互的关联,既然不是固定的东西,而是当作可变的东西去把握,所以这些事物在思考上的映像即概念,也是应该同样的蒙着变化和转化的,因此我们不把这些事物加上确定的定义,宁把它们看成是在历史的或论理的形成过程之中,展开出来的,这种事实,实是自明的事实。……②

我在前面,曾经引用列宁的这样的一段话:"我们在学校里面囿于其中形式的论理,其所采取形式的诸定义,务必是很广泛地被使用的,或是很容易为人所注目的,而且止于是那些东西。如果我们定下两个或两个以上不同的定义,到了后来,偶然把这种定义统一起来,在这个时候,我们不过得到表示对象物的若干方面的一种折中主义罢了。但是辩证法的论理却不然,它要求我们

---

① 《反杜林格论》,德文本,第76页。
② 《反杜林格论》,德文本,第16页。

更加前进。"这样看来,所谓定义这种东西,不过是表示对象物的若干方面而已。因为它是一方面的,当然是"极不充分的东西"。

＊　　　　　　＊　　　　　　＊

以上我们先就自然现象,次就社会现象,把诸对立的相对性举例说明了,最后更就我们的思维来观察它。恩格斯对于真理与误谬的对立,在《反杜林格论》的里面,论列如下:

> 真理与误谬,和构成两极的对立的一切思维规定相同的,只在极受限制的领域内才有绝对的妥当性。……当我们一旦把真理与误谬的对立应用于以前表示的那种狭隘的限界以外时,这种对立,即变成相对的,从而对于正确的科学上的表现方法,是不适用的。但是如果我们想把这种对立,当作绝对妥当的东西而应用于上述的领域以外,我们便会陷于失败的境地。对立的两极,便会转变为其反对物,即真理变成误谬,误谬变成真理。试以有名的波依尔法则(Boyle's Law)为例:依照这个法则,温度在一定不变的状态之下,瓦斯的容积与所受压力的大小,是成反比例的。后来纳诺尔(Regnault)发现了这个法则,在某种状态之下,是不适用的。如果纳诺尔是一个现实哲学者,他一定会说道:"波依尔法则是变化的,不是绝对的真理,不是一般的真理,毕竟是误谬的。"如果是这样,那么,纳诺尔所犯的误谬势必比波依尔法则里面所含的误谬,就会更加大些。这个法则里面所包含的一粒真理,势必会覆没在误谬的砂丘之中;换言之即是他对于这个法则之本来的正当的结论反加上一个误谬,这个误谬与波依尔法则所附着的若干的误谬比较起来,波依尔法则尚可视为真理。但是纳诺尔,是一个科学者,他不曾有如此类似儿童的行为。他却更进一步研究波依尔法则,他终于发现了波依尔法则,只是接近于正确。尤其对于加压力就变成液体的瓦斯(当压力达到足以使瓦斯变化为液体的时候),失掉了效力。照这样看来,依波尔法则,只是在一定的界限内才是正确的。然则这个法则,在这种限界内,便是绝对的么? 便是究极的真理么? 不拘如何的物理学者,都不会这样主张的,他们必这样说道:"这个法则,在一定的压力与气温的限界内,对于一定的瓦斯,才具有妥当性。"并且

就是在这样狭隘的有限制的限界内,依着将来的研究,生出了比较更有限制的或不同的观察的方法,这种可能性,在他们也是不会否定的。所谓究极的真理这种东西,拿物理学的例子看来,结局就是这样的。所以真实的科学的工作,通常总是要避免所谓误谬,所谓真理,之类的独断的道德的表现。①

列宁对于同一的问题,亦曾屡屡有所论及,现在从他所著的《急进主义小儿病》里面,抄录一个例子。

> 为着使一种新的政治上的思想(这并不限于政治上的思想)变为无信用,并且损伤它,其最确实的手段,莫如在拥护的名义之下,而把它扩张到极端的境地,为什么呢? 因为不拘如何的真理,如果我们(如老狄慈根所说的那样)重视它竟至于"过度"或太夸张,或把它扩张到实际上应该被应用的界限以外,这都足以使这种真理成为荒唐无稽的东西,在这种条件之下,它是不可避免地要变成荒唐无稽的东西的。②

我们在第一章第十节题为《相对的真理与绝对的真理》那个地方,曾经说过,不拘如何的真理,在某种意义以内,都是对的(但是所谓的真理是相对的这件事实,也是相对的,所以它在某种意义以内是相对的,同时在某种意义以内,又是绝对的,不过这件事实,在这里我们是不讨论的)。既然不拘如何的真理都是相对的,所以真理与误谬的对立,也不得不是相对的。

又,我们在第一章第九节题为《思维与存在之适应关系》那个地方以及其他的地方,曾经说过,我们的思维,结局不过是存在的反映。既是如此,那么,我们的思维,不拘怎样,一定是依着某种方法,由存在的某一方面所反映出来的一种东西。由此看来,绝对的误谬,是不会有的。比如我们虽是主张唯物论,排斥观念论,但是从我们的立场看来,观念论也绝不是绝对的误谬。"哲

---

① 《反杜林格论》,德文本,第85—87页。
② 《急进主义小儿病》,德文本,第5□页。

学的观念论,只有从粗野的简单的形而上学的唯物论的见地看来,才是无意义的。如果依照辩证法的唯物论的见地,却是相反的,哲学的观念论,是把它认识的诸特征之一,诸方面之一,诸限界之一,从事一面的、逸脱的、夸大的(用狄慈根的话)发展到扩大到膨胀到从物质与自然相隔离的神化的那种绝对的境地的。观念论,含有僧侣主义的意义。当然! 但是(比较正确的说),哲学的观念论,是越过人类之无限的错综的认识(辩证法的)诸阶级之一,走进僧侣主义的一个道路。……僧侣主义(哲学的观念论)无疑的是一种不结实的花,然而它是从活的、多实的、真的、有力的、全能的、客观的、绝对的人类的认识这个活的树上所开放出来的花。"[①]观念论者,从现象的总体,抽出一个断片,他们一面断绝这个断片与物质的关联,同时他们又把这个断片,膨大成为全体,使之占据绝对的地位。观念论者的误谬,就在这个地方。但是,观念论者,却在从现象的总体,抽出一个断片,这个范围以内,取得了一个根据地。纵令观念论,是一种不结实的花,然而它却是从"人类的认识这个活的树上所开放出来的花",所以观念论,也绝不是绝对的误谬的东西。

要之,不拘在自然方面,不拘在社会方面,不拘在我们的思维方面,所有一切的差别,都是在某种程度以内附有条件的。我把这个法则,简单的叫做关于"差别之相对性"的法则。

第五节　在发展过程上(在运动之流上)把握事物

一、序说

如前所述,全面地观察事物这件事,其结果便生出一切事物的差别都是相对的那种认识,但这还是就静的方面就场所的方面观察事物的情况说的。如果我们在动的方面在时间的关系上来说,那么,全面地观察事物这件事,便会成为在运动之流的里面,即是在变化的里面去把握事物那样的结果。

我们为着容易明白起见,试设一个比喻,借以说明这个问题。比如这里有一根丝,并且假定这根丝如果渐次延长便会随着变换颜色的。现在假定这根

---

① 列宁:《关于辩证法的问题》。

丝最初的部分是真赤色,把它渐次延长,就渐带着青色而变为紫色,从此以后,赤色便渐渐消失,青色便渐渐增加,最后就变为真青色。在这种情形之下,如果我们把这根丝只是分成一部分一部分地去观察,那么,不论我们是怎样的观察,我们终不能认清这根丝的颜色的变化。详言之,如果我们只是观察的最初的部分,便只能看见赤色,如果我们只是观察位于中央的部分,便只能看见紫色,如果我们只是观察最后的部分,便只能看见青色。这些观察,就各个部分而论,当然都是正确的,在这个范围内,这些观察也都不是绝对的误谬的。但是这根丝的颜色,在实际上,既不是赤的,也不是紫的,也不是青的,所以在这一点上,这些观察,也不能不说都是错误的。这些观察,便是所谓部分的观察,便是所谓一面的观察。依着这种观察,终究不能认清这根丝的颜色在前后所发生的变化,换言之,即是不能认清这根丝从赤色次第变而为紫色,更从紫色次第变而为青色这样的变化。

在发展过程上观察事物的这件事,在很多著作的里面,都认为这是辩证法的一种主要的特征。依照以上的例证,可以看出这种观察的方法,毕竟就是全面地观察事物这件事的一种表现。

现在我暂且就日本新出版的书籍中举出几个例证,借以证实多数的著者都认定在发展过程上观察事物这种事实,是辩证法的主要的特征。

蒲列哈诺夫在《史的一元论》的里面说:

> 不问是观念论者抑是唯物论者,凡是不能理解现象的发展过程,而把现象看作固定的、无联系的而且不能从某一事物转移到另一事物的并且还要使他人这样着想的思想家的见地,黑智儿就把它叫作形而上学的见地。另一方面,黑智儿又把现象在其发展上,也就是在其相互联系上,使所研究的辩证法与这种形而上学的见地相对立。

又安朵拉脱斯基在其所著《列宁主义之理论与实践》里面,论列辩证法的唯物论的第三特征的时候,也曾说道:

> 辩证法的要求,在于研究发展过程。这就是说,在于研究现象之生成

和发展和消灭,现象的这种运动,我们是决不可忘记的。运动是常常存在的,纵令某种现象在最初一瞥时好像是静止的。但是在实际上任何静止的东西、不动的东西、永久固定的东西,是决不存在的,这是我们应该记忆着的。运动是怎样发生的,从某种状态推移到另一状态,是怎样完成的,对于这种事实,加以注意,这就是辩证法所要求的。努力于全面地把握一切发展过程,以及注目于对立的势方之斗争,并且把矛盾不视为变态的东西,而视为形成现实之不可少的本质,这种思想是马克思和恩格斯的所有著作的基础。同时这种思想是意识上想成功为马克思主义者的那般劳动者的血和肉。

塔尔海玛在他所著的《辩证法的唯物论入门》第十一章的里面,把以上的法则,叫作"否定之否定的法则"或"在对立中发展的法则",他对于这个法则叙述道:

> 这个法则对于一切事物的一切运动和变化,对于现实的事物以及这种事物在人类头脑内的映像即概念,都是妥适的,这个法则的第一个主张是:一切事物和概念都是运动的变化的发展的,换言之,即一切事物,都是过程或进行。

> 这个法则和关于对立物的融合的第一主要命题,究竟有如何的关联呢? 不待说,这个法则,和关于对立物的融合的法则,是有直接关联的。这个法则,即是在时间中在连续中显现的过程(或进行)上的对立物的融合。……第一主要命题即对立物的融合的法则,是把事物的最普遍的关联当作状态在静的方面表示出来,第二主要命题即否定之否定的法则,是把事物的关联当作过程或进行在动的方面表示出来。这两个命题,互相关联,两者同时且在同一范围内,对于一切过程和一切事物都是妥适的。这两个命题,互相融合形成一个共同的全体。第一根本命题给我们以世界的横断面,第二个给我们以世界的纵断面。①

---

① 《辩证法的唯物论入门》,德文本,第126—127页。

以上所引用的,乃是塔尔海玛阐明对立物之统一的法则与发展的法则之关联的地方。我们关于这一点,还须详细考察。

二、到反对物去的转变

我们首先研究的,在于阐明第二节和第三节所论究的辩证法的特征与在本节所叙述的辩证法的特征两者间的关联。我们在第二节里面已经说明了:辩证法要求对于事物下全面的观察,并且假令我们已经有了一个肯定的命题的时候,辩证法更要求我们探究对于同一的对象,是否还可订立一个与这个肯定的命题相矛盾的其他的命题。又在第三节里面叙述了:如果我们在实际上贯彻了以上的要求,我们便可得到了辩证法的基础的法则,即"对立物的统一与统一物的分解"的法则。现在在这里所要研究的问题就是这个辩证法之基础的法则,与在本节所叙述的发展的法则之关联究竟如何的问题。我们在本节的冒头,是从这种关联的见地开始叙述的,现在打算对于这个问题,更加以深入的观察。

如果我们在事物的发展过程上去观察事物,那么,我们便会如后面所举出的例证所说明的一样,常常遇着"转化到反对物"的现象,这种转化到反对物的法则,虽是形成关于事物之发展和变化的最一般的法则,但是只要我们说明了转化到反对物这种现象发生的原因,那么,我们在这里所提出的问题,便自然被解决了。

＊　　　　＊　　　　＊

我们曾经说过,不论任何事物,如果我们加以全面地观察,便可在这些事物(自然及社会方面一切事物)的上面发现互相对立互相排斥的以及充满着矛盾的种种方面、种种属性和种种倾向。这就是这些事物,在发展过程上至于实现那转化到反对物的契机。

举例来说。比如我因为吃食物,或是因为吸烟卷,就感到一定的快感。这便是这种情形之肯定的积极的方面。但是详细考察起来,在这种情况之下,我并不是纯粹地享受快感,实则在事态上,是多方面的,在肯定的方面的里面,便潜伏着否定的方面。比如我因为吸烟卷,我的眼睛里,飞进了一些烟雾,我的舌子,感觉苦味,我的牙齿,浸染着如胭脂一般的颜色,在我的桌子上和床上,落着很多的烟灰。这种种事件,都是使我感受不快的地方。但是我因为烟卷里面所含有的尼科丁(Nicotine)的刺激的作用,使我感受很多的快感,同时伴着这种快感而起的种种不快之感,两者对消。在总体的效果上,确实觉得有一定的快感。反之,如果我连续吸了过度分量的烟卷,那么,不快之感就会大大的增加,而在总体的效果上,我便感受不快了。于是被嗜好的东西,就转化为被嫌恶的东西(即是转化到反对物)。不过在实际上,烟草那东西里面,原来含有被嗜好的属性与被嫌恶的属性,换言之,即是原来含有"充满着矛盾的互相排斥的,对立的诸倾向"。这些倾向里的某一种倾向,次第占着优胜的时候,例如烟卷这东西因消费的分量之增加那一事实的变化,不快之感次第占了优势,便生出这种结果了。

在许多俗流经济学的教科书里面所说明的效用递减的法则,可以说就是像我刚才对于烟卷所叙述的由于物的消费量的增加所生出的物的效用变化这类的事实,所成立的一种法则。凡是足以充满人类某种欲望的物的属性,我们便称它为物的有用性或效用。但是那种物的效用,正如一切的物所显示的情形一般,绝不是一定不变的。我刚才对于烟卷所叙述的道理,就是拿来应用到食物上面去,也是一样的。举例来说,不论是任何人,如果到了饥饿的时候,得到了一碗饭,这是有很大的效用的。但是已经吃了一碗饭以后,更继续吃两碗三碗或四碗饭的时候,饭的效用,便次第减少了。又假令如果已经吃饱了饭以后,更继续吃下去,这不论哪一个人,都是不能不感受痛苦的。这样看来,食物是有一个饱满点的,如果达到了饱满,食物的效用便会转化为非效用(即是效用的反对物)了。在这种情形之下,因吃食物所生的结果当中,从最初就含有矛盾的因子,不过在最初意义较轻,后来意义渐次加重,所以在全体上便生出了上述的结果。详言之,这和吸烟的情形相同,当我们摄取食物时,我们绝不是因此感受纯粹的快感的。比如把食物放在口里咀嚼,以及把食物咽到胃里去,这都是伴着一些痛苦的。只是最初当饥饿的时候,伴着食物之摄取所起的苦痛,因为伴着充饥所起的快感,两相对消,所以在我们的意识上便不觉得有苦痛了。但是连续摄取食物的时候,一方由充饥所生的快感次第减少,同时因为咀嚼的筋肉感受疲劳,而食物对胃的压迫亦次第增加,所以种种不快之感便因而增大了,因此,总体的效果便变得和以前相反了。

其次，我们再举一个和烟卷与食物相同的例子，即是药物影响于人体的结果。比如我们因为不能睡眠，精神上感受痛苦的时候，睡眠剂是能够使我们睡眠的，对于我们的健康的维持上是有贡献的，所以我们通常把睡眠剂称为药物。但是我们称一定的药物为药物，全然是一种相对的意义。如果服用的分量超过了一定的限度，那么，不论何种药物，便都会转化而为它的反对物即毒物。即如就睡眠剂而言，睡眠剂屡屡供自杀之用，这是我们都知道的，这不外就是自杀者增加药物的分量，使之转化而为毒物罢了。凡是所谓猛药，关于分量上的规定，都是非常严密的。这是因为尽管是一种起死回生的良药，每每因单纯的分量上的变化，即可转化其品质，而变成杀人的毒剂的缘故。

*   *   *

再次，我们转换思路，对有机物的生命尝试做一观察。有机物生命，正如"尽管门松（译者按日本的风俗，每值新春之际，即树松枝于门前，谓之门松）年年绿，谁知死程近一里"这两句短歌所含的意义一般，我们一年一年生存下去，简直就是一年一年和死期接近的意思。所以我们的生存期，一旦达于顶点，便遇着死期，在这个时候，生命活动的过程，便转化而为它的反对物即死灭。如果我们试就一定的有机体的生命活动详细观察的时候，我们便可知道有机体的生命活动，是由两种作用成立的，即一方是不断地维持有机体的作用，他方是不断地破坏有机体的作用。恩格斯在《反杜林格论》的里面，曾论及了这个问题，其言如下。

一切生物所营的同样的生活现象，究竟是基于什么呢？这就是因为蛋白质从它的周围，摄取其他的适当的物质，并把这种物质加以同化，同时这种蛋白质旧有的部分则被分解被排泄出去。至于其他无生命的个体，在事物的自然的运行之间，也仍然发生变化、分解或结合等作用，而变为和它从前存在的状态相异的另一种东西。被风化了的岩石，便不复是岩石了；被酸化了的金属便变而为锈了。但是没有生命的个体，为坏灭的原因的东西，在蛋白质是生存的根本条件。从蛋白质物的构成成分这种不断的转换休止的瞬间，从摄食和排泄这种继续的新陈代谢休止的瞬间，蛋白质的生活现象便告终结，蛋白质自身便分解了，便死亡了。即是说，

为蛋白质物存在的方式的生命这种东西,是由以下这种事实成立的,即是
不论在任何瞬间,生命是它自身,同时又是别种东西。①

恩格斯这段话的意思,就是说,有生命的,继续进行着生命活动的个体的
里面,通常存在有两种对立的倾向,即是:一是不断地破坏个体的某一部分的
作用,一是不断地再生产同一个体的另一部分的作用。换句话说,如果我们将
有机体这种统一物,一为分析的时候,便可发现有机体的里面,存在有充满着
矛盾的相互排斥的对立的诸倾向,所谓有机体的生命活动,毕竟不外就是这种
对立物的斗争过程。从此,我们便可理解:"生命这种东西,在它自身的里面,
包藏了死灭的萌芽。"

*　　　　　*　　　　　*

我们更就经济现象一瞥。资本主义的社会,是以自由竞争为原则的社会。
但资本主义的最后阶段是帝国主义,而帝国主义的主要特征之一,便是所谓独
占。列宁对于独占这件事实,在他的名著《帝国主义》第七章的冒头,就有下
面的论述:

> 帝国主义,可视为资本主义之一般的根本的特征之更加发展和直接
> 的继续。但是资本主义要到了它的若干根本的特征开始转化为其反对物
> 的时候,要到了从资本主义演进到比较高度的社会的经济的秩序之过渡
> 期诸形态开始发生和显现的时候,才能在这种一定的而且极其高度的发
> 展阶段上,转变而为资本主义的帝国主义。在这种过程里面的根本特征,
> 即是经济上的资本家的独占,代替了资本家的自由竞争。自由竞争,是资
> 本主义的商品生产和一般商品生产的本质的特征。独占则是自由竞争的
> 反对物。自由竞争本身,由于生出了大规模的生产,驱逐小企业代以大企
> 业,大企业复由比较更大的企业所代替,……便开始在我们的眼前,转化
> 而为独占了。但是同时,从自由竞争生出来的独占,并不会全然驱逐自由
> 竞争,却是凌驾于自由竞争之上,与自由竞争并存的,因为这样,所以便

---

① 《反杜林格论》,德文本,第75页。

产生了更加激烈的而且重大的矛盾、轧轹和斗争。

诚如列宁所说的"独占是自由竞争的反对物"。并且自由竞争那东西，至于产出和它的本身正相反对的独占，由此看来，可知一切的对立，都是相对的，附有条件的，并不是两者间介有不能由一方推移到他方那样不能越过的深渊。在一定条件之下，对立物能够是同一的，而且是同一的。那般为形而上学的思维所拘泥的人们，每每有许多偏见，比如他们把自由竞争和独占这种对立物，看作是全相悬隔的，彼此没有关联的东西。他们其所以形成这种偏见的，就是因为他们对于全面地观察事物这件事，不能理解的缘故。

如果我们能够全面地观察事物，那么，我们便可发现以下的事实，即是不论如何的事物，在它自身的里面，都包含着使它自身的存在濒于灭绝，以及使它自身转化为它的对立物这种一定的要素，在这一点上，不论如何的事物，都得以分解为互相矛盾的构成分。比如自由竞争，这种事实，便含有各个生产者驱逐他的竞争者，而使他自己成为市场的独占的支配者的那样的自由的意思。在这一点上，自由竞争的自身里面，便包含着与自由正反对的独占那样的倾向。因为这个缘故，所以由自由竞争自身的发展，便转化而为它的反对物，即独占。

我现在就同一经济现象，另举出一个例子来说罢。商品与商品相交换这种平等关系，如果一旦到了劳动力当作商品被买卖的时候，则转化而为正反对的榨取关系。关于这件事实，马克思在《资本论》里面，曾经详细地论证过。并且蒲列哈诺夫亦曾如下面这样，论及此点。

其次我们再来考察我国的民众派的文献所称赞不已的所谓财产劳动说（即是只要财产是所有者由自己的劳动得来，便算合乎正义的一种学说），究竟会导出什么结果来呢？那就是说：属于我的东西，只是依着我的劳动所造出来的东西。这固然是极其正当的。但是像以下所述的事件，其正当也不劣于这个。即，我把自己所造出来的物品，一任自己的自由裁量而使用，所以我自己使用我自己所造出来的物品，或是拿它和我所想要的其他物品相交换。最后，我把自己交换得来的物品，再随着我自己的自由裁量,而利用于在我认为更想望、更良好、更有益的事体上去,这也是同样正当的。现在更假定我把我自己劳动的成果,换成货币,再用那货币雇用了劳动者即是用那货币购买了他人的劳动力。

我利用了他人的这些劳动力以后,就成为一定的价值的所有者。但是这种价值,和我为购买他人的劳动力所费的价值,比较起来,大得很多。这件事,如果从一方面看来是很正当的。为什么呢? 因为我把我由交换而得的物品,用于更良好、更有益的事体上去,这是已经被承认了的事情。不过从另一方面看来,这件事情却是很不正当的。为什么呢? 因为我榨取着他人的劳动,而且因此否定了我个人的正义观念的根本原则。这样一来,依着我个人的劳动所获得的财产,便算是把那由他人的劳动所造出来的财产当作我的所有物。①

如果私有物的交换被承认着,那就能够靠那种交换把他人的东西作为自己的私有物。因在私有财产制(即是个人的所有物,一任私有者随意处理的制度)之中,同时便含有支配他人的所有物的意义。这就是说,在交换行使的范围内,私有财产制便含有个人能够私有社会的东西一件事的意义。从而在私有财产制自身的里面,便包含着个人的方面与社会的方面之矛盾。所以它虽然是从商品所有者和商品所有者之间物的交换的平等关系出发,然而在一定条件之下,便能够转化而为一方依着他方的榨取关系(即平等关系的反对物)。这就是马克思所说的:"基于商品生产以及商品流通的占有或私有的法则,由它自身的内在的不可避免的辩证法的发展,很显明地转化而为它的反对物"那件事实了。马克思对于这件事实,曾在《资本论》里面说道:

这种结果,到了劳动力由劳动者自身当作商品自由贩卖时,便成为不可避免的东西。并且变到这样以后[即是变到劳动力当作商品被买卖以后——河上补注],商品生产,才普及于一般而成为基本的生产形态,一切生产物,才开始变为因贩卖而被生产,而且被生产的一切的财富,才开

① 《史的一元论》。

始贯通于流通界。到了工钱劳动成为商品生产的基础的时候,商品生产才开始推行到全社会里面,并且在变到这样的时候,商品生产才开始展开它的一切潜势力。如果说工钱劳动的存在,使商品生产变质了,这简直就等于说商品生产如不使自身变质它就无从发展一样。商品生产依照它自身的法则向资本家的生产推进,商品生产的所有权法则,就以同一程度愈转化为资本家的领有的法则。①

　　基于商品生产和商品流通的私有的法则,到了商品生产和商品流通充分发展的时候(虽然商品生产和商品流通之充分发展,以雇佣劳动之介在为条件),即由"它自身之内在的不可避的辩证法的发展",很显明地转化为它的反对物即"资本家的领有的法则"。马克思说:"最初,所有权是当作基于所有权者自己本身的劳动的一种东西,映在我们的眼里。至少,这种假定,是应该许可的。为什么呢? 因为只有持有同等权利的商品所有者,才会对立起来,而领有他人的商品的手段,又不外是把那种只能由劳动生产出来的自己的商品让与他人。但是到了现在,在资本家方面,所有权是当作领有不被支付的他人的劳动或生产物的权利而表现出来的,同时在劳动者方面,是当作领有他自身的生产物的不可能性而表现出来的。所有权与劳动之间的分离,在外观上,遂成为从两者的一致出发的一法则之必然的结果。"②这就是所谓反对物之转化(这种结果,正如已经指明的一样,一定要到商品生产和商品流通充分发展的时候,才能开始形成。因为在商品生产乃至商品流通,成就充分发展的过程上,劳动力便不能不当作商品而买卖;劳动力一日成为被买被卖的商品,于是单纯的商品生产,便转化为资本家的商品生产,同时等价与等价的交换,便转化而为一方剥削他方的无代价的价值之榨取。所以在这种情形之下所发生的反对物之转化,同时,就是属于后面所说的由量到质的那种转化里面的一个例证。因为商品生产如果大量的发展的时候,便不得不引起从单纯的商品生产,发生变质成为资本家的商品生产。在这个时候,分量的增加必定伴着品质的

---

① 《资本论》第一卷,考茨基版,第522页。
② 《资本论》第一卷,考茨基版,第519页。

变化,马克思所说的"商品生产如不使自身变质,它便不能发展",就是指着这个现象而言的)。

现在更就资本与剩余价值的关系,作为一个例证来说罢。依照形而上学的思维,原因与结果是对立的而不能是同一的。但是更正确地观察起来,在一定条件之下,原因转化而为它的对立物的结果,反转来说,结果也转化而为它的对立物的原因,所以这两种对立物,变为同一的。这里想要说的地方,是关于资本与剩余价值的关系(这种关系是关于所谓原因与结果这种对立物之转化的一般法则的一个表现)。不待说,剩余价值是从资本生产生出来的,这就是说,资本是剩余价值发生的原因,剩余价值是资本的产物。但是由资本所生产的这些剩余价值,由于被蓄积被资本化的一件事,更从新变为资本。所以从这一方面看来,剩余价值是资本增殖的原因,剩余价值那东西(由资本生产出来的东西,现在反而)变为生产资本的东西了。这就是说,原先剩余价值是资本的生产物,然而现在资本又成为剩余价值的生产物了。马克思在《资本论》里面,当着要说明资本的生产过程时,他说我们不但知道"在这种处所[即生产过程]资本怎样生产"的一件事,并且能够知道"资本自身是怎样被生产的"①。马克思的这段话,就是为着这件事而发的②。由鸡身上生出来的蛋,孵化起来,它自身即变成独立的鸡,它自己又生出蛋来。于是结果变成原因,原因又变为结果。

最后我想就真理与误谬的关系,一为说明。我们在前章第十节已经讲过,不论如何的真理,都不过是相对的,这件事实,正和曾经说过的,不论如何的药物,只是在相对的意义上称为药物,那个例子的性质,是全然相同的。列宁曾经说道:"仅仅走过了一步——向着同一的方向——真理即转化而为误谬。"他这句话,恰和同一的剧药,仅仅增加些许的分量,即转化而为毒药那句话是相同的意思。我们在前章曾经引用过列宁的如下所示的一段话:

为着使一种新的政治上的思想(这并不限于政治上的思想),变为无

---

① 考茨基版,第131页。
② 至于详细之点,可参照《资本论》第一卷第二十二章《剩余价值转化到资本》以及拙著《资本论解》第一卷第三分册第41页以下。

信用,并且损伤它,其最确实的手段,莫如在拥护的名义之下,把它扩张到极端的境地。为什么呢？因为不拘如何的真理,如果我们（如老狄慈根所说的那样）重视它竟至于"过度"了,或过于夸张了,或把它扩张到实际上应当被应用的界限以外,这都是足以使这种真理成为荒唐无稽的东西,因为在这种条件之下,它是不可避免地变成荒唐无稽的东西的。①

如上所述,不拘如何的真理,在一定的条件之下,都可转化而为它的反对物即误谬。然则这种转化究竟是怎样生出来的呢？这与其他一切的情形正是相同的,在所谓真理这种东西之中,从最初即含有某种程度的误谬,而在一定的条件之下,即向着一般所视为误谬的方面渐次扩大;真理转化为误谬的缘故,就是如此。所谓"任何真理都只是相对的"这句话,就是说它不是绝对的真理的意思;同时所谓"任何真理都不是绝对的真理"这句话的意思,就是说它不是完全的真理,因而它当中还含有某种程度的缺陷或误谬。

要之,事物在一定的条件之下,转化而为它自身的反对物;对立物在某种条件之下,是能够同一的,而且是同一的;——这两件事实,是我们不可不明确地把握着的。"事物和思考映像的概念,在形而上学者看来,是孤立了的,彼此无关系的被观察的固定的、凝结的、永久不变的研究对象。他们是在完全缺乏了媒介的诸对立之中去考察事物的。依照他们的说法'然'就是'然'的意思,'否'就只是'否'的意思,如果超越了这个界限以外,那就困难了。在他们看来,一个事物,要就是存在的,要就是不存在的,同样一个事物,决不能是同一物,同时又不是同一物。积极和消极是绝对相排斥,同样,原因和结果,也相互成为决定的对立。这种思考方法,因其是所谓健全常识的思考方法,一见倒好像是极其合理的。但是常识在它自己所造作的闭锁的领域以内,虽是应该尊敬的伴侣,可是一旦踏进了研究的广泛的世界,马上便要遇着全然可惊的冒险。形而上学的思考的方法,依着对象的性质,在很广泛的领域内,是应该承认的,甚至是必要的,但是它迟早总有一天会触着一个界限,在那个限界的彼方,它就会成为一面的、狭隘的、抽象的东西,而陷入无以自解的矛盾里。为什

---

① 列宁:《急进主义左翼之小儿病》,德文本,第52页。

么呢? 因为形而上学的思考的方法,只是拘泥于个个的事物,而忘掉了这些事物的关联,只是拘泥于事物的存在,而忘掉了它们的生存与消灭,只是拘泥于事物静止的状态,而忘掉了它们的运动的状态,质言之,就是这种方法只是见着个别的树林而没有见着森林。举例来说罢,在日常的情形之下,我们知道某种动物是存在或不存在,能够确实地说明它。但是更正确观察起来,我们便发现这个问题是一个极其错杂的问题。譬如,为得要发现关于胎儿的杀害可定为杀人罪的一种合理的限界,这件事曾经使法律家受了无益的苦恼,这是法律家所熟知的。同样,确定死的瞬间,也是不可能的,因为生理学证明着死这种现象,不是一时的瞬间的现象,而是一个极长久的过程。一切有机体,在同一的瞬间,是同一的,同时又不是同一的。一切有机体,在一切的瞬间以内,消化从外部所摄取的物质,排泄其他的物质。一切有机体,在一的瞬间以内,它身体的细胞是死灭的,而新的细胞又是再生的。在实际上,有机体的身体的物质,经过一定的相当时间以后,便完全更新而由其他的元素所替代,所以任何有机体,常是同一物,同时又是别物。又,我们如果更正确地观察起来,积极与消极那样对立物的两极,是对立的,同时又是不可分离的;积极与消极,虽具有一切的对立性,但又是互相融合的;原因与结果,只能适用于个个特殊情形之下,才是具有为那种东西的妥当性的观念。但是我们如果把个个特殊的情形,在它与世界全体的一般的关联里面加以观察,那么,原因与结果,便归在一起,而解消于普遍的交互作用那样的见解之中。于是,原因与结果,就不断地转换位置,在这个时候或这个地方,成为结果,但在另一时候或另一个地方,又成为原因;反之,原因又成为结果。"①

我们因为一面地观察事物(事物具有多种多样的方面,而我们的观察是一面的),因为一方地观察事物(事物具有极复杂的相互关系,而我们的观察,只是一方的),所以其结果正如辩证法所指示的一样,不能认清事物复杂微妙的关系。但是不拘如何的事物,如果比较正确观察的时候,正如我们一再申述的那样,在事物自身的里面,都含有充满着矛盾的相互排斥的对立的诸倾向。所以若是在全体的关系上(不是一面的,而是涉及全面的,不是一方的,而是

---

① 恩格斯:《反杜林格论》,德文本,第 618 页。

依据于全体的关系)去把握事物的发展过程,那么,我们便可发现以下的事实,即,各个事物,在它的发展过程之中,依着与它相关联的诸条件之变化,每每由某种状态推移到另一状态,每每由一定的东西转化而为它的反对物。这样看来,所以"不拘如何的现象,依着制约它自己存在的力这种东西的作用,或迟或早,但是必然地要转化而为它自己的对立物"。① 我们把这种法则,叫作"转化到反对物的法则"。

三、发展即是对立物的斗争

列宁在他所著的《关于辩证法的问题》里明说道:

> 对立物的同一性(比较正确地说,毋宁称为对立物的统一,但是"同一性"与"统一"之表现上的区别,在这种情形之下,并不是本质的,在某种意义上,两者同是正确的),含有对于自然(包含着精神与社会)之一切现象与进行里面所包含的充满着矛盾的,互相排斥的,以及对立的诸倾向认识(发现)的意义。我们对于一切世界的进行,须在它"自己运动"的里面,在它"自发的发展"的里面,在它的跃动的实在的里面去认识,为得达到这样认识的条件,就是要把一切世界的进行,当作对立物的统一去认识,发展即是对立物的"斗争"。

> 关于发展(进化)的问题,有两个基本的(也可说是可能的或是表现在历史上的)见解。一是当作缩小与扩大看的发展,即是当作反复看的发展;一是当作对立物的统一(统一的事物分裂成为互相排斥的对立物以及这般对立物的相互关系)看的发展。

> 前一个见解,是死的贫弱的干枯的见解,后一个见解,是生动的见解。只有后者,才能够给我们以理解一切实在的事物之"自己运动"的锁钥。只有后者,才能够给我们以理解"飞跃",理解"连续中的断绝",理解"转化到反对物",以及理解"旧的事物之废灭和新的事物之发生"的锁钥。

> 对立物之统一(合一、同一性、作用平衡)是附有条件的,一时的,过

---

① 蒲列哈诺夫:《史的一元论》。

渡的,相对的。相互排斥的对立物的斗争,是绝对的,正和发展与运动之为绝对的一样。

上面所引用的列宁的这一般文字,一句一句,都是尽善尽美的,再也用不着我来费词了。

列宁说:"我们对于世界的进行,须在它'自己运动'的里面,在它自发的发展的里面,在它跃动的实在的里面去认识,为得达到这样认识的条件,就是要把一切世界的推行,当作对立物的统一去认识。发展即是对立物的斗争。"这段话的意思,就是说,任何的事物的发展,如果不把它看作对立物的斗争,那么,便不能在它"自己运动"的里面,去认识它,从而也就不能根本地去把握它。

黑智儿说:"一切事物,在它自身的里面,都含着矛盾。"并且他对于同时代的论理学的根本的偏见——即是认定矛盾,虽然比较统一性"是有更深意义的,更为本质的东西",但是矛盾不曾具有像同一性那样的"本质的而且内在的规定"那样的偏见——曾加以猛烈的反对。"为什么呢?因为同一性和矛盾相提并论,同一性不过是单一的直接性之规定,死的实在之规定;但是矛盾乃是一切的运动与生活性的根源,不论何种事物,唯有在它自身含有一种矛盾的界限内,才具有自己运动的动因与行动。"①就一切事物而论,正如黑智儿在这里所说的一样,矛盾乃是一切的运动与生活性的根源。不论何种事物,唯有在它自身含有一种矛盾的限界内,才能够自己运动。

关于这个问题,恩格斯也在他所著的《反杜林格论》里面,曾详细说明过了。依照他的说明,哪怕就是单纯的机械的运动,它自身的里面,也一定含着矛盾,因其含有矛盾,所以运动自体,才能发生。正在进行运动的物体,在某一定的一瞬间,是在一定的一点之中,但是同时它又在这一点之外。为什么呢?因为物体如果只在一定的一点之中,那么,至少在这一瞬间以内,物是非运动的东西。这就是说,某种物体,只有在它具有一种矛盾的界限内,即是在一定的瞬间,它是存在于一定的一点之中,同时又不存在于这一点之中,这样的矛

① 《列宁的辩证法》。

盾的限界内,才是运动的。由此看来,某种物体之单纯的机械的位置的移动,尚且在它自己里面,包含着矛盾,那么,物体之比较高度的运动,尤其是有机体的生命及其发动,其自身包含的矛盾,当然更甚了。关于蛋白质物的生命活动,是由不断地破坏它个体的某一部分的活动,以及不断地再生产同一个体之另一部分的活动这样对立的两种的活动所构成的,这件事,我们已经讲过了。这就是说,生命这东西,首先就是生存于某种存在,在各瞬间是同一的同时又不是同一的一件事当中的。那种存在,只有在具有这种矛盾的界限内,才具为生命体的活动。黑智儿所说的"矛盾乃是一切的运动与生活性的根源"这句话,就是这个意思。

照以上所述看来,我们就可以理解一切事物,在它自身当中包藏矛盾时,是"自己发生运动"的东西。所谓"一切世界的进行,须在它自己运动"的里面去认识这句话,就是这意思。关于事物的运动,只有这样去把握,才能根本地得到理解。为什么呢? 因为我们关于事物的动因(即是引起运动的原因),如果不求之于事物自身之中,而反向着事物以外的东西(例如神)去探求,那么,这个事物以外的东西,也不可不加以说明,这样一来,我们便不免陷于没有止境的循环了。

正如列宁所说的一样,"关于发展(进化),有两个基本的见解"。例如认定资本主义的社会,乃是否古代社会之单纯的扩大,这种见解,就是属于第一个见解。这就是"死的贫弱的干枯"的见解。关于这件事实,马克思在《政治经济学批判》里面,曾经说道:

> 布尔乔亚社会自身,只是发展的一个对立的形态,所以在它以前的诸形态中的诸关系,往往只是全然萎缩下去而在它的当中被发现出来,或者如同公共团体的财产那样,全然滑稽被改造着。因此,即令布尔乔亚经济学诸范畴对于其他一切社会诸形态具有真理的一件事是真实的,但是这种真实只能打成折扣去理解。布尔乔亚经济诸形态,关于其他一切社会诸形态,或者使它们发展,或者使它们萎缩,或者使它们戏画化,总之,是能够在本质的差异之下包含着它们。所谓历史的发展那东西,一般是基于最后的形态,把过去的诸形态看作是对于自己的发展阶段,而常是一面

地理解它们一件事而来的。

在上面所引用的文句中,最后所述的事情,对于现在还散见于普通教科书中的"经济发达阶段说"是妥当的。例如把从来的历史区分为物品交换的时代、货币经济的时代、信用经济的时代,这种分类法,就是所谓经济发达阶段说的一个例证。但这种见解,是把以前的经济的诸社会,看作是对于现代资本主义社会的阶段(如同登楼的阶梯)的,是把从来的历史,看作是本质相同的东西次第发展向上的过程的。如果站在这样见地,那就是拿现代的眼光去观察过去的社会了。譬如刚才所记述的那个例证,就是仅仅从生产物的交换这一方面(这在资本主义的社会里面,是具有最基础的最广泛的关系的一方面),来观察过去的诸社会的。所谓"最后的形态"(就适合于这个例证的情况而言,即是资本主义的社会),把过去诸形态看作是对于自己的阶段,而常是一面地理解它们这几句话的意思,就是指着以上这种事例而言的。现代资本主义的社会,正和其他一切事物相同,"它自身只是发展的一个对立的形态",它是由于次第地扬弃过去诸形态一件事而成立的,所以在它的里面,便多少残存着"它以前的诸形态中的诸关系"。在残存下来的诸关系之中,有的是"全然萎缩着",有的是非常发展着。譬如生产物的交换关系,即属于后者。总之,现代社会的诸范畴,在某种程度以内,是通用于过去诸社会的。即如生产物的交换关系,它是在很远的古代,从古代共产体和共产体相交的期间,发生出来的,从此以后,它或者在奴隶社会的一角,或者在封建社会的某部分,继续发展下来。所以如果只是捉住生产物的交换关系一方面,而只从这一方面去观察,那么,过去的社会诸形态,就好像是进到现代社会的阶梯,那种关系,打个比喻来说,好像是和小孩成育起来而变成大人一样。这样的历史的见解,拿列宁的话来说,就是"当作缩小与扩大看的,当作反复看的发展观"。

蒲列哈诺夫,对于以上这种见解,曾予以批判,他说:

> 形而上学者这样断言着:不拘在自然里面或在历史里面,飞跃的现象是不存在的。当他们论及某种现象或某种社会制度发生的时候,他们总以为这种现象或制度是极其微小的东西,是完全为眼睛所看不到的东西,

到了后来,才是徐徐成长起来的东西。但是在他们论及这种制度或现象的消灭的时候,他们便采取与此相反的态度,他们假定着现象及制度之渐次地减少继续到成为显微镜下的形态,完全不能认知为止。像这样被理解了的进化那东西,是全然不能说明什么东西的。这种见解,是以应该说明的那种现象之存在为前提的。而且只是把现象之中所发生的量的变化,加入考虑的。①

这种见解,只是仅仅看见了同一现象的分量上的增减,而没有认清我们在后面所说明的"由量到质的变化"(即是由分量上的变化,引起品质上的变化),所以关于在事物的发展过程中的"飞跃"和"连续中的断绝",以及"转化到反对物",等等现象,是全然不能说明的。

至于辩证法的见地,和以上这种见地,是迥然不同的。依辩证法的主张,在自然里面以及在人类社会里面,都是以随着渐次的量的变化所引起的品质上的飞跃的变化为发展(进化)的契机。例如就人类社会而言,出现于今日以前的历史之上的,具有互不相同的经济的构造的各个社会,都是本质相异的特殊的有机体;其成立与发展以及演进到比较高级的另一形态的推移,也各有各的特殊的法则;某种社会形态与比较高级的社会形态的差异,并不是像婴儿,或未成年者与大人差异那样,而是髣髴猿与人类的差异似的。随着猿与人类的全体之生理的构造不同,像手和足那样的外观上好像是相同的彼此的器官的机能,却是遵循着全然不同的法则。在《资本论》第二版跋文的里面所引用的 *European Messenger* 志上所记载的如下所示的一段话,正是指着以上的事实。

> 人们或许要说:经济生活上的一般的法则,是一个同一的东西,不问它应用到现在或是应用到过去都是可以的。但是这种说法,正是马克思所否认的。……依照他的意思,却和这相反,各个历史的时代,各有它特有的法则。……人类的生活,一旦走尽了一定的发展时代,一旦从一定的阶段进到另一个阶段,它又开始受另一种法则所支配。做一句话说,经济

---

① 《史的一元论》。

生活,呈现着和生物学的其他领域中的发展史相类似的现象。……从来的经济学者,以为经济法则是和物理学与化学的法则相类似的,这简直是误解了经济法则的性质。如果更深入地分析现象的时候,便可知道社会的有机体,和种种动植物的有机体一样,都是根本上互不相同的东西。——实则一个同一的现象,全因为各有机体的全部构造各不相同的缘故,会因为它们的各个器官各有差别的缘故,会因为那些器官所依以作用的条件各各相异的缘故,依从着一个完全相异的法则。

上面这种见解,和以前所说的"当作缩小与扩大看的发展,即当作反复看的发展观",在本质上完全不同,这是不待言的。这就是列宁所说的关于发展的两个基本见解之中的第二个见解。根据这个见解,事物的发展,是"当作对立物的统一的发展",从而也就是"自己运动",也就是"自发的发展"。

列宁认为只有这个见地,才能够"给我们以理解'飞跃',理解'连续的断绝',理解'转化到反对物',以及理解'旧的事物之废灭和新的事物之发生'的锁钥"。所谓"转化到反对物"这个定律,是指着像药物由分量的增加,转化而为毒物那样的一定事物之本质的变化而言。此外如所谓"飞跃"和所谓"连续中的断绝",也就是指着同样的事实。我现在把恩格斯关于自然现象的说明,引用在这里。

从一种运动形态,推移到另一种运动形态,不论是如何徐徐行着的,但常依然是一种飞跃,依然是一种决定的转换。例如从天体的机械学,推移到个个天体内比较微小的物体的机械学,就是这样的;又从物体的机械学,推移到分子的机械学——即是我们在所谓物理学里面所研究的诸运动,包含着热光电磁气等等——也是这样的。同样,从分子的物理学,推移到原子的物理学——化学——也是依着一种决定的飞跃而显现的,尤其是从通常的化学的作用,推移到我们叫作生命的蛋白质的化学的作用,更是这样的。①

---

① 《反杜林格论》,德文本,第57页。

以上我们把关于发展的两种见解，已经陈述过了。其中，辩证法所根据的第二个见解，我们已经在很多地方指明过，它是把发展当作"对立物的斗争"的过程看的。为什么呢？在这种见地之下，统一的东西，是可分解成为充满着矛盾的构成分的，并且事物的运动（变化，发展，进化）只有依着这种构成分之间所藏着的矛盾，才能够得到说明。

例如就人类社会而言，这种进化的动因，依着辩证法的见解，便可在一定的生产诸关系和生产力的矛盾中发现出来，这是我们在次章所要讨论的。一定的生产诸关系，在它能够助长社会的生产诸力得到发展的范围以内，它自身也就可以说是一种生产力。这就是说，在这种条件之下，生产诸关系与生产诸力是同一的。但是在一定的生产诸关系之下，社会的生产诸力，达到了某种程度以上的发展阶段时，那么，从来能够助长生产诸力使之发展的生产诸关系，便倒反转化而为阻害生产诸力之比较更加发展的桎梏。照这样，成为问题的生产诸关系，在以前虽说就是一种生产力，但是现在却转化而为它的反对物，即破坏力。所以生产诸力和生产诸关系之间，便发生冲突，而这种冲突便使旧的生产关系归于废灭，以及使新的比较高级的生产诸关系代它而起，成为一种不可避免的现象。还有一层，这种生产诸关系与生产诸力之间的矛盾，在社会的表面上，成为一个阶级与他一阶级之间的斗争表现出来。所以说："从来一切的历史，都是阶级斗争的历史。"在现代社会的里面，这种斗争，成为布尔乔亚和普罗列达里亚之间的斗争表现出来。而且只有这种斗争，才是使现代社会前进到比较高级的组织的一种根本的动力。布尔乔亚和普罗列达里亚，构成着现代社会的对立物。在这种对立物的斗争的里面，看出改造现代社会的动力这件事，就是把现代社会的进化当作"自己运动"去认识。从来空想的社会主义者，只是把普罗列达里亚当作值得同情的弱者看，马克思的见地却是和空想的社会主义者不同，他认定普罗列达里亚的肩上，是能够负担社会改造的历史的使命的，他认定普罗列达里亚，是应该成为社会改造的原动力的，发现这种重大的事情，实在就是他的伟大的功绩，这是为一般人所周知的。这种发现，不外就是马克思采用了科学的研究方法即辩证法的唯物论之所赐。

列宁对于这一点，在题为《马克思主义的三个源泉和三个构成部分》的论文中，曾经详细论列过。把社会的发展，看作"自己运动"去把握的马克思主义的特征,我深信在这篇论文里面,描写得最为完善,所以我不厌重复,把这篇论文里面比较长的一节引用在下面。

农奴制度,既被颠覆,"自由的"资本主义社会,一旦出现于这个神圣的世界以后,马上便暴露了"自由"这个东西,不过是对劳苦人民施行抑压与榨取的一种新的方法,种种社会主义的学说,便成为这种抑压的反映,或成为对于这种抑压的抗议,立即发生出来了。但是最初的社会主义,只是空想的社会主义,这种空想的社会主义,批评资本主义社会,并且非难它,诅咒它,空想着要废灭它,幻想较好的社会组织,又对富人们说教,说榨取是不正当的。但是空想的社会主义,并不能指出真的活路。它既不能说明资本主义之下的工银奴隶制度的本质,所以也就不能发现资本主义的发展的法则和看出新的社会的创造者的社会势力(即是自己运动的根本动因——河上补注)。

在这个时候,在欧罗巴各地尤其是在法兰西伴着封建制度农奴制度的崩坏所引起的狂猛的革命,很鲜明地显示出诸阶级的斗争(即对立物的斗争——河上补注),乃是一切发展的基础,乃是一切发展的原动力。

在农奴所有阶级,不论是怎样的政治的自由胜利,如果没有一种决绝的抵抗,是不能获得的。又不论是怎样的资本主义国家,如果在资本主义社会的阶级之间,没有一种生死的斗争,也是不能建立在多少自由的民主主义的基础之上的。

马克思的天才,在于他最先从这个地方导出了从世界历史所指示的结论并且使这个结论更加彻底。这个结论是什么呢? 即是阶级斗争的学说(这就是说马克思把"发展即是对立物的斗争"这个见解,使它在人类社会的里面得到具体化——河上补注)。

人们如果不曾在能够用耳听见的关于道德的宗教的政治的社会的文句或宣言以及规约的背后,发现何种阶级的利害,他们便变为政治上的欺骗以及自己欺骗自己的愚劣的牺牲。又那般赞助改良与改善的人们,对于一切的旧制度,虽然好像看见了怎样的野蛮,怎样的腐败,但是他们如果不曾理解这般制度是由哪一种阶级的力量所支持的那种事实,他们便会为旧制度的拥护者所愚弄。但是想把这种支配阶级的抵抗使之归于粉碎，却只有一个手段（我们的见解，既然把发展当作对立物的斗争去看，所以在实际上，"只有一个手段"——河上补注）。毁灭旧制度建立新制度的势力——这种势力在被压迫阶级自身的社会地位上是当然可以形成的——在围绕我们的社会自体之中，可以发现出来（社会发展的原动力，在社会自体之中，发现出来这件事，就是把社会的发展当作"自己运动"去把握，当作一种"自发的发展"去把握，以及当作不是依存于其他的东西，去把握所不可缺的根本条件——河上补注）。为着斗争的关系，这种势力，是要开发起来组织起来的。

只有马克思的哲学的唯物论（辩证法的唯物论）才能够对普罗列达里亚指示一条活路，使他们离开从来一切被压迫阶级在它当中一直呻吟到现在的精神奴隶的地位。只有马克思的经济理论，才能够说明在全资本主义制度里面的普罗列达里亚的真实的地位（即是说明普罗列达里亚的历史的使命——河上补注）。①

四、由量到质的转化

由量到质的转化（以及由质到量的转化）的问题，和否定之否定的问题，恩格斯在《反杜林格论》第一篇第十二章"辩证法，量与质"和第十三章"辩证法，否定之否定"的里面，曾经详细论述过了。现在因为注意于上面所探究的诸问题的关系，所以先着手讨论由量到质的转化。

所谓由量到质的转化，含有由单纯的分量上的变化引起品质上的变化的意义，关于这一点，我们在说明转化到反对物的节目下，曾就烟草、食物、药剂等事例说了一个大概。例如药物，就维持我们的健康的作用而言，便是有用物，但是，一时服用的分量，超过了一定的程度，便成为毒物，往往危及人类的生命。这就是说，仅仅增加服用的分量，药物即成为它的反对物的毒物，换言之，即是有用物成为它的反对物即有害物。这个例子，就是所谓由量到质的转化，不待说，这就是属于以前在第二项说明了的"转化反对物"的一个例子。

---

① 《马克思，恩格斯，马克思主义》。

其次我打算先引用恩格斯所举的两三个例证。

最为一般所熟知的事例之一,就是水的凝集状态的变化。在通常的气压之下,水在摄氏零度,即由液体变为固体,反之,在摄氏百度,即由液体变为气体。这就是说,在这两个转换点上,由气温单纯的量的变化,引起了水的质的变化,详言之,在摄氏零度以下的气温,水以冰的形态变为固体。但是温度渐渐上升达到摄氏零度以上,冰复溶解成为水。水如果更渐渐加热达到某种程度以上时,例如放在炭火上的铁瓶盛的开水那样,水即失掉平静的状态现出沸腾状态。这就是说,在水的存在状态之上,徐徐地起了某种变化,但是水虽然有了若干的变化,然而没有受到摄氏百度的热力的水,依然停止在液体的状态,同时,受了百度的热力的水,即以百度为转换点,顿即转变而为气体。

恩格斯更举了碳素结合物的例证,现在再把这一部分抄录在下面。

例如依照化学上的方法,一原子量的碳素用 C 表示出来,一原子量的水素,用 H 表示出来,一原子量的酸素,用 O 表示出来,含在各结合物里面的碳素原子量的数目,用 N 表示出来,这样对于碳素结合物系列的某种结合物的分子式,便可表示如下:

C_nH_{2n+2}——通常的巴拉粉(paraffin)系列

$C_nH_{2n+2}O$——第一酒精系列

$C_nH_{2n}O_2$——单盐基性的阿纳因酸(Oleic Acid)

现在我们拿最后的系列,作为例证,并且依次采用 $n=1, n=2, n=3$ 等等形式,我们便可得到如次所示的结果(但同分异性的东西则除外)。

CH_2O_2——蚁酸——沸腾点 100°,溶解点 1°

$C_2H_4O_2$——醋酸——沸腾点 118°,溶解点 17°

$C_3H_6O_2$——Propionic 酸——沸腾点 140°,溶解点——

$C_4H_8O_2$——牛酪酸——沸腾点 162°,溶解点——

$C_5H_{10}O_2$——Valerianic 酸——沸腾点 175°,溶解点——

像这样继续增加到了 $C_{30}H_{60}O_2$,便成为 Melissic 酸。这种酸类,要在摄氏 180 度,才能溶解,但是它没有沸腾点,因为到了气化的时候,便一定分解了。

从而我们在这里可以看到在质的方面彼此不同的诸个体的全系列，而这个系列是由元素的单纯的量的增加——但是增加时每每依照同一的比例——所生出来的。这个现象在正常的巴拉粉（C_2H_{2n+2}）依照同一的比例，变化它所结合的全部元素的量那种情形之下，最纯粹地表现出来，其中最低的结合物，即是CH_4，系一种瓦斯体，最高的结合物，据所知道的，即是$C_{16}H_{34}$，是一种无色的结晶的个体，在21度溶解，在278度蒸发。在这两个系列里面所发生的新的环，都是由CH_2的增加即是在原有的环的里面，由一原子量的碳素和二原子量的水素的增加所产生出来的，这种分子式里面所行的这种量的变化，每每生出在质的方面彼此不同的个体。①

恩格斯更说道："我们最后关于由量到质的变化，尚可找出一个证人来。"那个证人，就是拿破仑。依据他的话，法兰西的骑兵，虽不善于乘马的，却是有训练的；反之，马梅洛克人（Mamelukes）当个人战斗的时候，虽可称为无比类的优秀的骑士，但是缺少军队的训练。依照拿破仑的话，"两个马梅洛克人绝对优于三个法兰西人；百个马梅洛克人恰恰与百个法兰西人相匹配；三百个法兰西人，通常定优于三百个马梅洛克人；一千个法兰西人便一定可以打败一千五百个马梅洛克人。"照这样看来，在人数少的时候，法兰西的骑兵，比较弱于马梅洛克人，但是人数增加的时候（即是量的增加），法兰西骑兵便又变为较强于马梅洛克人的骑兵，在质的一方面，便因之而发生变化了。

又马克思也像恩格斯所注意的一样，他在《资本论》的里面，对于经济现象上所起的由量到质的转化，也在很多地方指示出来了。我现在先就由协业所生的利益，略述一二。多数的劳动者，当他们把力量集合起来的时候，便生出一种和个别的力量的合计全然不同的一种新的力量。"到了这个时候，如果把全体等于部分的合计这个数学上的命题，拿来应用到我们所研究的对象上去，已经不适当了。"假如十个劳动者，在个别的作业时所不能移动的大石，如果他们十个人协力动作，便可移动，这样的情形，是往往有的。"被结合的

---

① 《反杜林格论》，德文本，第128页以下。

劳动的作用,依着个别的劳动,是全然不能做到的,或者只是在很长久的时间,或只在很少的程度上才能做到。"要之,依着协业的个个劳动者的生产力,与其说是增高了,毋宁说创造了和个人的力量在品质上全然相异的一种新的力量。

除了上面所述的,"由融合多数的力为一个集合力这件事实,产生出新的力"之外,多数劳动者,往往由单纯的社会的接触,即是由集合在一个场所从事于劳动这种事实,生出了一种竞争心,提高作业的精神。例如"如果不由十个农业经营者,把同数的劳动者划分出来,各各使用于三十英亩土地之上,而由一个农业经营者同使用他们于三百英亩土地之上,那么在这个时候,于共同从事于作业的劳动者的数目增加之外,便存有一种不是实际家不能辨别的利益。一与四之比,好像等于三与十二之比,但这在实际上是不适当的。"

现在更就货币转形为资本,举出一个例证(我在前面,当说明事物转化到反对物的时候,曾由《资本论》之中,引用了关于单纯的商品生产转化到资本家的商品生产的一个例证,这个例证,我曾经说过,是由量转化到质的一个适当的例证,在这里不再论及,只得省略了)。在《资本论》第一卷第九章①里面,说明了如下所示的事实,这个事实,正如马克思自身所说的一样,证实了:"单纯的量的变化,达到一定点时,便转化为质的差异这个法则——黑智儿在他所著的论理学之中所发现的法则——的正确。"

       从以上关于剩余价值的生产的观察说来,是明白的事情,并不是说任意的货币额或价值额都可以转形为资本,倒反是因为那种转形被显现的缘故,一定的最低限度的货币或交换价值,必须在个个货币所有者或商品所有者的手里存在着。可变资本的最小限,就是因为获得剩余价值而在一年中每日被使用的个个劳动力的费用价格。如果这个劳动者具有他自己的生产手段,却又甘愿过劳动者的生活,那么,在他说来,单是他的生活资料的再生产所必要的时间——例如每日八小时——就够了。因而就会只以八小时的生产手段为必要了。反之,如果资本家在八小时以外,还要

---

① 考茨基版,第256—257页。

使他从事于剩余劳动,例如四小时,那么,在这个资本家,为着要供给附加的生产手段,便会必要一种附加的货币额。在上述的假定之下,他就是因为每日由占有的剩余价值营劳动者一般的生活,即是他就是因为满足他的必要的诸欲望,也会必须使用两个劳动者。在这种情形,他的生产的目的,只在于单纯的生活的维持,而不会在于财富的增殖的。但是资本家的生产,却是以后者为前提的。所以他的生活,比通常的劳动者好过两倍,而且因为要把产出的剩余价值的一半,再转形为资本,所以必得要把劳动者的数目增加为八倍,同时要把前贷资本的最小限增加为八倍,不待说,他自身也是和劳动者同样,可以直接参加到生产过程里面去的,不过在这种情形,他是处在资本家和劳动者之间的一种中间物,即是"小师傅"(Small Master)(资本家与劳动者是对立物,但这些对立物的境界,定不是不动的、凝固的、截然区分的东西。所以有师傅这种中间物介在两者之间——河上补注)。当资本家的生产,达到一定的高度时,资本家便不得不使用他当作资本家,即当作人格化的资本行着机能的全部时间,从事于占有他人的劳动,并因而管理他人的劳动。中世的同业组合制度,对于个个师傅所使用的劳动者的数目的最高限度,曾在极小的限度内加以制限,借以强制地防止手工业的师傅,转形为资本家。货币所有者或商品所有者,只有到了用在生产上的前贷货币的最低限度,凌驾于中世的最高限度时,才能现实地转型为资本家。单纯的量的变化,达到一定之点的时候,便急变为质的差异——黑智儿在他的论理学中所发现的这个法则的正确,也和在自然科学上的一样,在这里也被证实了。

列宁也在许多机会中,指摘着这种由量到质的转化法则。现在从《国家与革命》之中,把关于政治现象的一个例证,引用在下面。他从马克思所著的《法兰西之内乱》里面,引用了马克思所说的"关于巴黎公社的经验,虽属有限,然而却是最精确的分析"这两句话以后,便接着说道:

　　由公社所破坏的旧国家的各种机关,在外观上,好像"单纯的",由比较完全的德谟克拉西——即废止常备军和对于一切官吏完全行使选举权与罢免权——所替换了。但是这所谓"单纯的"用语,在实际上,却含有代替一种制度的另一制度,在原则上,是具有另一性质的这样巨大变革的意味。所以在这个地方,毕竟不可不认为由"量到质的转化"的一个例证。在这个观点之下,最完全而最彻底地被实现的德谟克拉西,是由布尔乔亚的德谟克拉西转化到普罗列达里亚的德谟克拉西,是从国家(这是对于一定阶级的独裁的特殊的独裁的国家)转化到不复是旧有的国家的另一种组织。①

以上我们已经就自然现象和社会现象中所发生的由量到质的转化举出几个实例了。至于形而上学者的发展观,每每忽视了这种转化,这一点,就是他们的主要缺陷之一。我们曾经说过:关于发展问题,有两个基本的见解,其中所谓"死的,贫弱的,干枯的"见解,就是"当作缩小与扩大看的发展即当作反复的发展"这一个见解。那种只把事物发展看作同一品质之反复的连续的见解,简直就是在一定的事物发展过程之中,只看出单纯的分量的增减而忽视了品质的变化;在这种范围内(即是在只看见分量的方面这一点上),这种观察,是一面的。但是辩证法,要求对于事物作全面的观察。这种要求的一种表现,就是我们当观察一定事物的变化的时候,我们不但考察这种事物的量的变化,同时,我们还应该留意它的质的变化。照着这种步骤做下去,由量到质的变化的法则,便可发现了。

还有一层,由量到质这种转化的法则,是阐明对立物怎样是同一的这个事实的。我们曾经说过,全然同一的化学的药品,在某种条件之下(即是说,服用的分量是适度的那种情形之下),成为有用物,而在另一条件之下(即是说,服用的分量超过适度的程度的情形之下),便又很显明地成为有害的毒物。在这种情形之下,可视为药品的有用物与可视为毒药的有害物,明明白白是对立的,但是这种对立物,在实际上,都是属于同一的化学的药品,这就是这种对立物的同一性。

原来由单纯的分量上的变化,引起品质上的变化,这件事实自身,含着具

① 《国家与革命》,柏林 1926 年版,第 41 页。

有品质上的差异的事物之品质的同一的意义。为什么呢？所谓单纯的分量上的变化，含着具有同一的品质的事物之量的变化的意义，但是由单纯的分量上的变化，既然可以生出品质的差异，这件事实，毕竟不外是具有同一的品质的事物，在某种条件之下，复生出品质相异的方面这个意义而已。单纯的货币与资本，是一种对立物，但是生出剩余价值的货币，就成为资本。单就这一点而论，货币与资本，又可说是同一物了。

一切事物的差异，都是相对的，附有条件的。这件事实，我们在本章第四节，就已经论述过了。由单纯的分量上的变化生出品质上的变化，这件事实，简直就是事物的品质的差异，是相对的是附有条件的那件事实的一个表现。

五、否定之否定

如前所述，关于"否定之否定"的问题，恩格斯在《反杜林格论》第一篇第十三章，曾经详细论述过了。所谓否定之否定这个命题，含有以下的意义。就是事物在辩证法的发展过程中，例如由 A 的否定，而生出 B，复由 B 的否定再生出 A，所以从某一方面看来，事物是由否定之否定，复归到最初的出发点的（这种单纯的复归是不会有的，在后面便要讲到的）。我在依着具体的例证，说明这个命题以前，拟先对于事物由否定之否定复归到最初的出发点，这种理由，加以申述。

事物在发展过程的里面，每每"转化到反对物"，这是已经说过的。例如当 A 转化到它的反对物 B 的时候，B 如果在它自身发展过程的里面，再转化到它反对物，那么，便复归到最初的出发 A 点了。

在《资本论》里面是把从资本主义社会到共产主义社会的进展，当作是属于"否定之否定"的一种情形的。这就是《资本论》第一卷第二十四章有名的最后的结论。下面就是这个结论的全文。

资本之本源的蓄积即资本之历史的起源，究竟是怎样来的呢？答道：在奴隶及农奴不是直接转化到工银劳动者的范围内，即不在单纯的形态变化的范围内，所谓资本之历史的起源，这件事，只是含有对于直接生产者的剥夺的意义，这就是说，只是含有以自己的劳动为基础的私有财产之崩坏的意义。

与社会的集合的财产相对立的私有财产,只在劳动手段以及其他外界的劳动条件物是属于私人的时候,才成立的。但这种私人是劳动者,抑是非劳动者,随着情形的不同,而私有财产的性质,亦因之而不同。在一瞥之下,私有财产制好像呈现着无限的差异,但这只不过表示着横在两极端之间的中间状态罢了。

劳动者私有他的生产手段这件事,乃是小经营的基础,又所谓小经营这种东西,乃是社会的生产与劳动者自身之自由的个性,在发展上所必要的一个条件。自然,这种生产方法,哪怕就是在奴隶制、农奴制以及其他隶属关系的内部,也都是存在的。但这种生产方法,达到了繁荣的境地,以致展开它的全部力量,因而采取了适当的典型的形态,这种事实,只有在劳动者把他自己所使用的劳动手段,当作私有物这种情形之下——即是如果是农民,他就是土地的私有者,如果是手工业者,他就是他所运用的器具(这种器具,使他具有专门技术者的资格)的私有者——才能实现出来。这种生产方法,以土地及其他生产手段之分散为前提。正如它排斥这些生产手段之集积一样,在这种生产方法之下,对于协业,同一生产行程之内部的分业和对于自然之社会的支配与制御,以及社会的生产力之自由的发展,也是被排斥的。它只有与生产及社会之狭隘的原生的界限,才是两立的。……但是这种生产方法,达于一定的发展程度时,便产生了破坏它自身的物质的手段。从这一瞬间以后,在社会的母胎内,那不得不感到横受母胎束缚的诸种力与热情,那就生动起来。这个母胎不得不被破坏,并且被破坏了。这种母胎的破坏,换言之,就是个人的分散的生产手段转化到社会的被集聚的生产手段,从而也就是多数人的少量的财产转化到少数人的巨大的财产。更进一步说,也就是对于多数的民众的土地与生活资料以及劳动器具的剥夺,对于民众的可怕的残酷的剥夺,这些事实形成了资本的前史。……于是由自己的劳动所得到的私有财产,即是说,建立在个个的独立劳动者与劳动条件物之融合的基础上的私有财产,终于不免为建立在榨取他人的——但是在形式上是自由的——劳动基础之上的资本家的私有财产所驱逐。

一旦到了这种变革的过程,充分地使旧社会在深而且广的范围内归于解体的时候,一旦到了劳动者,转化而为普罗列达里亚并且他们的劳动条件物转化为资本的时候,一旦到了资本家的生产方法得到了它自己的立脚地的时候,于是劳动之更进一步地社会化,于是土地及其他生产手段之更进一步地转化到在社会的关系上所利用的共同的生产手段,于是对于私有财产的所有者之更进一步地剥夺,便采取了一个新的形态。现在被剥夺的,已经不是自己经营的劳动者,而是榨取多数劳动者的资本家。(私有财产变革的过程,一到了使旧社会在深而且广的范围内归于解体的社会,换言之,即是量的发展,一旦到了某种程度以上的时候,在旧社会自身的里面,便起了一种质的变化。对于独立劳动者的剥夺,转变而为对于资本家的剥夺——河上补注)

这种剥夺,是依着资本家的生产自身之内在的法则的作用,即是由资本之集中所显现的。一个资本家,每每扑灭多数的资本家。随着这种集中,换言之,即是随着由少数的资本家对于多数的资本家所行的剥夺,遂令在不绝的扩大的规模中的劳动过程之协作的形态,技术上之科学的意识的应用,土地之计划的利用,劳动手段之转化到只有在共同的关系上才能利用的劳动手段,一切生产手段之经济的利用(即是把一切生产手段当作结合的社会劳动之生产手段而使用),一切国民之卷入到世界市场的网里,以及与之相伴的资本制度之国际的性质——这些一切的事项,便相携日益发展起来。随着强夺独占这种变革过程中一切利益的大资本家的数目不绝地减少,同时,困穷、压制、隶属、堕落、榨取之量,即渐次增大;并且依着资本家生产过程自身之机构所训练的所结合的所组织的劳动者的反抗,亦因之而继长增高。于是资本独占便变成与它曾经相并发展繁荣的而且在它的下面发展繁荣的生产方法的桎梏。生产手段之集中与劳动之社会化,遂达到了与资本制度的外壳难于两立的一点。这种外壳,便破裂了。资本家的私有财产的告终之钟响了。剥夺者,被剥夺了。

从资本家的生产方法所生出来的资本家的占有方法,即资本家的私有财产,乃是以个人的、自己的劳动为基础的私有财产的第一否定。但是资本家的生产,复以自然过程之必然性,造出它自身的否定。这就是否定之否定。但是这种否定,不是恢复劳动者的私有财产的,但是造出了以资本主义时代之成果即是以协业以及由土地与劳动自身所生产出来的生产手段之共同所有为基础的个人的财产。

基于自己之个人的劳动的私有财产之否定,这是第一否定。依着这种否定,而基于自己的劳动的私有财产,便转化为它的反对物,转化为以榨取他人的劳动为基础的私有财产,即转化为资本家的私有财产。但是资本家的私有财产,更依着否定自己,复转化为社会的共同财产。这就是否定之否定。其结果,社会便转化为"用共同的生产手段从事劳动,并且个人的劳动力当作自己意识着的社会的劳动力而消耗出去的,那样自由人的组合",即是共产主义的社会。到了这个时候,"组合的全生产物,就是社会的产物。这种生产物的一部,再当作生产手段而使用。这一部分,便当作社会的东西遗留下去。但是其他的部分,就用作组合员的生活资料而被消耗。所以这一部分,不可不配分于他们之间"①。这种配分下来的东西,即成为各个人的财产。所以否定之否定的结果,不是再恢复最初存在那样的基于自己个人的劳动的私有财产,而是重新造出以社会全员之共同劳动与土地以生产手段之共同所有为基础的个人的财产。照这样看来,这虽不是单纯的复归到最初的出发点,但是就前述的意义看来,又可说是复归到最初的出发点。

此外恩格斯在《反杜林格论》里面所引证的麦粒的例子,曾为许多著作家所引用。我在这里,也把这个例子,引用在下面。

否定之否定,是极单纯的,并且不拘在什么地方,都是日日表现着的一种行程。假如我们把隐蔽着它的神秘箱,一旦取去,那么,它就是小孩也都能够理解的东西了。试就麦粒举例来说罢。无数的麦粒,是可拿来磨碎的,可以煮熟的,可以酿造的,可以消费的。但是这样的一个麦粒,如果找着了正常的诸条件,落在适当的土壤之上,在这个时候,它因为受了热度与湿气的影响,便发生了一种特有的变化。它发芽。麦粒自身消灭

---

① 《资本论》第一卷,考茨基版,第42页。

了，即是被否定了，从它发生出来的植物——麦粒之否定——便取而代之。然则这种植物的正常的生涯，是怎样的呢？这种植物成长、开花、结实，最后再生产很多的麦粒。这些麦粒，一旦到了成熟的时候，茎即枯死，茎自身又被否定，由这种否定之否定所生出的结果，我们所再得到的最初的麦粒，但不是单一的麦粒，而是十倍、二十倍、三十倍的麦粒。谷物的种类，所发生的变化，是非常缓慢的，所以今日的麦粒和百年以前的麦粒，差不多是依然同一的。但是如果我们考察容易变形的观赏植物，例如天竺丹（Dahlia）或菊类，我们便可发现这种否定之否定的结果，不但是得到了比较多的种子，而且得到了更为美丽的花和被改良的种子。这种过程之反复，这种新否定之否定，每每对于这种完成有增高的倾向。①

就上面麦粒这个例子看来，由否定之否定所生的结果，就是我们再得到了最初的麦粒，单就这一点而论，我们是回到了最初的出发点了。但是就这个例子而论，我们也并不是仅仅回到了最初的出发点。至少在数量上，我们所得到的种子和最初一粒比较起来，是增加了十倍、二十倍或三十倍。不仅如此，在质的方面，也在某种程度以内，发生了变化（不过麦粒的变化，是极其有限的）。这就是说，所有一切事象，不是单纯的循环的，而是呈现螺旋形而发展的。

恩格斯认定否定之否定是"不拘在什么地方，都是日日表现旧的一种行程"。既是如此，然则在经济现象的里面，究竟有怎样的例子呢？我们在前面所指示出来的关于私有财产的否定之否定，这一个例子，并不是日日反复的。我们现在引证一个最日常的每日反复多少次的现象，正如在《资本论》里面所详细论究的一样，资本运动的最一般的形态，如下所示：

G（货币）—W（商品）—G（较多的货币）

这就是说，一定额的货币，转形为商品，然后再转形为货币。在这种情形之下，第一段过程 G（货币）—W（商品）便是第一否定。由这个过程，货币否定它自己，转形为它的对立物即商品。第二段过程 W（商品）—G（较多的货

---

① 《反杜林格论》，德文本，第138页。

币），便是否定之否定。货币之否定的商品，在这个过程的里面，否定它自己，转形为它的对立物即货币。似此，由否定之否定所生的结果，我们便再得到了货币。单就这一点而论，我们好像是回到最初的出发点了，但是在实际上，就是就这个例子而论，我们并不是仅仅回到了最初的出发点。由这种运动所生的结果，我们最后所得到的，并不是 G，而是 G'。这就是说，我们所得到的是比最初货币较为多额的货币。这就是所谓否定之否定，资本由于这种无间断的行着的否定之否定，借以增殖它自身，所以它才能够成为资本而存立。由此看来，资本的全生涯，完全是由这种"否定之否定"的连锁而成立的。

正如以上的事例所指示的一样，辩证法上所说的否定，不是指着事物之单纯的排斥，或事物之单纯的破坏的意义。恩格斯对于这一点，亦曾有所说明。他说：

> 辩证法上的否定，并不单是说"否"的，也不是断言某种事物是不存在的，更不是用一个任意的方法，来破坏某种事物的。斯宾挪莎（Spinoza）已经说过："Omnis determinatio est negatio"，即一切的限定或规定，同时是否定。并且否定的样式，在辩证法上，第一是依着过程之一般的性质，第二是依着过程之特殊的性质，而被规定的。我不但是否定，我还应该再扬弃否定。既是如此，所以我处理第一否定，便不可不顾及第二否定，是否依然可能或变为可能。然则处理的方法，应该怎样呢？在于适应着各个事例之特殊的性质。例如我将麦粒磨碎，将昆虫压碎，这样做下去，我一定可以完成第一行为，但是第二行为，便陷于不可能了。一切事物，因为像它由于否定而生出某种发展那样，而一被否定，各具有特殊的形式。这一点，就一切种类的观念与概念看，也都是与此相同的。在微分的里面，否定的方法，是和从负的根作出正的自乘，那种方法不同的。这和其他一切情形一样，必须就事实去学习。如果我们只是以具有麦茎和微分是受否定之否定的法则所支配的这种单纯的知识，那么，我们对于麦的栽培，便不能期于成功，那么，我们对于微分和积分，也不能理解了。[①]

① 《反杜林格论》，德文本，第145页。

否定之否定,是怎样完成的,这一个问题,正如恩格斯所说的一样,"这和其他一切情形一样,必须就事实去学习"。辩证法最注重现实,它的使命,在于使思维成为现实之忠实的反映。一切问题,是应该对于事物,加以观察的,不应该单是用头脑去思考的。单是用头脑思考出来的东西,在辩证法看来,是没有什么用处的。假令我们对于辩证法的这种根本的性质,能够充分地理解,那么,我们对于否定是应该怎样完成的这个当面的问题,便不应该从头脑中去思考,而必须专就事实去学习,这一层是用不着多说的。

譬如就麦粒而论,如果把它磨成粉末,加以酿造,使它变成面包或麦酒,作为人类的食品和饮料,这样一来,便有碍于麦粒自身的发展过程了。反之,如果麦粒落在适当的土壤之上,得到了适度的温度与湿气,那么,麦粒自身的里面所包含的自己否定的机能,便得以发挥,而在它自身的身上,便起了一种特有变化,即是发芽。只有依着这种方法,麦粒的"自己运动"才得以完成。更就货币说,如果运动的形态,是和前面所述及的运动,恰相反对的,它不是以货币为媒介,而是以商品的运动为媒介的,这种运动的形态便是:

W(商品)—G(货币)—W(他种商品)

在这个运动形态中,它成为单纯的货币被支付出去,运动就是这样终止了。举例来说,如果我是一个农夫,我把我自己所制作出来的米(W),卖成货币(G),更把这种货币(G)买进布疋,在这种情形之下,货币一旦离开我的手,便再不能回到我的手中了。在这个运动形态里面的第二段过程 G—W(即是支出一定的货币,买进商品),和前面对于资本运动所述及的第一段过程 G—W(即是有资本资格的货币转形为商品,例如资本家,以贩卖为目的,买入某种商品),在形式上是相同的,但是在实际上前者和后者是有差别的。在前一种情况中,货币不是当作资本投下的,而是当作单纯的货币被消费了。这种情形,如果拿麦粒的例子来说,正如不把麦粒栽植到适当的土地之上,而把它制成面包,供给食用,是一样的。这就不是使事物由否定而生出新的发展那样否定的方法了。这就是说,为得买入生产手段所行的货币的否定,在方法上,乃是使否定之否定成为可能的方法上的一种否定之否定,至于为得买入单纯的生活资料所行的货币的否定,在性质上,乃是使第二否定成为不可能的性质的一种否定。用这种否定的方法,货币便不能变为增殖它自身的、能够发生自己运动的货币即资本。所谓□的样式,在辩证法上,是由过程的性质所规定的一句话,就是否定指着这种事例而言的。为资本的运动过程之一环的货币之自己否定,是以特殊的样式中的否定为必要的。

还有一层,在许多事例中,由否定之否定所生的结果,每每和最初的事物生出显著的差异,这种事实,是应该依次一为论及的。例如在商品流通的发展过程中,单纯的商品,否定它自己便成为货币,而单纯的货币又否定它自己,便成为资本。在这个时候,资本原来不是复归到单纯的商品的东西。又例如在温度次第上升的状态之下,冰被否定变而为水,水更被否定为蒸气,在这个时候,否定之否定的产物,即蒸气,也是和最初化的出发点即冰,在品质上是极不相同的东西。要之,一切都必须就事实去学习。

第六节　总括——辩证法的唯物论

以上我们已经就唯物论与辩证法分别研究过了,但是正如我们在第二章第一节所论述的一样,只要是使唯物论的见地——即是对于实在的世界(自然及社会),依据它映在没有观念论的妄想的人类的眼里那样的情形去把握的一种立场——达到彻底的境地,我们便必然地本着辩证法的方法来把握实在的世界,这是因为实在的世界所构成的方式,原来就是辩证法的。照这样看来,辩证法的唯物论,实在就是唯物论之发展的彻底的形态。在另一方面,观念论的辩证法在它自己的发展过程中,转化到它自己的反对物即唯物论的辩证法,也是必然的。从此,唯物论与辩证法,便被结合在本来的统一的里面。——1845 年的秋天(至少是在这个时代或是稍稍在这个时代以前),由马克思和恩格斯之手,至于公式化的唯物史观或史的唯物论,正是本着这个见地去把握人类的历史的。我们将在下章,进而加以研究。

第三章　史的唯物论（唯物史观）

第一节　唯物论向着社会（或历史）方面的扩张

马克思所著《费尔巴哈论纲》的第一节以下，写有下面这几段文句。

从来一切唯物论（费尔巴哈的唯物论也包含在内）的主要缺陷，就是只在客体或直观的形态之下去把握对象、现实、感性，并不作为感觉的人类活动，作为实践，主观地去把握。所以活动的方面，是在和唯物论的对立上，由观念论——这当然是不把现实的感性的活动认做那种东西的——抽象地说明出来的。费尔巴哈只是探求感性的——在现实上从思维客体中区别出来的——客体，并不把人类活动的本身，当作对象的活动去把握，所以他在基督教的本质中，只把理论的活动看成真正人类的活动；至于实践，却只在这种污浊的犹太人的现象形态中被观察被固定。因此，他没有把握着革命的活动意义，实践的批判的活动意义。（以上第一节）

关于环境和教育之变化的唯物论的学说，它忘了环境可为人类所变化，而教育者自身也要受教育的这一层。所以那种学说，不能不把社会分成两个部分——其中一部分凌驾于他部分之上。

环境的变化和人类活动的变化一致——自己变动，只有当作革命的实践，才能把握并合理的去理解。（以上第三节）

《费尔巴哈论纲》这部书，恩格斯称它为"蕴蓄着新世界观的、天才萌芽的最初文献，无上贵重的东西"。而就中尤以上面拔萃的两节中，把超越费尔巴哈而前进的马克思及恩格斯的辩证法的唯物论之特征,对照从来一切唯物论的缺陷,简洁地表现出来了。现在我们如果用旁的话,简单把它表现出来,那就是说,马克思在这里所当作问题的,是唯物论向着人类社会的扩张,把握环境与人类的辩证法的关联,把人类社会的历史在它"自己运动"或"自己变动"的面上去把握——这件事。

但是所谓唯物论向着人类社会的扩张是什么意义呢?下面所引用的恩格斯的话,就是这问题的解答。

> 费尔巴哈说,单纯的自然科学的唯物论,确"是人类知识的建筑物的基础,不是建筑物的本身",这句话完全是正当的。为什么呢?因为我们不单是生活于自然之中,并且是生活于人类社会之中的,后者也具有不劣于前者的自己特有的发展史和科学。所以,使社会科学,换言之,使一切所谓历史哲学的科学总体,与唯物论的基础相调和,并在这个基础上重新建筑,这是非常重要的事情。但是这件事不能期望于费尔巴哈。因为他在这方面尽管具有基础,却依然被束缚在传统的观念论的圈子里。这种事实,他自己也曾承认道:"退后说,我与唯物论者一致,但向前说,却不与他们一致。"①

费尔巴哈说的"退后说,我与那些唯物论者一致,但向前说,却不与他们一致"这句话,最简明地表示了他的唯物论的主要缺陷。哪怕他在下半身是唯物论者,而在上半身却不能使唯物论彻底,结局仍无从脱掉从来的观念论。马克思及恩格斯所视为问题的,就在整个地完成这唯物论。史的唯物论(或唯物论史观,就是把唯物论适用在人类社会上,不仅唯物论地去观察自然,并且唯物论地观察人类社会,由是补救了从来唯物论的主要缺陷的东西)。列宁所谓:"导源于费尔巴哈,而在与一般无赖学者们斗争中成熟起来的马克思及恩格斯,当然会向着完成唯物论哲学的上部做去,换言之,他们最大的注意,当然不是向着唯物论的认识论,而是向着唯物论的史观。所以马克思及恩格

---

① 见《费尔巴哈论》。

斯在其著述中,极力主张比辩证法唯物论更为辩证法的唯物论,比史的唯物论更为史的唯物论。"①这里所说的"主张比史的唯物论更为史的唯物论"的,其意义,就是不仅主张唯物论,并且主张把唯物论应用到人类社会的历史上去。

但是,所谓"极力主张比辩证法的唯物论更为辩证法的唯物论"又是什么意义呢?这就是极力主张补救从来唯物论的主要缺陷——观察人类社会时候的发展见地之缺乏的意义。我在前面已经用把握"环境与人类社会的辩证法的关联"这句话,把这件事表白过,以下,再把这件事说明一下。

如前面第一章所述,18世纪的法国的唯物论者(费尔巴哈在这一点上,也是一样)不能够把他们的唯物论彻底地应用到社会上去。所谓"人类全然依存于教育"(L'homme est tont education),虽然是法国唯物论者爱尔倍鸠斯的话,但这里所说的"教育",是指着环境,尤其是社会环境的影响的总体(前面引用的马克思《费尔巴哈论纲》第三节中的"教育"或"教育者",和这里所用的"教育"有相同的意义,关于这一点,且俟后面去说)。即是说,所谓人类全然依存于教育的话,就是人类完全依存于环境的影响的意义。不过仅在这个范围内,尚没有什么特别的问题,问题是在环境怎样被变化的这件事。从来的唯物论者因为不曾把唯物论应用到历史或社会上去,其结果,他们便只见到历史中人类的意识活动的作用,而不能理解那种离开人类意识而独立的被形成的社会环境之本质。所以,一方面,虽如前面说过的一样,他们把人类视为社会环境的产物,但一旦遇着了社会的环境怎样会发生变化的问题,他们却又回转头来,把社会的环境视为舆论(即人类的意见,意识的产物)。这样,社会环境就变成了由人类意识所规定的东西。这样,他们就设想种种环境的不幸,都是由于人类理性的昏迷,所以要改造社会的环境,便不能不拂除蒙蔽理性的种种翳障;一直沿着这个线索追索下去,他们便设计一个适于人类理性(人类的本性)的理想社会,便宣传这个理想社会;他们幻想着,依着这个步骤,新社会就可以出现,而所谓空想的社会主义,就是从这里产生出来的。但是他们这么一来,势必全然把唯物论抛在一边;他们以前认为"是因周围的社会环境所给予的印象而构成自己的白蜡"般的人类头脑,不知不觉之间竟被当作社会环

① 列宁:《论辩证法的唯物论》。

境的创造者了。从来唯物论不彻底的地方，就在这里。

不消说，人类是社会环境的产物，同时，社会环境又是被人类的意见所支配的，这件事实，我们并不否认。但是仅仅承认这两个现象间的相互关系或交互作用，问题还不能算根本地被解决了。鸡由蛋生，但是也可以说蛋由鸡生。坏蛋生坏鸡，但也可以说坏鸡生坏蛋。像这样的研究问题，它总是循环不已的，那绝不会根本地把握住事物。

现在关于这个问题之解决的重要点，就是照马克思的话看来，便可以明了的"环境由人类所变化，而且教育者自身也受教育"的事情。这里所说的"环境由人类所变化"，原非环境由人类的意见所变化的意思，而是环境被人类的实践（产业上的实践）所变化的意思，又，所谓"教育者自身也要受教育"这句话，是说影响于人类的社会环境之自身，同时也不绝地为人类所影响。换言之，就是人类的社会环境，不绝地由人类自身的实践所变化。固然人类最初不曾意识到他所形成的某种变化，将在社会环境上发生；即令一定的变化，已经在社会环境发生了，也是不能马上毫无遗漏地意识到的，但是客观上，社会的环境（社会的存在）却因人类的实践而不绝地发生变化，并且人类又是那种社会环境的产物，人类的社会意识，一任社会的存在所规定，因之，所谓人类本性这东西，决不是一定不变的，而是随着社会的环境，不绝地变化的。"劳动是人类自然间的一个过程，是人类用他自身的行为，去媒介、规定、管理他与自然间的物质代谢的一个过程……他因为要以能够适于自身生活的形态去占有自然的材料，所以他把那些属于自身肉体的种种自然力，如腕、脚、头、手等，放在运动状态上，他由于这种运动，就在他外部的自然上进行工作而变化自然，同时又变化他自身的本性"①。由这个见地看来，人类的本性，既是历史发展的产物，也是不绝变化的东西，那么，以人类本性（被认作不变之物的人类本性）为基准，设计一个在一切时代、一切民族看来，都是最好的理想社会这件事，全是无益的，我们必须首先用科学方法，去研究社会的存在之现实。而且我们要站在这种科学的见地上，始能把前面说过的相互对立的、外表上相互矛盾的两个命题，——即是人类为社会环境之产物；社会的环境，被人类意见所支配的

---

① 《资本论》第一卷，第三篇第五章。

这两个命题，——依辩证法的方法去统一为一个全体。意识与存在之间，不待说，是行着交互作用的，因为行着交互作用，所以在我们的社会生活里面，便有存在规定意识的方面，同时也能有意识支配存在的方面；根本地说——在结局上——存在为本源的东西，意识为派生的东西这个见地，也就不外乎此。我在前面所说的"把握环境与人类的辩证法的关联"，就是指的这一点。

要之，人类社会的环境，尽管是人类自身创出的东西，但这个环境，仍旧是离开人类的意图，意识而独立着的；可说要在人类的社会意识，只是社会的存在之反映这中间，唯物论才能实现其彻底地适用到社会或历史的方面去。可是我们既以人类社会的存在，为离开人类意识而独立的东西，那么，这个社会的存在之进化，当然不可由人类的意识、精神、思想等等去说明，而必须把它当作一个自然史的过程，当作一个"自己运动"去理解。前面马克思所说的"环境与人类活动的变化之一致，即自己运动"，正与此相当。以下我们所要说明的史的唯物论（或唯物史观），就是想站在这个见地上去理解人类历史的。

第二节　人类社会生活上的基本对立物
——生产诸力与生产诸关系

"发展就是对立物的斗争"。人类的世界，是由自然与人类这两个对立物的斗争——人类征服自然及自然影响人类——而发展的。所以人类的现实生活——即恩格斯说的"现实的生活之生产与再生产"（Die produktion und Reproduktion des wirklichen Lebens），以及《德意志观念形态论》中说的"在劳动上为自己生活的生产，在生殖上为他人生活的生产"（Die produktion des Lebens，sowohl des eignen in der Arbeit wie des fremden in der Zeugung），并政治经济学批判绪论中的唯物论观公式的冒头所说的"人类的生活之社会的生产"，——最初表现为一个具有二重性的关系（ein doppeltes Verhältnis）。这个二重性，一方面是人类对于自然的关系，他方面是人类相互的关系。《德意志观念形态论》[①]中所说的"不问在什么条件下，不问用什么方法，不问为什么目

---

① 《马克思恩格斯文库》第一卷，德文本，第 246 页。

的,被作出来的东西,凡在许多人共同活动的这意义上所发生的社会关系……"这几句话,就是阐明这个意义的。前者是人类与自然间的物质交换或材料代谢(Stoffwechsel)的关系,后者是人类相互间的劳动交换的关系(劳动生产物的交换,结局就是劳动的交换)。在前者的关系上,人类的"生产诸力"(供人类造生产物用的各种力)表现出来,在后者的关系上,他们的"生产诸关系"表现出来。

这生产力与生产关系,是叫作生活的生产这统一物中所被发现的最一般的、最根本的、对立的契机。这两个对立物,又是叫作生活的生产这"具有二重性的一个关系"的两个方面(Seite)或契机(Momente),它们是不可分离的被统一着的、孤立的个人,在现实上不会存在。假如说某处行着人类生活的生产,那就是指的那里有多数人行着共同的生活(Zusammenwirken)。现实上的生产力之发挥,它自身中必含有生产关系的存立,若无生产关系的存立,生产力便无从发挥,所以生产力与生产关系的辩证法的统一,是唯物史观的根本问题之一。

一、二种意义上的生产力

生产力是什么? 我在这里先把它弄个明白一下。

马克思所用的"生产力"一语,有两样不同的意义,所以明确地把这两者加以区别,那是非常重要的。第一意义上的生产力,就是生产有用物(财、富)的有效诸力。就这个意义说来,比如机械,便无疑地是一种生产力。

> 挽犁的牛,不是经济的(社会的)范畴,同样,机械也不是经济的范畴,它不过是一种生产力(eine Produktivkraft)。①

和这一样,分业也是一种生产力②像所谓作业的继续性这东西,它本身也是一种生产力③。

---

① 《哲学的贫困》,德文本,第117页。
② 《政治的经济学批判》,德文本,第33页。
③ 《资本论》第二卷,考茨基版,第233页。

在《德意志观念形态论》①中，还有下面一段可注意的话：

> ……一定的生产方法，随时都是和协力的一定的方法相结合的，所以这个协力的方法，它自身便是一种生产力。

此外，革命的阶级，它是打破那正在变为生产诸力之桎梏的生产诸关系，而贡献于使生产诸力更能发展的新的生产诸关系之建设的，在这一点上，它自身也是一种生产力②，所以说"在一切生产用具中，革命的阶级自身就是最伟大的生产力"这句话的，就是这个关系。

这样看来，可以算作生产力的，就有种种色色的东西了。所以，每指隶属于人类社会的各种生产力的总计时，多是使用 Produktivkräfte 或 Produktionskräfte 这类的复数形的文字。我在许多地方使用"生产诸力"这一语，也就是因为要弄清这种复数形的缘故。我们试从《政治经济学批判绪论》中，看看唯物史观的公式，那里都用着下面那样的复数形。

> 人类在其生活之社会的生产上，容受那……适应于他们的物质的生产诸力之一定发展阶段的生产诸关系。
>
> 在那发展的一定阶段上，社会之物质的生产诸力，与现在的生产诸关系陷于矛盾。
>
> ……可说这种意识，要由物质生活的矛盾去说明，要由社会的生产诸力与生产诸关系间的现存的冲突去说明。

我们为了避免和后面再说明的第二意义的生产力相混同，这里特译为"生产诸力"或许是适当点儿，这与《德意志观念形态论》中所说的"隶属于人类的生产诸力之数量"（die Menge der den Menschen zugänglichen Produktivkräfte）等语，

---

① 《马克思恩格斯文库》第一一卷，德文本，第246页。
② 《哲学的贫困》，德文本，第163页。

是同一的意义。①

　　以上所述,是第一意义上的生产力。至于第二意义的生产力,便是劳动的生产力。但劳动生产力,仍然是用 Produktivkraft 这个字表现出来的。不过在这第二意义上的生产力,是指着一定分量的劳动,生产有用物(财、富)的一种力,与劳动的"生产性"或"生产度"(Produktivität)或者"生产能力"(Produktivvermögen)的意味相同,因为这样,所以第一意义上的生产,系表示绝对的大,反之第二意义的生产力,系表示相对的——一个比较的——大。为什么呢?因为劳动的生产能力,是依生产上所费的劳动分量,由劳动时间测定的分量与这个劳动分量所生产出来的生产物的分量之比而表现着的。②

　　如上所述,第一意义上的生产力与第二意义上的生产力,虽然内容不同,但两者相互间却有密切的关联,所以我还要在这里附加说明。

　　能供人类对自然施行加工之用的种种力(第一意义上的生产力),当其现实地向自然动作时,都是以人类的劳动作媒介的。因为这样,隶属于社会的生产诸力(即马克思所说的社会的生产诸力)的发展,在原则上,便表现为社会的劳动生产能力(即第二意义上的生产力)之向上。某种社会能够利用的生产诸力之总量愈增加,同时为着生产一定分量的使用价值(财富、财货)所必要的人类劳动的分量便愈减少;反过来说,便是能用一定分量的劳动生产出来的财富的分量增加了,这就是指的劳动能力的增进。所以劳动生产力的增进,

---

　　①　我们在这里所译的"生产力"的用语,在德文里面,就是 Produktivkräft 或 Produktionskräft。这两者的语义本属相同,但若强加区别,译前者为"生产的力",后者为"生产力",也许没有妨碍。在《德意志观念形态论》里面,这两个名词是毫无区别地随手使用的。在考茨基的《唯物史观》(1927 年)中,两语更加混用得厉害,例如第一卷第 9 页里面的 Produktionsverhältnisse, die einer bestimmten Entwicklungsstufe ihrer materiellen Produktivkräfte entsprechen 虽是引用的马克思的话,但是同一引用句中的 Produktivkräfte,在第 806 页里面揭出的是 Produktionskräfte,至次页又为 Produktivkräfte。由是可见一斑了。

　　②　塔尔海玛(《马克思恩格斯文库》第二卷,第 573 页)曾就以上所述的生产力的两个意义,这样说过。"假如我们没有把当作相对的大或当作比率规定看的生产力,当作绝对的大看的生产力,严密加以区别,我们决不会明了事态的真相。在前一意义上是生产力(Produktivkräft)等于生产能力(Produktivvermögen),等于生产度(Produktivität)。这是当作一个比率数而定义的,即是等于$\dfrac{使用价值的数量}{时间}$,也就是表示一单位时间内被产出的使用价值之数量的某数的。至若当作绝对的大看的后一意义上的生产力,那不是指着参加使用价值的生产力的诸要素以外的某种,就是那些要素的一般名称。"

在原则上，就成了表示社会生产诸力之增加的指数［但是社会生产诸力之增加，如果单是基于劳动者人数增加的时候——即是说，其他情形没有变动，仅因劳动人数的增加，致使某种社会向着自然活动之力的总量增加的时候，——那么，尽管一社会的生产物的总量有了增加，而一单位的劳动（例如一时间的劳动）所生产的生产物的分量却没有变化，所以就劳动的生产力而言，也就没有变化。这样看来，第一意义上的生产力的增加，就不限定随时都可以引起第二章意义上的生产力的增进。我在前面所说的原则上云云，就是这个关系］。

以下我们要阐明的问题，即是在第一意义上的一切生产力。为要指明这般生产力，不与第二意义上的生产力混同起见，所以在原则上，我便不得不使用复数形的生产诸力这个名词。

二、社会的生产诸力之构成分

如前所述，在生产诸力中，凡一切供人类利用的种种的力都被网罗进来了。这些力可从种种标准上去行种种的分类，把它分作三个部类如次：

一、被人类占有的自然力（水力，风力等）

二、人类 $\begin{cases} （A）为自然力的人类（劳动者人数及其体质等） \\ （B）为社会力的人类 \begin{cases} （甲）劳动的社会组织等 \\ （乙）革命的阶级等 \end{cases} \end{cases}$

三、人类的生产物 $\begin{cases} （A）物质的生产物（生产手段） \\ （B）精神的生产物（科学） \end{cases}$

先说属于第一项的自然力。我在这里所以说"被人类占有的"自然力的，是因为单纯的自然，不会就那样替人类构成生产诸力。自然只有在能够被人类利用的状态之下，为人类所占有，它才是构成人类的生产诸力的一个要素。所以那些存在于自然状态下的劳动对象中，只受了被从自然全体割开的劳动的（如被在水中捕获的自然生长的鱼类，被从地中掘出的矿石，被从自然林采伐的树木等），还算不得生产诸力的构成分。这些东西，是和已被掘出而再受化炼的矿石（既已属于人类支配之下的矿石），不同俦类的。马克思在《资本论》（参看第一卷,考茨基版,第 134 页）里面,特别称后者为原料（Rohmaterial）并深深地注意把后者和前者相区别,就是基于这个理由。

其次要说明的,就是人类本身也是个生产力,马克思关于此点,曾在《资本论》（第一卷,考茨基版,第 13 页）中,像下面这样叙述过。

　　劳动首先就是人类与自然间的一个过程;是人类用他自身的行为,去媒介着、制约着、管理着他和自然间的物材交换的一过程。人类把自身当作一种自然力,与自然的物材相对立。他因为要以能供自身生活之用的形态去占有自然的物材,把属于他自身肉体的种种自然力,如肩如脚如头如手,都放在运动状态下。他借这种运动,对于在他自己外部的自然施行工作,既变化自然,同时又变化他自己的天性,他展开那隐伏在他自身天性中的种种潜在力,把自身天性诸力的活动,放在自己的统制之下。

人类就是像这样把自身当作一种自然力,在自然之上活动着的。这正是我在前记表中"二,人类"下面（A）的项,标为"成为自然力的人类"的缘故。不过,人类在文字的意义上,却是社会的动物（Zoon Politikon）。"人类在生产上,不单与自然发生关系,他们并且只有依着一定的方法,共同协作,相互交换他们的活动,才能从事生产。他们为着生产,相互参加到一定的关联及一定的关系里面去,并且只有在这些关联及关系的内部,他们对于自然的关系,才能成立,才能从事生产。"①因为这样,从这些社会的关联及关系所生出的社会的力,自人类看来,就成了一个重要的生产力。在《德意志观念形态论》中,马克思于"一定生产方法……随时都是与协力（Zusammenwirken）的生产方法结合着的"这句话下面,所以特别插入"这个协力的方法自身,也是一种生产力"这句话,就是因为这个缘故。我们在这里要顺便注意到一件事情,即是:以上所列举的构成生产的诸力的诸要素,与规定劳动生产力的诸条件,是不可视为同一物的。例如外界的自然诸条件——关于生活资料的自然的财富,如土地的丰饶性、富于鱼类的河海等,和关于劳动手段的自然的财富,如富于活力的

---

① 《工钱劳动及资本》。

瀑布,能够航行的河海、木材、金属、石炭等,虽无疑是规定劳动生产力的诸条件之一,但是这些东西没有被人类占有以前,还不会成为生产诸力的构成分。马克思所以说:"劳动的生产力,为种种情形所规定,就中尤为劳动者之熟练的平均程度,科学及其技术上的实用性之发展阶段,生产过程的社会组织,生产手段的范围与作用能力,并种种自然情形所规定"①——换言之,对于规定劳动生产力的诸条件,其所以包括不属于生产诸力的构成分的"种种自然关系"的,——就是基于以上的理由。前记表中"二,人类"下面的(B)项,标名"成为社会力的人类",就是总括着这样由人类相互联络而造出社会力(与自然力对立的东西)的。

"劳动首先就是人类与自然间的一过程"。但是在人类的物质生产上,那种过程的生产物本身,更参加那一过程,而中介于人类与自然之间,当作生产物的劳动对象(原料)与同样当作生产物的劳动手段,就是这个过程上的生产物本身;自人种看来,他们都是有力的生产力。

最后还要说明的,就是:不仅物质的生产物是生产力,精神的生产物,也可作用为一种生产力。"批判的武器,自然不能代替武器的批判。物质的力,由物质的力去推翻。但是理论一旦抓住了大众,马上就变成物质的力。"②科学与理论一样,同为人类精神劳动的产物;科学本身虽然不能代替物质的生产物,但是它一经被应用到生产的过程,马上就变成一种有力的物质生产力。不待说,科学是属于所谓上层建筑的一部分。它虽是从生产过程的欲求中产生的,却不是物质的生产物。然而它因为被应用到生产的过程上了,所以变成了一种物质的生产力。因为这样,我在前记表中,才把"三,人类的生产物"分为物质的生产物与精神的生产物。

以上所述的生产诸力中,究竟哪一项具有决定的重要性呢?我最后不得不略略说一下。自我们看来,问题就在自然与人类间的斗争中,人类方面能动地向自然进行的斗争。从这个见地出发,则一切生产诸力中,在我们看来,具有决定的重要性的,便应该是生产手段(其中包含有劳动对象即原料,与器

---

① 《资本论》第一卷,考茨基版,第8页。
② 《黑智儿的法律哲学的批判》,《德法年志》,德文本,第79页。

具、机械等一类劳动手段）里面的劳动手段。因为劳动手段，是人类自身用他们的能动的活动所生产出来的东西，它自身是人类的生产物。这种手段，与其他的生产手段（原料）不同，"它是以一个导体的功用，把人类的活动（人类的能动的活动）传达于其对象"的东西，所以人类当从生产的活动时，"直接所左右对象"①并不是劳动对象，却是这个劳动手段。像这样，劳动手段，就是在一切生产诸力中，具有最能代表人类对于自然之能动的活动性质的。"劳动手段的使用与创造，虽说在若干动物的种类中，已经可发现萌芽的状态，但它特别是给人类劳动过程以特征的。因为这个缘故，所以佛兰克林（Franklin）下人类的定义为：'制造器具的动物'。"②这样看来，劳动手段的发展，在大体上，成了适应于人类社会的生产诸力的总量之发展的东西。马克思所以认定劳动手段为"人类劳动力之发展的测度器"的，就是这个缘故。

三、生产诸关系及生产诸方法

如上所述，所谓生产诸力，就是当人类向着自然活动的时候，能够发生作用而且隶属于人类支配之下的种种力量；人类对于自然的积极的关系，虽是由于生产诸力的总量所规定，但在他方面，当人类利用这些生产力而在自然里面活动的时候，同时必会成立人类相互的共同协作，因而结成种种的社会关系，这种社会关系，我们称之为生产诸关系（Produktionsverhältnisse）。即是说，所谓生产诸关系，就是人类"在他们的生活（或生产资料）之社会的生产上，以物为枢纽，相互结合的社会的诸关系之总称"。

* * *

但是在马克思的用语中，除了上述生产诸关系以外，往往又使用生产方法或生产样式（Produktionsweise）这两个名词。例如《政治经济学批判序言》里面的唯物史观的公式中，便可见到生产诸关系、生产的方法，并前述的生产诸力几个术语，同时并用。

① 《资本论》第一卷。
② 《资本论》第一卷。

人类在他们的生活之社会的生产上,加入于一定的、必然的、离开彼等意志独立的诸关系里面,就是加入于和他们的物质生产诸力之一定发展阶段相适应的生产诸关系里面。这些生产诸关系的总和,形成社会之经济的构造,……物质的生活之生产的方法,决定一般社会的、政治的及精神的生活诸过程。

在这里所说的生产方法(或生产样式)是指着什么呢? 这与生产诸力或生产诸关系之间,有怎样的关系呢? 我将一一加以说明。

恩格斯在 1894 年的书简中,写出下面这段话。

我们所认为是社会的历史之决定的基础——经济的诸关系(Ökonomische Verhältnisse)这东西,就是指的某种社会的人类,生产他们的生活资料并(在分业成立的范围内)相互交换生产物的样式(Art und Weise)。

恩格斯在这里所说的经济的诸关系,与我们现在当作问题解说诸生产诸关系,不待说,是一个东西,但他的说明,是把经济诸关系当作生产(及交换)的样式的。这样看来,生产诸关系与生产方法(或生产的样式),也就似乎完全成了一个东西。此外,恩格斯在《反杜林格论》中,当他要说生产诸力与生产诸关系的矛盾的时候,往往拿生产诸力与生产方法诸矛盾来替代。例如他说:"新的生产诸力,既已超越那利用这些生产力的布尔乔亚的形态而成长起来。所以在生产诸力与生产方法之间的这个冲突……"①又说"生产方法,对交换方法矛盾着,超越生产方法而成长起来的生产诸力,又对于生产方法矛盾着"②。

这样一来,于是便生出了下面这样的解释。

① 《反杜林格论》,德文本,第 287 页。
② 《反杜林格论》,德文本,第 279 页。

所谓生产的方法(或生产样式)究竟是什么？在辩证法的唯物论说来,生产方法,就是人类从事生产或劳动时,彼此结合的相互的关联或关系,简单言之,就是人类在劳动时的相互关系。①

但是除了上述的说明而外,如果我们把生产的方法与生产诸关系当作完全同一意义的用语,那末,下面所引用的马克思的文句,便难于理解了。

我在本书里面所要研究的,是资本家的生产方法及适应于这个方法的生产及交易的诸关系。②

一定的生产方法及随时都适应于这个方法的生产诸关系,简单言之,社会之经济的构造……③。

人类一旦获得了新的生产诸力,同时就变化他们的生产方法,并且随着生产方法——人类获得生活资料的样式——的变化,他们又变化自己的一切的社会诸关系④。

……11世纪的人类,是什么人类呢？他们的日常欲望,他们的生产方法,他们的生产原料,是什么东西呢？最后由这一切条件所生产的人类对人类的联络,又是什么呢？……⑤

假若生产方法与生产关系(或社会的诸关系,或人类对人类的联络)全为同一意义的东西,那么,像上面所说的,"生产的方法,及适应于这方法的生产诸关系",那些表现,便全然没有意义了。

依我的见解,所谓生产方法(或生产的样式)[就是照字义解释的生产活动上所行的方法(或样式)],如果用马克思的其他的文句去翻译,就是人类"获得他们的生活资料的样式"(Die Art,[Die Menschen] ihren Lebensmittel zu

---

① 塔尔海玛:《辩证法的唯物论入门》,德文本,第134页。
② 《资本论》第一卷,第一版序言,考茨基版,第37页。
③ 《资本论》第一卷,第一章,注脚33,考茨基版,第45页。
④ 《哲学的贫困》,德文本,第91页。
⑤ 《哲学的贫困》,德文本,第91页。

gewinnen）。人类为获得生活资料，向自然施行加工，这就是人类的生产活动；供用于这种生产活动而且受人类支配的一切力的总和，就是生产诸力。这样看来，所谓生产方法，或人类生产的活动样式，毕竟不外是这些生产力被人类利用的样式（如果从生产诸力说，就是生产诸力之活动的姿态）。但是人类的生产活动，必定含有社会的性质，所以在这种活动上，不论何时，都会生出一个具有人类对于自然及人类对于人类之二重性的关系。生产诸关系由人类对于自然及人类对于人类的二重关系而成立的这件事，我们看了马克思在《资本论》中所说的就不难明白。他曾说："古代社会的诸生产组织，系由劳动的低级发展阶段，并由适应于这阶段，而在物质生活内部的人类相互间以及人类与自然间的狭隘关系所决定的。"①他又说："生产当事者，对于自然并人类相互间所具的诸关系，即彼等生产于其间的诸关系……"②。所谓"生产诸力在其中自行发展的诸关系"③，就是指着此种关系，也就是我们现在当作问题探讨的生产诸关系。所以不拘是生产方法，抑生产诸关系，结局都不外是同一的东西。不过一方是指着人类生产活动的样式，他方是指着人类与人类及人类与自然间所结合的关系的样式，因为所指的方面不同，所以用语上便有差异。前者把关系视为动的表现，后者把关系视为静的表现。因此，可以表现如次：

生产方法，因而又是生产诸力在其中自行发展的诸关系，决非永久的法则，宁可说是适应人类及他们的生产诸力之一定发展状态的东西。④

此外如下面所写的《资本论》第三卷的一段话，也可作为我们的参考。

以上，我们观察了资本家的生产过程，就是一般社会生产过程的一种在历史上被规定了的形态这件事。这后者的东西，就是人类生活之物质的存立诸条件的生产过程，同时也就是在特殊的历史经济的生产诸关系

---

① 第一卷，考茨基版，第42页。
② 第三卷二分册，德文本，第35□页。
③ 《哲学的贫困》，德文本，第105页。
④ 《哲学的贫困》，德文本，第105—106页。

之中所行的——即是把这般生产诸关系本身，因而把这种过程的当事者之物质的存在诸条件以及他们相互的诸关系，换言之，把他们一定的经济的社会形态，从事生产而且再生产的——过程，为什么咧？因为这种生产的当事者对于自然对于相互间所具的，而且他们在其中从事于生产的这些关系的全体，正是由经济方面所见到的社会。①

　　在这段话中所说的生产过程，就是把人类的生产活动，从动的方面所见到的东西，而我们在这里所探讨的生产方法（或生产样式），就是指着这个生产过程的样式。这样的生产过程，虽是行于一定的生产关系之中的，但这些关系，是由"生产当事者，对于自然，对于相互间所具的关系"成立的。而这些关系的总和，正如后面所说的一样，是形成社会之经济构造的东西，这些关系的全体，就是"由经济构成方面所见到的社会"，要而言之，行着一定生产方法的社会，是由一定生产诸关系之总和构成的。

＊　　　　＊　　　　＊

　　生产方法及生产诸关系两者的意义，就是上述的那样。现在我要进而略略涉及它们与生产诸力间的关系。

　　如前所述，生产方法，即是生产诸力被人类活用的样式（或方法），所以，这种样式（或方法）当然随着生产诸力的发展而发生变化。即是说，生产诸力如果有了一定的发展，那么，在这些生产的构成分上，或在其总量上，也就会惹起一定的变化（例如，新的机械一被发明出来，于是生产诸力中的劳动手段所占的地位比从前更为重要，同时生产诸力自身的总量也激增起来）。接着就必然要在这些生产力发挥的方法上，即生产的方法上惹起一定的变化。生产方法如果有了变化，那么，人类对于自然的关系及人类对于人类的关系——即生产诸关系——势必相伴而发生变化。如此看来，这里便是存有下述一个系列的连锁的。即：（一）生产诸力的变化→（二）生产方法的变化→（三）生产诸关系的变化。所以"资本家的生产方法，与其他一切特定的生产方法一样，都以社会生产诸力及其发展的形态的一定阶段，为其历史的条件的前提，……

---

① 《资本论》第三卷，第二分册，德文本，第353页。

而与这种特殊的、被历史条件规定了的生产方法相适应的生产诸关系——人类在其社会的生存过程中,在其社会的生活创造中,当作给予了的东西去参加的诸关系——具有一种特殊的、历史的、过渡的性质"①。

基于上述各端,则自然、人类、生产诸力、生产诸关系、劳动生产诸力等等之间的关系,就可用下面的表式表示出来。

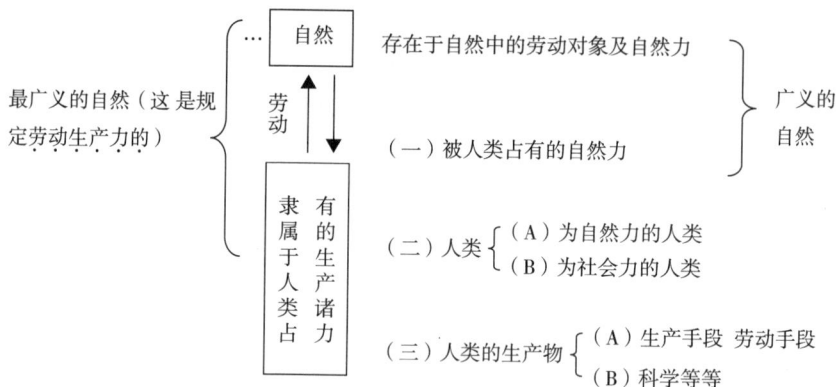

第三节　生产诸力与生产诸关系之
辩证法的关系

发展就是对立的斗争。我们人类世界的发展,就是自然与人类这两个对立物的斗争过程。把这个斗争过程加上一个人类的东西这特征的,就是由人类方面向着自然进行工作的能动的意识活动。"蜘蛛与织工从事类似的作业;蜜蜂在蜂窝的建筑上,会叫人类的许多建筑师觉得惭愧。然而最拙劣的建筑师,起首便胜过最巧妙的蜜蜂的,就是因为他于用蜂蜡建筑蜂窝而外,已经在他的头脑中建筑着。劳动过程的终局就是当劳动开始时,已在劳动者的表象中即观念中所存在的东西,成为结果而表现出来的,他不仅是使自然物的形态发生变化,他同时还在自然物中,把他自己的目的——这就是他所意识着的目的,以他的行为的样式及方法为法则去规定,并使他的意志从属于他的目

---

① 《资本论》第一卷,第二分册,德文本,第415页。

的——实现出来"①。由于这种活动，我们人类的世界发展（人类历史的发展），才得进行。"我对于我的环境的关系，就是我的意识，某种关系存在之处，那是为我而存在的。动物与其他任何物都不发生关系，一般的也没有关系。在动物方面，它对于其他任何事物的关系，都不是以关系存在的。"②这样看来，人类虽是由他们对于外界的意识活动，创造他们自身的历史，但成为这种活动的动力的，要不外是供人类利用而被动员的一切生产诸力的总计。在人类与自然的斗争上，由人类方面对于自然施行的积极的斗争力，一向是被这些生产力的总量所规定的。所以生产诸力，是人类历史上的根本动力。

可是，如前所述，"人类在生产上，不单与自然发生关系。他们并且只有在一定的方法上共同协作，相互交换他们的活动，才能从事生产。他们为着生产，相互地参加到一定的关联及关系里面，而且只有在这样的关联及关系的内部，他们对于自然的关系才能成立，才能从事生产"，所以，为人类对于自然行斗争的生产过程，正如已经说过的一样，最初便是在具有二重性的一个关系中显现的。即是说，人类对于自然的关系，与人类相互间的关系这两个东西，是个同时当作一个关系的两方面而表现出来的。马克思《德意志观念形态论》③中，其中所以特别使用"对于自然并个人相互间的历史上所造成的一个关系"（ein historisch geschaffnes Verhältnis zur Natur und der Individuen zueinander）[《德意志观念形态论》虽是马克思及恩格斯的合著，但这句话是马克思以后插入的]这句话，并且在同书其他部分④，又用"生活的生产，……是当作一个具有二重性的关系——一方面当作自然的关系，他方面当作社会的关系——被表现出来的……"这类的文句的，就是因为这个缘故。人类在自然里面进行工作时，必会成立一个像这样具有二重性的关系——一面是人与人的社会关系，同时却又和物相结合，因而另一面是人与自然的关系——只有在这些关系里面，隶属于人类支配下的生产诸力，始得发挥其机能；但是这些关系——如前所述——就是我们称之为生产诸关系（或经济的诸关系）的东西，而生产

---

① 《资本论》第一卷，考茨基版，第333—334页。
② 《德意志观念形态论》，见《马克思恩格斯文库》第一卷，第247页。
③ 《马克思恩格斯文库》第一卷，德文本，第359页。
④ 《马克思恩格斯文库》第一卷，德文本，第246页。

诸关系的全体，又是形成社会的经济构造的东西。

"社会的经济构造"或"经济的社会形态"，简直就是我们的社会存在的姿态，但是我们现在待讨论的，却是我们的这种社会的存在，是怎样发展的问题。详言之，就是社会存在的一定的形态，是怎样成立、发展、没落，以及怎样由比较高级的新的形态所代替的问题。辩证法的唯物论，就是要发现人类社会生活自身中所包含的对立的契机，就是要把人类社会的存在，当作对立物的斗争过程去把握，就是要把这个社会的存在（经济的社会组织）之形态的进化，当作一种自己运动去理解。这样看来，社会的存在，是在生产诸力与生产诸关系的斗争过程上被表现出来的。现在我要进而把这一点弄个明白。

＊　　　　　＊　　　　　＊

生产诸力与生产诸关系，是包含在称为人类生活（Leben）之社会的生产这一个统一物中的对立物。它们与其他一切辩证法的对立物一样，一方面是相互不可分离的发生关联的，但在他方面，又具有互相背反、冲突、矛盾的必然性；所以它们正是生活之社会的生产发展上的辩证法的契机（在下面，我们对于种种生产诸力及生产诸关系的一般的名称，将常常用生产关系这两个单数形）。

为什么说这两者具有不可分离的关联呢？如上所述，"人类为着生产，相互地加入一定的关联及关系里面，而且只有在这些社会的关联内部，他们对于自然的关系，才能成立，才能从事生产"。所以如果某一定的人类，已支配着和自然相对立而对自然施行工作的一定的生产力，同时，他们的相互间，就必然地结成一定的生产关系，离开了这个生产关系，在现实上，任何生产力都无从发挥。在这个意义上，生产力与生产关系是不可分离的东西。

照这样看来，生产力是离开生产关系便不会存在的，生产关系就是生产力之为生产力的一个存立条件。所以生产关系也是一个生产力（eine Produktivkraft），所谓对立物的生产力与生产关系，便是这样的同一物。在前面第二章第三节，我们曾经引用过列宁的一段话，他说："所谓辩证法，就是说明：对立物怎样得为同一物，而且是同一物呢？在如何的条件之下，对立物互相转化而为同一物呢？为什么人类的悟性，不把这般对立物当作死的凝固的东西去观察，宁可把它们当作有生机的、附有条件的、运动的、相互转化的东西去观察呢？等等事实的一种学理。"现在要紧的,就是把握生产力与生产关系的同一性。

不论在历史的什么阶段上,"都存在一种物质的结果,存在生产诸力的一种合计,存在人类对于自然,并各个人相互间的为历史所造成的一种关系"。①在这一定的如实的人类社会——这一定的如实的社会,就是我们研究的出发点——生产力与生产关系,"是由一个共通的纽带,一个相互的关联,而被送到统一之上的"。"对立物对于它自身,不是分散的存在,而是形成一个同一性的。对立与矛盾,都包含在同一性之中。"我们可由我们的思维,把"生活"的生产这个统一物,分离而为它的构成分子的生产力与生产关系两个对立的要素。但是现实上存在的东西,就是由这个对立诸要素所成的统一物自体;对立物的要素,由共通的纽带被统一起来,而站在共同的地盘上。它们因为站在共同的地盘上,所以才能成为对立物——没有共同的地盘之处,也就不会有对立的地盘——在共同地盘上的相互矛盾冲突,才使全体的地盘,使人类"生活"的生产,成为"自身运动的东西"。

＊　　　＊　　　＊

生产关系,当它自身是一种生产力的时候,它与其他生产诸力,都是同一的,都是被统一在社会的生产诸力之内的。但当这种统一分裂的时候,这曾是一个生产力的生产关系,便转化为它的反对物即破坏力,成为对立物而与其他生产诸力对抗起来。有了这样在对立物斗争上的活的发展,历史的进行才实现。"在没有何等矛盾,也没有何等对立物的斗争,没有对立物相互间的何等推移这情况下,便不会有何等发展、何等生命、何等推进力的存在。""如果世界上一切的事物,和它自身是同一的,那就恐怕不会发生何等变化,何等发展。自然的根本法则,就是运动。运动是一个形态向着其他形态的变化,是一个事物向着其他事物连续的推移。世界的全现象,是建立在一个形态或现象不断地转化到其他的形象或现象这个基础之上的。形态转换的进行过程或发展过程,是靠所谓对立物转化的方法显现的。不过这些对立物,是被包含在统一之中,由这个统一分裂出来的。列宁说:要把一切在世界的进行,在自己运动上,

---

① 《马克思恩格斯文库》第二卷,德文本,第259页。

在自发的发展上,在活跃的现实上去认识,其条件就在于把一切世界的进行,当作对立物的统一去把握。"列宁的这段话,是正确的。发展本身,实含有对立物的"斗争"的意味①。

生产关系,就是一种生产力。但是一定的生产关系,当其他的生产诸力发展到了一定高度的时候,因为它们的关联失其调和(统一的分裂),"遂由生产诸力的发展形态,转化而为生产诸力发展的梏桎"(《政治经济学批判序言》)。这样一来,于是"社会的生产诸力与社会的生产诸关系的冲突"(Konflikt zwischen gesellschaftlichen Produktivkräften und Produktionsverhältnissen)乃继之而起。于是成为一种生产力的生产关系,便转化而为它的破坏力即它的反对物的生产力之梏桎。随着这种变化,于是多数的生产力(Produktionskräfte oder produktivkräfte)也转化而为它的反对物即破坏力②。马克思所说的"于是社会革命的时代到来"这句话,就是指这个时代而言的。

在为破坏生产力的生产诸关系,与为生产力的生产诸力的"斗争"上,如果生产诸力不能打破那成了它的梏桎的生产关系,那么,社会生产诸力的进一步的发展便被阻止,该社会的进步便会停顿,这个社会便要退化而趋于灭亡。反之,社会若要继续向着发展,则对于那成了社会生产诸力之发展的梏桎的现存生产诸关系,就必须加以破坏,而另在这个被破坏了的废墟上,成立一个新的生产诸关系去替代它。只有在这个新的生产诸关系之下,被解放了的生产诸力,才能继续向前发展。于是这个新的生产诸关系,再转化而为一种生产力(这就是一个形态不绝地推移到另一个形态的实现),与其余的生产诸力保持联络和调和,而生产诸力与生产诸关系的统一,遂再被恢复过来。

以上所述的生产诸力与生产诸关系的矛盾冲突,是在生产诸力不绝发展着的限界内——生产诸力的发展停止,就含有人类对于自然的斗争力发展停止的意味,也就含有人类历史的,即人类物质上精神上发展的停止的意味——必然潜在东西的,是早晚必定无可避免的事体。为什么呢?因为生产诸力之一定发展的阶段上,一定的生产诸关系(例如封建的诸关系),哪怕恰恰适应

---

① 德波林:《列宁的辩证法》。

② 参看《德意志观念形态》,德文本,第 257、282 页。

了这般生产诸力的活动,而生产诸力的发展,尚不至于停止,一旦生产诸力发展到某种程度以上,它们在从来的诸关系下面,便不免要感受种种束缚和限制。这件事,恰如衣服对于小孩的关系一样,一定的衣服,哪怕是小孩生活上必不可缺的东西,但小孩继续成长,从来的衣服,必然渐渐地短窄了;小孩的成长到了某点以上,如果还要勉强把这件衣服给他穿上,那么,这件衣服,势必成为这个小孩发展的桎梏。这就是说,某种衣服曾为小孩成长上必不可缺的东西,确为一个有用物。但据上述的理由,小孩成长到某种程度以上,以前的有用物,便必然转化而为它的反对物,即有害物。这样,成长着的小孩的身体和衣服便起了冲突,结局,衣服方面势必至破裂完事。那同氢气球因内部的压力而暴烈一样,也要爆裂完事。马克思叙述资本家社会的末路的时候[1],曾说:"生产手段的集中及劳动的社会化,与资本主义的外壳(外壳就是外部复被的东西的意味,指着资本主义生产的诸关系)达到了不两立的程度,由是外壳爆裂(sprengen)"。他的这句话,就是为着这个意思。

＊　　　　　＊　　　　　＊

关于此点,我还想顺便说一件事。大家都知道,在马克思的《政治经济批判序言》中唯物史观公式之一节里面,关于社会组织(为生产诸关系之总和的社会经济的构造)的变革,曾说过像下面这样的意义的话。

> 一种社会组织,当一切生产力在它的组织内部尚有发展余地而未完成发展之前,那是决不会颠覆的。……

这是大正八年(1919年)我在社会问题研究第三号里面披露的译文,从那时起到现在约十年间,我每日想起这句话不是马克思的原文,而是我自己的译文。

近来我记忆着的马克思的这句话,虽然时时浮上心头,总觉得似乎不十分正确。马克思写这句话以来,约略七十年了,到了今日,它的表现的形式总可稍稍改变一点罢。——我时常这样想。

---

[1] 《资本论》第一卷,考茨基版,第691页。

但是最近查看马克思的原文，才知道有必须注意而加以订正的，不是马克思的原文，而是我的译文。马克思的文章，虽是七十年前写下来的，但直到今日，还是极其正确。我许久以前把这个文句不正确地译出来，接着又一味把这个不正确的译文当作是马克思的原意，而且因为走了这一段错路，以致引起近来怀疑着：马克思的话是可以订正的么？——发生这样错误的考虑。

但是对于这句话不正确的译者，还不只我一个。高桥龟吉氏在他所著的《日本资本主义经济的研究》中引用的句子，或许是借用的我的译文，所以姑置不论。到今日为止，题名《经济学批判》的译本，已有三种，且看他们是怎样译法。

三种译本中最早的是佐野学氏的译本（1923 年），其中关于我们现在探究的地方——和前述的我的译文一样——是像下面这样译出来的。

一种社会组织，当一切生产力在其组织内部，尚有发展余地时，而不是完成发展之后，是决不会颠覆的……

其次，在昭和二年（1928 年）以改译本发行的宫川实氏的译本，是下面这样译出来的。

某种社会组织，当生产力没有发展到这个社会组织许可时，是决不会灭亡掉的……

再看看本年四月被收在《马克思恩格斯全集》中的猪俣津南雄氏的译文，也与前译大体相同。

一种社会构造，当一切在其中有发展余地的生产力而还没有发展时，是决不致破裂的……

以上无论哪种译法，在我现在想当作问题来讨论的一点上，大体都相同。详言之，就是我现在想当作问题讨论的地方，是在于一定的社会组织与生产诸力的关系上,但由以上列举的无论哪一种译文看来,都是:一定的社会组织,当其组织内的生产诸力多少还有发展余地时,绝不致于没落的这么一种主张。这种主张果然是正确的么? 果然是马克思所要主张的么? 我想先来研究这一点。

试就目前资本主义的体系一为观察,就知道这个体系内,尚充分的存有生产诸力发展的余地。

布哈林(Bucharin)把世界大战后直至今日的这个期间,划分为三个时期;依他说来,第一时期,是以 1923 年年末为止的。接着的第二时期,依他说,"是从经济的见地说,从资本主义的经济之分析的见地说,都可称为资本主义体系内的生产诸力之恢复的时期"。继续第二期的,就是现在这个时期,就是资本主义经济复兴的时代;这一复兴,使资本主义经济无论在质的方面量的方面,都超过了战前的水准。它一方面在技术上,已有了长足的进步,同时因为资本家经营上的改造,生产诸力很显著地增大起来。试就主要的二三国考察一下罢。例如在"美国的一般发展倾向,是产业成长,资本增大"。又如"德国的资本主义,可说在急速的发展中"。此外如法国在大战前是以资本的利息为主要收入的,现在也在转化而为实实在在的工业国。只有英国在大体上是表现着衰颓的现象,但就某一方面说,英国的资本阶级,也收到了提高生产诸力的成效,而踏进了新产业的领域。这种情形,就是现在世界资本主义的状况。本年(1929 年)1 月 15 日为止的最近四半期的伐尔加《世界经济年报》中,也揭出了这样的推测:"就一般而论,资本主义生产的容积,即使 1929 年度,也如在 1928 年度一样,其向上线会引续上去这件事,是能够推定的"。

要之,在今日世界资本主义的体系内,生产诸力还存有不少发展余地的事实,那是无可置疑的。不但如此,假若我们把"资本主义,不仅继续前进,而且还在英气勃勃的急速前进中的广大领域",尚残留在世界上——例如土耳其及阿非加因斯坦,或者英国诸领地及南美洲若干国——这件事实加以考察,便不得不预测:世界资本主义体系内的生产诸力的发展余地,在某种程度上,就是说到将来,也许还会继续存在。

说到这里,我们回顾唯物史观公式中的马克思的文句,却被我们像前面说过的那样译出了。

> 一种社会组织,当一切生产力,在它的组织内部,尚有发展余地而未完成发展之前,是决不会颠覆的……

假如这个译文是正确的(假如把有余地云云这种话,加以严密的解释),则其结论便是:现在资本主义的组织,还会在将来存续许久。

但是正如前面所暗示的一般,唯物史观公式中的问题所在,就是因为我们从来把它译得不正确的缘故。马克思的原文,本来是像下面这样的:"Eine Gesellschaftsformation geht nie unter, bevor alle Produktivkräfte entwickelt sind, für die sie weit genug ist……" "一种社会形态,在那认为这形态(的内部)还十分空阔的一切生产力,没有发展以前,决不没落"。

这种意义,用别的话表示,就是:"一种社会形态,对于在这种形态下面既经发展的生产诸力,没有达到极其狭窄以前,决不没落"。问题的中心,就在 für die sie〔Gesellschaftsformation〕weit genug ist 这一句,而这句的意思,就是生产诸力,没有感到现存的社会组织的狭小。

关于此点,我还想引一个例证,那就是堺利彦氏的译文。《无产者小丛书》第九册,那是堺氏的唯物史观略述,其中有"英、德、日三国语对照及其注解"这个副题,关于我们现在所讨论的地方,它是像下面那样写的。

"开头的 für die sie weit genug ist 这个原文的意义,总不十分懂得。"

这就是说,我现在当作问题中心的这一句的意义,堺氏说是"总不十分懂得",但是他却一方面把这句话译为"它的内部,尚留有余地时……"之后,又像下面那样表述他的意见。

> 我把一个英译的 for which there is room in it 和另一英译的 for which it affords room,与河上氏译的"在它的组织内部,尚有余地……",比较对照一下,我就译为"在它的内部,尚留有余地时……"我想这大半可以说是很适当的了。

可是把"有余地时"修改为"留有余地时……",在我看来,结局都是一样。就是两种英译的意义,也没有什么出入——不过我在这里,只是要说明堺氏早就把这点当作问题讨论过。

　　上面所诠索的，虽然是琐细的事情，但是我们若把"有余地时"与"达到极其狭窄时"严密地加以解释，就知道这两者的意味，是大有区别的。例如在一定的会场里面，来人觉得尚有进来的余地，与在场的人已经感到狭窄这两件事，绝不是同一的意味。因为在场的人，哪怕已经开始感到狭窄，假使把人像仓库里囤积货物一样，由地下堆到天花板，那么，就是在这个会场里面，也还能够挤进比现在多过数倍乃至十数倍的人来。

　　这就是说，把马克思所说的 weit genug ist 译作"有余地"，与译作"十分空阔"，虽无很大的差异，但实在的意义总不一样。比较正确的，自然是后者的译文。所以，当我们根据马克思的立论，就资本主义体系的没落加以考察的时候，也知道问题不在于生产诸力有没有发展余地的这一点，可说是在于现存的资本主义体系，是否已经对于发展了的生产诸力达到了极其狭窄的地步。如果现有的组织，已经达到极其狭窄的地步，那么，社会的物质生产诸力与现存的生产诸关系之间，便不得不发生矛盾冲突；这种矛盾冲突一发生，用马克思的话说，就是 Es tritt dann eine Epoche sozialer Revolution ein（于是社会革命到来）。

　　要之，一定的社会组织，其所以没落而把席次让于其他较高级的社会组织的，那并非起于生产诸力的发展，已丝毫不能在从来的社会组织下面实现出来之后。可说是生产诸力正在发展的当中，从来社会的组织破裂（sprengen）了的。所以问题不在于生产诸力的发展，已否停止下去，而在于已否达到下面的这一阶段，即生产诸力的更进一步的发展，被现存的生产诸关系所束缚所阻害的阶段。

＊　　　　＊　　　　＊

　　人类向自然活动的时候相互间所结成的社会诸关系的总和，那就是形成社会的经济构造的东西。而这个社会的经济构造，是在前述的关系上，随着社会的生产诸力之总和的变动而变动的。但是，如前所述，社会生产诸力中，具有最决定的重要性的东西，就是劳动手段，所以劳动手段，就成了"人类劳动力之发展的测度器"。所以，马克思在《资本论》①中，像下面那样的说道：

------

①　第一卷，考茨基版，第 136 页。

遗骨的构造,对于消灭了的种族的身体组织的判断,有着非常的重要性,同样,劳动手段的遗物,对于没落了的社会经济构造的判断,也有非常的重要性。区分种种经济时代的,不是造出了什么东西,而是如何造出、用什么手段造出的这件事。劳动手段不仅是人类劳动力发展的测度器,并且是行劳动于其中的社会诸关系的指示器。

第四节　为社会的经济构造之构成分的纯经济的诸关系及政治经济的诸关系

照上面所说的考察起来,就知道使生产诸关系之总和即社会的经济构造必然地发生变革的东西,要不外是隶属于社会的生产诸力(即马克思所说的社会的生产诸力)之发展。但是正如后面所说的一样,社会的经济构造这东西,是建立在它上面的社会之政治的及观念的上层建筑的基础,这般上层建筑,是随着它的基础即经济构造的变动而变动的。所以结局,变动社会全体的根本动力,就是发展不已的社会的生产诸力。简单地说,生产诸力,就是人类历史上的根本动力。并且,生产诸力与生产诸关系的矛盾冲突,又和后面所述的一样,是成为一阶级与他阶级间的斗争(所谓阶级斗争),而在表现于社会表面之上的。所以从唯物史观(史的唯物论)的立场说,社会的诸现象,往往要把生产诸力的发展与阶级斗争的进展综合起来去观察。列宁所以说:"辩证法,要求把当作问题的社会诸现象,在其发展上作全面的分析,并使外观上的事物,归宿于基础的推进力即归宿于生产诸力的发展与阶级斗争",就是这个缘故。①

为了充分理解这一点起见,尚有种种问题,必须加以说明。以下,我将顺次地把这些问题整理出来看看。

＊　　　　＊　　　　＊

如前所述,因社会的生产诸力之发展而在一定期内不可避免地要发生变革的一定的社会之经济构造,就是生长于其上的一切上层建筑的基础,所以,

---

① 《列宁全集》第十八卷,第一分册,俄文本,第143页。

当我们要理解某种社会的时候，首先就不能不分析这个基础的经济构造。因此，在马克思主义上，便把这以分析经济构造为任务的经济学，当作根本地理解社会诸现象的基础知识。理解社会的经济构造，就是这样重要的事情。所以，我在进而讨论其他问题之前，还想就这个经济构造的构成分，略略补充几点说明。

所谓社会的经济构造，曾经反复说过，不外是生产诸关系（经济的诸关系）的总和，但依我所见到的说，这个经济的诸关系，——在社会为阶级社会时，——可说是由纯经济的关系与政治经济的关系两者成立的。所以把社会的经济构造当作研究对象的学问，与其单称为经济学，或许称为政治经济学的好。我从这个见地出发，我以为马克思的著作 *Kritik der Politischen Oekonomie*（从来单译作《经济学批判》，虽然为简单起见，说惯了也不碍事），在正确上应该译为《政治经济学批判》，因为这部书的篇别，是由预定的"资本"、"土地所有"、"工钱劳动"、"国家"、"外国商场"、"世界市场"六部分做成的（参看同书序言的开头），其中的前三篇"资本"、"土地所有"、"工钱劳动"所讨论的部分，是属于纯经济过程领域的东西；"国家"以下的部分，则属于政治经济过程领域的东西。所以就全体说来，就是"政治经济学"或"政治的经济学"（Politische Oekonomie）。

这个政治经济学的名称，老早就通行。例如李嘉图（Ricardo）著有《政治经济学及赋税原理》（*Principles of Political Economy and Taxation*），弥尔（John Stuart mill）著有《政治经济学原理》。此外，1874 年出版的魁安慈（Cainnes）的著述，1883 年出版的希伟克（Sidgwick）的著述，都一样地名为《政治经济学原理》（*Principles of Political Economy*）。这些著述的内容，大略都是和它的题名相称的。例如魁安兹的《政治经济学原理》，是由第一部"价值"、第二部"劳动及资本"、第三部"国际贸易"三部分合成的；希伟克的著述，是由第一卷"生产"、第二卷"分配及交易"、第三卷"政治经济的技术"（The Art of Political Economy）三部分合成的，而第三卷中，又含有"政府对于产业的诸关系"（第三章）和"自由贸易及保护贸易"（第五章）与"财政"（第八章）。不过此后因为经济学的分化，接着经济政策学及财政学都脱离所谓经济原论而独立，而经济原论的著述[例如马夏尔、塞里曼、裴泻尔（Fisher）这些人的著述]，也题为

Principles of Economics（直译就是《经济学原理》）。在日本方面，因为把 Political Economy，Economics 都译作"经济学"，对于这个区分不明了，然在正确上，则唯有后者是经济学，前者应该译为政治经济学（经济的用语，用来出于经国济民；在它的原文意义里面，虽含有政治的性质，但到了现在，已如电气比石炭更为经济的那种意味一样，经济这个名词，和欧洲语 economy 同义了）。

现在所以要把这个用语加以诠索的，就是因为要说明构成社会之"实在的（物质的）基础"，即"经济构造"的诸关系的种类，并且要说明这个"基础"与"政治上的上层建筑"的关联之故。

＊　　　＊　　　＊

社会的经济的构造，在阶级社会中，必然是由纯经济的诸关系与政治经济的诸关系两者成立的。从现实上说来，不消说，阶级社会的一切生产诸关系，就是政治经济的诸关系，无论什么经济关系，都没有完全脱出政治的支配。但是，唯物史观首先就要求把它当作纯经济的过程去考察。为什么呢？因为政治是派生的东西，经济是基本的东西。详言之，就是因为社会的经济构造，乃是建立在它上面的政治的上层建筑及观念的上层建筑的基础；这个基础，不消说，是不应该由它所派生而没有具着自身历史的人类意识（意欲、意图等等）去说明的，而同属于派生的范畴之政治和法律，根本上，也不能拿来说明社会的经济构造，最可靠的，只有在它脱弃了一切政治和立法之影响的纯粹姿态的自己运动上去观察它。

马克思当说明简单的商品生产转形为资本家的生产（即资本家的生产之成立）时，为把"商品流通及其简单的诸契机作为唯一的前提"起见，他该是如何绵密地——也可说是执拗地——完全舍象了那出乎等价物与等价物的交换以外的一切诸条件（特别参看《资本论》第一卷第四章第二节），这是现在一般人所知道的，恩格斯在所著《反杜林格论》中的"强力说"项下，曾就这点注意地说过：

> 马克思在《资本论》中，明如观火地证明了这件事：商品生产在一定的发展阶段上，自然转形为资本家的生产；因而在这个阶段上，"立足于

商品生产及商品流通上的领有法则，即私有财产的法则，将由其自身所内在的不可避免的辩证法，转形而为它的反对物……"，换言之，即令我们排除一切掠夺、一切暴力行为、一切诈伪这种种可能性的场合，就是说，即令我们假定一切私有财产，都是基于所有者自身的劳动，而且此后的全经过上，也只是相等的价值对相等的价值行交换的场合，而我们随着生产与交换的进展，必然地仍要踏进的道途，也得是现在资本家的生产方法，是少数的一阶级掌中行着生产手段及生活资料的独占，是形成庞大多数的其他阶级向着无产阶级的坠落，是在投机生产与商业恐慌之定期交代及生产上的现在这样的无政府状态，全经过的始终，都是从纯经济的原因说明的，一度也不须牵及掠夺、强力、国家，乃至何等政治的干涉。①

列宁在《人民之友是什么》里面，也曾注意过此点。他说：

马克思从种种社会经济的形态中，采取一种形态，即商品经济的体制；他基于（他研究 25 年以上的）许许多多的材料，详密地分析这个形态的作用及其发展的诸法则。……马克思在说明问题上，一度也不诉诸立于生产诸关系以外的某种契机（Moment），他关于以下诸问题，如：社会经济的商品组织缘何发达？这种组织（已在生产诸关系的领域内），如何造成资产阶级与无产阶级的对立而转形为资本家的组织？它又如何使社会劳动的生产力发展，并且如何由生产力发展这件事招致种种对于资本家的组织本身成为难于和解的矛盾的诸要素？这等等，都一一予以说明的可能性。

资本家社会的成立发展及其没落的全过程，"一度也不须牵及掠夺、强力、国家，乃至何等政治的干涉"，即是说，"一度也不诉诸立于商品生产诸关系以外的某种契机"，专"从纯经济的原因去说明"。换言之，把这一切过程，都看作商品的自己运动之展开，这是研究资本的纯经济过程的资本论的根本

————————

① 德文本，第 169 页。

特征。

从唯物史观的立场——以经济的诸关系为全社会之基础的立场——看来,唯有这个纯经济过程的研究,是最基础的研究。但是如前面所述,在现实的社会上,即在阶级社会的限界内,纯粹经济的过程这个东西,是不会成为经验的事实而存在的。所以,例如资本家的生产成立的过程——其不可缺的条件,就是把劳动当作商品提供于市场,即是被和生产手段相隔离的劳动者已经存在——实际上确有赖于强力(Gewalt)的作用。这件事,马克思在《资本论》第一卷最后的部分(第七篇第二十四章,所谓"本源的蓄积"以下)里面,曾经详细说明过。"资本家的生产的根本条件"即劳动者被和生产手段相隔离,是"用血与火的不能消灭的文字写在人类历史中的"①。"在现实的历史上,征服、压抑、强夺,简单地说,明明强力(Gewalt)演了重大的角色"②。"本源蓄积的种种契机,多少是按着时间的顺序,而散在于各国,特别散在于西班牙、葡萄牙、荷兰、法国及英国。英国的这些契机,曾在 17 世纪末叶,被系统地综合起来,把殖民政策、国债制度、近代赋税制度及保护制度,都包括在内。这些方法中的一部分,例如殖民政策,是用极残虐的强力推行的。但这一切的方法(虽有程度的差别),都不外利用国家的权力,利用集中的组织强力,缩短过渡期,使封建的生产方法急速转形为资本家的生产方法。强力就是孕育新社会的一切旧社会的产婆。它自身是一种经济力(Ökonomische Potenz)。"在这种关系上,革命的强力遂成了它自身的一种生产力。

以上所说的,究竟是指的什么呢?那就是说,我们首先当作纯经济过程去观察的过程(比如资本家社会的成立过程),也是在现实上的政治经济的过程,所以,所谓纯经济的过程这东西,便不外乎由现实的过程中,舍象了政治权力的作用而残留下来的东西。若更推进一层,那就是说,称为国家的"这个法律的政治的上层建筑",对于它的基础即生产诸关系的变动过程上,给予有力的作用;换言之,国家尽管是以社会的"经济构造"为基础而建立于其上的东西,但这样建立的国家,却反而具有动摇基础本身的势力。

---

① 《资本论》第一卷,考茨基版,第 646 页。
② 《资本论》第一卷,考茨基版,第 645 页。

　　像这样的强力的作用，并不限于仅在一个社会形态成立的时期如是。例如资本家社会不仅在成立过程上，大有赖于强力（因为资本家社会的成立过程，同时就是封建社会的崩坏过程，所以前者有赖于强力的这件事，已显示其本身对于后者加了强力作用），即如在发展过程上扩大再生产的过程（资本家的生产一旦自立起来，则它用自身的力连续前进的过程）上，依然要受国家权力不少的保护；并且说到没落过程上，资本家社会也必然地要以"孕育新社会的旧社会"的资格，把强力作为它的"产婆"。所以就一般说来，哪怕国家是以社会的"经济构造"为基础而建立于其上的东西，但这样建立的国家，却具有填筑其基础，确保其基础，乃至动摇其基础的力量，这样，便是有力的交互作用在基础与上层建筑之间成了互相动作的东西的。

　　强力像这样给予一定的作用于社会的经济构造之上，并助长社会的生产诸力之发展的时候，"它自身就是一种经济力"，一种生产力（马克思所以说"一切生产要具中最大的生产力是革命阶级自身"的，就是因为这个缘故）。所以，我们当观察经济过程的时候，不能不把强力——在刚才所说的界限内——当作规定社会经济构造的东西，加以考虑。在《资本论》第一版序文中，马克思曾说道："我的立场，是把社会的经济构造的发展，当作一种自然史的过程去把握的。"但是他关于英国劳动时间的种种立法，不惜详作历史的叙述，致费去第三篇第八章的大部分，特别是把第七篇第二十四章全部，都充分详细地叙述本源蓄积的篇幅（这与其他诸篇相反，是完全把"纯经济动因置诸度外"，仅以资本蓄积之"强力的杠杆"为问题的），就是基于以上的理由。

＊　　　　＊　　　　＊

　　以下，我更想就我所谓政治经济学的诸关系，略加说明。

　　马克思在政治经济学批判序言里面，对于政治经济学的篇别，曾如下面而这样叙述过。

　　　　第一，一般抽象的诸规定……第二，构成市民社会内面的组织的，并构成基本诸阶级的基础的诸种范畴，资本、工钱劳动、土地所有……第三，市民社会转型到国家形态的总括，关于它自身的关系上考察。"不生产的"阶级、租税、国债、公的信用、人口、殖民、移住。第四，生产的国际关系,国际的分类,国际的交易,输出输入,汇兑市场。第五,世界市场与恐慌。

在这里,我以为社会的经济构造中属于政治经济诸关系的东西,是"第三,市民社会转形到国家形态的总括"以下的部分。如果根据《政治经济学批判序言》所比较简单地表现出来的说,就是国家、国外商业、世界市场这三部门。在这三者中,我想特别就"国家"说说。

不待说,我们在这里要讨论的国家(或市民社会转型到国家的形态的总括)这个东西,不是以上层建筑建立在经济构造上的国家,而是以社会的基础形成经济构造之一部分的国家。属于这个领域诸现象,不是纯经济的现象,而是政治经济的现象。这种现象的本质,是舍象了国家(把国家置诸度外)便不得成立的这件事。换言之,国家的机能,成了构成其本质的一个契机。不过,国家是以社会的经济构造(本来的生产诸关系的总和)为基础而建立于其上的"法律的政治的上层建筑"。所以,须凭借这个上层建筑的机能而始发生的经济诸关系,是"第二次,第三次的东西","一般的是派生的移植的而不能成为本源的生产诸关系"①。这种生产诸关系,与当作属于纯经济过程领域的东西看待的那种本源的生产诸关系,其差异就在这里。

在"国家"部门内所讨论的项目,便是马克思所列举的"不生产阶级,赋税,国债,公的信用,人口,殖民,移住"等等,这些东西,在现实上,对于纯经济过程有不少的影响。我在先,虽说述到马克思指明"殖民制度、国债制度、近代的租税制度及保护制度"等,为资本之本源蓄积的诸契机,但是殖民、国债、赋税等问题,本来是属于政治经济过程这个领域的东西。即令我们当观察纯经济过程的时候,在诸般问题影响这个过程的限界内,不能不就这种影响的方面去考察,可是"关于自身的关系之考察",却属于政治经济过程本身的一种研究。我现在要把这一点,加以比较精密的解释。

*　　　　　*　　　　　*

---

① 《政治经济学批判序言》。

我在旧著《资本论略解》①,曾引用过已故田口博士关于三菱公司补助金的论文,作为赋税制度及保护制度怎样助长资本之本源的蓄积的一例。据那个论文看来,明治十四年(西历1882年)财政部岁出入预算表中所关于农商部的预算,是下面的情形。

俸给	71537 元	三菱公司补助金	250000 元	
杂给	50395 元	冲绳县航海费	9000 元	269000 元
厅费	59676 元	朝鲜国定期航海费	10000 元	
营缮费	7115 元	合　计	458723 元	
营赐费	1000 元			

这就是说,"三菱公司的补助金,大过农商部本身的支出额,在总计四十五万八千余元之内,有二十六万九千元属于三菱公司的补助金,而属于农商部的,不过十八万余元"。由国家权力强制索取的赋税,像这样由国家手里过渡到资本家怀中去了。国家是什么东西? 在阶级社会内必然发生的"法律的政治的上层建筑",究竟具有什么机能? 凡属头脑清醒者,只看这简单的一例,也许对于这类问题,有几分把握罢! 但这种情形,却不过是政治及于纯经济关系——本源的生产关系——上的影响罢了。

至于政治经济关系的本身则不同。政治经济关系的着眼,就在于那建立于生产的"基础"之上,因而存立于生产领域以外,没有自立能力的寄生虫似的"政治的上层建筑",从生产的基础中,吸收自己的活动——其生活过程——上所必要的物质资料这件事。现在吸收营养上所采用的主要手段,便是赋税与国债。这就是说,"为要维持公共的权力,国民的负担即赋税,乃成为必要。在氏族社会中,是完全不知道有这回事的。但是,……随着文明的进步,赋税也就供应不来,国家对于将来,便要发行证券,借入资金,这就是国债"(恩格斯著《家族,私有财产及国家之起源》)。像赋税国债这类东西,会使新的种类的物质诸关系成立,而属于纯经济过程上的本源的生产诸关系的姿态,便不得不改变。这是不消说的事情。例如在纯经济过程上,成为剩余价值的分裂形态的,我们虽只见到利润、利息、地代及创业者的利得等,但是我们更

---

① 《资本论略解》第一卷,第三分册,第108页以下。

进而观察政治经济的过程时,就可看出赋税是这些分裂形态之一的现象。政治经济过程本身的研究,使我们得以理解这个新的现象形态。

还有一层,国家单只凭借赋税国债等手段,在生产的基础上过着寄生虫的生活,是不会满足的,它为了支配阶级的便利,必然要自己经营生产。到了这时候的上层建筑,可说是自己作成自己的间架的东西。由是上层建筑的一部分,便与其基础的一部分成为一致了。关于此点,在1928年第三国际第六次大会里面,布哈林曾如下面这样说明过。

> 我曾在纲领委员会内这样说过:假若我们探究普罗列达里亚独裁的国家,或布尔乔泹亚社会里面的国家资本主义制,我们当可看出,国家纵然是一个上层建筑,它还会制御生产过程。假若说国家既是一个上层建筑,便没有制御生产过程的可能,那就不是站在马克思主义见地上提出的问题。由这种议论能够引起以下的结论,——国家是上层建筑,生产是基础,所以国家资本主义没有实行的可能。但是这种议论,明明白白是错误的。不消说,生产是基础。可是国家这个上层建筑,是与经济组织相合并的一种特殊形态。这个特殊形态,现在存在着。在普罗列达里亚独裁之下存立着。普罗列达里亚独裁的特征是什么?国家组织,直接接合到社会的基础上,直接接合到生产上,在这种结合的里面,经济的诸组织,就是国家装置的构成分,这一点,就是普罗列达里亚独裁的特征。因为这样,'第二次的东西'(上层建筑),制御"第一次的东西"(基础);这是很平常的事,用不着大惊小怪。

只有在这种特殊情形之下,可以成为上层建筑的一部分,才得加入到基础的内部,同时基础的一部分,也就形成上层建筑的构成分。

第五节　社会的阶级差别及其政治的构造
(政治的及法律的上层建筑)

社会如果不分裂为阶级,那么,这个社会的构造(因而是我们社会的存在形态），不过只是前节所述之经济的构造而已。但是，只要那个社会是阶级社会，即是说，只要那个社会是分裂成了榨取阶级及被榨取阶级的社会（因而是分裂成了压迫阶级及被压迫阶级的社会），则在那个社会里面，必于前节所述之经济的构造上，更建立一个成为上层建筑的政治构造。这个政治构造的本质，就是从一阶级压迫其他阶级用的诸机关中成立的特别权力的装置。所谓国家这个东西，就是的。

就这个问题，最平易地表述了马克思的见解的，就是列宁的《国家论》的讲演。这个讲演，我早把它译出了，揭载在《社会问题研究》第 93 册（1929 年 5 月发行）及其他的杂志里面，并且还刊出了一个小册子的单行本。现在我想从那里面，多引用几节。

　　为要尽可能地科学地来考察这个问题，至少不能不一览国家如何发生如何发展的情形。正确地考察社会科学的问题，在许多枝节问题中或可惊的多种多样的反对意见中，实际养成不致丧失自己的长处所必要而且最确实的方法，——在科学的立场上研究这个问题最重要的方法，——就是不忘却根本的历史的关系，就是要把一切问题，从某种现象如何在历史上发生，那一现象在其发展上经过了什么主要阶段的这种见地去观察，更从这发展的见地，去观察那东西，现在究竟怎样。……在这个问题上，就中特别要注意的，就是国家不一定能够常常存在的事情。曾有一个时代，没有任何国家存在。国家是在社会表现为阶级分裂表现为榨取者及被榨取者的时代与地方出现的。

　　在人类为人类所榨取的最初形态，即阶级分裂的最初形态——奴隶所有者与奴隶——发生以前，还有家长制家庭存在，即一般所称为氏族的家庭存在（所谓氏族，就是血族式种族，那里，人类是生活于血族式种族之中的）。这原始时代的痕迹，到现在还十分明白地残存于许多原始民族的生活样式中。……唯其那种时代，国家这个东西，是不会存在的，那为行使体系的权力用的特殊装置，使人类服从权力的特殊装置，是不会存在的。这里所说的特殊装置，就是叫作国家的这个东西。

　　在人类生活于小种族中，而且立于发展的最低阶段的原始社会内，即是在接近野蛮的状态内，在隔离现代文明人几千年的时代，——那种时代，是不能发现国家存在的何等征候的。那里，我们所能见到的，只是习惯的支配，只是种族中最年长者所享受的权威和尊敬与权力。并且我们往往可以看见这样的权力，妇女也享有，——我以为当时妇女的状态，是和横被压迫而无何等权利的现代妇女的状态，完全不同的。像现在这样为着支配他人而把自己和群众分开以期便于统治，并且为着统治而体系地永续地，把某种强制装置即一种强力装置——现在，人人都知道这个装置，就是武装军队的诸组织，监狱，以及旁的强制他人意志服从权力的种种手段，这正是构成国家之本质的东西——占有的人类的特别范畴，在那时是到处找不出来的。

假若我们从所谓宗教的教义、狡猾的圈套、哲学的虚构以及资产阶级学者们所组成的诸种思想中转过眼来，去探究事物真实的本质，当可知道国家这个东西，结局正是由人类社会分开来的一个统治装置。把仅以统治为工作而供统治用的强制特殊装置，为使他人的意志服从于权力之下的特殊装置——监狱，人类的特殊组织等等——看作必要的一团特殊人类出现的时候，我们就有了国家。

不论怎样，总有这样一个时代，这时代是什么国家都还不存在的；这时候，普遍的关系、社会自身、规律、劳动的秩序等等，纯靠习惯、传统，或靠种族中最年长者（或妇人）所享受的权威与尊敬去维持，是没有那般特殊俦类的人们——行使支配权的专门家——存在的。历史告诉我们：成为人类的特殊强制手段的国家这东西，是在社会分裂成了阶级——即分裂成了某一集团可以不绝地占有另一集团的劳动，或一方可以榨取他方的这样的人类集团——的时代与地方，才发生的……

假若我们由这个基础的分裂观点去观察国家，当可知道社会分裂为阶级以前，诚如前面所说，不会有何等国家存在。社会分裂为阶级这件事，一经发生，一经确立，国家也以同一程度而发生而确立。在人类历史上可以看出，经过奴隶制、封建制及资本制，而且现正经过中的几十个几百个国家；在所有这些国度中，尽管发生过凄怆的历史变动，尽管一切政治纠纷的解决及一切革命是与人类的发展相结合的，然而从奴隶制度经由封建制度而到资本主义,以及资本主义所引起的现在的国际斗争这个推移中,诸君总可看到国家的发展。国家往往是把自己从社会隔开的一个装置。这个装置,是由那般专从事于支配,或大半从事于支配,或主要地从事于支配的人类集团所组成的。有了国家,人类便分裂而为支配的专门家与被支配者。……这个装置,支配他人的这个人类集团,把一定的强制装置、物理的暴力装置占为己有。对于人类施行的这个暴力,或表现为原始时代的棍棒,或表现为奴隶时代比较进步的武器,或表现为中世纪时代出现的火器,抑表现为最后的近代武器(是 20 世纪技术的奇迹所带来的武器,全然立脚在近世技术的最后奇迹上的武器),完全是一样的。不过暴力的方法变化了。但是国家这东西发生以来,常常在一切社会上,有行统治发命令的一团支配的人们存在,这一团人为要维持权力,便把物理的强制装置、暴力的装置,或与各时代技术状态适应的一个武器装置,掌握在自己的手中。当我们把这一般的现象,详加研究的时候,当我们提出何以阶级不存在的时代,榨取者与被榨取者不存在的时代,国家也不存在,国家何以与阶级同时发生的这个质问时,——这时候,我们对于国家的本质及其意义所关的问题,才可找出一定的解答。

　　国家是一阶级对于其他阶级维持统治用的机关。在社会上没有何等阶级存在的时代,在人类没有走到奴隶制以前,在原始时代比较平等的条件下从事劳动,在劳动生产力尚完全属于低度的条件下从事劳动的时代;在原始人类难于制作那种维持原始时代的原始生活所必要的手段的时代,——这种时代,那为指导的关系而把自己与他人分开以便支配,其他一切社会的一种人类的特殊集团,没有发生过,而且也不能发生。到了社会分裂为阶级的第一形态即奴隶制度出现的时代,到了专门从事于最粗野形态的农业劳动的人类特定阶级,有生产某程度的剩余之可能性的时代,到了这种剩余生产,对于维持奴隶的贫乏生活,早就没有绝对的必要而归于奴隶所有者手中的时代,因而到了奴隶所有者阶级的存在,得到根深蒂固的时代,——国家的出现,乃成为必然的趋势。

　　这样,就是国家,——奴隶所有者的国家,——即给予奴隶所有者掌中以支配一切奴隶的权力与可能性的装置,所由发生的。在当时不论是社会或国家，都比现在还为狭小，当时所存在的联络装置，也比现在贫弱。因为当时还没有存在像今日这样的交通手段。山川河海的障碍之大，简直不能与现在相提并论。所以国家的形成，便只限于很狭小的地理境界中。在技术上贫弱的国家装置，对于具有比较狭小的境界与被限定了的机能的国家，是有用处的。……国家的形态，是异常繁多的。……但基础的事体，就是没有把奴隶看作人类，不仅不想到他们是市民，并且不想到他们是人类。罗马法典把奴隶看作物，关于人身保护的其他法律固不待言，就是关于杀人的法律，也不适用于奴隶。因为法律，是专门用来保护那被认为有完全权利的市民即奴隶所有者的东西。哪怕成立了君主制，那也是奴隶所有者的君主制。哪怕发生了共和制，那也是奴隶所有者的共和制。在共和制中，奴隶所有者，固然享有一切的权利，但奴隶根据法律，说起来，却是一种物。因此，那仅仅对于奴隶所施的暴行，固不待言，就是杀死奴隶，也不算是犯罪。……

因榨取形态的交替，奴隶所有者国家，乃转化而为封建的国家，这是含有巨大意义的。在奴隶社会中，一般都是奴隶完全无权利，奴隶不被看成人类；在封建社会中，一般都是农民被束缚在土地上面。农奴制（隶属制）的主要特征，就是农民（当时农民占有大多数，都市人口的发展甚为贫弱）被束缚在土地上面，从此以后，农奴制隶属制这个概念自身，就因而发生了。农民只能以一定的日数，在由地主所委托的土地上为自己的劳动，其余的时间，则全为地主劳动。这样，阶级支配的本质依然存续下来了。即是说，社会仍旧是立脚在阶级的榨取之上的。能够享有完全权利的，只有领主，农民成了无权利的人。他们的地位在事实上与奴隶所有者国家中的奴隶地位，只有很小的差别。不过农奴没有被视为领主的直接财产，所以他们的解放（农民的解放）能比以前开拓了宽广的途径。他们得以时间的一部分，费在自己的土地上，即是，这种土地，可说到某种程度为止，是属于他们自己的。在交换及商业关系发展之可能性增大时，农奴制便日益崩坏，农奴解放的范围便日益发展了。封建社会，往往比奴隶所有者社会更为复杂。在封建社会的里面，商工业发展的重大要素已经存在，这些要素，当时已经酝酿着资本主义。中世纪是着重农奴制的，可是国家形态还不一样。国家区别的特征,固然不大显著,但是也有君主制,也有共和制。而站在支配地位上的,却只有封建领主,农奴则绝对被摈斥于一切政治权利之外。

不论在奴隶制度之下,或在封建制度之下,极少数者对于庞大多数者的支配,若不加以强制,是不会成功的。整个历史充满了被压迫阶级推翻隶属制的不断的企图。奴隶制的历史,是从奴隶制求得解放而继续数百年斗争的有名的斗争史。现在德国共产党所采用的"斯巴达卡斯团"这个名称——真正与资本主义的压迫搏战的唯一大政党——的来历,就是因为约在二千年前,爆发了一次最大规模的奴隶暴动,其中最特出的一个勇士名叫斯巴达卡斯,所以他们采用他的姓名作为党的名称。当时全然立脚在奴隶制上面,一见好像万能的罗马帝国,简直被这经过长久岁月而在斯巴达卡斯指导之下自行武装起来的奴隶大革命的打击所震撼了。然而他们终被击破,逮捕而为奴隶所有者所杀戮了。像这样的内乱,是满布在阶级社会的全历史中的。我们在这里不过是引用奴隶制度时代的这个大的动乱,作为一个例证罢了。封建制度的全时代,主要的是充满了不断的农民暴动。例如在德国,领主与农民两阶级之间的斗争,到了中世纪异常激烈,以后竟变成农民反对领主的内乱。就是在俄国,类似这样的农民对于领主的斗争例证,我想大家是知道的。

领主为要维持其支配,维持其权力,不得不有一个装置,去把庞大的人类总括在自己的统御之下,并使其服从一定的法律或规则。这一切的法律,终不外是在农奴之上,维持地主权力的东西。在以前的俄国,或是现时还行着封建制度完全时代落后的亚细亚诸国(其形态虽有共和制与君主制不同),就是如此。像这般国家,如果是君主制,便承认一个人的权利,如果是共和制,便多少允许由领主社会所选出的人们的协作。——这都是封建社会的事态。封建社会弄成这样的一个阶级分裂,于是社会内被压倒的大多数——农奴,便完全要依存于领有土地而几乎近于无的少数者——领主。

商业的发展,商品交换的发展,终至引起一个新的阶级——资本家——之分离。在中世纪末叶美洲被发现后,世界商业成功了巨大的发展,贵金属之量增加,金银成为交换的对象,货币的流通,确定某一人的手中累积莫大财富的可能性。这时候,资本就发生了。全世界都认金与银为财富。领主的经济势力,从此低落了,一个新兴阶级的势力——资本的势力,遂发展起来。社会的改造实行,一切市民,在某种程序上,都被放在平等的地位;奴隶所有者与奴隶这种以前的分裂被废止,人人都在法律之前,得到平等。这就是说,不管个人不论有怎样的资本——即不问他在私有财产上拥有土地,或一钱莫名地除筋肉外什么都没有的穷光蛋——在法律上都是平等的。法律以同一的方法,保护所有的国民。它保护财产,因而禁止那些说不上有财产的,除了筋肉外什么都没有的,日趋于贫困而正转化为无产阶级的大众对于财产的攻击,以保护财产所有者。这就是资本主义社会……

以上列宁的说明,就是说明一定社会之政治的上层建筑,系由那种社会之经济构造的要求而产生的。在社会的经济构造中没有阶级区别存在时,即是说,在那个社会里面没有榨取压迫阶级与被榨取被压迫的阶级存在时,则社会上一部分人压迫他一部分人的政治装置,便没有作用,而且也不会存在。原来任何社会,人类为生产他们的生活资料起见,必须在某种方法下共同劳动,因为共同劳动,所以不得不保持劳动时候的一定的规律秩序,而且不能不有维持这些规律秩序的指导者存在,但是,维持这些规律秩序的指导,却和那为一部分人的利益而对于其他部分人所加的强制压迫不同。譬如说,要组成一个音乐队(Orchestra),固然有个音乐队长(Conductor)的必要,可是这个队长却非其他队员的压迫者。所以,在社会没有分裂为阶级时,只成立了社会中人人相互间的种种生产关系,没有成立强制的压迫关系。这就是说,那种社会,只有一定的经济构造,没有从这种经济构造中,发生一个把自己和人区别的特殊的政治上层建筑。但是,一旦社会里面的阶级区别发生,一定的社会一旦分裂为榨取阶级被榨取阶级,便发生前者压迫后者的必要。这因为前者是成于少数人,后者是成于比较的多数人,所以特别是必要的事情。还有一层,一定社会内包容的人口数愈多,其散布的地域必因而愈广,人数多,地域广,被榨取者的反抗力便愈强,于是前者压迫后者的强制装置,便不得不更加扩大。关于此

点,马克思在《资本论》①中,曾如下面那么说过:

> 支配及隶属的关系,是由一种特殊的经济形态即直接生产者被榨取不给值的剩余劳动这种形态规定的。此种关系,虽系直接由生产自身产生出来,但产生出来之后,又给生产上以反作用。可是(这里虽存有相互作用——河上补注),由生产诸关系本身生出的经济共同体的全姿态,以及因此同时发生的特殊的政治姿态,其基础都是建筑在生产上。只有生产诸条件的所有者对于直接生产者的直接关系(这种关系,在各时代所表现的形态,自然是与劳动的样式,乃至该社会生产力的一定发展阶段相适应的)里面,我们往往可以发现全社会构成的基础,因之又是发现支配及隶属诸关系之政治形态的基础,简单地说,就是发现当时国家形态的最奥秘的隐伏的基础。

要之,某种社会的政治构造,是由那个社会的经济构造之要求所产生出来的东西。所以这两者间,尽管存有不绝的交互作用,而结果,前者仍是派生的,后者才是本源的东西。基于这个理由,所以马克思在《政治经济学批判序言》中,当简单地说明他自身"关于政治经济学的研究之途径"时,曾说:"我的研究,达到了以下的结论——法律关系及国家形态这个东西,不应该由它自身去理解,不应该由人类精神的一般发展去理解,可说它是在物质生活诸关系(这种关系的总和,黑智儿仿照10世纪英法人的先例,把它包括在'布尔乔氾亚社会'这个名称之下)里面有其根据的,而这个布尔乔氾亚的社会之剖解学的研究,应该求之于政治经济学中。"

第六节　观念的上层建筑——社会的
意识反映社会的存在

社会的存在,是怎样构成的这个问题,我们已经在前面论列过了。总括起

---

① 德文本,第三卷第二分册,第324—325页。

来说，即是社会如果不分裂为阶级，则我们社会的存在，便只以我们所住居的社会之经济的构造为限；反之，社会分裂为阶级后，我们社会的存在，便是由社会之经济的构造以及从经济的构造派生出来的政治的构造二者所构成的。现在本节所待考察的，就是这种社会的存在与社会的意识的关系。

我们在第一章论究唯物论的时候，曾经说过，意识一般地反映存在。这个见解，就是唯物论一般的论纲。现在我们如果不把这个见解仅仅局限于自然界，并且进一步把这个见解，彻底地应用到社会上面，那么，我们便可得到：社会的意识，乃是社会的存在之反映这种史的唯物论（唯物史观）的根本论纲。这样，才能如恩格斯所说的一样，"观念论（即是认定观念或意识比存在或物质还本源的东西），从它最后的隐藏处即史观中驱逐出去了，唯物史观乃被提供出来。这样一来，便不像以前把人类的存在，从他们的意识去说明，而发现了他们的意识，要从他们的存在去说明这样一个道途"。

上面所说的社会的意识，乃是社会的存在之反映这个根本论纲，曾在马克思和恩格斯所著的《德意地观念形态论》内表现出来了（根据这个事实看来，我们便可知道正如里雅查诺夫所说的一样，在《哲学之贫困》以及在《共产党宣言》里面所叙述的唯物史观，最迟是在1845年的秋天以前就已形成了的）。在《德意志观念形态论》里面，载有下面这样一段话：

德意志的哲学，是从天降于地的，我们正与此相反，是从地登于天的。这就是说，我们为要达到说明活着的人类，并不是从人类的言语、空想、观念出发的，也不是从说着思考着空想着观念着的人类出发的。我们是从现实活动的人类出发，是想从人类的现实的生活过程去说明这种生活过程之观念的反射和反影之发展的。并且，我们把那些在人类头脑内所形成的写像，看作物质的，可以经验上去确定的，而且与物质的诸前提相结合的他们生活过程的必然补足物。这样，道德、宗教、哲学、其他观念形态，以及适应于这些东西的意识诸形态，便早已不能保持其自立的外观了。这些东西，并不曾有何等（独立）的历史，并不曾有何等（独立）的发展。可说促使人类的思维以及他们的思维之产物和他们的现实同时发生变化的，乃是发展物质的生产与物质的交通的人类。不是意识规定生活，倒是生活规定意识①。

关于同一的事实,马克思又在 1859 年所写的《政治经济学批判序言》中说道:

> 物质生活的生产方法,决定一般社会的、政治的、精神的生活诸过程。不是人类的意识,规定他们的存在,倒是他们的社会的存在,规定他们的意识。

以下我想对于史的唯物论之根本的论纲——社会的存在,规定社会的意识——稍稍详细的予以说明。为什么呢? 因为我们关于社会问题之根本的解决所采取的态度[我们的见解,认定全体被压迫民众,从一切榨取中解放出来这件事(那种社会的存在之变革),绝不是书酸子所主张的单纯的道德论等(一种社会的意识)所能实现的,这是必然不可避的要采取那种正当的途径的],与以下所要说明的史的唯物论之根本的命题,是有不可分离的关联的。

＊　　　　＊　　　　＊

社会的存在,是离开社会的意识而独立地成立,独立地发展的;这样成立和发展的社会的存在,反映到我们的头脑里面,才形成我们的社会的意识。关于这个问题,列宁很明白地说明过了。他说:

> 在世界经济之中的个个生产者,他意识他在生产技术上面,曾经引起了种种变化;各个商品所有者,他意识他曾将种种生产物交换了其他的生产物;但是生产者商品所有者,却没有意识到那些情形变化了社会的存在这件事。在资本主义的世界经济内部所发生的这些变化的总计,如果想就其一切分歧交错的现象,完全知道,哪怕有一个百马克思,也是无济于事的。能够做得到的事体,不外是关于这种变动的诸法则,发现一个主要的根本的道理,以及阐明这种变动的客观的论理和历史的发展罢

---

① 《马克思恩格斯文库》第一卷,德文本第 239—240 页。

了。——这里所说的客观的这个用语，并不是指着意识体即人类所成立的社会，能和意识体的存在全无关系而存在并发展这样意味而言的，而是含有社会的存在离开人类的社会的意识而独立这种意味的。举例来说，譬如大家从事生活，经营经济，生小孩，制造生产物，并且交换生产物，依着这种事实，便成立了一种客观的必然的连锁，即是一种发展的连锁。但是这种发展的连锁，是离开大家的社会的意识而独立的，大家的社会的意识，决不能够把它毫无遗漏地把握着。①

我还记得我以前在其他的论文里面，曾经把列宁的这段话，引用过几次了。但是到了现在，他这段话里面所包含的意义之丰富，一般的还不知道。我们应该坚决地拥护他这段话，坚决地宣传他这段话。

我们绝不是说：关于生产及交换这种个人的活动，是无意识地做出来的。举例来说，如果我是一个纺织业的经营者，我在其他的同业者之先，利用了新发明的某种机械，在这种情形之下，不待说，我这种行动，绝不是无意识的；可说意识着这机械的利用，使劳动的生产力增加若干，可以节省多少生产物即纱的生产费等等；以及这机械的利用，使生产技术上发生种种的变化，是不待言的事情，并且这机械的利用，还使我个人在经济方面得到利益，这件事也是预先放在我的意图内的。但是因我个人利用了新的机械，马上就使旁的同业者，感受着刺激，也要采用同样的机械，因此，便引起了纱价的低落，使那般财力缺乏不能利用同样机器的小企业者，归于倒闭，于是一方面助长了资本的集中，同时，他方面，又使不变资本（购买原料机械等的资本）与可变资本（购买劳动力的资本）的比率，在社会的平均上发生了变化。而且这种事实，另一方面，还增加了劳动者的失业数，使社会的全生产物的分配对于劳动阶级更为不利。同时，又一方面，生出了平均利润率之渐次下落的倾向，促进小资本家的没落。由此到彼，便生出了"事体的一种客观的必然的连锁"，因此，小资本家与大资本家之社会的关系，以及资本家阶级与劳动者阶级之社会的关系，一言以蔽之，我们相互间所结成的社会的诸关系——即是我们的社会的存在——慢慢

---

① 《唯物主义与经验批判论》，德文本，第330—331页。

地且必然地通过一切的分歧交错而发生变化。这些变化,其起源,最初虽由于意识地利用机械;现在则是我们所未意识而且所不能意识的事象。

*   *   *

以上所说的这件事实,虽是任何人都很容易理解的;但是关于这件事实,却时时发生种种的误解,这就是因为构成社会的各个人,都是意识体的缘故。试就刚才所举的例子来说,假如我是一个纺织业者,我采用了某种新发明的机械,不待说,我这种行动,绝不是无意识的。如前所述,我意识着这种新机械的应用所能生出的生产技术上的种种变化,自不待言,并且预先放在我的意图中的,还有这种机械的应用,使我个人的经济上能够生出利益这件事。像这样有意识的活动,就是人类的特征。社会是由这种意识体即人类所成立的,在这一点上,和地球是由无机物所构成的,是不相同的。因为这样,所以社会的运动,与地球的运动不同,社会的运动与这种意识体的意识的活动,并不是无关系的。因此,人们便这样想着:我们社会的存在,究竟是否我们意识的产物呢?这样一来,史观"便成了观念论的最后的隐藏处"。

但是,人类的社会的存在,是离开社会的意识而独立的,这是我们的认定。我们社会的存在,究竟是怎样的呢? 它每天是怎样变化着的呢? 关于这些问题,不是我们一一所意识的,而且也不是我们所能一一意识的。这就是我们的主张。

当我在前面,说明生产诸力与生产诸关系两者间的关系时,我曾说过以下的一段话:"资本主义在今日还英气勃勃地前进中的主要领域,乃是土耳其与阿非加里斯坦两个国家。这两个国家,不论在思想上、在经济上,现在都正急速地从封建制推移到资本制。同样,英吉利的诸领地以及南亚美利加的几个国家,现在也正急速地向着资本主义发展。这样,就世界全体看来,一方面,资本主义的经济体系虽是很显著地在一般上面表现出没落的征兆;但是其他方面,资本主义的生产样式,还依然在地理方面继续扩大,资本主义地生产出来的货物分量,还在逐渐增加。"这样一段话,实可说是关于我们现时的社会的存在鸟瞰图的一个概观。不过现在还有大多数的人,对于这个概观,一点也不意识。何况,"在资本主义的世界经济之内部所发生的诸变化的总计,想就其一切分歧交错的现象完全知道,哪怕有一百个马克思也是无济于事的"。

安朵拉托斯基在他所著的《列宁主义之理论与实践》的里面，关于这一点，曾有所论及，他说："思维为存在所决定。……我们所应该特别留意的，就是我们对于现实的社会关系，不可和人类头脑中所想象的社会关系（即人类的观念），拿来相混同，应该就社会关系的真实方面，加以究明。这两种事实的差异，我们试从历史上的各个发展阶段一步一步看去的时候，哪怕特定的社会关系是成熟而且实在的，而人类对于那种关系的意识却仍旧缺乏；而且我们就各个人自己所做的一切还不会详细地理解这件事说来，也就不难明白。最初，是关系成熟，然后意识发生，然后人类才理解关系。俄国在19世纪80年代，尽管资本主义的出现，在事实上为无可置疑的事实，但当时论证俄国资本主义为无意味的学者们的著述，还在相继出现。而且就是在90年代，关于俄国资本主义存在与否的问题，还是民众派和马克思主义者继续论争的焦点。"

就以上所举的关于俄国的一二例证看来，我们便可知道：社会的存在的变化，在我们的意识上，是不容易感觉到的，"思维为存在所决定。但是意识依从这种决定，有时是极其缓慢的"①。

意识依从存在的决定，是极其缓慢的。换言之，就是意识的变化，不一定是与变化的现实相并行的。这种"不能与变化的现实相并行的意识，便是反映'昨日'的现实"②。

关于这个事实，我们可以拿道德观作为例证来说明。在现代社会的里面，有三种道德是相并存的。第一，就是封建贵族的道德，这种道德是反映"前日"的现实的封建社会之社会的存在的；第二，就是布尔乔汜亚的道德，这种道德是反映"昨日"的现实的布尔乔汜亚社会之发展期中社会的存在的；第三，就是普罗列达里亚——现在代表着现在的变革并代表未来——的道德，这种道德，是代表包含在"今日"的现实的布尔乔汜亚社会之内部的未来社会的萌芽的。这三种道德，是可以看出它们同时并存的。关于这个事实，恩格斯曾说道：

---

① 安朵拉托斯基：《列宁主义之理论与基础》。
② 《唯物主义与经验批判论》，德文本，第330—331页。

我们在今日将宣扬怎样的道德呢？第一，就是基督教的封建的道德，即是由以前的信仰时代所传下来的道德。……和这同时，又形成了近代的布尔乔泥亚的道德和普罗列达里亚未来的道德。所以，在欧罗巴最进步的国家里面，便提出一种道德说，这种道德说，是主张代表过去、现在和未来的三种道德，相并存在的。……但是如果我们知道近代社会的三个阶级即封建的贵族，布尔乔泥亚和普罗列达里亚的各种特殊的道德，那么，我们便能够根据这个事实，得到以下的结论，即是人类不拘是有意识地或无意识地形成他们的道德观，然而结局，他们的道德观是和实际上的诸关系（这是他们的阶级所依以存在的基础），即是和他们的生产和交换所依以进行的经济的诸关系全然一致的①。

要之，关于社会的存在，我们所起的意识的作用，不论何时，都是在现实的社会关系成立以后的追忆。关于这件事实，马克思在《资本论》第一卷题为"商品之物神崇拜的性质及其秘密的"有名的一节里面，说道：

> 关于人类生活诸形态的思索，因而关于这些形态的科学的分析，就一般而论，总是采取与现实的发展相反对的道程的。那是在事后（post festum）开始的，因而是以发展过程之完成了的诸结果为始的。②

在数年前福本和夫氏曾屡屡引用这一句话，所以在日本凡属懂得马克思主义文献的人，都知道这一句话，但至少我个人直到今天还不曾正确地理解这句话的意义③。马克思在这里所特别使用的 post festum 这个拉丁语，如果不是我误解的话，这是"后祭"之意，许和日语"后祭"［去后思之意］同义。把马克思的话，拿不同的话来表明，大约就是下面那样的："关于人类生活的形态（换言之，即是人类的社会的存在诸形态）的思索，因而对于它的科学的分析，不论何时，总是事后来的举动，是发展的结果而一定的形态既经完成之后，才

---

① 《反杜林格论》，德文本，第 88—89 页。
② 考茨基版，第 39 页。
③ 参看拙著《资本论入门》，合装本，第 412 页。

对它开始思索的。"仔细思索一下,这许是当然的事情。为什么呢?因为社会的意识,不外于社会的存在之反映,所以社会的存在之一定的形态,既已完成之后,人类关于它的一定的意识,才能确立,才能从事关于它的思索。

就以上所述的看来我们便可知道:把人类的历史,从"社会的意识即是种种哲学的、宗教的、政治的学说与见解"去说明,这件事是怎样将本末弄颠倒了。关于社会的存在的思索——那种观念的东西——就是一切事后的举动,那不过是反映它的前面走过去了的一个真形罢了。被反映的东西,是不能拿反映的东西去说明的;反之,反映的东西,倒可拿被反映的东西来说明。举例来说,譬如我,并不是从我的写真生出来的,只因我的写真,是从我的现实的存在拍照出来的,所以要说明拍照下来的某种形态,便只有从实物的我原是那种形态去说明。马克思在《政治经济学批判序言》里面有名的唯物史观公式中,曾经说道:"在观察社会变革的时候,我们应该常常把两件事情分别清楚,即:自然科学所能忠实地确切证明的在经济上的生产诸条件中所起的物质的变革[即是社会的存在的变革];以及使人类在其中去意识那种冲突[生产诸力与生产诸关系的冲突]而且去克服那种冲突的法律的、政治的、宗教的、艺术的,乃至哲学的,简单地说,观念诸形态[即社会的意识诸形态]。"他并且还说"把这种变革时代,从其时代的意识去判断,不但不可能,而且可说意识这东西,反要从物质生活[即是社会的存在]的矛盾,从社会的生产诸力与生产诸关系之间的现存的冲突去说明",就是这个缘故。

我们在第一章第一节"观念论与唯物论"这一项内,曾经这样说过,存在对于思维(或意识)的关系,这是全哲学的最高问题,因为对于这个问题答复不同,全哲学便分为主张意识对于存在是具有本源性的观念论和主张存在对于意识是具有本源性的唯物论这两个大阵营。现在观察社会时候,也可看出同样地有两个对立的意见存在,即把社会的意识当作本源的东西,认为社会的存在,是从那种意识派生的这一切的见解,便属于精神的史观;反之,把社会的存在,当作为本源的东西,认为社会的意识,不外于那种存在所规定的这一切的见解,便属于唯物史观(史的唯物论)。人类对于历史或社会的见解(史观或社会观)之根本的对立,实际就在这里。唯物史观既然认定社会的意识,乃是社会的存在的反映,所以它对于社会或历史的观察,都不得不首先以人类之社会的存在——人类之物质的社会的生活或社会之经济的构造——的科学分析为基础。唯物史观(或史的唯物论)与经济学的密切的关联,就是这样产生的。

第七节　社会变革的总过程——阶级斗争——经济与权力——从必然的王国飞跃到自由的王国

以上我们在第四节,分析了生产诸关系的总和即社会的经济构造的构成分,其次在第五节,说明了建立在这种经济构造之上的政治的上层建筑;最后又在第六节说明了那为社会的存在之反映的观念的上层建筑。由此看来,便可知道:在构成社会的各种要素之中,经济的构造,就是一□要素之本源的基础。但是在第三节我们曾经说明了使生产诸关系的总和即社会的经济构造必然变革的,就是社会生产诸力的发展,这样,我们便达到一个结论:结局,社会的生产诸力之发展,乃是社会进化的根本动力。这就是说,社会的生产诸力达到了一定的发展阶段时,从来的生产诸关系,虽曾经助长了生产诸力之发展,此时却反而变成了那一发展的桎梏。这么一来,社会的经济的构造——在以社会的生产诸力之更进一步的发展为前提的限界内,即是在社会全体没有走进没落过程的限界内——便不得不变革。但是社会的经济构造一变革,便因为它对于构成社会的一切的要素是本源的基础,而政治的上层建筑、观念的上层建筑,都不得不随着它或急激或徐缓地变革起来。所以,人类历史的全过程——社会的、政治的以及精神的生活过程的一般——结局,就要把它当作基于生产诸力与生产诸关系之辩证法的关系所发生的"自己运动"的过程去把握。

＊　　　　＊　　　　＊

我们在前面(特别参照第二章第三、第五两节)曾经说过:在自己运动上,在自发的发展上,去把握人类社会的进行,乃是根本地理解历史的必要条件。但是如果误解这一点,以为人类的历史,是不待人类去活动,它自己能像自动的机械一般,能够自动地进展,那是错了的。关于这件事,德波林曾在《革命的辩证家的列宁》一文中,说道:

具有形而上学的见解的人们——这种人不论他是怎样研究马克思，但是他对于马克思学说的精神即革命的辩证法，是不曾把握着的——对于由资本主义推移到社会主义这件事，这样设想着：资本主义自身，非困惫不可，一经困惫，便独自完成社会主义的推移。像这样关于资本主义进到社会主义的推移或发展（所有一切社会形态进到另一社会形态的推移或发展——河上补注）的见解，和马克思主义是没有何等共通之点的。马克思关于社会组织（社会的经济构造——河上补注）的变革，即关于应该当作研究社会形态的转化之客观的过程的社会科学的基础之变革，所具的概括的思想，被这种形而上学的见解，从根本上伤毁了。马克思和恩格斯的学说之本质，正如他们反复说明的一样，"我们的学说，绝不是独断的，可说是行动的向导"。……

马克思主义的立场所理解的这个变革的观念中，在就历史的过程，就社会的发展而言的限界内，实含有当作决定的要素看的人类活动即阶级斗争的。人类的历史，是由人类造成的。马克思学说之最精深的意义，归根结底，就在于将经济的诸范畴还原到人类之社会的诸关系的上面。所以关于社会之发展的自动观，是决不能和马克思主义相调和的。现代社会里面的生产诸力的发展，使社会诸阶级之间所存在的对立日益显明，日益尖锐，同时又驱使这些阶级不得已而采取惨淡的阶级斗争、革命和内乱，去解决这种对立。照这样看来，马克思主义，在本质上，正是和自动说、宿命说两不相容的。把事态当作自动的且是宿命的过程上自然发展的人们，实是彻头彻尾的形而上学论者，他们与辩证法完全无关系。

如上所述，马克思主义的立场所理解的这个社会变革的观念中，不论何时，是含有当作决定的要素看的人类活动即阶级斗争的。我们在前面（参看本章第三节），把社会的变革用生产诸力与生产诸关系两者间的矛盾冲突去说明了，但是潜伏在社会的机构的内部这种矛盾和冲突，其呈现于社会表面的现象形态，又是成为一阶级与他阶级之间所存在的矛盾和冲突——即阶级斗争——而表现出来的。

在这种斗争上面，站在代表维持现在的生产诸关系的立场的，便是在这种生产诸关系之下站在有利的地位的阶级，即是支配阶级或榨取阶级；站在促进生产诸力之更进一步的发展，因而就是主张打破现存的生产诸关系的立场的，便是在这种生产诸关系之下正陷于困厄之渊的被抑压阶级或被榨取阶级。简单地说，支配阶级，代表生产诸关系，被抑压阶级，代表生产诸力。举例来说，在现代社会里面，"社会的生产与资本家的占有之间的矛盾（即社会的生产诸力与资本家的生产诸关系之间的矛盾——河上补注），成为普罗列达里亚与布尔乔亚的对立而明白地表现出来"①。

　　站在主张打破有碍于生产诸力之更进一步的发展的桎梏这种立场上的阶级，在这一点上，即是代表全社会的利益的。恩格斯曾说过，在18世纪中，"与封建贵族和布尔乔亚的对立相并存在的，即是榨取者与被榨取者，富裕而懒惰者与劳动而贫困者的一般对立。使布尔乔亚的代表者，不承认他自己是代表特别阶级的，却自认为是代表苦恼中的全人类的，正是这件事情"②。与此相同的事实，在现代社会里面，也是存在的。这就是说，现代的普罗列达里亚，他们是站在为了解放自己务必要解放全体被压迫民众这样一个立场上的，如果拿恩格斯的话来说，他们正是站在"代表苦恼中的全人类"的立场上的。

＊　　　　　＊　　　　　＊

　　如上所述，生产诸力与生产诸关系之间的冲突，在社会的表面上，成为一阶级与他阶级之间的斗争表现出来。所以基于生产诸力与生产诸关系的冲突所发生的旧社会的没落与新社会的诞生，当然就是阶级斗争的产物。并且在这个时候，阶级斗争必然地成为政治的斗争表现出来。马克思在《哲学之贫困》的结论中，说道："不以为社会运动是排斥政治运动的，同时，那不是政治运动的社会运动，是断然不能存在的。只有在阶级和阶级对立不存在的那种状态之下，社会进化才能停止政治的革命。"这段话就是这个意义。

　　既然如此，我们便要问：为什么"阶级对阶级的斗争，是一种政治的斗争"呢？关于这个问题，我曾在题为《经济与权力》的论文里面，比较详细讨论过③，所以在这里只得省略了。

---

① 《反杜林格论》，德文本，第291页。
② 《反杜林格论》，德文本，第2页。
③ 钱译：《新经济学之任务》第二篇，昆仑书店版。

总之,我们把人类的历史当作生产诸力与生产诸关系的斗争过程去把握这件事,如果适当地拿阶级对立的社会来说,那毕竟就等于把人类的历史当作阶级斗争的历史去把握。马克思和恩格斯在他们合著的《共产党宣言》第一节的开头,写出"一切从来的历史,都是阶级斗争的历史"这句话,就是这个意思。若因用语的不同,以为那里是发挥的别种见解,那是不可的。

＊　　　　　＊　　　　　＊

唯物史观是什么这个问题,我们已经反复说明过了,如果用恩格斯的话来说,唯物史观便是属于马克思的伟大的两种发现之一。

到了唯物史观创立以后,人类历史之必然的作用,才能被人类用科学的方法去理解,同时,人类才不复盲目地卷入历史的自己运动之中,才能具有意识地去形成自己的历史(换言之,即是人类意识地去形成自己的社会的存在)的可能性。从此,人类的历史,才随着这种认识的确立,一变它的本质。为什么呢? 因为人类依着必然的认识,获得了新的自由。最后,我想对于这个事实,一为论及,以终本节。

在古代共产制、奴隶制、农奴制以及现存的资本家的制度等直到现在的社会形态,都是无意识地形成的。在这种社会形态之下所描写出来的直到今日的历史,都不外是脱离了社会统制的生产诸力之不断地发展,使生产力与生产诸关系之间所生的必然的矛盾,成为一种先后继起的盲目的自己运动,——这样自然史的过程的连锁。这实在就是马克思所说的"人类社会的前史"(die Vorgeschichte der menschlichen Gesellschaft)。但是到了现在,这种前史,已渐次接近了最后的一页。它已经发展到了"社会的生产过程之最后敌对的形态",即资本主义;而资本主义,又发展到了最后的阶段即帝国主义的时代。因为这个缘故,资本主义的体系内所包含的矛盾,到了现在,便表现为未曾有的尖锐化。"但是在资本家的社会的胎内发展起来的生产诸力(虽然这种生产力,是使现时社会内的阶级敌对日益尖锐化的主要动因),造出了解决[穷极地彻底地解决]这种敌对的[从各个人的社会的生产诸条件所生出来的敌对关系]物质诸条件。"到了这个时代,所有一切生产手段,都移在社会的共同管理之下,关于社会的生产,本着人类的计划去统制,关于生产诸力与生产诸关系,本着人类的意识去调节,遂成为必要而且可能了。但是生产手段,一旦移在社会共同管理之下，榨取他人的阶级，便不能存在，故而被他人榨取的阶级也不存在，而阶级与阶级之一般的对立，遂被废止了。不仅如此，并且生产诸力与生产诸关系一旦本着人类的意识去调节，那由两者间的矛盾冲突所引起的"自己运动"之自然史的过程，便被扬弃。一言以蔽之，在一切从来的历史上，成了动力的生产诸力与生产关系之间的矛盾，以及成为人的表现的支配阶级与抑压阶级之间的斗争，都绝迹了。"于是人类社会的历史，便以资本家的社会形态而告终。"现在我们所处的时代，正是开始描写人类的真正历史——如果对前史而言，可称为本史——的第一页前夜。所谓唯物史观，就是当着这个人类历史上所不曾有的飞跃转换的时候，以人类对于自身的社会存在之变革过程所具的一种自觉的产物，而提供于负有实现这个飞跃转换的历史任务的阶级——"这个阶级不是要求废止这个那个某一特殊阶级的组织，也不是要求废止这个那个某一特殊阶级的特权的，实是在历史上初次提出要求废止一般阶级的一个阶级；正是！这种要求若不实现，势必没落在中国的苦力境遇的那种状态之下的一个阶级"——的一种"伟大的认识武器"。

由是必然的法则——从来支配或拘束我们生活的盲目的自然法则——便被认识了。由于这种认识，我们才获得不为我们自身的生产物所支配的可能性。"自由，并不是如一般所梦想的一样，存在于离开自然法则而独立这种事实之中，而是存在于这种法则的认识之中，且是存在于这种认识所给予的计划地使这种法则为一定的目的而活动的可能性之中"①。"在社会方面，发生作用的种种力量，在我们不曾认识它、不会探究它的期间，它便和自然诸力一样，只是发生盲目的、无理的、破坏的作用。但是我们一旦认识了它，一旦把握了它的活动、它的方向和它的作用，那么，我们便可随意使它顺从我们的意思，且可利用它达到我们的目的。这种情形，就现时的强大的生产诸力而论，尤其是这样的。如果我们坚决地拒绝理解这种生产诸力的性质与特性——拒绝这种理解的，乃是资本家的生产方法及其辩护者——这种生产诸力便不隶属于我们，反而发生反抗我们的作用，支配我们。但是一旦理解它的性质，它便被掌握在协同的生产者的手中，从恶魔的支配者而转化为温顺的从仆。这恰如暴

---

① 《反杜林格论》，德文本，第112页。

风雨时候的雷中所含的电气破坏力与电信机和电弧等被人利用的电气之不同一样，又恰如失火的火与对于人类发生作用的火不同一样。根据已被人类认识了的那种性质去统制今日的生产诸力，因而社会的生产之无政府状态，便为下面的事实所替代，即是顺应全社会以及各个人之必要的社会的有计划的生产规律实现出来。"于是资本主义的生产，让位于社会主义的生产，我们社会存在的形态，便经过一个巨大的变革。"资本主义的生产方法，由于把人口的大多数，日益转化为普罗列达里亚一事，便造出了不得不拼死来完成这变革的一种力量"①。普罗列达里亚阶级，于是不为一切欺瞒的呓语所迷惑。"他们头脑里面具着难于抵抗的必然性"，因为那"多少以显明姿态迫来的明白的物的事实"，就发现了从遇险的地方把这乘坐的船——船的全体——救出来的唯一可能的道路。辩证法的唯物论——唯物史观，就是普罗列达里亚向着那种道路进军之际，为着最确实的而且最迅速的达到最后的目标，不得已而采取一切复杂的战术——有时应该直进，有时绕道，有时后退，从最初的出发点改换别的方向等——的一种"行动的指导原理"。

如果普罗列达里亚的这种目标一旦实现，那么，我们便能在物质的生活之社会的生产领域内，获得可能范围的自由。这正如马克思所说的一样，真正意义的"自由王国，要为必要与外的目的性所规定的劳动被废止时，事实上才开幕。那在事物的性质上，是存在于本来的物质生产的领域之中的。野蛮人为着满足他们的欲望，为着维持与再生产他们的生活，便不得不和自然界斗争。同样，文明人也不得不如是，并且文明人不论在什么社会形态之下，不论在如何可能的生产方法之下，也不得不如是。这个领域内〔物质生活的领域〕内的自由，只有在：社会化的人类——协同的生产者，他们与自然之间所行的物质交换，不再为一种盲目的力所支配，迳由他们施以合理的统制，归他们共同管理，而间最小的劳力并于他们的人类性质最合宜最适当的诸条件下，能够完成的这中间，才得成立。但是这件事实，依然于必然的领域无变化，在这必然的领域方面值得自己作为目的的人类力的发展，真正自由王国才开幕。但是这

---

① 《反杜林格论》，德文本，第300—301页。

种自由王国,只有在它的基础即必然的领域上,才得开花"①。但是在那种真正的自由王国里面,虽说有所谓必然的领域,然而在将来的社会里面,我们与自然之间所行的物质交换(社会的生产),是被施以"合理的统制的",是"归共同管理的",它是要"停止以一种盲目的力来支配我们的事情"的,所以在这个意义上,我们便把"必然"转化为"自由"了。如果拿恩格斯的话来说,便是:"这里,在某种意义上,人类才决定的永别动物界,才脱离动物的生存条件,而进到人类的生存条件。……在今日以前支配着历史的那些客观的而外部的种种的力,现在却屈服在人类自身的统制之下了。从此以后,恐怕人类要开始以完全的意识自己造成自己的历史。……这就是人类从必然的王国进到自由王国的飞跃。"②

于是人类的历史,完全一变其本质。唯物史观,对于将来历史的那种飞跃的变化,它自己是意识着的,在这一点上,像我们现在所具有的这形态上的唯物史观,它自觉它自身的限界,只是适用于将来历史的东西(即是原有的形态不能适用于将来历史),只有成为适用于将来历史的东西,——即是以目前那样的形态说,是不能适用于将来历史的东西,——才是自觉它自身的限界的。生产诸力与生产诸关系的矛盾,以及由这种矛盾所生之"自己运动"的盲目历史——在其经济的基础上,则包含着基于阶级对立而起的一阶级对于他阶级的榨取关系,在成为政治的上层建筑上,则具有一阶级压迫他阶级用的强力装置的……③这种社会历史——便随着普罗列达里亚革命之完成而告终。那么,供普罗列达里亚革命用的认识武器,在革命完成之后,势必再为新的铸型所锻炼所改铸。诚然,在辩证法之前,永远的东西,是没有一件能存在的。

第八节　唯物史观公式略解

马克思在《政治经济学批判序言》中,有一节是把唯物史观要领公式化了的。从来我所称为唯物史观公式的,就是指的这一节。现在我把这一节的全

---

① 《资本论》第三卷,德文本,第二分册,第355页。
② 《反杜林格论》,德文本,第305—306页。
③ 原文如此。——编者注

文,抄译在下面,加上简单的注释,借以完结这一章。

　　人类在其生活(或生——河上补注)之社会的生产上,把一定的、必然的、离开他们的意志而独立的诸关系,即是适应于他们的物质生产诸力的一定发展阶段的生产诸关系,作为给予了的东西去承受。这些生产诸关系的总和,形成社会之经济的构造,这种经济的构造,是法制上及政治上的上层建筑建立于其上,一定的社会的意识诸形态适应于它的现实基础。

以上是把社会的构成当作静止的东西去分析的。这里出现的生产诸力生产诸关系等用语,是我们在前面曾经说明了的。

　　物质生活的生产方法,决定一般社会的、政治的以及精神的生活过程。

以上是把社会生活当作动的过程去观察的。生产方法这种用语的意义,也是在前节说明过了的。

　　不是人类的意识,规定他们的存在,倒是人类的社会的存在,规定他们的意识。

以上是唯物史观对于是社会的存在与社会的意识之关系的根本主张。从这见地看来,就是建立这个方针:只有对于社会的存在的观察,是我们当先的基础工作。以下所提示的,乃是关于人类社会的存在之进化的辩证法的把握方法之精髓。那里不消说,是以生产诸力与生产诸关系之间的矛盾冲突,为问题的中心的。

　　社会的物质生产诸力,发展到某一定的阶段,便与它从前活动于其中的现存的生产诸关系或仅是法律表现的所有诸关系相冲突。这些关系,便由生产诸力的发展形态,转化为它的桎梏。于是社会革命的时代到来,随着经济的基础之变动,一切大的上层建筑,都或缓或急地变革。

以上指示一定的生产诸关系,因为社会的物质生产诸力之发展,反由它的发展形态而转化为它的桎梏,所以社会的经济构造之变革,遂成为不可避免的现象。这里所以把生产诸关系改称为所有诸关系的,就是因为生产手段的有无,是决定阶级社会里面的基本的生产诸关系的缘故。

当观察这种变革的时候,我们应该把两件事分别清楚,一是为自然科学所能严密实证的在经济生产诸条件上所起的物质的变革;一是为人类用以认识这种冲突而且去克服它的法律的、政治的、宗教的、艺术的或哲学的,简单言之,观念的诸形态。这种变革时代,不能依着时代的意识来判断,这恰如我们要判断某一个人,决不能照着那一个人自己以为他是怎样去判断他一样。反之,时代的意识,倒是要从物质的生活的矛盾上、从社会的生产诸力与生产诸关系之间现存的冲突上去说明的。

以上的见解,从社会的意识为社会的存在之反映的见地看来,自是当然的主张,但是从来的唯物论者,却不曾理解这个情形。

一个社会形态,当一切认为那个形态里面还十分空阔的生产力没有发展以前,是决不会没落的;同时,新的比较高级的生产诸关系,在胎孕于旧社会中的物质存在的条件没有成熟以前,也是决不会实现的。所以人类只是提出限于自己所能解决的问题。为什么呢? 因为比较正确地来观察,便会知道:问题本身,要等到解决这个问题所必需的物质的诸条件已经存在的时候,或至少是在条件形成的过程中,它才能够发生。

社会是因它自身内所含的矛盾尖锐化而运动的。但是构成社会的是人类,历史为那种人类所造成。所以基于社会的矛盾所生的问题——因为这种矛盾是运动之母——常是人类所能够解决的问题。此外,所谓一种社会形态,

191

在生产诸力视为"十分空阔"这一语的意义，已经在前节说明过了。

在大体上，可以把亚细亚的、古代的、封建的、近代布尔乔亚的生产方法，看作经济的社会形态的进步阶段的时期。

我们现在可以把这种阶段的时期，分为四种：（一）古代共产制的时代；（二）奴隶制的时代；（三）农奴制或封建制的时代；（四）工钱劳动者制或资本家制的时代。在古代共产制的时代，阶级的分别，还不存在。但是在奴隶制以下的诸社会，便都是分裂成了阶级的社会。这就是说，在奴隶制的社会里面，奴隶所有者是榨取奴隶的剩余劳动的阶级；在封建制的社会里面，封建领主是榨取农奴的剩余劳动的阶级；在今日资本主义的社会里面，资本家是榨取工钱劳动者的剩余劳动的阶级。这些社会，唯其都是阶级社会，所以一样地有榨取阶级与被榨取阶级的对立存在，只是因为榨取的样式不同，所以形成了种种社会的形态。

布尔乔亚的生产诸关系，是社会的生产过程之最后的敌对形态。这里所说的敌对，并不是个人的敌对的意味，而是由个人之社会的生存条件所生的敌对的意味；但是正在布尔乔亚的母胎内发展的生产诸力，同时，又造成了解决这种敌对的物质的诸条件。于是人类诸社会的前史，便以这种社会形态而告终。

以上一段所指的，我们已在本章第七节的最后，详述过了。

下　篇

马克思主义经济学的出发点

绪　言

一、从抽象的(舍象的)东西达到具体的(具象的)东西之思维进行的一般形式

我在本书的上篇,马克思主义的哲学基础之全部,都一一论述过了,并在该篇将届终结的部分上(特别参看第三章第六节的末尾),说明为什么从马克思主义的见地看来,当观察社会或历史的时候,首先要以人类之社会的存在——社会的经济构造——的科学分析为基础,由是便把唯物史观和经济学之间的密切联络弄明白了。现在,我们在本篇,是继承上篇所已发挥的大旨,专达到研究马克思主义经济学的基础理论之次序的。

这里,我们首先必须注意到:我们的研究,是从最舍象的(抽象的)东西出发,逐渐朝着具象的(具体的)东西在进行。我们起首是从那构成马克思主义世界观的辩证法的唯物论出发的。这是贯通自然和社会的一切事物的世界观;所以它是最一般的理论,因而又是最舍象的(抽象的)理论。但是,我们接着再考察的史的唯物论(唯物史观)这东西,因为它是单把人类社会当作对象的,所以它和前段比起来,却成了较具体的理论。包含自然和社会的全世界,上从日月星辰,下到草木禽兽,实系广大无边的东西;至于说到人类社会,那就因为它仅仅是住在这小小地球之上的一种特殊动物的人类之社会;所以问题便被拘束为很狭窄的了。问题像这样的一被限定,理论也就要随着它变成较具体的东西。为易于了解起见,试举一个例说吧!比如我此刻写这部稿子的书桌上,虽然放着水壶、笔架、烟卷、火柴、稿纸、书本等等一切的物品,如果开头把此等所共通的某一方面——例如任何一件都是工业品的这一方面——抽出来,说这书桌上放着种种工业品,那就是极抽象的表现(若是在:只把这是工业品的一方面抽出来的一点上着眼,抽象的名词是适当的;若是在:舍弃工

业品方面以外的种种方面而不顾的一点上着眼,舍象的名词便适当了。总之抽象也好,舍象也好,都不过是作用的表里而已,这便看你是只着眼于抽象出来的东西,抑着眼于舍弃种种方面之后所残留的东西,在便利上去变异名词的使用方法得了),就那种抽象的表现说,我们便只能知道那里有种种工业品存在,此外什么都不会知道。可是实际上,不仅有工业品而已,并且还有墨水壶、笔架、烟卷、火柴等等许多物品存在着。其中只就墨水壶说,那是装墨水用的,其形圆,系玻璃所造,——确具有这么无数的方面。而且因为把这无数的方面弄明白,我们便逐渐和具体的认识相接近,更因真理(真实)常是具体的东西(不能只是所谓工业的东西,存在着这书桌上),所以我们像上面那么从抽象的东西渐渐接近具象的东西,归根结底说,就会一步一步地接近于真实。

所以,我们从全唯物论的立场进到史的唯物论的立场这件事,明明就是从抽象的理论走到具体的理论之一步前进的意义。可是史的唯物论这东西,是贯通从来历史的一般理论,这只是把种种社会形态的成立、发展、没落所共通的某一方面抽出来的东西,所以在这一界限内,它只是一般的、抽象的理论。然而真理常是具体的,从我们的这种立场看来,它不过是引导我们去和具体的真理相接近的"引线"及指南针罢了。所以,《德国观念形态》内,有下面的一段话:

> ……在代替它(观念哲学)的上面,至多不过出现一种把那从人类历史发展的观察中抽象出来的最一般的结果,合而为一的东西。那种抽象,是离开了现实历史的,它本身完全没有具着何种价值。它的作用,只不过是易于建立历史材料的秩序,指示其一层一层的位次而已。那决不同哲学一样,只要那样,便提供了那可以完成种种历史时代的一个书签或表式。反之,我们无论对于过去时代的或现在的东西,只要着手于材料的观察和整理时,只要着手于现实的叙述时,困难便开始了①。

所以,我们应该把前述的唯物史观作引线而入于经济学的研究。可是一

---

① 《马克思恩格斯文库》第一卷,第241页。

宗，"那对于种种人类社会在其下面生产着交换着，并适应它而分配着种种生产物的各种条件及各种形态，成为一个科学的政治经济学——具有那种阔度的政治经济学，是此后才能产出的东西。迄今为我们所有的经济学，殆完全是以研究资本家的生产方法之起源和发展为限的"①。换言之，马克思竭半生之力所完成，而今我们在《资本论》的标题之下理解着的经济学理论，是专以现代资本主义社会为其对象的。所以，我们能就《资本论》去求得的东西，便是这资本主义社会所固有的各种特殊法则，这里我们所能做到的，便是把唯物史观上所主张的一般的抽象法则，更特殊化起来，更具体化起来。

然而同时我们还要注意的，因为我们就《资本论》去求得的各种法则，只是资本主义社会所共通的东西，比如我们站在想就英国或美国或日本这么一种特定国家去研究的立场之时，那些法则，此时便表现为一般的抽象的法则，用列宁的话说，那便是仅于指示资本主义社会之进化的"一般的根本理路的法则"，所以我们必须进而把这些法则，更特殊化起来，更具体化起来。我们便是这样的从抽象的研究渐次达到具体的研究的。前面说过，真理总是具体的东西，所以我们以上的进行方法，归根结底说，就是更加接近真实的方法。

还要顺便说说的，就是当我们对于资本主义社会从事经济学的研究时，也要采取同一路径——再从最抽象的东西渐次达到较具体的东西。换言之，最初从资本主义社会的最简单而最抽象的关系之商品交换关系出发，而后不仅研究商品而已，还进而研究那具有更具体条件的特殊商品之货币所介在着的诸关系；其次，不仅研究货币而已，还研究那具有产生剩余价值的一种特殊机能的货币之资本的货币诸关系；更进一步，便不仅考察资本而已，还考察那具有种种机能和种种形态的各种特殊资本被缠绕着的诸关系，像这样，也是从最抽象的东西出发，渐次达到更具体的东西的方法。这种研究方法，便是对于事物的研究秩序，具有科学的研究途径的一般方针。

二、资本主义社会的运动法则——马克思主义经济学最后的穷极目的

马克思主义经济学的主干《资本论》，是为什么而作的？关于这一点，马

---

① 《反杜林格论》，德文本，第153页。

克思自己在该书"第一版序文"中,曾经明白地说过:"暴露近代社会的经济运动法则,便是这一著作最后的穷极目的"①。现在把这句话弄明白,就是把马克思主义经济学最后的穷极目的弄明白,同时,也就是把我所称为经济学领域内的马克思之科白利库士的转向——站在辩证法的发展见地上的马克思主义经济学的主要特征之一——这意义弄明白。

这里所谓"近代社会",就是"指的资本家的生产方法支配着的社会"②,这和《政治经济学批判》序文③中及其他处所说的"近代资本家社会",是同一的社会,归根结底说,就是我们现在住居的社会。

其次,所谓"运动法则",这里适当地说,就是近代社会的"发生,存立,发展及死亡,并交代于其他较高级的社会有机体——这一切种种所被支配的特殊诸法则"④。我们正居住其中的现代社会组织,是历史的过渡的暂时的阶段,它是比较的新造出来的东西,就日本来说,资本家的生产方法(资本主义),从第19世纪60年代起(明治维新以后),才渐渐实现出来,在这以前,我们是住在那和今日完全不同种类的封建社会之内的。那么,今日的社会,既是比较的新造出来的社会,同时,它便绝不会是往后万世不变的社会了。和宇宙的万物一样,它转瞬间也要死亡。一切事物都免不了变化,这是不许有例外的宇宙间的铁则。所以,我们正居住中的社会,它是已经发生过的东西,现正发展中,转瞬间也免不了死亡——交代于其他较高级的社会有机体。这和人类的一生同样,总免不了有生便有死,有始便有终,像那样推移变动的情形⑤,便是所谓"运动"。那宣言完成他"在东京帝国大学经济学部所担负的经济原论的讲座责任",而发表《马克思价值论之排击》一书的土方博士,他对于运动这一语,曾说它"有点儿是不常听见的似痛快似奇拔的话";"有点儿是一听而令人想起体操或军队来的话"(该书第23页),这真有点儿是笑话!这么和资产阶级学者——同那认为地球是不动物的古人一样,把现社会看作不动物的人

---

① 考茨基版,"序文"第38页。
② 考茨基版,"序文"第3页。
③ 《政治经济学批判》,德文本,第153页。
④ 第二版跋文,考茨基版,"序文"第47页。
⑤ 原书此处有"注",但并无注释内容。——编者注

们——无缘的"运动",这种"运动法则之暴露"在马克思看来,正是他的政治经济学的研究之"最后的穷极目的"。

*　　　　*　　　　*

把事物"在运动的奔流上去把握"①的见地,在马克思学说上,确具有决定的重要性,而那种见地的缺乏,在今日的多数俗学者不消说,就是英国正流派经济学的创始者亚丹斯密和李嘉图,也是一个特征的缺陷。所以,我对于这一点,虽然最近已在其他著作(《马克思主义讲座》内的《马克思主义经济学》)内略为详细地说过,但这里还想重说一下。

往时科白利库士力说大地不是世界的不动之中心,给了常识一个大打击,同时,他还说明了认为大地不动的理由;而马克思在经济学领域内所完成的,也正和这一样。我们在《资本论》中间,到处都看出和科白利库士一样的转向,其中尤以现代社会自身的运动观为根本转向之一(根本的转向之二,我们必须指出来的,就是以唯物论替换观念论的那回事,关于这点到后段再说)。普通,谁都以为太阳出于东没于西,仅就眼所见的说,当然以为实际上就是那样,这便是常识。但是这种常识——任何人都只思考着的事情,如果就是那样真实的,那就无须对它再加以科学的研究了。"假使现象形态和事物的本质,是直接一致的,恐怕一切的科学都成了赘物"②。唯其两者往往不直接一致,所以科学的必要于是乎发生。举例说吧:我们的两眼看来,好像地球不动太阳动(这是现象形态),然而实际上,却完全相反,竟是太阳不动地球动(这是事物的本质),科学的任务就是:不但要说明这种事实,同时还要说明何以真实的事实,映在我们的眼中就那样颠倒(这是现象形态和事物的本质之辩证法的统一)。

所以,科学无论何时都和常识不相容。科学是要打破常识的东西,因此必为常识所排斥。科学对于常识的斗争,是随它的成立和发展的历史而来的宿命,和俗人的斗争,便是科学者的任务,只有靠那种对立物的斗争,人类的认识才发展。在这斗争上,如果科学的智识占胜利,常识便为科学的智识所并吞,

---

①　考茨基版,"序文"第32页。
②　《资本论》第三卷第二分册,第352页。

同时,也就是科学的智识变成了常识,于是科学的智识,遂把常识包容于自身中——或是它自身包容于常识中——而扬弃着自己。

想读《资本论》的人们,要知道《资本论》是最严密的科学著作,它不是想献媚于常识的著作(献媚于常识,是俗流经济学最后的穷极目的),乃是想打破常识的著作,所以首先须理解上述的科学之特色。科学总是想打破常识的东西,当我这么说的时候,曾有某种哲学者们把它作为问题去讨论。哲学者们既把它当作一个问题,那便是现代的"学问"俗化了,便是他们忘却了自己的天职。假使诸君读这辈俗学者的著作,或许有机会拍案大叫,叹服它"对呀!恰和我所观察的一样呀!"那种著作上,写的是太阳每日朝出于东夕没于西,那是一读便了解的事情(其实未读以前已经了解),尤其,如果是高手一气呵成地写出来的,恐怕诸君还要慷慨地去拥护吧!可是《资本论》则不然,初见之下,是完全和那相反的。我自己初接触这书的时候,也曾致疑它究竟是否值得诚恳读下去的著作。单在这一点上,已把它看得和普通的经济学教科书不同。然而现在想来,唯有初见之下感觉得是奇怪书的这种书,它才是"在吸引我们进去的实在研究和理解上,现正供作无底泉源之用的汲不尽的智识之宝"。

我在大正八年(1919)一月的《社会问题研究》第一册上,曾引用过拉斯金的一段话,这里我又想起来了。拉斯金认为读各时代的伟大人物遗下来的天下良书时,必须具着下述的理解:

第一,要具有从他们领教,想领会他们的思想的恳切希望。如果想领会他们的思想,却仅仅只把它玩味一番,看你自己的思想,已否被他们表现出来,那是不行的。要知道那书的著者,若不是贤于诸君的人,诸君便无读它之必要;如果是贤于诸君的人,恐怕他在许多点上,都和诸君的观察不同。

人们把书紧握在手中,说:"这总算是好书——因为写出来的正和我所观察的一样。"其实,觉得:"这是奇怪书,自己并没有那样观察过。然而自己却承认它是真实的东西,即令自己现在还不能马上信仰它,希望将来有信仰它的时候",这是一种正当的感情。再退一步说,诸君纵然不能虚心到那样,至少也要留心这一点:是为了明了著者的意见而读他的书,不是为了在书中发现自己的意见而读他的书。如果认为自己有批判的能力,且待将来去批判的好。起首定要理解这一点。还有一层要留心:著者如果是有何等价值的人,诸君便不能立刻把著者的意见完全了解。……

我在经过十年的今日,仍以为拉斯金的这段话是明言。那为"运动法则之暴露"的一句话所震骇而仓皇失措的《马克思价值论之排击》的著者,对于马克思的价值论,曾说:"首先要发生的疑问,即价值实体是含在商品中的社会的必要劳动量,这一点究竟有什么证明存在?"(该书第 51 页)这个疑问的本身,如何含着对于马克思价值论的误解,我曾经指摘过①。这里因为没有什么关系,所以此刻不深入地去穷追,但前面所引的拉斯金的话——"如果认为自己有批判的能力,且待将来去批判的好,起首必须理解这一点……",这对于《马克思价值论之排击》的著者,总算适切的忠告,却不由我不联想起来。

话又说回来吧!我们读《资本论》的时候,正和拉斯金所说的一样,有"这总算是好书,因为写出来的和我所观察的一样",——这么一种感想么?恐怕恰恰相反,恰恰发生"这是奇怪书,我自己并没有那样观察过"的一种感想吧!何故?因为那上面不是写的太阳动的话,反而说我们所认为世界不动之中心的大地是动的。

我们认为我们站在上面的大地,总是不动的,可是它确是会动的东西,现在正动着。《资本论》便是想替我们说明这类事实的著作。它是想把常识倒转过来的著作,是打破太阳绕地球而旋转的观察,换上地球绕太阳而旋转的观察的著作。单从这一点说,那也和一切划期的著作一样,是一个可惊的革命的著作。"辩证法,在其合理的姿态上,是资本家及其空论的辩护者眼中的一个苦闷和恐怖。何故?因为辩证法,在现存事物之肯定的理解中,同时又含着它的否定的理解,它的必然没落的理解,对于一切生成形态,都在运动的奔流中去把握,即是从其暂时的方面去把握,不为何物所屈服,它本质上是批判的东

---

① 《社会问题研究》第 84 册,通页第 2920 页以下。

西、革命的东西"①。

它摇动了世界不动之中心的大地,并且科学地证明这被人看作不动的大地,实际上,正以一秒钟走二万九千七百米突的急速度在运动。它把那些陷在困厄之渊的人们,从其对于境遇的固定性之一种宿命的认定中唤醒,说明他们居住其中的现代的社会,绝不是永世不变的东西,可说全是"暂时的"东西,正和它的成立、发展,曾是"必然的"一样,它的没落——向较高级的其他社会形态(共产主义社会)去的推移——也是"必然的"。简单地说,即是提供了那自身中还包含着否定理解的现代社会的肯定理解,这便是所谓现代社会的运动法则之暴露,《资本论》正是把那种暴露作为"最后的穷极目的"的著作。在现代社会制度之下,得着最大利益的极少数的大富豪,大地主——这些人们,因为想永久地维持现代社会制度,所以对于那些正供他们牺牲的大多数的人们,要求其信仰现代社会的永久性。他们为达这一目的,正雇用许多学者,使他们给现代社会的永久性一个理论,他们和他们的辩护者,当然要把《资本论》看作一个苦闷和恐怖。现在所以从各方面进行着妨害那种正确理解的,完全就是这个缘故。

*　　　　*　　　　*

还有一层,在前面引用的马克思的话,有"暴露近代社会的经济的运动法则"之语。究竟所谓"经济的"(或经济上的)运动法则,是指的什么?那换一句话,可说就是近代社会的经济构造的运动法则。据马克思的意见,经济上的人与人的社会关系之总和,就是形成社会的经济构造的东西,唯有这经济构造,才是社会的"实在基础","法律上及政治上的上层建筑",都树立在这基础之上,各种"社会的意识形态",也是适着这基础的东西(参看《经济学批判》序文的唯物史观公式)。社会的变革,根本上,便是那种实在基础的变革,他从那一见地出发,首先就想把近代社会的实在基础之经济构造的成立、发展及死亡所被支配的法则,暴露出来。他所说的"近代社会的经济的运动法则",就是指的那种法则。所以他在第一版的序文中说:"我的立场,是把社会的经济

---

① 考茨基版,"序文"第48页;参看陈译中文本,"序文"第189页。

构造的发展,作为一个自然史的过程去把握的"①;又说:"我在本书上所要研究的事情,就是资本家的生产方法,以及适应于这生产方法的生产关系和交易关系"②。

＊　　　　　＊　　　　　＊

最后还不能不说一句的,就是马克思所以特别说着"近代社会"的经济的运动法则的理由。关于这一点,那第二版的跋文中所引用的俄国《欧洲通信》一段话,是应该注意的。其文如次:

> 人们或许这么说吧!经济生活的一般法则,是一个同一的东西,我们试把它或适用于现在,或适用于过去,无论何处都行得。但是,这正是马克思所否定的一点。据他的意见,那种抽象的法则并不存在。……据他的意见,恰和这相反,各个历史时代,都具着它特有的法则。……人类生活这东西,一旦走尽一定的发展时代,一旦从某一定的阶段移到其他阶段,于是它又开始为其他的法则所支配。总括一句话,经济生活,是呈现和生物学那样另一领域的发展史相类似的现象的。……旧经济学者们,所以把经济法则和物理学及化学的法则去比较的,那因为误解了经济法则的性质。如果较深入地把现象分析后去观察,则社会的有机体,和各种动植物的有机体一样,根本上互有不同。实际上,一个同一的现象,各因其有机体的全构造之不同,因其各个器官之不同,因那些器官的作用条件之不同等等,完全都服从于不同的法则。例如马克思便否定人口法则在一切时代、一切场所都是同一的事情。他正和这相反,证明那种发展诸阶段,是有其自身的人口法则的。……因生产力之不同,社会关系便不同,而支配社会关系的法则也不同。马克思从这一见地出发,树立了研究资本家经济秩序而且说明资本家经济秩序的目标。但他也不过是依据这种做法,把经济生活的一切正确研究所必须具有的目标,严密地科学地加它一个定式化罢了。……那种研究的科学价值,就在于把支配某一定的社

---

① 考茨基版,"序文"第□8 页。
② 考茨基版,第37 页。

会有机体之发生、成长、发展并死亡，以及对于其他较高级的有机体所办的交代的特殊诸法则，阐明出来。马克思的著作，实在是具着那种价值的①。

因为"这作者把他所称为马克思的真方法，很精彩地叙述出来了……"，正如马克思自己所说的一样，当不需我再添上蛇足了。但是我却还要赘一句话。

"各个历史时代，都具着它特有的法则"，这句话就是一个眼目。像奴隶制度的社会、封建制度的社会、资本制度的社会，——这种种社会的有机体，"和一切动植物的有机体一样，根本上互有不同"。那不是和同一种类有机体的幼年期、少年期、成年期等等相当的东西，是和昆虫鸟兽一样，根本上种类各异的有机体。据古生物学者的证明，一旦灭亡了的种类，绝无再出现于地球上的，完全和那一样，奴隶制度的社会、封建制度的社会等这已经灭亡了的社会有机体，绝无再出现于人类历史中的时候。那些东西，便是已经灭亡下去而且完全和现代社会异其构成的古生物学的有机体，是受各种特殊的运动法则所支配的古生物学的有机体。那么，认为以前的那些阶段，即系现代社会的较青年的阶段，这是如何的误解，由是当已明白了。

那以德意志为发源地，现在广布于各国的所谓历史学派，尽管自称注重历史的考察，而他们对于以上所述的见解，却处在极无缘的地位。这是什么缘故呢？因为他们仅仅站在"当作缩小及扩大的发展，当作循环反复的发展"的见地上。

所谓历史发展的这东西，一般的是基于："现在的形态，把自己看作"最后的形态，把过去的诸形态，看作走向自己的阶段，往往一面地去理解它们。要说为什么发生那样的观察方法，便因最后的形态，除稀有而且只在完全被限定了的诸条件之下外，不能批判自己②。

---

① 考茨基版，"序文"第29—30页；参看陈译中文本，"序文"第186—187页。
② 《政治经济学批判序言》。

以为大地不动的人们，便不能不认大地为世界之中心，一样，以为现代社会组织（最后的社会形态）永久不变的人们，也不得不认这最后的形态，为从来历史发展的穷极目的。假使最后的形态，预想到自己的死亡，自觉不远的将来，便要交代于其他较高级的完全和自己异类的形态，那么，同时就可理解过去的诸形态，也是"根本上互不相同的东西"了。然而如果和这相反，竟意识着自己是完成了的最后形态，那便是否认今后的历史，把将来一笔涂销，也就是把过去一笔涂销。于是整个的理解，必然地被封锁起来。只把从来的历史，当作造出现在的手段去考察，不能在它自身上去考察，这恰和不能批判自己的人，便不能承认他人的人格一样。所谓："因为最后的形态，……不能批判自己，所以，……把过去诸形态，看作走向自己的阶段，往往一面地去理解它们"，便是这种事情。从这一见地出发，就是李斯特、席尔德布兰、毕夏等的经济发达阶段说所由生产的。关于这一点，本庄博士在其《经济史研究》第一篇介绍过。其中有以下一段话："各国经济的发达，虽然千差万别，但却不可因此而思维它的发达变迁极其复杂，是终难把它系统地概括起来的东西。原来这种史实，虽然千种万态而极其复杂多端，但求得一贯这些史实的通用法则，却不尽然不可能。这在欧美，尤其德国的学者，或从生产方面，或从交换形态，或又从生产消费的关系，从其他种种标准去说明经济发达的阶段，这是论述一切经济经过何种次序而发展，是否常是如此的由来，也可说经济史研究的穷极目的存在这里。"①

把过去的历史，和一个同一的有机体之成长史一样看待，把它看作是小孩子渐次长成大人一样的过程，由是基于一个同一的标准，——"或从生产方面，或从交换形态，或又从生产消费的关系，从其他种种标准"——去求那"一贯过去史实的通用法则"，遂发生这以为"经济史研究的穷极目的"存在于其中的"所谓历史的发展"观。

奴隶制度的社会、封建制度的社会、资本制度的社会，乃至共产制度的社会，并不是和同一有机体的幼年期少年期成年期等相当的东西，乃是根本上互不相同的有机体。原来，既是从人类构成的社会，"那因思维而视为一般的被

---

① 《经济史研究》，第1—2页。

固定着的共通诸规定,虽然存在,但所谓一切生产的一般的诸条件,只不过是用它们去把握不了何种现实历史的生产阶段的抽象诸要素"而已①。

三、资本主义社会的自然史的过程之把握——辩证法的唯物论之适用

《资本论》最后的穷极目的,便在于暴露近代社会经济的运动法则,我们已在前节观察过,这法则,马克思每称它为"自然法则"。例如在第一版序文中,有时说:"从资本家的生产之自然法则中产生的社会的诸对立……"②,"发现一个社会的运动之自然法则足迹"③;有时又说:"我的立场,是把社会的经济构成之发展,作为一个自然史的过程去把握的"④。这里所说的"自然法则"或"自然史的过程",究竟是什么意义的东西? 我们试再把第二版的序文中所引用的《欧洲通信》的评语看看(已在上篇第一章第七节引用过)。

> 在马克思看来,只有一件事情是重要的,即是发现他在研究中的现象的法则是重要的。……还有他视为重要的,就是现象的变动和发展的推移法则,即是从这一形态到那一形态,从这一个联络的秩序到那一个联络的秩序去的推移法则。……为达到这个目的,他只证明现在秩序的必然性,同时又证明这一秩序不可避免地定要推移到那边去的某种秩序的必然性,就够了。这件事情,无论人类信它不信它,意识它不意识它,完全没有什么关系。马克思把社会的运动,作为那不仅离开人类的意志、意识及意图而独立着,反而是规定人类的意志。意识及意图的诸法则之所支配着的一个自然史的过程去考察。……⑤

马克思所说的自然史的过程,究竟指的什么,以上的评语中,固然极精彩

---

① 《政治经济学批判序言》,河上,"宫川其译本"第 14 页。
② 考茨基版,"序文"第 37 页。
③ 考茨基版,"序文"第 38 页。
④ 考茨基版,"序文"第 38 页。
⑤ 考茨基版,"序文"第 46 页;参看陈译中文本,"序文"第 184—185 页。

地说明了,但是为了把理解更弄确实起见,我还想赘几句话。

诚如蒲列哈诺夫所说,"不是思维规定存在,反是存在规定思维——这种思想,被马克思放在唯物史观的基础上了"①。所以,生出了下面比什么都重要的命题:"不是人类的意识规定他们的存在,反是人类之社会的存在规定他们的意识[社会的意识]"。凡关于这些区处,我们已在上篇第一章并特别在第三章观察过,这是在马克思经济学上,具有根本重要性的见地。关于这一点,我不能不把恩格斯的一段话引在下面。

　　无产者党之全理论的存在,从经济学的研究出发,并且从无产者党之出现的瞬间起,而科学的独立的德国经济学(即马克思经济学)历史也发轫。这德国经济学,本质上,立足在唯物史观之上。……"物质生活的生产方法,是决定社会的、政治的及精神的生活过程一般的,——这种命题,……不但在经济学方面,是一个革命的发现,就在一切历史的诸科学方面(自然科学以外一切科学,都是历史的科学),也是一个革命的发现。"不是人类的意识规定他们的存在,反是人类之社会的存在规定他们的意识,——这种命题,是只要没有沉锢在唯心论的迷惑之中的人,谁都可以明白的简单东西。可是这个命题,不但在理论上有最革命的归结,就在实践上也是一样。……若把我们的主张更进一步地去探求而且拿来适用于现代,那就有一个伟大的、通一切时代最伟大的革命之展望,来在我们的眼前展开。……

现在我们所认定的问题,便是把那种史的唯物论的见解和马克思主义经济学的主要特征之一的关联,弄明白。这里,我们再回到前面从第二版的跋文中所引用的文句上去吧!那上面曾经这么说过:"马克思把社会的运动,作为那不仅离开人类的意志、意识及意图而独立着,反而规定人类的意欲、意识及意图的诸法则所支配着的——一个自然史的过程去考察。"从唯物论者的立场看来,这是当然的事情。若举一个关于自然现象的例子,那就是以水素二和

① 《马克思主义的根本问题》。

酸素一的比率化合起来,必然地变成水的事情。"这宗事,不管人类信它不信它,意识它不意识它,完全没有什么关系。"和这同样的事情,也在社会的运动上面发生。诚如列宁所说:"社会是由意识体的人类成立的。"组织着社会的各个人,都意识地营着自己的行动。我们所以"谋生活,营经济,生子女,造生产物并且交换那些生产物"的,绝不是无意识的行动。然而未经何人,社会地意图过的一种无意识的结果,却由那种个人的意识活动而发生于社会全体之上。所谓"社会的存在,离开人类的社会意识而独立着",就是这件事,因此,社会的运动,又是"事件的一个客观的必然的连锁——一个发展的连锁",是一个"自然史的过程"。支配它的法则,就是在"离开人类的意志、意识及意图而独立着"的意义上,所被"自然科学地切实确定"的一个"自然法则"。

要之,社会在一定的前提之下,服从一定的法则朝一定的方向运动,那就是社会的运动。那种运动,无论人类预先意识着它或不意识着它,希望着它或不希望着它,那完全于它没有什么关系。在这一意义上,它便是一个自然史的过程。这便是马克思要把资本家社会的运动,作为那种自然史的过程去把握的由来。

前面我们已经指出马克思在《资本论》上所完成的科白利库士的转向之一,就是现代社会自身的运动观;这里必须更进而把那种根本的转向之二——已在上面说过的——观念论到唯物论的转向指摘出来。关于这一点,蒲列哈诺夫在《史的一元论》内有如下述。

在科白利库士以前,据天文学告诉人们,地球是不动的中心体,太阳及其他星球都绕地球的周围而旋转着。若据这种见地来说,那就许多天动学的现象,都不能说明了。天才的波兰人科白利库士,对于这些现象的说明,却完全从反对方面进行。他认为不是太阳绕地球而旋转,反是地球绕太阳而旋转,把这个观察作前提。于是正当的见地被发现了。凡科白利库士以前所未明白的东西,其中许多都明白了。在马克思以前,社会科学者都从人类性的概念出发,因此,人类进化的最重要的问题,便依旧未解决地残留下来。可是马克思的学说,对于这一问题,却完全开了一个新生面。他说:人类为维持自己的生存,一面向自己以外的自然去动作,同时又变化自己的本性。因之,在科学地说明历史的发展上,不能不从那(和向来的说明)反对的一极出发,即是不能不阐明:人类对于外的自然之生产作用的过程,究竟怎样实现的情形。这一发现,从其对于科学的伟大重要性去观察它的时候,敢说不劣于科白利库士的发现,并且又可以和一般的最重要而最有效的科学发现相比较。……

这里所要知道的,便是在马克思以前,社会科学不曾精密过,而且精密不了。学者在把人类性视为最高审判而依赖它的限界内,必然地非从人类的见解、人类的意识活动,去说明人类的社会关系不可。然而意识活动,就是人类所不得不当作自由活动去表象的人类活动。自由活动,往往排除必然性的概念,也就是排除合法则性的概念。可是合法则性,在科学地说明现象的当中,是无论何时都不可不有的基础。自由的表象,掩蔽了必然性的概念,因此,便阻害了科学的发达。

离开人类的意志而独立的存在,作用于人类背后的人类自身的生产诸关系,成为经济学的种种范畴即价值、货币、资本等等,以反映于人类的头脑。

人类相互间的社会关系,不是可以从人类的意识去说明的,反之,人类的意识,却可从社会关系(人类之社会的存在)去说明。这一点,是通《资本论》全部都表现着的科白利库士的转向之二。

＊　　　　　＊　　　　　＊

我们因为站在以上的立场上,我们的研究,便不得不先着手于详细地观察外的事实。我们已在上篇第一章第七节"研究上的唯物论的出发点"一项内,把它从事一般的研究过,还用它的序文说过《资本论》的研究方法。现在再看第二版的跋文中所引用的《欧洲通信》的评语,那还有以下的一段话。

马克思单努力于这件事:由正确的科学研究,证明社会关系之一定秩序的必然性,并完全无缺地认识那可以供他作出发点和基点之用的诸事实。……

……如果认为意识的要素,在文化史上,是尽到那种程度为止的从属任务的，那么，以文化自身为对象的批判，不能以意识的何种形态或何种结果为基础，这件事自然明白了。这就是说，观念不能作那种批判的出发点，唯有外的现象，才能作那种批判的出发点之用①。

为马克思"供出发点和基点之用"的东西，就是"事实"，就是"外的现象"，这件事在这里很明白地表现着。这是马克思经济学的唯物论的出发之特征，是极重要的事情。

吾人之社会的存在，不是由吾人的意识规定的，所以那不可从意识去说明。然而那种社会的存在，在作我们的研究对象上，它却不能不变成我们的意识内容。不过它最初，其所以成我们的意识内容的，就是通过我们的感觉，那通过感觉而反映于我们的意识的如实的东西，就是唯物论者的研究出发点。在这一意义上，便是"观念不能作批判的出发点，只有外的现象才能作批判的出发点之用"。

已在本书上篇说过：唯物论者认识离开人类意识而独立存在的客观的实在，并且认识其通过人类的感觉——经验——而成为人类所研究的东西（现象），构成人类的意识内容，又因科学的整理，——固然不是完全的，只是大概近似的，——在某种程度上，遂成为忠实的外的现象之反映（理论）。所以，理论的本源，不是观念而是外的现象。恩格斯说：

思维究从何处得来了这些原理呢？是从它自身吗？不是！思维绝不是从它自身得来这些形态（存在的诸形态外的世界的诸形态——补注），完全只能从外的世界去创造它们，抽出它们。……原理不是研究的出发点，乃是研究之终局的结果。那不是能够在自然和人类史上适用的东西，可说是从它们中间抽出来的东西。自然和人类世界，不是服从原理的东西，可说原理只有在和自然及历史成一致的界限内，才是正确的东西。这是对于事物的唯一的唯物论的见解。……②。

① 考茨基版，第 46 页；参看陈译中文本，"序文"第 185 页。
② 《反杜林格论》，德文本，第 21 页。

那么,下述马克思的一句话,也可正当地理解了。"思维过程那东西,从Verhältnisse(外的世界之意)中生长出来,它自身是一个自然过程,所以,现实上所能把握着的思维,无论何时都能完全同一"(1868 年 7 月 11 日致库格满的手书之一节)。外的世界已经摆在那里,所以忠实地反映外的世界的思维,无论何时,都能完全同一。科学于是乎成立。

＊　　　　　＊　　　　　＊

那么,事实既然摆在那里,我们便由思维去分析它。"当分析经济的诸形态时,显微镜和化学的试验都不中用,必须抽象力代替那两者"①。这种分析,是想分解统一物而认识其充满了矛盾的构成分子的。看来那里是横有辩证法的根本特征之一的。

列宁关于这一点,曾经这么说过:"马克思在《资本论》上,首先分析着资本家的商品社会之最简单的、最普通的、最基础的、最大量的、最日常的可以记忆回去观察的关系,即是分析着商品交换的关系。这种分析,在最简单的现象中(资本家社会的这种'细胞'中),发现了现代社会的一切矛盾(乃至一切矛盾的胚种)。"从这上面着手的叙述,是把这些矛盾的发展并其根本的构成分子之总体所成的这一社会的发展(成长及运动),从头至尾告诉我们的②。商品分析,在马克思主义经济学上,占着什么基础地位,由是便明白了。据列宁的话,马克思是由这种商品的分析,发现了"现代社会的一切矛盾——乃至一切矛盾的胚种"的。这便是列宁劝我们熟读《资本论》第一章(那里分析着商品)的缘故。以下作为本书下篇的本文而相次采录的,便是《资本论》第一章及第二章的解说。那和本年春间以《资本论入门》的名称刊行于世的第一章以下,完全相同。至于《资本论》全卷中所展开的诸矛盾之说明,已在拙著《马克思主义经济学》中把它的概观试述过,希望读者参看一下。

---

① 考茨基版,"序文"第 36 页;外参看陈译中文本,"序文"第 166 页。
② 列宁:《论辩证法的唯物论》。

第一章　商　品

　　《资本论》第一卷(1867年刊)的第一篇,题名《商品及货币》。这第一篇的内容,恰和《政治经济学批判》(1859年刊)的全内容相当。换言之,这篇是把已在《政治经济学批判》内论述过的东西,重新改写的。所以,把《资本论》第一版的序文一看,它的第二段便说:"以前的那一著作的内容,总括在这卷的第一章中。"然而这里作为第一章而不作为第一篇,在读者看来,许是很奇怪的事情;其实,那是因为第一版的第一章在第二版以后被改为第一篇了的缘故。《资本论》第一版的第一章(就中关于商品的部分),在第二版的时候,很改写了一些(所以,关于商品部分的论述,从《政治经济学批判》到《资本论》第一版和第二版,前后共改写了三次。那在马克思的著作中,可算是加了最严密的注意的部分)。当发行第二版的时候,完全改动了第一版的篇别。因此,在第一版是第一章(erstes Kapitel)的,第二版以后,便成了第一篇(erster Abschnitt)。

　　马克思对于《资本论》的读者,曾有下述的警告:"学问方面,并不是平坦的大道,只有那攀登险阻不畏疲苦的人们,独有到达那种光辉的绝顶的命运"①。然而《资本论》和富士山相反,最初的山麓却最险阻。所以,马克思在第一版的序文中说:"凡事起头难,这句话对于一切科学都适用。所以理解本书第一章,尤其含有商品之分析的一节,许是最大的困难"②。本篇"马克思主义经济学的出发点",主要目的,便在于解说这第一章。

第一节　为研究出发点的商品

　　《资本论》是从何处出发的? 这是我们第一要弄明白的问题,当现在细研

---

　　①　旧法译本的弁言,外参看陈译中文本"序文"第130页。
　　②　参看前记中译本,"序文"第166页。

这个问题的时候,首先必须明白所谓《资本论》的出发点,是含有两种意义的事情。

恩格斯在《资本论》第三卷的序文上,曾说:

> 马克思为何在第一卷的起首(Anfang),从他所视为历史的前提之简单的商品生产出发,想从这一基础更进而到资本方面去呢?他为何在这里只从简单的商品出发,并不从那概念上历史上都是第二次的形态出发,不从已经变为资本家的商品出发呢? ……

在上面一段话中,有所谓"起首"、"出发"的话,这都是以《资本论》第一卷第二篇以下(即《货币到资本的转形》以下)为标准的话。详细地说:《资本论》第一卷第一篇题为《商品及货币》的部分,还没有入于《资本论》的本题,只是研究资本成立的历史之前提而已。因为"商品流通,就是资本的出发点"(第二篇第四章《货币的资本》之起首一句)。换言之,资本是从商品流通中产生出来的。商品流通,又以商品及货币为前提。所以,马克思为了把资本从什么发生,以什么为其历史的前提这一问题弄明白,便把《商品及货币》作第一卷的第一篇。因此,据马克思自己说来:这篇"还没有包含关于资本的章节"。在这意义上,可说《资本论》是从简单的商品出发,而简单的商品,就成了《资本论》的出发点。

但是我们也可把这同一"起首"和"出发点"的话,用在和以上完全不同的意义上。大家都晓得《资本论》的起首,便是以下的一段话:"资本家的生产方法支配着的社会的富,呈现为一个'可惊的庞大的商品集大成',各个商品呈现为那种富的原基形态。所以我们的研究,从分析商品为始。"那么,我们在这里,便可把马克思所说的"从分析商品为始"的那种商品,当作《资本论》的起首,当作《资本论》的出发点。若把起首和出发的话头用在那种意义上,那么,所谓出发点,便不是包括第一篇《商品及货币》的全体,仅是指的那在第一篇第一章的起首最先被分析的商品而已。以下我所说的"为研究出发点的商品",完全是指的这第二意义的东西。

第一篇《商品及货币》的全部,形成《资本论》全体的出发点,这不消说。

并且因为它是研究资本之历史的前提的,所以在那里出现的商品,并不是资本家的商品,只是简单的商品,这也是无疑的事情。然而我在下面作为问题来讨论的,具体地说,就是关于这两节上显现着的商品,即第一篇第一章之一《商品的两要素,使用价值和价值》,以及关联这节的同章之二《商品上表现着的劳动二重性》——这两节上显现着的商品。这里的问题,便是价值法则。这种法则,借恩格斯的话说,便是"因为一切契机,都可在其十分成熟的那种典型性的发展点上去观察,而现实的历史经过所提供的诸法则"之一。这"实际不外是把历史的形态和成为妨碍的偶然性脱弃了的历史研究方法"(即马克思的论理的研究方法)之所以能够实现的,大概就是由于明白了那种法则。为什么呢?因为"现实的历史既发轫,思维的途径也就不得不发轫",但是那时候,那种思维的进展,不外就是现实历史的"法则所订正(Korrigieren)的映像"。

价值法则先确立,而后才实现这法则所订正了的现实的历史发展之思维上的反映——理论——的展开。第一章的一二两节完毕后而标题为《三,价值形态或交换价值》以下的,便属于这一部分。恩格斯所谓:"我们从历史上事实上所提示于我们的那种最初的而且最简单关系出发,换言之,这里从我们所发现的最初的经济关系出发",就是指的这种区处(以上所引的恩格斯的话,是他批判马克思《政治经济学批判》的文句)。那么,价值形态这一节,是从"简单的、单一的,或偶然的价值形态"出发的,即是从最萌芽最未发展的价值形态出发的(往后还要详述)。就这一意义说,我们在那里也能发现另一出发点。

要之,因立言的标准之不同,尽管同是使用的起首和出发点的名词,而内容却有差异。所以,我们当作问题的,就是已经说过的在第一篇第一章第一节及第二节上面出现的商品。这里是把商品称为《资本论》的出发点的,望读者牢牢地记着。

一、总说

上面说过,《资本论》的起首,以下述的语句开始:

　　资本家的生产方法支配着的诸社会的富,呈现为一个"可惊的庞大的商品集大成",各个商品,呈现为那种富的原基形态。所以,我们的研究,从分析商品为始①。

　　我先就这一段话,加一番解释吧! 关于这段话的几个主要事项,我想逐项详说一下。

　　据我的见解,这起首的语句所谓 erscheint als(呈现为)的话,便是呈现为"外的现象"之意,换一句话,就是这种意义:我们的思维所作为前提的,不是我们的思维之产物,反是离开我们的思维而独立存在的"物"(客观的实在)。我已在绪言之二说过,为马克思"供出发点和基点之用"的是"事实",在他看来,"观念不能作批判的出发点,唯有外约现象才能作批判的出发点之用",并且还附带地说过,这一点,是马克思经济学上的唯物论的出发之特征,极为重要的东西。我们现在到达可以具体地说明《资本论》的起首语句的机会了。

　　马克思在这里是把下面的几件事弄个明白的:作我们的研究对象,而离开我们的思维去独立存在着的——客观的实在——是什么? 它为何反映于那些"对它没有先入之见的观念论的妄想"的人们? 通过我们的感觉而最初变成我们的意识内容的那种如实的外的现象是什么? 所谓 erscheint als……呈现为……就是指的那种意义的外的现象——现象形态。

　　这种现象——被放在叙述的出发点上的外的现象——有两个。其一,是资本的生产方法支配着的诸社会的富,呈现为一个"可惊的庞大的商品集大成";其二,是"各个商品,呈现为那种社会的富的原基形态"。我先从第一现象说起。

　　那里,对于 ungeheure Warensammlung 一语(这是日本语很难译出的一语,虽有冗长之嫌,我暂且却要把它译成"可惊的庞大的商品集大成")加上引用号之外,又加脚注第一。试把这脚注一看,却只写着:

　　加尔·马克思《政治经济学批判》,柏林,1859 年,第 3 页。

---

　　①　参看陈译中文本,"序文"第 1 页。

　　然则他指的《政治经济学批判》的那个地方,写的是什么? 翻开书本一看
(在今日销行的斯茨托加版上,则是第 1 页),便只能发见下述的语句:

　　Auf den ersten Blick erscheint der bürgerliche Reichtum als eine unge-
heure Warensammlung, die einzelne Ware als sein elementarisches Dasein.

　　　(一览之下,资本家的富,呈现为一个可惊的庞大的商品集大成,各
　　个商品,呈现为初步的定在。)

　　即是,就我们现在作为问题的"一个可惊的庞大的商品集大成"的语句一
看,那只是《政治经济学批判》内所已用过的话。虽然就是那句话,他偏要特
别地指出《政治经济学批判》第 3 页来,这是什么意义? 关于这一点,我是像
下面那样解释的。这正和恩格斯所注意的一样,《资本论》的脚注,不是可以
随便加减的东西。如果对于某种问题的一定的见解,指出某学者的某著作,其
意义便是某学者为发表那种见解的最初一人。换言之,如果发表同一见解的
有许多学者,其中应该视为最初发表的学者,就被选入脚注之内。关于这一
点,恩格斯在《资本论》第一卷第三版序文的末尾,说道:"最后,关于世人简直
没有理解到的马克思的引用法,还得说一句。关于纯粹事实上的叙述和描写,
例如从英国的 bluebook(议会或枢密院的报告书)中的引用,自然单是供作说
明的引例的,可是在引用其他经济学者的论理的见解之处,就不是那样了。这
种区处的引用,必须确定那在说明进行中出现的一个经济思想,是在什么地方
什么时候由什么人(wo, wann, und von wem)开始明白地发表出来的。这类的
引用,不过对于经济学说的各种重要进步,追溯其年代和创始者(nach Datum
und Urheber)而下一确定罢了。"这是恩格斯的话。所以,再把脚注第二一看,
那里是关于使用价值的问题而引用的李可拉士·巴本所谓:"普通的物,其所
以有价值的,是由于它满足心的缺乏"——这种意义的话。这巴本的著作,是
在 1696 年出版的。人人都知道:普通称为经济学之父的亚丹·斯密所著的
《诸国民之富》,上面也区别了使用价值和交换价值,而它的出版却在 1776
年,比巴本的著作竟迟 80 年。所以,在把使用价值作问题的时候,便不去引用
人所共知的斯密而引用最早的巴本。那么,可知巴本所以在这里出现于脚注

上的，就因他是对于使用价值下说明的最初一人了。和这一样，把资本家社会的富，用"一个可惊的庞大的商品集大成"——这种语句表现出来的，唯有他自己在1859年发表的《政治经济学批判》，是经济史上最初的东西，我以为马克思就是在这一意义上要求人们参看他的旧著的。

然则 ungeheure Warensammlung，是什么意义呢？关于这一点，先就 ungeheure 说，我原译为どにらい（非常），如同说非常拥挤的行人、非常丰美的肴馔时候的"非常"一样。但是这个译语或许太俗气点儿，我从这种疑虑出发，便把它改为"可惊"了。这是想同可惊的拥挤的行人、可惊的丰美的肴馔之类的"可惊"一样用的。然而仅于这样，还感觉得没有十分把原意表现出来，所以虽有冗长之嫌，终把它定为"可惊的庞大的"这个译语了。资本家社会的富，实由若干亿兆的商品所成立，而商品原是从几千年的古昔起，已在这地球上出现于人类社会了的。某种劳动生产物和其他的劳动生产物一旦相交换，那就成了商品。像这种说法的商品，其发生的历史，可以上溯到几千年的古昔。可是这种商品，绝不是达到了"可惊"之数的商品。唯有在资本家的生产方法支配着的社会，因为那一社会内的一切劳动生产物——人类用劳动生产的一切物——差不多完全成了商品，所以它实在达到了"可惊"之数（看了列宁的《帝国主义与社会主义之分裂》内的话：der tatsächlich gewaltige "moderne" Reichtum——真正可惊的"近代的"富，——令人想起马克思在这里用的 ungeheure 一语来。Gegen den Strom，S.518）。

其次，所谓 Warensammlung 是什么？我想把它译为"商品集大成"，不知怎样（集成的译语，始于栉田民藏民）？本来，"集大成"一语，是从音乐中出来的东西，那是指的金石丝竹匏土革木这八音的音乐集成，或许因为资本家社会的富，是应有尽有的一切种类的商品之集合体，所以才称它为 Warensammlung——商品集大成——的吧！实际上，它是"集大成"，只看现在社会应有尽有的一切种类的劳动生产物，尽为"商品"的范围所包含着。如果人们想某种东西用，只要走到市场——商品的市界——去便行，那里什么都有。人类所要的东西，人类所造的东西，都可在"资本家的生产方法支配着的诸社会的富"中——这"可惊的庞大的商品集大成"中去求。在这一意义上，它实在是"商品集大成"。这 ungeheure Warensammlung 一语，像这一语能够把资本家社会的富简单地表现出要领来的,未见得还有旁的东西!然而这一语,马克思于1859年发表的《政治经济学批判》中才开始使用,所以我认为脚注第一,或许是在这一意义上添加的。此外,在这 ungeheure Warensammlnng 的前面,还附有 eine(一个)的冠词,好像向来谁都把这冠词略而未译,我以为如果明显地译为"一个可惊的庞大的商品集大成",或许完备些,因为它实际是一个有机体的组织。

*   *   *

构成出发点的外的现象第二,便是"各个商品,呈现为资本家社会的富的原基形态",——这么一种事实。在原文上本是承接上文而写为 einzelne Ware(erscheint)als seine Elementarform,然若把这里的 seine Elementarform 译成那种原基形态一语,那便马上发生误解,以为"那种"好像就是承接前面的"商品集大成"的。因为"商品集大成"是女性名词,所以 seine 非承接 der Reichtum(富)不可。即是:"各个商品,呈现为那种——详言之,资本家的生产方法支配着的诸社会的富的——原基形态。"所以在第一句和第二句上面,文章的主格不同。第一句是:"资本家的生产方法支配着的诸社会的富……";第二句则是:"各个商品……"

再则关于 Elementarform 这个字,向来虽有种种译语和它相当,我以为它的意义,正和第一版序文中的"细胞形态"(Zellenform)同样。或把它换为列宁常用的"根本构成分子"(Grundbestandteil),或用日本语直译为"要素形态",都不见得有什么差异。不过这个字是可包含历史的并论理的两种意义的(这不是人人一见即知的,后面还得论述)。所以,我们也用这可以包含两个意义的译语"原基形态"。"原基"这一语,就是从来一部分哲学所用的Anfang(发端)的译语。

*   *   *

最后,关于 erscheint als……(呈现为……),还须加以说明。这在前面也曾说过,就是指的摆在我们面前的如实的外的现象。换言之,绝不是指的经过种种考察之后才知道那件事实的这么一种意义的东西,乃是把谁都能够由他自己的经验直接地去确定的现象——那种现象,"照任谁的眼中都映入的原形",拿来放在《资本论》起首的。所以,在《政治经济学批判》上,便把 Anf den ersten Blick 一语——具有"一看则……"的这种意义的一语，——放在起首。那是谁也不能怀疑的摆在我们眼前的现象，也就是不须论证的最根本的经验的事实。

用《政治经济学批判》的话说，就是"资本家的富"，用《资本论》的话说，就是"资本家的生产方法支配着的富"。换言之，不是充自己的消费而自己生产出来的富，是他人生产出来的富，是社会生产出来的富，像那种社会的富，今日都表现着是商品。到市场去看，——就京都说，到四条街去看，到河原町街去看，乃至到百货商店去看，到公共市场去看，那里举凡他人生产出来的富，社会生产出来的实属各种各样的富，都陈设在各家店面上，无论哪一种哪一样，望去都是商品，都以商品的形态在我们的眼前 erscheinen（呈现）着。无论哪一件，都是具有金若干元的价格的，空说一句总得不着。你若不拿什么代替物去——现在，成为那种代替物的，简直只限于货币了——任凭你怎么想它，终不能把它取过手。所以，可说今日社会的富映在任谁的眼中都是商品了。

但是，所谓 erscheinen（呈现）的，那是不仅全体的富，呈现为一个可惊的庞大的商品集大成，并且各个商品，还呈现为那种富的细胞形态。然则为什么各个商品，被看作社会的富的细胞形态呢？那就是因为社会的富，完全变成了商品。在劳动生产物的极少部分成为商品的时代，事实上，商品不是社会的富的细胞形态，同时，它也不被看作社会的富的细胞形态。其所以被那样看待的，就是因为一切社会的富成了商品化，它被看作了"一个可惊的庞大的商品集大成"。至于使人在这一意义上，把各个商品看作社会的富的细胞形态的——换言之，发现各个商品为社会的富的细胞的——却不是马克思而是历史了。这不仅映在马克思的眼中如是，只要被马克思的注意所引起而把眼睛朝那方睁开，那就映在任谁的眼中都是一样。

以上是摆在我们面前的外的现象。重说一遍，就是资本家社会的富，呈现为一个庞大的商品的集大成，因之，各个商品，又呈现为社会的富的细胞形态。像那样摆在我们面前的外的现象，——只有那种外的现象，对于站在唯物论见地上的我们，才具有规定那种研究应从什么点上出发的功用。所以说，"我们的研究，从分析商品为始"。

这"商品的分析"，就是开始把研究的结果叙述出来的发端。

所以,所谓分析商品时候的"商品",当然就是各个商品。而那种各个商品,又是成为一个庞大的商品集大成的细胞的各个商品。如果那么一个庞大的商品集大成,没有同时浮现于眼前,则成为细胞的各个商品便不存在。所以,以下分析商品的时候,资本家社会"不能不随时被当作前提浮在表象中"①。这件事情——俟后另节详论——总而言之,在理解马克思对于商品的分析上,是一个不可缺乏的重要条件。

还有一层,马克思的研究,先从分析各个商品为始,那是他的研究法的一个特征。他无论何时,都是先从简单的东西着手研究的。最初若从复杂的东西着手,那便行不开。科学的研究方法,必定要采取这种次序:从最简单的东西渐次进到复杂的东西。

若把那种研究方法——也是叙述方法——的实例,举出两三个来,那就有如在价值形态的研究上(第一章第一节),最初所当作问题的是 einfache Wertform(简单的价值形态),它并且是一切价值形态的 Urelement(根本要素)②。再看第十一章所谓 Kooperation(协业)的区处,也是顶先说明 einfache Kooperation(简单的协业)。那就是一个资本家出来,把多数的劳动者聚在一个工场中,仅是那样成立的协业。而这种协业,不但论理上是资本家的生产的出发点,并且历史上也是资本家的生产的出发点。即就日本来说,那生丝工场和织物工场初起时的形态,以及袜子的生产开始由资本家的生产方法所经营的最初形态——这等等,都是简单的协业。但是那种简单的协业一着手,不久便要在上面发生分业,于是接着在第十二章,就叙着分业的问题。分业一着手,结果就发明种种的工具,而这些工具一统一,就变成了机械。所以,又接着在第十三章叙述机械。不过机械纵然被应用了,而许多劳动者聚集在一个场所共同劳动的事实,即 einfache Kooperation(简单的协业),却依然残留为一种 Element(元素)或 Grundlage(基础)。这样残留为基础为一个元素的范围的简单协业,已在第十一章叙述过,所以在第十二章的分业上,仅于述叙分业,在第十三章的机械上,仅于述叙机械而已。然而现实上,尽管分业成了风行的情况,

① 《政治经济学批判序言》。
② 考茨基版,第35页。

尽管机械成了风行的情况,而简单的协业必定还同时演现着。在这一意义上,einfache Kooperation(简单的协业)在一切的协业中是元素,同时在一切的协业中又是最简单的东西。从马克思的研究方法说,是先从那种最简单的东西着手研究的。再举一个例吧,即就第七篇的资本的蓄积过程去看,其中第二十一章是叙的 einfache Reproduktion(简单的再生产)。资本的再生产,本来无论何时都必须是 erweiterte Reproduktion(扩大再生产)才行。假如有十万元的资本,又假如由于这个资本的运转,获得了五万元的利润,并且这五万元的利润中,再假如三万元已被蓄积而资本化,那么,此次就以十三万元的资本去经营生产了。生产就是这样的非逐渐在扩大的规模上演现出来不可的,要不然,资本便不成为其为资本了。当论述那种再生产的问题时,也一样的是先从 einfache Reproduktion(简单的再生产)开始研究着的。要之,一切复杂现象,须先从其元素的最简单的东西开始研究,而马克思的研究方法的一个特征,就在于严密地保守那种顺次的一点上。

这样,虽是"我们的研究,从分析商品为始"的由来,可是这种商品细胞,不但其分裂的结果,实际上采取各种各样的形态——货币、资本等的形态,并且资本家社会的富,也不一定只限于是从那种细胞构成的。比如说动物的身体,是从无数细胞成立的时候,如果以为那和堆积砖瓦一样,只是由同一细胞成立的,那便是极大的错误。像那构成鲸鱼的神经组织的一些细胞,它的某个细胞的核心,虽然处在那个大动物脊髓的中央,而该细胞质却同长丝一样的延长,其尖端一直达到鲸鱼的尾梢为止。更就骨和软骨等项来说,那并不是由细胞构成的,乃是由细胞质的分泌物构成的。资本家社会的富和它的细胞商品之关系,也是同一的情形,实在复杂极了。例如排列在纺织工场的纺织机械和作为原料或燃料买进的棉花煤炭等项,它们既然被买得之后,便不是商品,而是在那种工场中发挥着使用价值的生产的消费之对象物了。然而它们原来是商品,原来是商品转变的东西,所以马上又要转变为商品。那恰和动物的身体一样,纵然说动的身体是从细胞构成的,实际细胞质的分泌物——骨头等项,也包含在它的身体之中。所以,问题绝不是简单的。问题虽说不简单,然因动物身体的原基形态究竟是细胞,所以要研究动物的身体,必须先从细胞的分析开始。和这一样,我们要研究资本家社会的富,也必须先着手分析它的细胞形态——商品。

还要接着说一句：《资本论》第一卷的起首以商品为始，这是我们现在看见了的。然而这第一卷的末了，即是讲述资本家的生产过程的末了，又提出商品来。因为是资本家的生产过程，所以那一过程的结果所产生的东西，当然是商品。所以，从那种关系说，我们在这第一卷的最后，便再回到最初的出发点上。回到商品上去固然是回到商品上去，但是一宗，它既是通过了资本的生产过程的东西，即令还同样地是商品，却是资本家的生产之结果所生的商品，即kapitalistische Ware（资本家的商品）。它是受了所谓"资本家"的规定的商品，被 bestimmen（规定）为资本的商品，所以那种商品的流通，不是单纯的商品流通，乃是资本的流通。因此，《资本论》的第二卷，遂承续第一卷"资本的生产过程"之研究而为"资本的流通过程"之研究。所以，在回到最初的出发点去的这一点上，虽然可说是描写的一个轮形，但它绝不是回复成原形的。运动是描的螺旋状，轮子绝不重复，后描的轮子和先描的轮子相比较，它往往表现为较高的东西。《资本论》，就是想那样地从最简单的、最舍象的东西出发，一步一步地向上到较复杂的、较具象的东西，最后再到达的那"由许多规定和关系而成的一个丰富的总体性"的资本家社会，由是把这资本家社会"作为一个具象物而精神地再生产"出来的著作。

* * *

以上，我关于资本家社会的富说了一些话，而《资本论》的本文，也是从那种观点立言的。纵然换一个问题，问资本家社会的物质的社会关系，是从什么元素成立的，那实质上仍是一样。因为在商品生产的社会，人与人之物质的社会关系，是以物与物的交换关系表现出来的，所以，即令探求资本家社会的劳动生产物是什么形态（Form）的东西，或是探求资本家社会的物质的社会关系是什么形态的东西，问题却还是一样。我们对于后者那种形式的质问，可以这样答复它：那就是商品交换（Warenaustausch）。我为营谋我的物质生活，和各种各样的人都有关系，如买书、买眼镜、买衣服、买皮鞋等等，就是例子。我由于这样和他人发生关系，才能妥备自己的生活上所必要的各种物质，而这种和他人的关系，终不外于商品交换的关系。假使我是一个劳动者，我就不能不被雇于某资本家而取得工钱了，这种被雇于资本家的关系，就是以我所有的劳动力这商品出卖于资本家的一种关系,也不外于商品交换关系。那么,正如列宁所说的一样,唯有这商品交换关系,是"资本家的商品社会最简单的、最普通的、最基础的、最大量的、最日常的可以记忆回去观察的关系"。所以,我们的研究,从这最简单的、最基础的、并且最大量的关系开始。

二、资本家社会最舍象的范畴之商品,是思维以前就摆着的外的现象

以下几项所述的,不过把前项略略说过的若干事项,更加详说而已。因此,不需要更详细说明的读者,尽可省略以下数项,直接去连续地读第二节"商品的两个要素"。

已经说过,《资本论》是以商品为研究的出发点的,这出发点的商品究竟是什么,正确地把握这一点,是正确地把握《资本论》全体所不可缺的条件。因此,我不嫌重复,想再选两三个论点,把这出发点所具的意义更明白地说出来。

已在前项的末尾说过,研究之出发点的商品,是资本家社会的范畴中规定最稀薄的东西,是舍象的范畴。《资本论》便是从那里出发,渐次向上到那具有较多的规定较复杂的规定方面去,最后到达这由许多规定和关系而成的一个丰富的总体性——"许多规定的总括","多种的统一"——的资本家社会的。但是,我们应该注意的事情,是分析上所视为最初对象的商品它的实现性。不错,它的确是资本家社会的最舍象的范畴,然而同时,它却不是研究的结果,成为思维的产物而产生出来的东西,乃是以研究的前提在思维以前就摆着的一个外的现象。我恐怕要先把这件事情弄明白。

资本家的诸社会的富,呈现为一个"可惊的庞大的集大成",各个商品呈现为那种社会的富的"原基形态"。像这样,便是以外的现象映在我们眼中的资本家的诸社会的富。这个现象,已如上述,是两重的东西。这里,资本家的诸社会的富的全体呈现着,同时,构成这样全体的细胞——各个商品也呈现着。但是,这里我们必须注意的一点,就是这两个东西,从最初起便是有内的联络而同时表现着的东西。严密地说——俟后详说——这不是两个分离的个别的现象,可说是具有二重性的一个现象的对立两方面。这一点,是已在前

项简单的指示过了的。这里不嫌重复,再把它论述一下。

＊　　　　　＊　　　　　＊

应注意的一点,就是:资本家的诸社会的富的全体,在外的现象上,呈现为一个"可惊的庞大的商品集大成",所以各个商品也才同样地在外的现象上呈现为那种社会的富的细胞形态——这一点。各个商品,不仅成为各个商品,不仅成为孤立的东西,它们还呈现为社会全体的富的集成,呈现为具有那种富的构成分子之资格的东西。所以,社会全体的富和各个商品,是在全体与其元素的联络上表现出来的东西,并且那种联络的存在,绝不是成了研究的结果或思维的结论才被认识的,完全是我们研究以前就摆着的前提,"纯粹可以经验地去确认"的事实。成为全体的那种有机体和成为它的构成分子的那种细胞——这两个对立物,在不可分离的联络上,把它们自身显现于外的现象上面,这件事情(正如修莱登和修万用显微镜观察的结果,明白了动植物体的各部分,尽是以细胞为单位而形成的一样),最初就是用眼看得见的。

资本家社会的富,呈现为一个庞大的商品集大成;同样,各个商品,同时又呈现为那种社会的富的细胞形态。关于这一事实,只要我们随着马克思的注意,把眼睛朝那方睁开,便是"任谁的眼中都映入"的外的现象。在资本家的生产方法施行着支配的社会,那种社会的富——为社会生产出来的富——简直都是商品。当我们想把那种为社会生产出来的富——无论把它哪一部分——作为自己的东西的时候,换言之,向它从事实践的动作的时候,我们便随时都发现那些东西是商品。那就是我们最初所发现的资本家社会的富的存在方法(Existenzweise)。我为自己的生活起见,固然要用米、豆酱、酱油、薪炭等项,但是,那些东西都是他人所生产的他人的私有物,我要把它取到手的时候,便立即认识它们都是商品。不仅米、豆酱、酱油等物如是,就是书籍、墨水、笔头、纸张以及鞋子、袜子、帽子、汗衫——举凡我的生活上所必要的东西,我要把它取到手的时候,便随时都可发现它上面画有价码,不然,它们的所有者就得说出代价来要我照付。同时,只要我提供那种代价,便可把我所要的任何东西,从商品世界中去获得。因此,我就发现了社会地生产出来的富的全体,是"一个庞大的商品集大成",各个商品,是那种社会的富的"细胞"。

社会的富这样存在的方法,和我们对于那种富的社会的生产方法

（Produktionsweise）——即资本家的生产方法——之历史的社会的实践相伴着。在资本家的生产方法没有处于支配地位的时候，那没有成为商品的劳动生产物，还是多种多量地存在的，因而我们还需要许多在商品世界所不能发现的东西。换言之，只要我们走到商品世界市场，便可发现我们所必要的任何物品这一状态，那时还没具备。比如我是明治十年在山口县的某城下生的，那时候，自己的家中不能不制造豆酱。袜子这类的东西也是一样。因为袜子在当时，还不是成为商品而存在的，即令想买也没有卖它的店子，所以，家家都有厚纸造的袜型，而生产家庭消费用的袜子，便成了妇女的工作之一。在那种状态之下，"一个可惊的庞大的商品集大成"的东西，客观上还不存在，所以它无从映入我们的眼中来。然而资本家的生产方法，一经得到支配的势力，则下至福助牌、鬼底牌等商标之类的袜子，也成为资本家的商品而被登记为商品世界的一员了。"只有在资本家的生产基础上，商品这件事才成为生产物的一般形态，于是资本家的生产愈发达，生产物便愈多以商品的姿容投入生产过程中而成为它的成分"①。商品世界的目录，逐渐达于完备的时候，社会的富便成为"一个可惊的庞大的商品集大成"。所以称它为商品集大成的，因为那里网罗着一切种类的商品，简直没有漏网而不被登记的东西。于是成了"只要有金钱，没有一件不自由"的这么一种世间。任谁看来都是这样的世间。但是，社会的富，如果已被一个商品集大成所包括，同时，则各个商品便表现为社会的富的细胞。这因为：如果社会的富中间，还有不是商品的多种多量的东西存在，则它的大部分就不是商品，而各个商品便无从表现为它的细胞；如果社会的富，一旦被一个商品集大成所网罗，那就无论捉住它的什么单位都是商品了，于是各个商品也就以细胞的形态表现出来。试往百货商店去看，那里所陈列的一切商品，便是商品集大成的一个缩图，无论你观察其中的什么单位的东西，恐怕都是以商品的资格表现着它自身。如果你不支付代价而想拿某种东西回去，恐怕店员们就会制止你。摆在那里的物品，不管玩具也好，糖果也好，这也好，那也好，总之都是商品，这是无论什么小孩子，都可用经验去确定的事实。

---

① 马克思：《关于剩余价值的诸学说》，德文本，第四册，第130页。

　　这就是说,《资本论》的起首所提示的事实,并不是因为马克思的那种天才的头脑之活动,才被思考出来的东西,那是只要社会的历史的发展之结果而"资本家的生产方法支配着的社会"一成立,便任谁的眼中都能映入的客观的事实。唯物史观所当作考察历史时候的前提的,只是这一根本的事实:人类的历史如果要存在,便不能不从事于他们的生活资料的生产——劳动。马克思自己说过:"不说一年的话,尽管一星期,如果停止了劳动,任它什么国民都要死去,这是无论什么小孩子都知道的事实"①。马克思的这信中所谓 weiß jedes Kind(什么小孩子都知道),所谓 ist self evident(自明),用恩格斯的话翻译出来,便是"任谁的眼中都映入"的意义。这是指的:那成为谁也不能怀疑并且不须怀疑的离开我们的思维去独立存在的"存在方法"而直接给予我们的感觉的外的现象。《资本论》也是把资本家社会的"什么小孩子都知道的"那种"自明"的事实,作它的最本源出发点的。在《政治经济学批判》内——已于前项说过——和《资本论》起首的一句相当的文句,冠有"一览之下"(Auf den ersten Blick)一语,这就是"一见自明"的意义。马克思经济学,便是把那种自明的事实,当作它的 Ausgang und Stützpunkt(出发点)的。

　　"那些为要能够更深入地考察而眼为头脑所夺的哲学者们,和我有天渊之别,我为了思维而用感觉,就中尤其用视觉,只把我的思想,建立基础于我们随时都能以感觉活动为媒介去占有的那种材料之上,不认为对象由思想造出,反认为思想由对象造出,而所谓对象,便是存在于头脑外的东西",费尔巴哈这么说②。所谓哲学者,他为了着手研究,便闭着眼睛沉思默想,而唯物论者却睁开眼睛观察外的现象,把不是我们头脑中的思维的产物而是摆着的外的现象——那种自明的事实,作为它的考察之前提,这一点上面,便存有唯物论认识的根本特征。唯物论辩证法从那种事实出发,所以它的出发点是绝对的。它不是依存于旁的东西的东西,不是为旁的东西所证明的东西,乃是在自己的中间证明自己的东西。它成为历史所规定的东西时,是相对的;而成为无论证之必要的东西时,便是绝对的了。

---

① 《给库格曼的信》,德文本,第 45 页。
② 《全集》第四卷,1848 年版,第 18 页。

为了防止可以引起的误解起见,还得说一句。所谓马克思为决定它的研究之出发点而当作根本看的事实,是"无论什么小孩子都知道"的事实,这绝不是说无论什么小孩子都和马克思一样,能在那种事实中发现科学的研究之发端。两件事情相差若 himmelweit(天壤)。断乎不是说,什么小孩子都容易想到:要解剖资本家社会,必须先从分析商品开始。现在还有许多学者,或拿欲望,或拿财富,或拿效用这一类的考察,作为他的研究的发端。可是我在这里所要弄明白的一点,就是马克思为在商品中去求其研究的出发点而当作基础看的事实,是自明的事实。那本来是自明的事实,所以人们若被马克思促起了注意,把眼睛朝那方睁开一下,它便是任谁都能认识的事实,任谁都不能不认识的事实,不过就那种自明的已知的事实中,又发现一种测知无限的未知事实的端绪,——从各个商品是资本家社会的富的细胞这一事实着眼,遂在这细胞的商品之分析中,发现了现代社会的一切矛盾,以及一切矛盾的萌芽,——这一点却完全由于马克思的天才的头脑之活动。我当然不是说那种出发的决定,不得亏他的天才,我只是说他从中求得研究的出发点的事实之本身,绝不是他的头脑的产物,乃是横在他的头脑之外的客观的存在,无论什么小孩子都知道的日常的事实。

三、以资本为问题,所以商品成了最舍象的范畴

已在前节末了说过,马克思为决定他的研究的出发点而当作根本看的事实,是无论什么小孩子都知道的事实。可是,和我们要解剖资本家社会必须先从分析商品为始一样,规定商品为研究现代社会的出发点,这不是谁都简单地做得到的事。然则马克思如何把商品作了他的研究的发端呢,这是以下要叙述的问题。

首先要明白的事情:马克思作为《资本论》的研究对象的,就是在现代社会最具着支配势力的资本。

我们理解了一切东西——社会形态也是一样——常在变动中的这一点,然而但说万物是流转的,却还不充分。"纵然理解了现象全体的一般性质,然靠它说明构成这全体的个别性却还不充分。我们要知道那些个别性,便须把它从自然的或历史的关联中抽出来,就它的特性,它的特殊的因果关系等单去

研究它"①。现在马克思是从种种社会形态中,抽出所谓资本家社会这一体系,把它定为他的研究对象的。所以,这时候,所被探求的最舍象的范畴,就是资本方面的最舍象的范畴。若是离开和资本的联络而分析商品的自身,我们便可获得比商品更舍象的范畴——使用价值(财)。若更分析使用价值的自身,则在它是劳动生产物的界限内,我们便可获得比使用价值更舍象的范畴——如劳动及自然之类的东西。于是许多经济学者,都在此等财、劳动、自然等等中去求他的研究出发点。

要之,《资本论》所以规定商品为它的研究出发点的,就因《资本论》是为了知道个别性(这种场所是资本家社会)而从历史的全关联中抽出资本来的。要理解现代,就要先理解资本,这上面是横有那决定研究的发端用的契机的。

＊　　　　＊　　　　＊

不消说,商品,就资本说,它是舍象的范畴,它经过种种阶段后遂转形为资本,——要认识这种事,就要先把关于资本家社会的极大材料(据列宁的话,"马克思研究至二十五年以外的极大材料"),详细地分析出来。

《资本论》第二版的跋文中(考茨基版,序文第 47 页),有时常引用的一段话:

> 叙述的方法(Darstellungsweise),形式上须和探讨的方法(Forschungs-weise)相区别。探讨,要详细地占有材料,分析那些材料的种种发展形态,把那种种形态的内的纽带探出来。要这一工作完成以后,才能把现实的运动,适应地叙述出来。②

首先就要详细地占有材料。列宁所谓"资本论不外是隐蔽大量(全白兰山)的实际材料的那种相互最紧密地联系着的若干普遍化的观念"③,许是这个关系。《资本论》第二版的跋文中所引用的《欧洲通信》的评语内,也说:"马克思……只努力于这件事,努力于尽可能地完全无缺地去认识那可替他供出

---

① 恩格斯:《反杜林格论》。
② 参看陈译中文本,"序文"第 187 页。
③ 《谁是人民之友》。

发点和基点之用的诸事实……"所以,当研究资本家社会的时候,要搜集关于人口、阶级、工钱劳动、资本、交换、分业、货币、价格等等无数的事实。这时候,"观念不能作批判的出发点,只有外的现象才能作批判的出发点之用"。所以,"批判要被这种事情所限定,即是不把一个事实和观念相比较对照,要把一个事实和旁的事实相比较对照。在批判方面,最重要的事情,就是尽可能地正确地研究双方的事实,看出现实上一方对于他方是形成不同的发展契机的;就中尤为重要的事情,就是对于诸秩序的系列,对于发展诸阶段上所表现出来的继起和联络,也要同样正确地去研究"①。

依据这种手续,便确定货币是属于比资本为早的发展阶段的,而商品则属于比货币尤早的发展阶段。所谓"分析材料的种种发展形态,把这种种形态的内的纽带探出来",就是这件事情。

这时候,作我们的探讨上的"自然引线"的事实,就是"发展,在历史上,在其反映于文献上,大概都是从最简单的关系到最复杂的关系那么进行着的"——这样的事实②。自然,这所说的不过在大体上是那样的(其详细的关系,马克思在《政治经济学批判序言》第三节"政治经济学的方法"中,有绵密的论述)。

所以,如果各种范畴的继起和联络被认定了,我们就以最简单的范畴为研究的出发点,由是逐渐进到较具象的范畴(例如从商品到货币、从货币到资本)而向上地追求其必然的联络。马克思所谓:"分析材料的种种发展形态,把这种种形态的内的纽带探求出来,要完成这一工作后,才能把现实的运动适应地叙述出来。"就是这个关系。所以,叙述的方法,形式上和探讨的方法不同。叙述只采取一个路径——从简单的东西逐渐向上进到复杂的东西;而探讨则须在探讨以前,就具体物(这场合为资本家社会)分析其种种发展形态,从最复杂的东西逐渐去求较简单的东西,于是把研究对象的具体物之最舍象的一面——一定的范畴(这场合为商品)定立起来。

*　　　　*　　　　*

---

① 考茨基版,"序文"第46页;参看陈译中文本,"序文"第185页。
② 恩格斯:《马克思的政治经济学批判》。

我们若想科学地分析事物，便要从那事物的最简单的范畴进行研究。为什么呢？因为复杂的东西，不会一下子就可理解，那要先尽可能地分解简单的东西，把它们一一加以研究，然后综合这些简单的东西去理解其全体，只有采取这种次序才行。关于这一点，《政治经济学批判序言》第三节"政治经济学的方法"之起首，曾说明如此①。

　　我们把某一国用政治经济学的方法去观察的时候，我们就以该国的人口及其人口对各阶级的分配，对都市农村海洋的分配，对种种生产部门的分配，并输出和输入，每年的生产和消费，商品价格等为始。以为从现实的前提之实在的，具体的东西开始，——例如在经济学上，从社会的生产行为之基础和主体的人口（Bevölkerung）开始，——许是正当方法。可是这种方法，在较详细去观察它的时候，就理解它的谬误。人口这东西，若是除开构成它的诸阶级，它便是一个抽象物。这些阶级，若是不懂构成它的诸要素——如工钱劳动、资本等，也是一句空话。工钱劳动、资本等，又是以交换、分业、价格等为前提的，资本若没有工钱劳动、价值、价格、货币等，便不存在。所以，我们若以人口为始，恐怕对于全体就是一个混沌的表象，恐怕我们就要因较精密的规定，在分析上逐渐达到更简单的概念。从被表象了的具体的东西逐渐进到稀薄的舍象的东西，这恐怕终要达到最简单的诸规定吧！从此我们再旅退到后方，恐怕终又达到人口上面去吧！但是，此刻不是对全体成为一个混沌表象的人口，乃是从许多规定和关系所成立的一个丰富的总体性的人口。第一个方法，是经济学发生时历史上采用过的方法。比如17世纪的经济学者们，便时常以活的全体——人口、国民、国家、诸国家等为始。然而他们往往止于用分析去搜出了具着仅少的规定之舍象的，一般的诸关系，如分业、货币、价值等。到了这一个一个的契机多少被固定被抽象时，而从劳动、分业、欲望、交换价值这类简单的东西向上到国家，诸国民间的交换，世界市场的经济学的诸体系，便开始了。这后者的方法，明明是科学上的正确方法。具象物之所

---

① 《政治经济学批判序言》，德文本，第35页。

以是具象物的,就因它是许多规定的总括,多种的统一。所以,具象的东西,在思维上呈现为总括的过程,呈现为结果,却不呈现为出发点,哪怕假定它是现实的出发点,是直观及表象的出发点。在第一个方法上,完全的表象被蒸发为舍象的诸规定;在第二个方法上,是从舍象的诸规定出发,达到思维所行的具象物的再生产的。

以上的文句,向来虽有种种解释,但据我的见解,则关于以上文句的界限内,并不是叙述马克思的何等特异的研究方法的,那里所明白指示的,不过是说从舍象的东西向上到具象的东西这方法,乃是一般的"正确方法"罢了。

所以,马克思在那里明白地说:"到了一个一个的契机多少被固定被抽象时,而从劳动、分业、欲望、交换价值这类简单的东西向上到国家,诸国民间的交换,世界市场的经济学的诸体系,就开始了(beginnen)"。他所视为和这正确方法相对立的,就是"17世纪的经济学们"用过的科学以前的方法。如果具有何等体系的经济学一成立,那就无论何时,在某种程度上,所采取的方法,总是从舍象的东西向上到具象的东西(要说马克思的《关于剩余价值的诸学说》,是对于那种体系的成立而执其批判之笔的也可以)。例如培第,马克思就说他是英国"国民经济学之父"①,又说他是"近代经济学的创造者"②,他所著的《政治算术》(1691年),马克思称为"经济学成为独立科学而分离了的最初形态"。我们在他的各种著作上,已看见他所采用的,是从最舍象的范畴——劳动出发向上到较具象的表面的诸现象的方法。他把商品生产上所费的劳动时间,当作 the foundation of equalizing and balancing of values(价值的平均化及平衡化的基础),并且还附带地说:yet in the superstructures and practices hereupon, I confess there is much variety and intricacy(并且我相信成长于这基础之上的上部构造与实际上,有种种变化和错综)③。这就是他明了地理解了从基础向上到上部构造的方法。再看培第后的亚丹斯密,他在所著的《诸国民之富》(1776年)起首,就揭出劳动,并把第一卷第一章题为"分业

① 《政治经济学批判》,德文本,第35页。
② 《关于剩余价值的诸学说》第一卷,德文本,第1页。
③ *A Treatise of Taxation and Contribution*,1662,p.25.

论"。他从那里出发,直到第三卷以下,才向上到国家、诸国民间的交换等。换言之,他的体系,是正和马克思所谓"从劳动、分业、欲望、交换价值之类的简单的东西向上到国家、诸国民间的交换的经济学体系"相当的。1817 年刊行的李家图的《经济及租税的诸原理》,也从价值出发。现在还在资本家经济学者间占势力而以限界效用说为基础的经济学,也是从欲望出发的。所以,如果从舍象的东西向上到具体的东西这中间,诚如福本和夫所说的一样,具有"发端的唯物辩证法的决定方法"之特征,那就从培第起——亚丹斯密、李嘉图自不消说——直到属于奥大利学派的一切资本家的经济学者,都采用了"发端的唯物辩证法的决定方法"。

据我的见解,马克思所以说后者的方法,明明是科学的正确方法的,不过是这种意义:若问从具象的东西下向到舍象的东西这方法正确呢? 抑从舍象的东西向上到具体的东西这方法正确呢? 不用说,后者的方法是正确的。他开头大概就决定了这一点,以下便是想专努力于排除这后者的方法所易引起的误解的。我们另设一项来考察其主要之点吧!

四、成为最舍象的范畴之商品和成为具象的全体之资本家社会,不可分离地同时存在

较舍象的范畴——已经说过——在大体上,对于较具象的范畴,是历史的先驱。所以,"资本的近代生活史",虽始于 16 世纪,而商品则从七八千年前,已在这地球上出现了。可是被放在《资本论》的起首的商品,并不是初在历史上出现的这样最萌芽的商品,它乃是和《资本论》的研究对象之资本家社会完全不可分离的同时存在的东西。据我的见解,《政治经济学批判序言》的第三节"政治经济学的研究方法",其眼目,似乎是在于把舍象的范畴和具象的范畴之间的如上所述的联络弄明白,以下试述其一斑。

＊   ＊   ＊

已经说过,《资本论》所采作研究的出发点而视为最舍象的范畴之商品,不是单纯的思维所抽象出来的产物,它乃是以人类之社会的历史的行为所引起的舍象作用的产物,在资本家社会的现象上,"实际上真实的表现出来"的一种现实的实际的范畴。因此——那种东西——它和资本家社会成了不可分

离的同时存在。

马克思把此中的消息,就那成为最舍象的范畴的"人类劳动",详细地说明过。这在我们一会儿就要遇着的马克思劳动价值说的理解上,也是极重要的事情,所以稍稍长段的把他的论述引用一下。

　　劳动,全是一个简单的范畴。在这一般性上的——成为劳动一般的——它的表象,也是极陈旧的东西。虽是那样,而经济上在这个简单性上(Einfachheit)被理解的"劳动",和创出这简单的舍象的东西的诸关系(社会的诸关系——补注),一样地是一个近代的范畴。

　　对于劳动的一定种类不留意,是以现实的各种劳动极发展的一个总体性——任何种类的劳动都已经不是支配着其他一切劳动的东西——为前提的。所以,最普通的舍象物,一般的只在最丰富的具象的发展上——一个东西表现为许多东西所共通表现为一切东西所共通——才成立。这么一来,便无所谓只可在特殊形态上被考察的事情了。另一方面,所谓劳动一般的这种舍象物,它就只有成为诸劳动的具象的总体性之结果而始产生。对于一定劳动的不留意,是适应于:个人容易由这一劳动移往那一劳动,并且从个人看来,劳动的一定种类是偶然的无须留意的这么一个社会形态的。这里,劳动不仅范畴上是创造财富一般的手段,现实上也是创造财富一般的手段,它丧失了以规定的资格与个人相结合而在某种特殊性上去成长的情形。这种形态,在市民社会最表现出近代的存在形态的美国,成功着最大的发展。所以,这里所谓"劳动","劳动一般",Arbeit sans phrase(单纯劳动)——这么一种舍象的范畴,即近代经济学的出发点,才实际的成为真实(erst praktisch wahr)。于是构成近代经济学出发点的那种最简单的舍象物,虽是把适用于一切社会形态的极陈旧的关系表现出来的,然而在这种舍象性上,只有成为近代社会的范畴,实际上才真实的表现出来。

　　劳动的这种例子,极明了地指示出来的事情,便是:尽管最舍象的范畴——正因为它的舍象性——对于一切时代都适宜,然在那种舍象性的定则上,它自身还是历史诸关系的产物,并且,它唯有对于那些关系在那些关系的内部，才具有那完全的适宜性。①

在以上的文句中，已把我们的研究所应采作出发点的最象舍的范畴之唯物论的基础，——即，成为唯物辩证法的研究出发点的最舍象的范畴，绝不是思维本身的产物，它们乃是"适应于一定的社会形态"的"历史诸关系的产物"，它们"实际的成为真实"，是我们可就目前的社会经验地去确认的事实，归根结底，它们不外就是我们当作目前社会所摆在那里的东西，去直接承受的前提，——极明白地指示出来了。

拿《资本论》的用语来说，那只当作 abstrakt menschliche Arbeit（舍象的人类的劳动）看的，当作"不顾虑它的支出形态的人类劳动力的支出"看的，当作"人类的脑髓、筋肉、神经、两手等畴②之生产的消费"看的人类劳动——这种最舍象的范畴，在"资本家的生产方法支配着的诸社会"，是以一切种类的劳动生产物之相互交换的结果，实际上成为真实的东西的。它的前提，便是那由于一切种类的劳动生产物之全面的让渡（资本家的生产方法若不成为支配的形态，那种事态便不会现实地产生出来），而在那些生产物中对象化了的"现实的一切种类的劳动"，遂形成"一个极发展的总体性"的事情。人类的劳动，它在其一切多样性上完成了"最丰富的具象的发展"时，这种最丰富的具象性的一面才实际上真实地获得最稀薄的舍象性，把具象物和舍象物的对立在那种统一上去把握，这里是根本的重要事情。从生产商品所费的劳动中舍象它的有用性的舍象，从当作商品被生产出来的劳动生产物中舍象它的使用价值的舍象，换言之，成为价值的一切种类的商品之同质性（例如英国的国王在他举行即位式的时候所用的那顶嵌上几多珍贵金刚石的王冠，也不过值几百万元的金钱，我们日常于愿已足的简单的布鞋草履，还是值几元的金钱。归根结底说起来，在商品世界，无论什么物品，在它成为价值的时候，一切都是舍象它的品质上的差异而只有分量上的差异的），它们都要在"现实的一切种类的劳动"形成"一个极发展的总体性"时，成为这样最丰富的统一体的一面，才是横

---

① 《政治经济学批判序言》第二节。
② 此处疑有排印错误。——编者注

在我们眼前的所给予我们的经验的事实。

所以,我们在这里所视为问题的舍象的范畴,和形式论理上所考察出来的普遍表象的抽象的概念——弃去种种东西互相区别的特殊性,由于确执同一的共通性而成立的抽象的普遍性(黑智儿)——完全不同。即如就劳动去观察它吧!我们若是把那种成为普遍表象的劳动一般作为问题,它便绝不需要那商品生产完成了高度发展的社会形态。因为我们的劳动力,无论在什么时代,都多少是在相互差异的具体形态下支出的,所以,假使把捕获鱼类的劳动、生产谷物的劳动、织布的劳动——等等特殊诸形态的劳动集合起来,造出所谓劳动一般(严密地说,这是具体的劳动一般)的一种抽象的概念,那实际上,就和从存在着的苹果、梨子、莓子、李子等中造出那成为一般的表现的果物一样(参看 Die Heilige Familie,第五章第二节),无论在什么时代都是可能的,在这一意义上,"这一般性上的——成为劳动一般的——它的表象,是极陈旧的东西"。和这不同,马克思所说的那个意义上的"舍象的人类的劳动",要在"现实的一切种类的劳动被一个极发展的总体性"所统一时,成为那种极复杂的具体的活的统一物的一方面或一契机,才是现实地存在的。它是正以那种东西的资格,现实地形成商品价值的"实体"的。

我们现在就当前的问题商品来观察也完全同一情形。它虽是我们所采作研究出发点(在资本家社会所采的)的最舍象的范畴之一,但是它在思维过程上,最后要和那可以精神上再生产出来的具象的东西——资本家社会或资本家社会的富在一起,才"实际上真实地表现出来",它只有和这同时才能存在,才是完全和这不可分离的东西。"资本家社会的富,呈现为一个庞大的商品集大成,各个商品,呈现为那种富的原基形态",像这样的最丰富的具象的东西和最稀薄的舍象的东西,所以被 erscheinen(呈现)一语所包括而出现于《资本论》起首的,就是那个缘故。成为最舍象的范畴的商品,因为除了成为最发展的商品生产社会——所谓资本家社会的具体物——的一面之外,不能现实地存在,所以,它要成为现实的东西而存在,必定常以那种具体物为前提。因为它是最丰富的具体物之一面的最舍象的范畴,所以它对于最丰富的具体物获得了"卵细胞"的性质,把最丰富的具体性当作可能的东西而包含于自身中,据我所见到的说,把那可以作为研究之发端的最舍象的范畴,当作研究对象的具体物之一面而到外的现象中去发现，因而把最舍象的范畴在具体和舍象的辩证法的统一上去把握，这中间，是横有发端的唯物辩证法的把握之意义的。成为现实出发点的事实，是任谁的眼中都映入的，唯物辩证法便于那种确定的事实中，把研究的出发点，在那最大的含蓄上去把握。因为它把最舍象的范畴，当作"实际上真实"的东西而在其现实性上去把握，所以它是唯物论的，因为它把最舍象的范畴和最具象的范畴，当作不可分离的对立物的统一而在其全体性上去把握，所以它又是辩证法的。

马克思说：

> 从舍象的东西到具象的东西之向上的方法，不过是对那要占有具体物的思维而采用的一个方式，换言之，不过是对那要把它当作一个具象物去精神上再生产的思维而采用的一个方式。它绝不是具象物的自身的成立过程。最简单的经济范畴，例如交换价值以人口为前提，即是以正在一定关系上生产的人口为前提，并以一定种类的家族，或共同团体，或国家等为前提。交换价值，是除了成为已经确定的具象的活的全体之舍象的一面的关系以外，绝不能存在的东西。①

把它适合于当面的情形说，那么，《资本论》所采作研究出发点而视为最舍象的范畴之商品，就是以那成为"许多规定的总括"成为"多样的统一"的最后可由思维去精神上再生产出来的具体物——资本家社会或资本家社会的富——作前提的，它除了成为那种"具象的活的全体之舍象的一面的关系（因为舍象存在的东西，所以不是全面的而是一面的）以外，绝不能存在"。它既不是六七千年前初在历史上出现的最初的商品，也不是从所谓资本家社会的一种"具象的活的全体"中脱离出来而独立存在的简单的各个商品（不以完成了高度发展的生物——例如人类——为前提而生存的那种独立生物的单细胞动物）。不以最发展的商品生产社会为前提便绝不能存在的那种最舍象的范畴之商品，和离开了人类的成熟体便绝不能存在的那种卵细胞相类似。所以，

---

① 《经济学批判序言》。

我们的研究,尽管是以最舍象的范畴为始,而那时候,社会(成为最丰富的具象物的资本家社会)却不能不常常浮在表象上①。

五、论理的出发点(及论理的进行)到历史的出发点(及历史的发展)之适应

已在上面说过,《资本论》这个著作,是从资本家社会最舍象的最简单的范畴之商品出发,以后渐次向上到较具象的较复杂的范畴,把作为研究对象的资本家社会这一具象物,当作具体物——当作许多规定的总括,多样的统一——由思维把它在精神上(在我们的意识中)再生产出来的。然而采用哪种方法的时候,思维的进行,必然地适应于现实上的史的发展过程。为什么呢?因为现实上的事物发展过程,常是采取:从最简单的东西渐次到较复杂的东西这么一种路径的,并且,唯其现实的事物采取那种发展过程,那想科学地去把握现实的思维,才适应它而采取那种进行过程。所以,如果论理的进行,已经适应着现实上的事物发展过程,从此,事实之理论的把握,同时就要生出把那运动法则弄明白的一种必然性来。

假使我们把思维过程上的资本家社会之精神的再生产(在我们的头脑中,把它理论地生产出来的过程),拿来和生物学上所说的个体发生(Ontology)相当,把现实上的资本家社会之史的发展——诞生、生存、发展、死灭——过程,拿来和生物学上所说的系统发生(Phylogeny)相当,那么,我们当可在此发现那和赫克尔所谓个体发生就是系统发生的缩图这种法则相同的关系。据生物学者的说明:无论什么生物,最初都是一个细胞——卵子,要这卵细胞一重一重分裂之后,才成长到多细胞的生物,而那种个体发生中所现出的特别形态,任何一个都是发生物的系统发生中所现出的形态,即是某祖先时代已有的形态。所以,在各种生物的个体发生中,往往现出共通的形态。例如腔肠动物以上的动物,其个体发生中要经过桑葚期、囊状期、原肠期等,这是任何一个都一样的事情,它在桑葚期的形态有似魔包子(Pandorina),在囊状期的形态有似团走子(Volvox),在原肠期的形态有似水螅(Hadra)。再说脊椎动

① 《政治经济学批判序言》。

物,任何一个当幼稚的时候,都在颈子的两侧生出有似鱼类鳃孔的裂孔,它的心脏为一心耳一心室,而血液循环的路线则和鱼类所成长的一致。再说属于甲壳类的虾和蟹,它们在个体发生中,所要经过的特别诸形态,就和那称为老布里司期(Nualina staga)、水蚤期(Zoea stage)、糖虾期(Mysis staga)等与它们同类而属于下等动物的类似。恩格斯关于这一事实曾在《反杜林格论》中说道:"……近年来在聚积起来的动植物搜积学及动植物解剖学的庞大领域之外,产生了拉马克以来的两个极重要的崭新科学,这便是植物及动物的胚种之研究(发生学),和保存在地壳各层上的有机物的残骸之研究(古生物学)。就是说,发现了有机物的胚种到成熟的有机体之阶段的发展,和地球的历史上挨次出现的植物及动物的顺序间是一致的这么一种奇迹。进化说上给了最确实的基础的,正是这个一致。"

那种奇迹的一致,《资本论》的到处都表现着。《资本论》虽然想把现代资本家社会,在思维道程上再生产出来,而各种经济的范畴随思维进行以出现的论理顺序,却每每适应着那些范畴在经济史上出现的历史顺序。就看第一篇的"商品及货币"吧,那里也是先出现商品,再出现货币;再看那关于商品的价值形态的一节(第一章第三节),它是从简单的价值形态出发,经由扩大了的价值形态,一般的价值形态而最后到达货币形态的;更看关于货币的一章,也是从价值的尺度出发,经由流通手段、蓄积手段、支付手段而最后到达世界货币的。我们是要把第一篇的"商品及货币"读完之后,才进到第二篇"货币到资本的转形"的。换言之,就是要走商品到货币、货币到资本的顺序。还看一看关于"相对剩余价值的生产"的第四篇,那里是简单的协业最先出现,这简单的协业,是"在历史上、概念上都形成资本的生产之出发点"的东西①(凡是翻开这些论述协业的第十一章的人,恐怕谁都要被它惹起注意于论理和历史之奇迹的一致。那不但征之西欧的历史是那样,就是征之明治初年的历史——日本初成立生丝工场的史实——也是可惊的一致)。在它的次章上,才出现"分业及工场手工业",更次一章则出现"机械及大工业"。在这种种一切的处所,范畴都是追踪各种历史顺序而出现的。

---

① 考茨基版,第一卷,第270页。

那么一来,《资本论》上的论理之展开,大概同时便是指示那阅历了过去几千年历史的商品(它的生产及交换的)发展过程之缩图的。为避免万一的误解起见,还得注意一下:所谓横亘过去几千年的商品之(它的生产及交换之历史,并非和过去几千年间)经济史(过去的各种社会形态的历史)是同一的东西。如果把过去的社会诸形态的历史概要地指示出来,或许就是以下的图表所揭的关系。

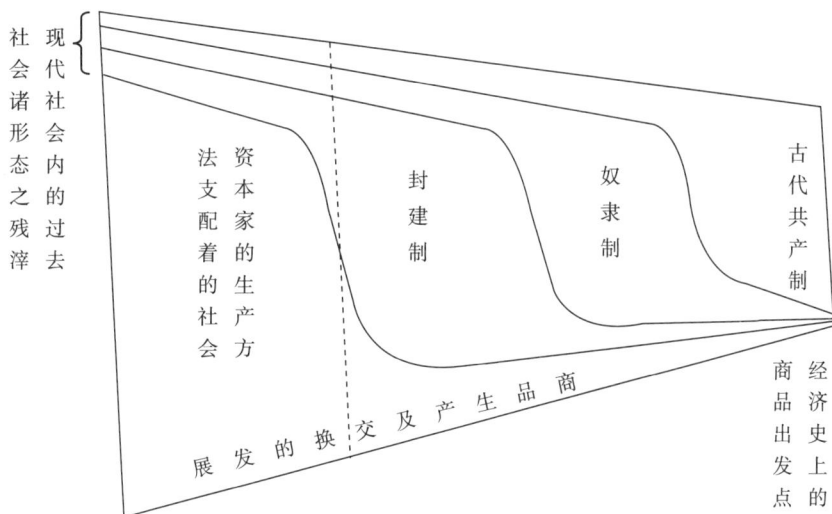

社会诸形态之残滓　现代社会内的过去

法支配着的社会　资本家的生产方　封建制　奴隶制　古代共产制

商品生产及交换的发展

商品出发点　经济史上的

《资本论》"最后的穷极目的",已经在绪言之一说过,就是"暴露近代社会(即资本家的生产方法支配着的社会)的经济的运动法则"。为达这一目的,那里便研究着"资本家的生产方法和适应那一生产方法的生产关系及交易关系"。然而,《资本论》和我们正在这里说明的一样,因为它采取从资本家社会的最舍象的范畴之商品出发,渐次向上到那受了较复杂的规定的诸范畴这么一种方法,所以它的论理的展开,同时又适应商品的,它的生产即交换的史的发展。这个商品史的发展,和过去社会诸形态,具着什么关系,那已于前表指示过。就是说,商品发端于古代共产制——一个共产体和另一共产体的分歧点——以后通过奴隶制所支配的社会和封建制所支配的社会,渐次完成它的发展,而在封建社会的末期,"商品生产及发展的商品流通——商业——已经达到发展的一定高度",那里,我们更能发现那可以"开资本的近代生活史之端"的"世界商业和世界市场"①。这恰是我们在《资本论》第一篇("商品及货币")内,发现的以上范围内的商品之史的发展(从它的出发点起,到资本开了它的近代生活史之端为止的)的缩图。所以,如果仍把前面所用的比喻再用一下,可说这第一篇是和母胎内的个体发生的过程——恐怕那就是今日生物学上所说的那种固有意义的个体发生的过程——相当的东西(到了第二篇"货币到资本的转形",资本的范畴才出现,可说资本是把那里当作分歧点,从母胎产生出来而独立的个体)。

还要顺便说一说的:现代社会,绝不是纯粹的资本主义的社会,这已在前面所列的图表内弄明白了。列宁把 1918 年的俄国社会解剖出来,列举五项为它的社会组织要素,即:(一)家长制的要素,这大部分是自足经济的农民生产;(二)小规模的商品生产(资本制以前的简单商品生产);(三)私经济的资本主义;(四)国家资本主义;(五)社会主义②。不消说,那种要素的内容,只有多少的差异,无论什么国家,现代社会组织都富于多样性,绝没有所谓纯粹资本主义的国家存在。这件事情,必然使现代社会的研究触到资本主义以外的其他社会诸形态。"要完全成功对于资本家经济学的批判,单只生产、交换及分配的资本家形态的知识还不充分。走在这形态前或与这形态同在未发达诸国内今日还存在的诸形态,至少也要研究它的粗枝大叶,比较对照一下"③。"资本家社会,是生产最发展并且最多样的历史组织体。……资本家社会,是建筑在已经没落了的一切社会诸形态的废墟和要素之上的,那些社会诸形态的一部分以还未克服的遗物在资本家社会性中保持它的残生,一部分往往只是暗示的东西,在资本家社会内发展到完全的意义"。所以,"把资本家社会的诸关系表现出来的诸范畴及其编制的理解,同时又是向资本家社会,给予它以对于已经没落了的一切社会诸形态的编制和生产诸关系的一个洞察"④。在这一意义上,可说"人类的解剖,就是对猿的解剖之一关键。资本主义社会(资本家的社会)的经济学,是对于古代等经济学提供一个关键"的。就是说,

---

① 参看《资本论》第一卷,考茨基版,第 277 页。
② 《列宁著作集》第一卷,第 6 页。
③ 《反杜林格论》。
④ 《经济学批判序言》。

对于资本家社会之理解的解剖——那在我们的思维上，表现为以商品这卵细胞作出发点的个体发生的过程——不仅把商品的（它的生产及交换的）史的发展过程——系统发生过程——弄个明白，且因提供对于社会诸形态的洞察，使那和生物学上的生物进化过程相当的社会诸形态的进化过程的洞察，成为可能。

我们在前面说过：《资本论》的出发点这一语上面，可以附上种种内容，而且在某种意义上，第一卷第一篇的全部是形成《资本论》本文的出发点的。从那种观点看来，论理的出发点及论理的进行，正适应着历史的出发点（及历史的发展）。《资本论》上的理论之展开，它进行的顺序，是从商品到货币，从货币到资本，那正是适应于现实上的历史发展过程的东西。然而我们若是把《资本论》的出发点这一语，用和以上不同意义来解释，认为就是指的它的起首所分析的商品，那么，它的出发点，便绝不是和历史的出发点相适应的。换言之，《资本论》的起首所分析的商品，断乎不是适应于那实系经济史上初出现的最初商品——在古代共产体和共产体的分歧点上发生的最初商品的。

马克思在《政治经济学批判序言》中，曾反复叮咛地说明这一关系。出现于这思维道程之最初阶段上的简单范畴，在具象的范畴以前，究竟是否保持住它的历史的存在？马克思关于这一点，曾说道：

> 这些简单的范畴，在较具象的诸范畴以前，没有具着一个独立的历史的存在或自然的存在么？也可以说是那样，也可以说不是那样。
>
> 货币这东西，在资本存在以前，在银行存在以前，在工钱劳动等存在以前，是可以存在的，并且历史上存在过了。所以从这方面着眼，可以这样说：较简单的范畴，可以把比较未发展的全体的支配关系——那全体在没有发展于较具象的范畴所表现的方面时，历史上已经存在的（诸关系）——表现出来。在这一限界内，从最简单的东西向上到复杂的东西之抽象的思维法则，便是适应于现实的历史的过程的东西。[①]

---

① 《政治经济学批判序言》。

在简单的范畴表现着未发展的全体这限界内，抽象的思维法则，是适应于现实的历史的过程的东西，那恰和卵细胞在表现着单细胞动物这种未发展的全体的限界内，就动物进化的出发点说，可说它保持住它的独立的历史的存在或自然的存在，是一样的事情。然而马克思一面那么说，同时又深深注意地向我们提供下面的说明。

但是，从舍象物面上到具象物去的向上方法，不过是对于那要占有具象物的思维而采用的一方式，即是对于那要把它当作一个具象物去精神上再生产出来的思维而采用的一方式。那绝不是具象物自身的成立过程。最简单的经济范畴，例如交换价值，它以人口为前提，以正在一定关系上生产着的人口为前提，并以一定种类的家族或共同团体或国家等等为前提。交换价值，是除了成为已经确定的具象的活的全体之舍象的一面的关系以外，绝不能存在的东西。①

那和说个体发生不是系体发生是一样的事情。例如保着历史的独立存在的单细胞动物，固然是生物的进化发展上的前提，可是已经完存了高度的进化发展的人类的卵细胞，——纵令那种形态怎样的类似着单细胞动物，——如果离开那完成了高度的进化发展的人类的成熟体（"已经确定的具象物的活的全体"），便绝不能存在。这样，就和观察卵细胞的时候，成熟的个体，每以前提的资格浮现于眼前一样，"在经济学的理论方法上，主体的社会（若是关于资本家社会的经济学，那就是资本家社会——河上补），也每以对于表象的前提浮现于眼前"。我根据那种理由，也认为在《资本论》的开头出现的商品，不是资本家社会以前的商品，它只是从资本家社会的商品（资本家的商品）中，舍象了种种复杂规定的东西。那是"资本家的生产方法支配着的社会的富的原基形态"，可说就是资本家社会的富的"卵细胞"。马克思说："在经济范畴的道程上，一般的和在一切历史科学上一样，也要时常牢记着以下的事情：在头脑中也和在现实上一样，主体——这里为近代资本家社会——是确定了的；

①　《政治经济学批判序言》。

所以,诸范畴,是往往只把这一定的社会的主体 Daseinsformen(存在的诸形态)、Existenzbedingungen(存在诸规定),表现出它的个别方面来的;所以,(经济学)在成为科学上,绝不是从这些范畴成为那种范畴而存在的时候起才开始的。"①

论理的展开,是适应于历史的发展而开始其进行的,这已在前面指示过,是从题名《第一章之三,价值形态》这部分为起的事情。这里,是从最不为人注意的萌芽形态的"简单价值形态"出发,最后到达眩惑人目的灿烂的"货币形态的"(我们往后还要详说)。论理的出发点之(及论理的进行)向着历史的出发点(及历史的发展)一一地适应,在这第三节以下,正确地显现出来了。

六、出发点和到着点之间的辩证法的循环

"应该以什么为科学的发端呢?"(Womit muss der Anfang der Wissenschaft gemacht werden?)这是黑智儿在《论理学》第一篇的开头所提出的问题。依他的意见,"哲学的发端,不能不是被媒介了的东西或直接的东西,但是,那是很容易指示出:既不能是一方的东西,也不能是他方的东西"。为什么呢? 因为若是被媒介了的东西,它就应该成了依存于他方的东西,若是直接的东西,又缺乏了论证。"在哲学上发现发端之困难",就是解决那种两刀论法的困难。

马克思在《资本论》上,是如何解决那种两刀论法的呢? 我还想把这一点弄明白,虽然这只是对于以上数节所述的给它一个别样表现的。

已经屡次说过,《资本论》是从当作最舍象的范畴之商品(或商品交换)出发,随思维的进行而渐次添加种种规定,向上到较具象的范畴,最后在思维运动的终结点上,把叫作资本家社会的富(或资本家社会的生产诸关系)的具体物,精神上再生产出来的。简单地说,它是以商品(或商品交换)为研究的出发点(始点),以资本家社会的富(或资本家社会的生产诸关系)为研究的到着点(终点)的。然而据我的见解,在那种思维的全运动上,它的始点是以终点为前提,同时,它的终点又是以始点为前提的。但是,如果说到终点以始点为前提,那在思维进行上,原是当然的事情,无论在什么论理上,论理正需如此进

---

① 《政治经济学批判序言》。

行。然而反过来，同时，始点又以终点为前提，这就不外论证的出发点又依存于论证的到着点，结果，正是一个循环论，这样，论证就要被看作完全 endless（无边际）的东西了。然则《资本论》怎样在使始点依存于终点，同时又使终点依存于始点之中，仍把那里横着的矛盾合理地统一了的呢？这便是这里的问题。

要把这一点弄明白，我们首先必须看看始点是在什么意义上依存于终点的。

已经说过，在《资本论》的开头，首先被分析着的商品，是成为资本家的诸社会的富的原基形态的商品，所以，它是离开了资本家的诸社会或资本家的诸社会的富——若不把这作前提——便不能存在的东西。这种场所，各个商品不是孤立地存在着的东西，它只有和旁的、和全体、和表现着一个可惊的庞大的商品集大成之资本家的诸社会的富相接合，把自己媒介于它们，才具着那种资本家的诸社会的富的原基形态那么一种普遍性。在那种普遍性上的商品——商品形态（Warenform）——虽是"极无内容而且简单"（sehr inhaltslos und einfach）（《资本论》第一卷，第 10 页）的东西，然而又因为它是充满了最丰富的内容而最具象的、最复杂的资本家的诸社会全体的富之一面，所以它的无内容，是以最丰富的内容为背景的无内容，它的简单性，也是潜伏着最复杂的诸规定的简单性，它具着和形式论理之抽象的普遍性相对立的具象的普遍性。

《资本论》把当作那种意义上的最普遍的——也就是最舍象的，所以又是最简单的——范畴的商品之分析，作它的发端。所以在《资本论》上，从最初起，资本家的诸社会并资本家的诸社会的富，就被作了前提。但是研究，还是以这极复杂的对象之一面——那虽是最基础的，然而是最舍象的，所以又是最简单的一面的商品交换或商品（富的原基形态）——的分析为始。就是说，发端，就是当作最复杂的东西的一方面或一契机的最简单的范畴。

因此，基于思维的 Vorwärtsschreiten（前进），和黑智儿所说的一样，在某种意义上就是 Rückwärtsgehen（复归）。我们虽是：从最舍象的东西出发，渐次进到较具象的东西，最后在当作"许多诸规定的总括"、"多样的统一"之具象的东西上面，把研究的对象在精神上再生产出来的。但是，成为那种出发点的舍象物,却是横在到着点上的具象物的一面,——"具象的东西是现实的出发点,所以又是直观及表象的出发点"①,——所以,若是当作前者依存于后者,不过是从后者派生出来的东西,那么,思维上的前进,诚如黑格尔所说:不外就是 ein Rückgang in den Grund,zu dem Ursprünglichen und Wahrhaften ist,von dem das,womit der Anfang gemacht wurde,abhängt und in der Tat hervorgebracht wird(向本源的东西去的复归)。Dies Letzte,der Grund,ist denn auch dasjenige,aus welchem das Erste hervorgeht,das zuerst als Unmittelbares auftrat (最后的东西,就是最初的东西所由生的东西)。因此,我们的思维,结局便成了一个循环的描写。"科学的全体,在它自身上是一个循环,所以最初的东西又变成了最后的东西,最后东西又变成最初的东西"②。

但是,这种循环和形式论理上的循环论的循环不同。

许多学者,只甘愿用形式论理上的循环论。高田保马博士曾在《效用、价值及价格》的论文中,说过下面一段话:"这说明的方法,结局,不是终于循环的说明么……。我对于这一点是这样观察:纵令说明是循环的,如果认为没有其他的说明方法,那就是不得已的循环的说明。拿有限的知性能力说,循环的说明也是不得已的时候,在不得已的时候,便不得不用它去满足。那总胜于不说明,总是指示某项的知识……"③然而我却不能满足那种循环的说明,我并认为唯物辩证法指示了我们脱出那循环的道路。

对于鸡何处生的发问,答复他由鸡卵所生;然而在反问鸡卵从何处生的时候,又答复他由鸡所生,这或许也"是指示某项的知识",然而我们的科学研究之不能满足于那种知识,当无须多言了。唯物辩证法,指示了我们得能从那循环脱出的科学的方法。它说鸡和卵是一个统一物所含的对立物,卵从鸡生,所以卵若离开鸡而不以鸡为前提,卵便不能存在,一样,鸡从卵生,所以鸡若离开卵而不以卵为前提,鸡也不能存在。所以,如果鸡和卵既已存在,那就是从卵生出而又生卵的鸡的存在,鸡和卵这两个东西,是鸡的生存上之一个统一的事实,不可分离的构成分子,同时,并是确定的事情。所以把离开卵的鸡和离开

①　《经济学批判序言》。
②　黑智儿:《论理学》,拉茨孙版,第56页。
③　《经济论丛》第2卷,第16页。

鸡的卵当作一个观念的,是形而上学的思维方法,所以,那探究鸡和卵谁是最初的东西的问题,实在问题的本身就错误了。

这就当前的问题去观察也是一样。那不是各个商品而是最舍象的范畴之商品,要在商品生产完成了"最丰富的具象的发展"之社会,才成为"实际的真实"东西而存在。"只有在资本家的生产基础上,商品这东西,才是生产物的一般形态,资本家的生产越发展,生产物便越发多以商品的姿态投入生产过程中而成为它的成分。从资本家的生产中出来的商品,和资本家的生产从它出发而为资本家的生产之原子的商品不同。放在我们前面的东西,早已不是各个商品,各个生产物了。各个商品,各个生产物,不仅表现为现实的生产物,并且表现为商品,不仅表现为全生产的现实部分,并且表现为全生产的观念部分"①。到了各个商品已经不是表现为各个商品,而是"表现为全生产的观念部分"的时候,那当作最舍象的范畴之商品才产生。唯其是那样,所以那成为舍象的范畴之商品或商品交换,除了成为已经完成十分发展的资本家社会的一种"具象的活全体之舍象的一面关系外,绝不能存在"。亚里士多德的时代,也有各个商品的存在,也行着各个商品交换。可是他所生存的社会,还没有成为"商品形态是劳动生产物的一般形态,商品所有者的人类相互关系是支配的社会关系"这么一种社会。所以,成为最舍象的范畴之商品,在他的时代他的社会,还不能现实地存在。以他的优美的天才,犹且不能看取商品价值的实体是什么,就是这个缘故②。然而,"商品变成生产物的一般形态的资本家社会,如果已经成立了,那就一切种类的劳动生产物之全面的让渡,在事实上显现出来,所以,各个商品,无论它属于什么种类,都在社会全体之富的代表资格上表现出来,不但集合拢来,各个商品是社会全体之富,并且各个商品,无论和构成社会全体之富的分子中的任何一个都能交换,在这一点上,各个商品,也具有代表社会全体之富的资格。"实在,在具有那种资格的一点上,劳动生产物才变成商品,因此,它"不但表现为全生产的现实部分,并且还表现为全生产的观念部分"。换言之,就是各个商品中潜在着货币。它们一个一个

---

① 《关于剩余价值的诸学说》第四卷,第130页。
② 《资本论》第一卷,考茨基版,第84页。

都是 An sich des Geldes。那种事实,在资本家社会,是以直接的东西(Unmittelbares)摆在那里的。就是说,被媒介了的东西,同时又表现着是直接的东西。所以,它是具有 die Festigkeit eines Volksvorurteils(国民的信仰之固定性——马克思)的东西,是 ein unmittelbares,schlechthin anfangendes Wissen,ein glauben(直接的,完全初步的一个知识,一个信仰),或是 das eigentliche unmittelbare Wissen(原始的直接的知识——黑智儿)。《资本论》便是以那种直接的知识作它的出发点的。

因此,我们就知道以下的事情,《资本论》的研究之出发点,在它是位于到着点的具体物之舍象的一面关系这点上,它虽是依存到着点的,虽是从那里派生出来的,但位于到着点的具体物,是现实上直接摆在那里的一样,为出发点的最舍象的东西,也是现实地在该具体物上,以其某一面的关系直接摆在那里的。在这点上,出发点便不是由思维的媒介从到着点推论出来的,基于这个意义,它丝毫都不依存于到着点。我们不是由于用思维去分析鸡而发见卵的,可说最初就把鸡和卵都当作确定的东西在探究,同样,最舍象的终点和最舍象的始点,都成为直接的东西现实地表现出来,而舍象的东西,就成为那具有丰富的多面性的具象物自身的某一面现实地表现出来。由于这一点,这两个东西,最初就是同时替我们确定了的。在两个都是直接的确定了的一点上,便两个都不是依存于他方的东西。

说到从舍象的东西向上到具象的东西去的思维途径,那就好似为了分析具体物,而把具体物的皮一层一层剥下来的一般。这时候,成为最舍象的最普遍的范畴而出现的,犹如包裹全体的一层表皮。那虽是最舍象的,然而却以具体物那东西的表皮资格,同具体物全体一起都具体地摆在那里。这样,它就不是思维的产物,而是以历史的产物摆在我们眼前的一个经验的现象。从舍象的东西向上到具象的东西去的正确的科学方法,要那种现象这样被经验确定时,才有可能。以亚里士多德的优美的天才,还不能把握商品价值的实体,就是这个缘故;关于商品生产社会的研究,为了在某种程度上具备科学的体系,竟要费二千年的岁月而待到培第出世,也就是这个缘故。

出发点和到着点之间的相互依存,唯在以下的关系上发生出来。

被作为研究出发点的最舍象的范畴,已经说过,在它是位于到着点的具体物之舍象的一面关系之点上，它最初是依存于到着点的，它是从"后方"——从终点——出发的。它是要等到最具象的东西成立后才成立的。不消说，舍象的范畴，正因为它是舍象的范畴，所以多少在一切社会诸形态上都妥适。商品是在货币、资本等较具象的东西成立以前，已经存在了的，追求商品的发生，可以上溯到六七千年前的古代共产体之分歧点上的剩余生产物的交换。不过那种商品，却和《资本论》的开头所分析的商品，本质不同。古代共产体的分歧点上出现的商品，是和独立生物的单细胞动物一样的东西。它是在它自身上存在的，它不以那受了商品的较具象规定的货币、资本等的存在为前提。《资本论》的开头提出来的当作资本家社会的最舍象的范畴那商品，便和它不同，那已在前项说过，是和高等动物的卵细胞一样的舍象。这种商品，它是以那已经完成了最高发展的——因而具有极复杂的诸规定的——一定的高等动物之成熟体为前提的。无论它的外观上如何类似着单细胞动物，本质上却完全不同。它是从高等动物的成熟体产生出来的，以那种成熟体为出发点。可是那种单细胞动物，却横在生物进化过程的出发点上。它不以高等动物为出发点，高等动物却以它为出发点，这恰和商品生产完成了极度发展的今日资本家社会，历史上是以古代共产体的分歧点上的剩余生产物交换为出发点一样。然而那被《资本论》当作发端的商品，是资本社会的卵细胞，因为它不外是从资本家社会的极复杂的诸关系中，被抽象出来的一种最基础的、最大量的、最日常的、最简单的一面关系，所以，它不以资本家社会为前提便绝不能存在。在这一意义上，它是以现代社会——发展过程的最后结果——为出发点的。

所谓出发点从到着点出发，就是思维的出发点把到着点当作现实的出发点的意义。这时候，我们所认为决定的重要事情，就是不用思维的媒介去获得最舍象的范畴，要用观察去直接地获得最舍象的范畴。如果用思维去求它，那便无异教思维的出发点依存于思维，因而成立一个思维的循环。可是使思维依存于思维的结果，当然要使它的出发点变成假设的暂定的东西，因而就使研究的地盘变成迷迷糊糊的东西。这便是"哲学是只以一个假设的暂定的真理为发端的，因而哲学的考究，最初不过是一个探求——这么一种认定"[1]所由

---

① 黑智儿：《论理学》，第55页。

产生的。然而,在马克思的方法上,所谓出发点以到着点为出发点,就是思维的出发点以到着点为现实的出发点的意义。详言之,就是把可以供作思维的出发点之用的最舍象的范畴,当作分析的对象——即是以思维的对象作前提,因而放在一切思维之前——的具体物那东西的一面关系去探获,当作具体物自身上的直接的东西去探获,所以,虽说在出发点以到着点为出发点的这一意义上,正有一个循环存在,然而那不过是思维的出发点,把它的到着点作为现实的出发点,所以那里并没有思维的循环存在。因此,那被一时假定的东西,被暂定为前提的东西,举凡某种程度的任意的东西,绝不是成为研究的发端的东西。

＊　　　＊　　　＊

在另一方面,不消说,到着点又依存于出发点。因为我们的思维,是从最舍象的范畴出发,渐次向上到较具象的东西,最后便把思维的出发点所当作现实的出发点的具象的东西,在我们头脑中理论地再生产出来的,所以从那种思维的运动说,具象的东西,就是它的始终的结果。"从这关系说,犹如最初的东西是 der Grund(根据)一样,最后的东西是 ein Abgeleitetes(一个派生物)。"(黑智儿)在前述的关系上,虽然始点是以终点为地盘而从那里派生出来的,但从这里所述的关系说,却反而终点是以始点为根据而从那里派生出来的。在思维道程上,较具象的东西,表现为那成了出发点的最舍象的范畴的具象化。次于商品而出现的货币,是货币商品(Geldware),次于货币而出现的资本,是商品资本(Warenkapital)或货币资本(Geldkapital)等等。所以成了出发点的东西,常是成为继续它被包容于一切发展中的基础而残留的,成为较具象的东西的一契机而残留的(So ist der Anfang der Philosophie die in allen folgenden Entwicklungen gegenwärtige und sicherhaltende Grundlage, das seinen weiteren Bestimmungen durchaus immanent Bleibende)①。然而这种场所出现的终点依存于始点,却和前述的始点依存于终点相反,它不是现实上的依存,乃是思维上的依存。所以,从最舍象的范畴向上到具象的东西去的思维过程,绝不是具象的东西它自身的发展过程(黑智儿辩证法的神秘化,就是由于把这两

---

① 黑智儿:《论理学》,第56页。

方面同一看待而发生的）。那么，最舍象的范畴，虽然因到着点而成为思维的出发点，但它绝不是现实的出发点。因此，从最舍象的范畴出发，在思维道程的最后，归着到具象的东西之再生产上面去的事情，就是到根本的东西去的复归，并且不是单纯的复归。在思维以前出现的具体物，不过是那成为直接的东西的一个混沌的表象；而以思维的产物再生产出来的具体物，却是在成为许多规定的总括，多样的统一之媒介性上出现的。思维之本源的出发点，虽然同时又是它的终极的到着点，但在出发点则表现于直接性上面，在到着点则表现于媒介性上面。所以，那里虽然存有一个循环，但它却由于描写螺线形而从单纯的思维循环脱出来了。

要之，舍象的东西，把具象的东西作为现实的出发点，同时却不是把它作思维的出发点的，具象的东西，把舍象的东西作为思维出发点，同时也不是把它作为现实的出发点的。所以，尽管出发点从到着点派生，同时到着点又依存于出发点，而那里却有离开思维上的循环的完全脱出。唯物辩证法，就是把发端和终点——这两个对立物——这样送到辩证法的统一上去的，最鲜明的实例，我们可在《资本论》上看出来。

＊ 　　　　 ＊ 　　　　 ＊

资本家社会的一切矛盾——乃至一切矛盾的胚种——可在商品中看出来。先分析商品看吧！这是被马克思决定了的现代经济学的出发点，马克思派经济学领域内的一切研究，由于都朝宗这一出发点而统一成了一个严整的大阵营。就在这里吧！一切人们的科学研究，不期然而然地形成了一个大协力。科学的进步，要这样才有可能。

反之，把非马克思派经济学一看，它们的体系却一年一年地演成四分五裂全无所归的形象，所以，发生了"义尔托某某、休尔查某某、密开尔某某"等的经济学。就日本来说，福田博士的经济学、土方博士的经济学、高田博士的经济学等等，便是其例。读者都知道：这些博士的经济学，体系上都是各树一帜，没有一个归一之点。反之，在马克思派的经济学方面，一切领域的一切人们的研究，都是站在马克思所站的基础之上，持有机的统一而发展的。因此，那些把四分五裂各树一帜认作"批判的"博士们，便指我们是"雷同的"而攻击我们。他们不知道科学上的正确东西，只有一个没有两个。我们认为在经济学领域内,能够和真理相雷同就是光荣。

从分析商品出发的马克思经济学,怎样的把现代社会一切矛盾,统一地向着我们在说明? 以下我们可以逐章逐节一步一步地去确认。

第二节　分析商品而得的商品两个要素
——使用价值及价值

一、引言

已在前节详细说过,我们的研究不是从思维所抽象出来的东西出发,乃是从一定的现实的具体现象——那种最基础的而且最简单的商品——出发的。基于思维所行的抽象的分析,它要在这成为具体现象的商品上才行得开。所以说,"我们的研究,以分析商品为始"。

所谓分析(Analyse),用列宁的话说,便是为了"认识统一物中充满了矛盾的构成分子","把统一物分解出来的事情"。但是,这却和分析自然现象不同,"当分析经济的诸状态时,显微镜和化学的试验,都不中用,必须抽象力来代替这两者"。就是说,我们先把商品从其各个方面去行一方的观察。思维所行的事物的分析,都要用那种方法。例如:我们就《资本论》的构造全体去看,首先在第一卷《资本的生产过程》上,便只分析地观察生产过程方面。在第二卷《资本的流通过程》上,又只分析地观察流通过程方面。可是这两方面,并不是可以分离的,乃是构成一个统一物的各个方面。所以,到了第三卷,便把这些过程综合地去观察,在那时候,才现出"资本家的生产总过程"的姿态来。关于商品也是一样,我们不能不把它分析出来。为了分析起见,又不能不把它从各个方面去行一面的观察,所以我们先把它看作使用价值,再把它看做价值。但是,商品这东西,是从这使用价值和价值的一种对立物的统一成立的,所以最后不能不把这分析了的东西送到 Einheit(统一)上去。把它送到统一上去的时候,才了解商品是充满了矛盾的东西。被当作那种矛盾的统一物把握了的商品,那就是被辩证法地把握了的商品。但是,那种被当作一个全体把握了的商品,一旦被关联于其他的诸商品,那含在商品中的矛盾便要展开它自己。我们把那种矛盾的展开和解决,在第二章"交换过程"上去看吧。商品被相互交换的一种运动,那是第二章的问题。然而,这里却不能不先把商品分析出来而认识其充满了矛盾的构成分子。

看吧! 我们从此所要分析的商品,它原是一个怪物。我们普通把它认作单纯的物,然而它绝不是单纯的物,它中间还藏着人与人的社会关系。例如说商品运动,然而商品的物体是绝不会独自运动的。它在被相互交换而运动的时候,随时都有看守人的商品所有者站在它的背后,那些商品所有者相互间,是以商品为媒介而结成一定的社会关系的。换一句话,如果说 A 商品和 B 商品被相互交换了,那就是说 A 商品的所有者和 B 商品的所有者,相互地结成了交换关系,就是说商品的运动背后,随时都有人类的社会的活动演现着。我们作为问题的商品,就是这样的商品。如果它是单纯的物,那种研究便属于自然科学的领域了。我们所当作问题的是成为商品的生产物,而生产物,因为被它的所有者相互交换,才成了商品。所以,前面所说的我们的研究,以分析商品为始,这就如同说以分析商品所有者的人与人的关系(商品交换)为始一样。这种商品交换关系,在资本家社会,是人与人的经济关系中"最简单的,最普通的,最基础的,最大量的,最日常的,可以记忆回去观察的关系"。我们现在要分析的就是它。

二、成为使用价值的商品

我们为分析商品起见,先从使用价值方面去观察它。那么,"商品,首先就是由于它的各种性质而使人类的某种欲望满足的一个外界的对象物,一个物"①。

所谓"商品,首先就是……",它虽不仅是那么一种东西,然而它却首先是那个意义。它在人类看来是有用的物。商品虽不是单纯的物,然而它却首先是物。

更把这有用物分析出来看看!"如铁,纸等各样有用物,被在二重见地下去观察,即是被从质(Qualität)和量(Quantität)的方面去观察"②。就是说,各

---

① 考茨基版,第 3 页;参看陈译中文本,正文第□页。
② 考茨基版,第 3 页;参看陈译中文本,正文第□页。

样有用物，可以在那种"二重见地下"去观察，即是可以从两种"方面"去观察。

就它的质在人类看来是有用的方面去观察，它还具着无数的方面。它无论何时，都是"许多属性的一个全体，因此，能于种种方面都有用"。正和列宁说过的一样，无论什么东西，都具着"无数的特性、特征、方面"，我们不能完全知道那些无数的方面①。但是，随着我们的智力发达，我们便能逐渐知道较多的方面，向来只能利用它某一方面的东西，已能利用它多种多样的方面了。所以，"发现那种种方面，因而发现物的多种使用方法的事情，是历史的行为"②。这里，马克思所说的 historische Tat，我们在"岩波文库版"内译成了历史的勋业，现在认为那是不适当的译语，所以改译为"历史的行为"，那就是自己运动的主体历史所作出来的意义。接着还有一句是"发现那测定有用物的量的社会尺度，也一样是历史的行为"，也想把它改译为："想出那对于种种有用物的量的一切社会尺度（Masse），也一样是历史的行为"。物的有用的种种方面，虽是历史所发现（entdecken），但用以测定物的量的尺度，却不是被发现的。所以马克思使用 Erfindung 一语，恩格斯把它译为 finding and fixing。译成日本语，案出（想出）怕比见出（发现）适当些。至 Masse 特别改为"一切社会尺度"的复数形式的，就是基于恩格斯曾经非难过那些想把 gesellschaftliche 译为 The social measure 的旨趣（参看 Marx，Engels，Lassalle.Zweiter Teil，1924 Prager 中的 Engels，How not to translate Marx，S.68）。马克思在这里，不是把特定的尺度作问题，乃是就一切尺度说的，这里的 Masse，不是以分量为意义的 Masse 的单数形，乃是以尺度为意义的 Masse 的复数形。所以，译成日本语，把它作为复数来特别地弄明白，也要适当些，成为有用物（使用价值）的商品的尺度，是多种多样性，这和成为价值的商品的尺度（成为价值尺度的货币）之单一性——"价值尺度的二重化和它的机能相矛盾"③——相对立。

并且，那一段话的最后，还说着："一切商品尺度的差别性，一部分是从那可以测定的对象之性质的差异发生，一部分是从（双方）合意发生的。"这里，所谓"一切商品尺度的差别性"，就是指的米面等物以升斗测定，布疋以尺寸

---

① 参看《列宁选集》，德文本，第 622 页以下。
② 参看《列宁选集》，德文本，第 622 页以下。
③ 参看《资本论》第一卷第三章之一。

测定,肉类以斤两测定的等等差别。这样的种种尺度所由发生的,一部分是从自然的性质,一部分是从人类的合意。像米用升斗测定,布疋用尺寸测定的这种差异,虽是从"可以测定的对象之性质的差异"发生的,但是昨日还用尺寸去测定的东西,今日则改用米突去测定,这又是基于合意了。我们在这里用的"合意",就是考茨基版上 Uebereinkommen 的译语。那是考茨基把第一版到恩格斯版所用的 Konvention 一字那么改写的,不管 Konvention 也好,Uebereinkommen 也好,总之在这里都是合意的意义,不是"传习"或"习惯"的意义。试看看第一卷第五章的"注一"吧!那里有一句说:"无产者,因为把他的劳动去对于一定的生活资料行贩卖,便完全放弃他对于生产物的一切成分。然而生产物的占有,依然还是以前的样子,那丝毫没有因刚才所说的合意而变化。"这里我们译为"合意"的文字,也在旧版上是 Konvention,在考茨基版上是 Uebereinkommen。合意也有种种不同。个人间的合意,是意识地显现的,而社会的合意,却是无意识地显现的。至于说到社会的合意,其意义,也不是卢梭所谓社会契约的讲解。

其次还要说的,就是有用物的量,都可用一定的尺度去测定的这件事,这是根本上的重要事件。诸商品,只要是可以当作有用物去测定它的量的东西,便是可以相互的结成一定的价值关系的。这件事情,且待后面再说。

以上所说的固然范围很小,读者也许已经从中理解了这件事:《资本论》的一行一句,绝不是那么潦草塞责地写成的。世间有好多人,就是那些一旦因缘时会即以专攻经济学著称的学者们,犹且指责我们是马克思的狂信者,是马克思的盲从者,像这些人们,就是因为自己没有深读《资本论》,没有很理解《资本论》的缘故。

已在绪言上说过,《资本论》是把那反映现实世界的运动和发展过程的辩证法,作它的方法的。它不是把随心所欲的事情无秩序地写下来的,它作为问题的乃是"把经济进化的客观论理,在一般的根本理路上去把握"这件事。它追求着不可加减的客观论理的顺序。

凡翻过黑智儿《论理学》的人们,谁也知道:它的开头的 Sein 篇,是分为 A.Qualität,B.Quantität,C.Das Mass 的三个。马克思就是追踪这三个的顺序,研究着物的有用性的。这在后面研究价值的时候,也完全是一样。我们的论究,是依着先质的问题、次量的问题,最后则测定量所用的尺度的问题——这种顺序进行的,这些问题的顺序和区别,要明白地意识它才行。若是把这些问题混同起来,那就对于马克思的价值论,要发生这么一种无理的疑问,说:"首先发生的疑问,所谓价值的实体就是含在商品中的社会的必要劳动量,关于这一点,究竟有什么证明存在?"①

＊　　　　＊　　　　＊

某种物的有用性——它的充足人类某种欲望的性质,使那种物成为使用价值(Gebrauchswert)。这里不说物具着使用价值,而说物是使用价值,是值得注意的事情。在 Baillie, *Hegels Logic*, p.221 上的说明,是:For Hegel……Reson is mind itself ……Mind dose not have Reason;it is Reason(在黑智儿看来,理性就是心那东西,……不是心具有理性,心就是理性)。恰和这一样,马克思也说某种物因为它的有用性而是使用价值。例如时钟这么一个 goods(财),它是不是具有那可以离开钟表而存在的某种效用的。我和时钟就不同的存在物,所以我拿着时钟。但是,在那种形势上,时钟就不是具有存在于时钟以外的某种效用的。像铁、小麦、金矿石等的商品体,就是一个使用价值,即是"财"。

"商品体的这种性质,和人类占有商品体的使用上诸属性所费的劳动之多寡,没有关系。"②这隐然向着以后所谓"商品价值的实体就是生产那商品上所费的人类劳动,商品价值的大小便依存于那种劳动的多少"这么一种问题对立着。"空气、未垦地、自然草地、野生树林等","尽管它对于人类的效用不是由劳动所媒介,它仍是使用价值③。

"当考察一切使用价值的时候,例如若干打的时钟、若干码的亚麻布、若干吨的铁等,常是它的量的规定性被作为前提"④。这件事,虽是前面已经说过,后面也还要说的,总之我们所研究的商品,都是一定分量的商品。至于怎样去测定它的分量,那在前面已经说过,是历史决定着的。历史发展的结果,

---

① 土方博士:《马克思价值论之排击》,第 51 页。
② 参看陈译中文本,正文第 3 页。
③ 参看陈译中文本,正文第 13 页。
④ 参看陈译中文本,正文第 3 页。

是存在于我们面前的,我们所当作问题的商品,都以一定分量的商品为前提。在商品和商品的交换,本质上随时都是以分量上的比率为问题的,所以商品既然存在,那些商品就不能不成为商品体而受着一定的量的规定。

但是,以上所述的"商品使用价值,是所谓商品学的一个特殊学科的材料",它自身并不是我们的研究题目。所以,我们无深入这一个问题之必要。"成为使用价值的使用价值,是横在经济学的考察领域的彼岸"①。可是,所谓"使用价值只在使用或利用上才得实现"的一点,恐怕还有说一句让读者注意之必要,马克思在《政治经济学批判序言》上,和这一问题相关联地说过:

> 生产直接的是消费,消费,直接的是生产。彼此都直接的是反对物,同时,两者间又有一个媒介运动存在。生产以消费为媒介。……然消费又以生产为媒介。……生产物要在消费上,才达到最后的完成。没有火车走的铁道,便是没有被消费的铁道,没有被消费的铁道(这种铁道),单是可能的(öuvcqiei)铁道,不是现实上的铁道。若是没有生产,便没有何种消费。可是另一方面,如果没有消费,也就没有何种生产,这是因为生产在那时候,失去了它的目的之故。消费把生产二重地生产出来。
>
> 第一,因为生产物要在消费上,才成为现实的生产物。例如衣服要靠穿着的行为,才成为现实的衣服;没有住人的房屋,在事实上不是房屋。所以生产物要在消费上,才能证明它是和单纯的自然对象物不同的生产物,因而成为生产物。消费要消除生产物,才完成生产物。为什么呢?因为生产物不仅是被化为物的活动,而且只有成为活动主体的对象物,才是生产的[产物]。

那么,使用价值"只在使用或利用上"——只在消费上——才成为现实的使用价值了。所以,被当作商品生产出来的生产物,要实现为使用价值,便不能不进入交换过程。然而商品如果已经通过交换过程而到了最后消费者的手中,商品便不是商品了。商品只有成为运动的东西时,才是商品。这种情形,

---

① 《政治经济学批判》,德文本,第2页。

就是指示被当作商品生产出来的使用价值,若不失去商品的性质,便不能实现为使用价值。关于这些问题,以后有机会的时候,还要更详细地考察一下。

"使用价值,无论富的社会形态怎样,都形成富的物材的内容。"(法译 la matiere de la richesse)①关于这件事,《政治经济学批判》方面写的是:"无论富的社会形态怎样,而使用价值对于那种富的社会形态,却是常常形成目前不留意的富的内容的。单把小麦尝一下,它究竟是谁种造的——是俄国农奴制种造的呢? 是法国佃农种造的呢? 抑英国资本家种造的呢? 这是不明白的。使用价值纵然是社会欲望的对象,纵然因此就被放在社会的经济之中,但它绝不是表现生产关系的东西。成为使用价值的那种商品,比如一粒金刚石吧! 单只看见金刚石,那是不能辨别它是商品的,它或被妓女挂在胸前,或被划玻璃工人拿在手中,在美观上或机械上成为使用价值而供用的时候,只是金刚石而不是商品。使用价值这件事,在商品方面虽是必要的前提,然商品这件事,在使用价值方面,却是怎样都无碍的规定(即无论已否成为商品,使用价值总不失为使用价值)。"②这里所谓"无论富的社会形态(或形式)怎样",就和"无论富在什么社会形态之下被生产"的话,是同一意义。人类无论结合在什么社会形态之下,如果人类要在这地球上生活下去,就必然地不能不生产那满足他们的欲望的使用价值,在这一意义上,只要人类是生存着,即只要人类的历史是存续着,就不能不常常生产那成为使用价值的富。为满足人类的欲望而行的"自然物占有"即富的生产,"是人类和人类间的物质代谢的一般条件,是人类生活的永久的自然条件,所以离开人类生活的任何形态而独立着,可说是人类生活的一切社会诸形态上一样地共通的东西"③。所以,这些富在成为使用价值的资格上,无论在什么社会形态之下被生产出来,完全于它无关系。比如小麦,被作为奴隶制下生产的也好,或被作为工钱劳动制下生产的也好,总之小麦在它是小麦上、在它的自然属性是供人类食料之用上,丝毫都无变更。

"我们在这里所要考察的社会形态上,使用价值是同时以充任交换价值

①　《政治经济学批判》,德文本,第2页。
②　《政治经济学批判》,德文本,第2页。
③　《资本论》第一卷第五章之一。

的物材的角色出现的。"从第一版到恩格斯版,这句的最后都是"形成充任物材的角色"(bilden……die stofflichen Träger des Tauschwerts),在考茨基版上,便改成了"以……出现"(treten……als stoffliche Träger des Tauschwerts)。在《政治经济学批判》上,是说:"使用价值在直接上,是一定的经济关系在其上表示它自己的那种交换价值的物的基础。"——比如:这里有一定分量的小麦,这小麦诚如前面所说,不管是作为封建社会所生产的,或作为资本家社会所生产的,甚至作为未来的共产社会所生产的,小麦之为小麦总不变更,这虽在任何时候,都形成"富的物材内容",但那种内容所具的形式,却因生产它的社会形态不同而有变异。在我们此时所要观察的社会——资本家社会内,它是具了商品这么一种形态(或形式)的。然而它如果已经受了所谓商品的形态规定,那就必定是被放在和其他的商品相交换的关系上,例如时钟一个被和米五斗相交换便是。于是米五斗的交换价值成为时钟一个,而一个时钟的使用价值,便"同时以充任交换价值之物材的角色出现"。

所以,在商品上,除了成为使用价值而构成富的物材内容这方面外,还有成为充任交换价值之物材的角色而出现的一方面。为分析商品而先从使用价值方面观察了商品的我们,以下便应该依次的从交换价值方面去观察它。

三、成为价值的商品——其一,价值的品质

我们在前项,当作分析商品的第一段工作,先从使用价值方面观察了商品,接着便不能不从价值方面去观察它。因为使用价值和价值,是 die zwei Faktoren der Ware(商品的两个要素),这两者是构成商品的两个方面并契机。

但是,我们研究的出发点,已在第一节详细说过,是确定了的外的现象,所以像价值这种不是我们两眼所看得见的东西,便不能作为我们研究的最初出发点。在成为使用价值的商品的一面之外,映入我们眼中的,首先就是成为交换价值的另一面。《政治经济学批判》上所说的:"使用价值,在直接上,……是交换价值的物材的基础",也就是这个缘故。这里所谓"在直接上",原和"在直接性上"是同一意义。那就是指的一看便马上映入眼中的现象。

"交换价值,首先以某种使用价值对于其他使用价值行交换的分量上的比率——比——出现,即是以一个随着时间与地域之变更而变更的偶然的比

率出现"①。我们在"岩波文库"版上，曾译 Verhältnis 为"关系"，译 Propotion
为"比例"，但是前者更改为"割合"（比率），后者要改为"比"。所谓比例这一
语，就是表现出这两个量的比等于那两个量的比的关系的，所以这里的 Propo-
tion 或许可以译成比。分量上的比率，就是比的意义。再说上本题吧！上记
的文句中，有所谓 Zunächst……erscheinen als……（首先以……出现），也是指
的我们眼所看得见的外的现象。已经说过，既说得上是商品，那就必定是被和
其他商品相交换的东西，在那种交换关系上，一定分量的某种类的使用价值，
必定被趋使和另一分量的另一种类的使用价值相对立，比如一升米和十个苹
果便是其例。这里，便构成这么一种事实：米一升的交换价值是苹果十个，而
苹果一个的交换价值就是米一合。在今日的社会内，没有米和苹果被直接交
换的事情，因为一切商品的交换都以货币为媒介，而交换价值便在：米一升和
银五角相交换。苹果十个和银五角相交换，因而米一升的交换价值为银五角，
苹果一个的交换价值为银五分——这么一种形式上，成为某种使用价值对货
币行交换的分量上的比率而出现，而事情的结局仍是一样。至于说那种分量
上的比率，是以一个偶尔的比率（ein zufälliges Verhältnis）出现的话，那是因为
当作现象形态去看，它的分量上的比率是偶然看见的。那在一方面是某种程
度的偶然的东西，而同时在他方面，又是某种程度的必然的东西。为什么呢？
因为交换价值——后面还要详细说明——不外就是叫作价值的它的本质所必
然的现象形态。不过那种本质和现象形态——必然和偶然——的辩证法的统
一，还是后面的问题，这里且先把那现象形态作问题来探讨。若就那种现象形
态去观察，则交换价值被看作：它是表现着某种程度的偶然的东西和纯粹相对
的东西的吧？因此，商品所内包的内在的交换价值，也被认作：它是一个矛盾
吧？② 这文句中接在 etwas Zufälliges und rein Relatives 后面的 vorzustellen 一
字，是原来的版本所无的。其所以使用 scheinen（看作）一字，就是表示意义和
erscheinen（表现）不同，归根结底就是这么一种意义："交换价值，被认作：好像
表现着怎样偶然的东西和纯相对的东西；而商品所内包的交换价值，内在着商

---

① 参看陈译中文本，正文第 4 页。
② 参看陈译中文本，正文第 4 页。

品中的交换价值,又被认作:好像一个形式矛盾(contradictio in adjecto)"。

如果囿于现象形态而不在它上面加以反省,那么,交换价值便要被认作纯粹相对的东西,因此就有一种学说起来,以为价值这东西,不过是单纯的比例。正统学派以后的俗流经济学者——他们的特征,就是囿于事物的现象形态——的思维,都是那样的。在英国,如主张限界效用说的捷本士,就是一个有力的代表者。假如把他的 *The Theory of Political Economy* 一看,那上面便写着下述的一些话:"价值,实在是显示一个关系的,经济学的研究者,如果把价值当作一个物件或对象以及一个物件中或对象中所存的某种物件去考察,那他对于这门学问的观念,终无明了而正确的希望。价值这一语,它被正确的使用的时候,不过把某物对于他物在一定比率上行交换的事情,表现出来而已……"所谓价值不会有一般的腾贵或下落——例如米尔在《经济原论》等书上所缕细说明——的学说,也是由于把价值只当作单纯的比率,当作纯粹相对的东西而发生的学说。关于价值的那种思维方法的例子,比较新一点的,举得出许多来。马克思在这里的脚注上,也曾引用过那 1780 年死去的卢·托洛所说的这句话:"价值,是一物对它物,这一生产物的一定分量对那一生产物的一定分量行交换的比率。"

那样,交换价值,便被看作好像偶然的东西,纯相对的东西。但是,"我们要把问题更深入地去观察一下看看",以下便是现象的科学考察了。就是说,以下我们要研究那被人当作最难解的马克思劳动价值说。

*　　　　*　　　　*

不消说,马克思的学说,——那经济学说基础的劳动价值说也不消说,——在一切文明诸国都受着一切非难。列宁说:"马克思的学说,在一切文明诸国,招致了那些把马克思主义认做什么'有害的宗派'之类的一切资本家的(御用学说的并自由意义的)科学的最大敌视和憎恶。"①

他又说:

> 有名的箴规说,如果认为几何学的原理妨害了人们的利益,那恐怕他

---

① 《马克思主义的三个泉源和三个构成部分》,1913 年。

们已经否定它了。打毁陈旧的神学偏见的自然史的理论，以前唤起了猛烈的抗争，现在仍在唤起猛烈的抗争，对于近代社会的进步阶级的启发和组织，从事直接贡献的马克思学说，……在它的生存过程上，不能不从斗争中去获得自己的步步进展，这不算奇怪的事情。

　　那为愚弄有产阶级出身而发育正盛的青年，"训练"他们对待内外的敌人起见，御用教授们用御用式去教授的资本家科学和资本家哲学，没有什么提及之必要。那种科学对于马克思主义，说它是被排击了的东西，说它是被粉碎了的东西，连听都不愿听。凡对于社会主义施行排击而造成学阀的青年学者，并守护那一切生了微菌的制度之遗言的老耄学者，都拿这样的狂热攻击着马克思。马克思主义之发展——劳动阶级的马克思的思想之普及和强化，必然地引起这些资本家对于马克思主义施行反攻的屡试和激化，于是每经过御用学者的一次"粉碎"，马克思主义反而愈加强固，愈益成为被锻炼了的更真实的东西。①

　　马克思主义的发展，必然地引起资本家的反攻之屡试和激化。因此，格莱夫斯瓦尔特大学教授姆士博士，便于昨年（1927）公刊了题名《反马克思论，第一卷资本的生产过程》将近六百页的著作。那是以粉碎和排击《资本论》的第一卷《资本的生产过程》为任务的，他为了这一目的，预备公刊和《资本论》分量完全相同的著作。

　　又，在日本方面，读者所知道的，也是大学教授的土方博士，也于昨年公刊了一种书，叫作《马克思价值论之排击》；本年（1928）四月《经济研究》上，更出现了大山千代雄氏的《马克思的价值说不死吗?》的论文。

　　但是，马克思的价值说绝不会死。恐怕它在现代商品生产社会还没有死的时候，是不死的，纵然现代社会死灭了，恐怕它那说明商品生产社会的价值的一种正确性，也不会失掉。"每经过御用学者的一次粉碎，马克思主义愈加强固。"现在日本也是一样，每试行马克思主义的排击一次，我们对于马克思主义的理解便深刻一层。无论理论上和实践上，凡对于马克思主义的高压，都

---

　　① 《马克思主义与修正主义》。

是要马克思主义真实发展的最上刺激。那恰和为着灭火而煽火一样,恐怕越煽越成燎原之火吧! 马克思主义就是由敌人发展的。

*　　　　　*　　　　　*

以下要入于价值论的本文研究了,可是还有先说一句的必要,这里的本文,第一版和第二版非常不同。因此马克思把"写在政治经济学批判"上的议论,在《资本论》第一版的时候全部改写过,在第二版的时候又改写了一次,所以他的价值论,至少也应该是前后经过了三回起草。加之,马克思死后所公布的恩格斯版的文章,又和考茨基版的文章,彼此互有一些不同。关于这一点,我已在大正十二年一月及大正十四年八月的《经济论丛》上叙述过它的一斑,这里不重复说了。况且,和第一章商品相当的部分之第一版本文全部,现在已经被"原文对照,《资本论》第一版首章及附录"(长谷部文雄氏译)所收录,读者从那里去找出第一版和第二版之间的差异,也很便利。总之,马克思自己像这样屡次地把这价值论部分加以改写,就是他在思想表现上很费了苦心的证据。这里,为提示各版之异同的一个样本起见,仅把最初的文句之变化,揭出看看:

第一版——"个个商品,例如一斛小麦,虽然被用极多样的比率和其他物品相交换,它的交换价值,尽管能用 X 量的靴油、Y 量的绢、Z 量的金子等来表现,依然是不变的。所以,它必须是可以和这样种种表现方法相区别的"。

第二版——和第一版大概相同,不过最后的一句,改成了:"所以,它必须具有可从这样种种的表现方法中区别出现的实质(Gehalt)"。

恩格斯版——"一定的商品,例如一斛小麦,或与 X 量的靴油,或与 Y 量的绢,或与 Z 量的金子等相交换,简单地说,能被用极多样的比率和其商品相交换。所以,小麦不仅具有一个交换价值,并是具有多种交换价值的东西。然而,X 量的靴油、Y 量的绢、Z 量的金子等,都一样的是一斛小麦的交换价值,所以,X 量的靴油和 Y 量的绢和 Z 量的金子等,都必须是可以互相调换的交换价值,即大小相等的交换价值。于是所生的结论:第一,同一商品的有效的诸交换价值,表现某种相等的东西;可是第二,交换价值,却只能是可以和自身相区别的某种实质的表现方法——现象形态"。

考茨基版——"某种特定商品,例如一斛小麦,虽然能够被用极多样的比率和其他商品相交换,比如能和两磅靴油或两码绢或半分金子等相交换,但一斛小麦的交换价值,无论是被靴油或绢或金子中的哪一个所表现,它依然是不变的。所以,它(交换价值)必须具有可以从这样的种种表现方法中区别出来的某种实质"。

表现的方法,虽这样因版本之不同而有种种差异,但内容却无很大的区别。总而言之,那都是表示下面的事实:已经说过,既然说得上是商品,它便不是孤立存在的东西,它必定可以和其他种种商品在种种比率上相交换。例如一斛小麦,它既可和 20 磅靴油相交换,又可和两码绸子相交换,又可和半温士金子等等相交换,这么一来,便构成以下的事实:那一斛小麦的交换价值,既可表现为二十磅靴油,也可表现为两码绸子,也可表现为半温士金子等等,于是又构成这种事实:尽管 X 量的靴油、Y 量的绸子、Z 量的金子等等,彼此都是分量各异而且种类亦极不相同的使用价值,总之都是一斛小麦的交换价值,在这一点上,它们都是一样的东西。那就是说,多种多样的东西,在同是物的交换价值一点上,是被送入结合、统一之中的。这是我们在日常经验上所看见的,别无什么道理。可是,我们却可从这一事实中,推知交换价值"必须具有可以和这种种表现方法相区别的某种实质"。同一的东西,或则为云,或则为雨,或则为雪,或则为冰,其实它们并不是什么云雨,就是要具有和自身相区别的某种实质。那么,我们首先便要考察那可以和交换价值的现象形态相区别的某种实质了。以下我们将进行这个实质是什么的论究。

*　　　*　　　*

再取两个商品,比如小麦和铁为例看看,无论它们的交换比率怎样。那——例如一斛小麦等于二吨铁——随时都是可以用一定分量的小麦等于某种分量的铁这一方程式表示出来的东西。这方程式显示的是什么?这就是指示:同一大小的某种共通物,存在于两个不同物中,即是说,它既存在于一斛小麦的中间,又同样地存在于二吨铁的中间。因此,两者在它自身上,都等于既不是前者也不是后者的某种第三者。于是两者,彼此都只要是交换价值,它便是可以还原于这第三者的东西。①

商品之存在的最简单形态,就是 xWA = yWB(被放在 A 商品的 x 量和 B 商品的 y 量相等而成立之关系上的存在方法)。若问这是什么缘故,这就是因为:劳动生产物,如果只成为使用价值而存在,那里便仅有物与人的对立成立着,反之,它要成为商品而存在,它自身孤立着便不行。某种劳动生产物,由于可以和别的劳动生产物相交换,才成为商品,所以,既说到某种劳动生产物是商品,它必定非在交换关系上和别种类的劳动生产物相对立不可。所以,可以被考察的商品的最简单姿态,就是 A 商品的 x 量和 B 商品的 y 量相交换而成立之相互间的相等关系上的姿态。货币是比商品更具象的范畴,依马克思的方法说,把它在这里提出来是不妥的,然如果为了易于理解起见,要提货币出来说明,那就假定书店拿着一本书,说它值金币一元。在日本的货币制度上,金币一元,就是纯金二分的货币名称,所以这归根就和一本书是二分金子一样。尽管一本书和二分金子完全不同,但我们是说一本书就是二分金子的。书籍是商品,金子也是商品。所以,所谓一本书就是二分金子,那就是说的 xWA = yWB。然则这个方程式是指示什么的呢?

那就是指着:"同一大小的某种共通物,存在于两个不同物的中间……"这么一种事实。这在第一版,是:"同一的价值(derselbe Wert)存在于两个不同物中……"但是,在第二版上,"价值"这一语,是放在后面说出来的,这里,便用"某种共通物"一语代替了它。于是我们便想起第二版的跋文上,有所谓"在第一章之一,把一切交换价值在上面表现出自己来的那种方程式的分析所生的价值诱导,科学地更严密地显现着这句话来了"。

为什么说同一大小的某种共通物能够存在呢?因为屡次反复地说过,对立的两个商品,无论何时都是一定分量的东西。"像铁纸等等各种有用物,可以……从质和量的方面去观察,……想出对于各种有用物的量的社会尺度,是历史的行为……",这件事情,是我们已在成为使用价值的商品一项下所观察

①　参看陈译中文本,正文第 6 页。

了的。正如小麦为斛所测定,绸子为码所测定,铁为吨所测定一样,"商品的差别性,一部分是从可以测定的对象发生,一部分是从合意发生"的。总之成为使用价值的商品,就是像小麦是一斛的分量,铁是两吨的分量这么一种形式,各被看做一定分量的东西而测定的。这个事实,就是商品的根本前提。但是,像那样被用不同的尺度表现出来的各种分量的小麦和铁相交换的时候,其所以成立小麦为一斛铁为二吨的这种一与二的数量上之比的,就是因为这双方的物体中都含有某种共通物(V),我们如果把小麦的一单位所含的那种共通物的分量作为(V_1),又把铁的一单位所含的同一共通物的分量作为(V_2),那里便终须成立 $1 \times V_1 = 2 \times V_2$ 的这么一种方程式。那种共通物究竟是什么,这虽是以后的问题,总之在双方商品的各单位分量不同上,如果没有含着一定的共通物,那便不能说明:为什么小麦和铁恰是一与二之比,而不是一对五,也不是二对三,并不是其他的什么比呢? 这就是说,在相交换的两物中,必须有一个"同一大小的某种共通物存在着"。这件事情,是交换要显现的一个先验(das a priori)。这不是基于个人所谓好歹的好恶而起的东西,如果要在某种数量的特定商品和其他数量的别种商品之间行交换,要在那里确立一定数量上的比率——比,它就是数学上一个不可缺的前提,在那种意义上,它是内在于我们经验得到的一切场合的商品中的一个先验。——它不是先于经验而存在的意义上的先验,乃是一切经验一发生就存在的意义上的一个先验。要之,互相交换的商品,彼此都是一定分量的东西,并且它们是为着能够互相交换而在那里成立某种分量上的比率——比——的,在那种对于一切场合的商品都普遍适用的事实上,互相交换的商品内,是含有"必须同一大小的某种共通物存在"的一种关系的,这就是商品的根本存在方法。

*   *   *

然则所谓"某种共通物"是什么? 要把它求出来,就得用资本家学者所说的"马克思蒸馏法"。先看看本文吧:"这共通物,不会是商品的几何学的物理的以及其他自然的属性。总而言之,商品的物体属性之成为问题,只限于那种属性使商品成为有用的东西,因此又使商品成为使用价值的时候。"①已经屡

---

① 参看陈译中文本,本文第 7 页。

次说过,既说到是商品,那就不能不是可以交换的东西,既说到可以交换,那些东西就不能不是互相不同的使用价值。把一担小麦和它相同的一担小麦交换,把两吨铁和它相同的两吨铁交换,这件事情不能成功什么意义。要一担小麦和两吨铁相交换,在这种事实上,交换才成合理的东西,就是说,商品和商品相对立的时候,常是以互相不同的使用价值为前提。所以,在探求互相交换的商品双方中所存在的共通物时,首先就要置使用价值于不顾。这就是说,"使商品成为有用的东西,因而成为使用价值"的"商品的几何学的物理学的以及其他自然的属性",是目前完全可以放在问题外的东西。在第一版上,这件事情是像下面那么说的:dass die Substanz des Tauschwerts ein von der physisch handgreiflichen Existenz der ware oder ihrem Dasein als Gebrauchswert durchaus Verschiedenes und Unabhängiges, zeigt ihr Austauschverhält nie auf den ersten Blick.Es ist charakterisiert eben durch die abstraktion vom Gebrauchswert(交换价值的实体,和商品的物理上可用手触到的存在或成为商品的使用价值的定在,是完全不同而且独立的东西,这件事是交换关系在第一瞥上所呈现的。那正是使用价值的舍象所给的特征)。唯有这件事情,是所谓 auf den ersten blick(一览之下)即行明白的事情,是外的现象明示于我们的事情。

"然而他方,商品的交换价值,明明白白置它的有用性于不顾。在诸商品的交换关系内部,只要一个使用价值在适当的比上存在,就和其他任何使用价值完全同样的妥当。"①例如米一斗是银五元,酒五斤也是银五元,牛肉五十斤也是银五元,帽子一个也是银五元,尽管此等所谓米、酒、牛肉、帽子的使用价值的自然性质,非常的差异,但是只要它们在一定的适当比率上存在,即是只要它们在米一斗,酒五斤,牛肉五十斤,帽子一个的这么一种比率上存在它们就同样地都是交换价值。换言之,无论它们那一个,都是值银五元,这里,便存有交换价值的根本特色。前面已经说过一下,这里不是提出货币来说的阶段,所以马克思深深注意地避免这一点,可是我为易于理解起见,却要把货币提出来说明。我们现在居住的这个商品世界,固然实际上有数亿数十亿种类的使用价值存在,但是那些东西一经成为交换价值,便都要还原为同一品质的东

————————

① 参看陈译中文本,正文第6—7页。

西,唯有分量上的差异而已。试往英国伦敦去看,那里有嵌了许多堪称稀世之宝的金刚石的王冠陈列着,它的交换价值恐怕是很大的,它的一粒一粒也许与几百万元几千万元相当,但总不外于一元的几百万倍几千万倍。我现在穿在脚上的粗鞋,虽然所值不过一元,但大英帝国的皇帝即位时头戴的王冠,若成为交换价值,在品质上也和我脚上穿的粗鞋没有什么差异。不过我这方面的是一元,他那方面的是几百万元,这自然有很大的分量上的差异,但说到品质上,却完全是一样。

　　我们在"岩波文库版"上,许多区处都把 gelten 一语译为"被看做",这由于认为"妥当"这一语,还没有成熟为日本语的缘故,但是,我们是研究着商品的自己运动,所以,像"被看做"这种被动的用语,务必要回避才行。因此,想在以下的一切场所,都把 gelten 订正为"妥当"。

这样,若从使用价值的一种立场去观察,就使用价值这方面去观察,诸商品虽首先就呈现不同的品质,但反过来,若从交换价值的一种立场去观察,就交换价值这方面去观察,诸商品便只能是量的不同,至于它们的质却完全相等。所以,在成为交换价值的商品内,那以品质互异为本质的使用价值,一个分子都没有被它包含着。"若成为使用价值,诸商品首先就是异质,然若成为交换价值,诸商品便只能异量;所以并没包含使用价值的一个分子"——这句话,就是这个意义。

我们根据以上的理由,关于探究交换价值的本质是什么这一问题的时候,便完全把诸商品的使用价值放在问题外。在这一点上,是和今日盛行于学术界的限界效用说,完全相反的。限界效用说,是想从效用(使用价值)去说明交换价值的,因此,它是完全没有看见使用价值和交换价值之对立的学说。商品内所含的使用价值和交换价值的对立——后面还要说——是商品生产社会的一切矛盾的根源,从这里出发,又可说明资本家阶级和劳动者阶级之对立的斗争。如果一旦采用限界效用说的这种出发点,那就全然隐蔽了现代社会的矛盾的根源。因此,凡现在我们的眼前正发生于各方面而充满了种种矛盾的诸现象,除了基于某种偶然的事情——因外来思想之输入而起的人心恶化等——去说明以外,完全成了不能说明的东西。然而它(限界效用说)对于那想唯心地把现代社会弄成调和世界,借以论证其永远性的意图,确是很适合的立场,这里,便横有限界效用说的阶级的意义。

还有一件事我们应该注意:这里所行的"使用价值的舍象",不是马克思在他的头脑中任意随便地主观地做成的,它乃是事实上在现实社会内客观地演现的东西。今日的商品生产者,谁也不是想把自己生产的商品充自己消费的。如果是以充自己消费为目的而生产出来的物品,那么,它最初就不是商品,既说到它是作为商品生产出来的,那它在生产者看来,便不是什么使用价值。因为各个生产者自己生产的物品,自己看来不是使用价值,所以他们把它拿出来相互交换,于是那些生产物便成了商品。所以,"使用价值的舍象",是商品生产者自身在做。这个关系,就商品的出发点去看,也很了解。自足经济——以自己消费为目的的生产——的生物产,其开始转型为商品,虽在过剩生产物发生了的时候,但是过剩生产物这东西,归根就是因为生产物出了必要量以上,成了生产者看来不算使用价值的东西。因为它在生产者看来不是必要的东西,所以他(生产者)才把它拿出来和别人的生产物相交换,由于这一点,生产物才转型为商品,因而成为具着某种交换价值的东西,并且它只有成为那种东西,在生产者看来才是有意义的。假定把那种过剩生产物作为小麦吧! 它的所有者,并不是在它是小麦可以供食用的这一理由上面,去承认它的意义的,要在假定小麦一石对铁二吨的比率上小麦是可以和铁相交换的东西,因而小麦一石的交换价值便是铁二吨,他是只在这一理由上,才承认它的意义的。那么,以自己消费为目的的生产物过剩时,则从那一瞬间起,便成了不是替它的所有者产生的使用价值,同时只有从交换价值的见地看来——只有看作可以和别的生产物相交换的东西——才是具着意义的东西。我们在那种意义上,可说:使用价值和交换价值,是两个互相排斥做一团的东西,使用价值的舍象——不朝使用价值看——就是交换价值的发生条件。马克思在这里说的使用价值的舍象这件事,是指的这么一种现实社会的客观事实,所以不可把它和单纯形式论理的抽象同一看待。这正和第一节之四及五详细说过的一样,历史——人类社会——是做成了的一个客观的现实事实,它的结果,就是舍象了使用价值的生产物,具体地存在于现实社会。

关于交换价值的本质是什么这一问题的研究,我们在上面已经明白:应该首先把使用价值放在问题外,而第一版接着这(使用价值的舍象)就是:"所以,诸商品是可以从它们的交换关系中,从它们所表现为交换价值的形态中,首先独立地作为价值 als wert schlechthin 那东西去考察的"这种文句放在那里。前面也曾注意过的,在设问"这方程式是指示什么的"地方,也说"那就是同一的价值,存在于两个不同物的中间……的事情",而第一版老早就把价值——成为交换价值之本质的价值——提出来了。从这关系着眼,这里已说"诸商品可以首先作为价值去观察",其后推理的结果,便得到诸商品的价值实体就是劳动构成的一种事实。然而第二版以后,因为叙述的改善,结果,价值这一语到了后面好远才提出来。所以第一版所写的"诸商品是可以从它们的交换关系中,从它们所表现为交换价值的形态中,首先独立地作为价值去观察的"这么一种句子,自然成了被削除的东西。可是我们依然认为这种句子插在这里,倒也没有什么抵触。为什么呢? 因为以下的工作,就是究明这一点:离开"诸商品表现为交换价值的形态"——那种现象形态,交换价值的本质是什么?

"我们现在若置商品体的使用价值于不顾,那么,商品体上便只一个属性——劳动生产物的属性——残留着。然而那劳动生产物却在我们不知觉的中间,已被转型了。我们若舍象劳动生产物的使用价值而不顾,我们便又要舍象那使劳动生产物成为使用价值的物体的诸构成部分和诸形态。那已不是棹子或房屋或纱子以及其他某种有用物了。它一切的感觉的属性,都在消失。它并且已经不是木匠的劳动生产物,或建筑师的劳动生产物,或纺织劳动的生产物,以及其他一定的劳动生产物了。随劳动生产物的有用性质之消灭,而劳动生产物所表现的劳动的有用性质也消灭,于是这些劳动的种种具象的诸形态,一定的诸形态也消灭,它们已不是互相歧异的东西,都要还原为一样的人类劳动,还原为舍象的劳动即单是人类的劳动"①。

上揭的一段译文,是对于"岩波文库"版上的我们的译文,加了不少的订正的东西,先把主要的证正之点指摘于下。

---

① 参看陈译中文本,正文第7—8页。

"然而那劳动生产物却在我们不知觉的中间,已被转型了",这在旧译上,是"……已被我们的手在转变"。原文是:Jedoch ist uns auch das Arbeitsprodukt bereits in der Hand verwandelt,我想这里的 in der Hand,不应该是英译的 in our Hand(在我们的手),应该是旧法译的 á notre insu(在我们不知觉的中间)。

"若舍象劳动生产物的使用价值而不顾……",这是改的原译"若抽象劳动生产物的使用价值而不顾……"一句,这句的原文是:abstrahieren wir sehen wir ab von seinem Gebrauchswert,其中的 abstrahieren von 和 absehen von 同义,即是抽象去了的意义,所以应该译为舍象。

又,abstrakt, schlechthin menschliche Arbeit(第二版及恩格斯版均为 abstrakt menschliche Arbeit,至于 schlechthin 这个字,则是考茨基版补入的),原译为"抽象性上的单是人类的劳动",现改为"舍象的即单是人类的劳动"。这句中的 abstrakt 没有成为 abstrakte。所以不经意地读下去的人们,他抱着极大的误解,就要和福田博士所说的(我也曾有一个期间和博士采取同样的读法)"这种场所的 abstrakt,就是把 menschlich 这个形容词形容出来的副词"所以前记的一句,"若作为抽象上的人类劳动,我觉得原意似乎可以不至误传"等语一样①。然而这个场所的 abstrakt,并不是形容 menschlich(人类的)这个形容词的副词,它同 menschlich 都是形容 Arbeit(劳动)这个名词的形容词。然则马克思何以不说 abstrakte 而说 abstrakt 呢?那是为了要指示舍象的劳动,同时是人类的劳动,舍象的劳动即人类的劳动。关于这一点,且待后面去详细说明罢!

我们回到本文上来吧!已经说过,我们在交换价值的观点上,是不顾商品体的使用价值的。例如过剩生产物的小麦,——以自己消费为目的所生产的小麦,因为过剩才成商品,而最初就被作为商品生产出来的小麦,在生产者看来最初就是过剩生产物,所以,商品在它的所有者看来,才是过剩物,——它的所有者,不是在它可以供食用上面,去承认它的意义的。在这一意义上,"诸商品在成为交换价值上,是没有包含使用价值的一分子"的东西,从交换价值的观点说,该商品体的使用价值,是完全被置于不顾的。然则从该商品体中舍

---

① 对于福田博士所说的详细批评,请看拙著《社会问题研究》第 84 册,通页第 2957 页以下。

象了使用价值后,那商品体上究竟还有什么残留呢? 那商品体的所有者,究竟在它的什么属性上去承认它的意义呢? 他以什么为标准,把小麦一斛等于铁二吨呢? 马克思关于这一点,是像下面那样说明的。

"我们现在若置商品体的使用价值于不顾,那么,商品体上便只一个属性——劳动生产物的属性——残留着。"从商品体中,舍象了那些可以使它成为有用物的各种属性后,那里所还残留的属性,就只有所谓人类劳动的生产物这一事实了。"然而那劳动生产物,却还在我们不知觉的中间,被转形了"。我们既然不顾商品体的使用价值,其结果,便要跟着它同时不顾那些商品生产上所费的劳动的具体形态。既然不顾那种具体形态,那些劳动便无论那一个都要"还原为一样的人类劳动,还原为舍象的即单是人类的劳动"。

这里所谓的人类的劳动(Menschliche Arbeit),就是和有用劳动(Nützliche Arbeit)相对立的一个用语,而所谓有用的劳动,就是为了生产,"棹子,或房屋,或纱子以及其他有用物"所费的劳动,它们"或为木匠的劳动,或为建筑师的劳动,或为纺织劳动以及其他一定生产的劳动",都具有"种种具象的一定的诸形态"。制造桌子的劳动、建筑房屋的劳动、纺纱的劳动——这种种劳动,谁和谁的形态都不同。堆积砖石的劳动粗糙,制造时钟的劳动细致。哪怕拖货车的劳动和开汽车的劳动,其为搬运物品的劳动这一点都相同,而形态却互有差异。所以,有用的劳动,就是形态互异的劳动,因而有用的劳动,就是一定的具象的劳动。现在把那样一切种种的具像劳动之一切形态不顾了舍象了的东西,那就是舍象的劳动(abstrake Arbeit)。我们既然置那些劳动所赖以成为有用的诸形态于不顾,那些劳动便不能表现为有用的劳动了,那些劳动固然不错仍是有用的劳动,但从上述的见地说,便不看成有用的劳动了。马克思称它为人类的劳动(Menschliche Arbeit)。那并不是所谓木匠的劳动,也不是所谓建筑的劳动,也不是所谓纺织的劳动,乃系单是人类的劳动这意义上,所谓schlechthin menschliche Arbeit 的。因此,舍象的劳动,同时即为"单是人类的劳动"。并且,那些劳动,是蔑视了种种一切形态的劳动,所以,是"已经不能互相区别"都"一样的劳动",而这一样的劳动,即单是人类的劳动。所以,又称为"一样的人类的劳动"。

把以上的关系最明了地描写出来的,就是引在下面的《资本论》第一版的附录"价值形态"中的一句。

Wert ist der Rock nur, so weit er dinglicher Ausdruck der in seiner Produktion verausgabten menschlichen Arbeitskraft ist, also Gallerte abstrakter menschlicher Arbeit — abstrakter Arbeit, weil von dem bestimmten, nützlichen, konkreten Charakter der in ihm enthaltenen Arbeit abstrahirt wird, menschlicher Arbeit, weil die Arbeit hier nur als Verausgabung menschlicher Arbeitskraft überhaupt zählt. (S.766) (第二节第三项)。

外套所以是价值的,就因它是它的生产上所费的人类劳力之物的表现,因而是在它成为舍象的,人类的劳动之胶质物的时候。这里所说的舍象的劳动,就是因为含在它中间的劳动之一定的有用性质具象性质被舍象了的缘故,而所谓人类的劳动,就是因为劳动在这里只被当作人类劳动力的一般支出计算的缘故。

照这看来,所谓舍象的劳动就是人类的劳动这件事,一见就明白了吧!这里作为 abstrakte menschliche Arbeit 的,在《资本论》上则往往作为 abstrakt menschliche Arbeit,那不外于为了主张舍象的劳动和人类的劳动之同一性。所以,abstrakt menschlieche Arbeit 这一语,应该译为"舍象的同时就是人类的劳动",或简洁点儿译为"舍象的即人类的劳动"。那和把第一章第四节中的 ein sinnlich Übersinnliches 译成为"感觉上的超感觉的物"既错误,译为"感觉的超感觉的物"意义也不通,因而在日本语上,不得已只好用冗长的译法,译为"感觉的而同时超感觉的物",是一样的情形。若是因为这里的 abstrakt 没有和 menschliche 一样写成 abstrakte,便误解它是形容 menschliche 这个形容词的副词,那就和福田博士主张把 abstrakt menschliche Arbeit,译作"抽象上的人类的劳动,认为不至误传原意"一样,那是表明自己对于马克思学说如何不理解,看了上面所述的或许要明白。

马克思把人类的劳动这一语,有时已改称一般的劳动或社会的劳动,他所认为必要理解的,便是所谓舍象的劳动同时就是人类的、一般的、社会的劳动这件事。关于这一点,《政治经济学批判》内所说的下面一段话,还得注意一下。

Franklin meinte …, dass der Wert von Stiefeln, Minenprodukten, Gespinst, Gemälden usw.bestimmt wird durch abstrakte Arbeit, die keine besondere Qualität besitzt und daher durch blosse Quantität messbar ist.Da er aber die im Tauschwert enthaltene Arbeit nicht als die abstrakt allgemeine, aus der allseitigen Entäusserung der individuellen Arbeiten entspringende gesellschaftliche Arbeit entwickelt, verkennt er notwendig Geld als die unmittelbare Existenzform dieser entäußerten Arbeit.(S.39)

弗兰克林……曾认定靴、矿产物、丝、绘画等的价值,是由那没有具着何种特殊品质而可以单用分量去测定的舍象劳动规定的。然而他没有把交换价值所含的劳动,作为舍象的同时又是一般的劳动去展开,换言之,没有作为从个人的劳动之全面的让渡中发生的那种社会的劳动去展开,所以他看错了这件事:货币必然地就是那种被让渡了的舍象之直接的存在形态。

马克思在这里,也是写 abstrakt allgemeine, …gesellschaftliche Arbeit,他所以不写 abstrakte 而写 abtrakt 的,那恐怕也是因为侧重于认识舍象的劳动即是一般的、社会的劳动这件事的缘故。

以上说过,有用的劳动就是具象的劳动,舍象的劳动就是人类的劳动。“有用的、具象的劳动”和“人类的、舍象的劳动”,固然是反对物,固然是对立物,可是这里却还要顺便说一下:那些对立物,在某种意义上又是同一物,而“人类的、舍象的劳动”,不外就是“有用的、具象的劳动”。关于这一点,又令我想起我常常爱引用的列宁的话——“辩证法,是研究对立物怎样能够同一而且是同一的……这种事的学理”来了。所谓舍象的劳动,不外就是蔑视了具象的劳动诸形态的东西,所以可说是具象的劳动之一面,离开了那种具象的劳动,别无舍象的劳动存在之道(这件事情,在以后说明“劳动二重性”的时候,许要十分弄明白,所以这里不深入地说它)。我们在旧译文上,所以把 abstrakt, schlechthin menschliche Arbeit 译为“抽象性上的单是人类的劳动”的,就是因为用抽象这一语的时候,认定连这样都不译出来,前述之辩证法的联络,便无论如何都有被埋没之虞。原来抽象和舍象虽是对立物,但同时却又是同一物。在抽出一定现象的时候，从被抽出了的东西这立场说，就是抽象，从抽象去了之后所剩的东西那立场说，就是舍象。所以，抽象和舍象，均之不外于从变异了活动的立场命名的东西。至于外国语方面，不管说抽象的时候也好，说舍象的时候也好，都是用 abstrakt 语表现的。在日本语方面，简直向来把这 abstrakt 专只译作抽象的，这么一来，立言的方法便偏于抽出的这边，而抽象去了之后所剩的那边，就没有很注意了。但是，凡说 abstrakt, schlechthin menschliche Arbeit 的时候，是指的抽象去了之后所剩的东西而言的，所以，我们是想如何把它的意义表现出来而译为"抽象性上的单是人类的劳动"的。然而若把 abstrakt 译为舍象，那就更可丝毫不漏地表现出这种时候的意义来。这就是我们不管抽象的劳动这种译语之通行，想另行改为舍象的劳动的理由。

把 abstrakt Arbeit 译为舍象的劳动，随着就发生一个大缺点：容易使它和形式论理上的抽象的概念之类相混同。马克思所说的舍象的劳动，已经反复说过，就是指的那把一切种种形态具象起来的社会全体的劳动之一面，不是在对于个个具象的劳动而言的具象的劳动一般这意义上去说的 abstrakt Arbeit。凡不理解马克思的价值论的，多是由于把他所说的 abstrakt Arbeit 作为形式论理上的抽象概念之类而发生的。我到后面当把它这点再说一说。

我们更进而把马克思所说的看一看。

> 我们试考察一切劳动生产物的这种残余物看看。它们的上面，除了同一的幻术般的对象性、无差别的人类劳动之单纯的胶质物外，换言之，除了那不顾其支出形式的人类劳动力支出之单纯的胶质物外，什么东西都不残留。这些东西，只是表示人类劳动力被支出在它们的生产上，人类的劳动被它们所蓄积的事情。这些东西，就是它们所共通的那种社会的实体之结晶——价值（Wert）、商品价值（Warenwert）①。

高畠氏的译本上，把这开头的句子 Betrachten wir nun den Rest der Arbe-

---

① 考茨基版，第6页；参看陈译中文本，正文□页。关于这一段，英译本和法译本，都各呈示多少的异同，这里却不一一加以指摘。

itsprodukte,译为"那么,试一考察劳动生产物的残基是什么",恐怕 Rest 这个字,只是"残物"的意义吧！恐怕因为我们既在前面从劳动生产物中舍象了使用价值,所以 Rest 这个字,在这里被用在那种舍象之后的残物的意义上的吧！前面说的 abstrahieren,不是把何等共通的东西抽出来的意义,反而是置某种东西于不顾的意义,这一点,这里越发明白了。当观察那从劳动生产物中舍象其使用价值的属性后的残物时,那便只是"无差别的人类劳动之单纯的胶质物",此外什么东西都不是的。况且所谓劳动,就是劳动力的支出,所以,如果那种劳动是无差别的,单人类的劳动之劳动,那换一句话,就是"不顾其支出形式的人类劳动力之支出"。所以,就说在舍象使用价值后的劳动生产物上面,除了那不顾其支出形式的人类劳动力之支出的单纯胶质物外,什么东西都不残存,也是一样的事情。就是说,"这些东西,只是表示人类劳动力在它们的生产上支出,人类的劳动被它们所蓄积的事情。现在,这些生产物,就是它们所共通的那种社会的实体之结晶——价值、商品价值"。

若把同一的事情重复地再说一说,就是:人类的劳动力,为生产诸商品而被支出;所谓劳动,便是那种劳动力被支出了,那些劳动被蓄积在那成了商品的劳动生产物中。若是从那些劳动中舍象了它的具象形态,那就仅有单是人类的劳动这么一种东西了,所以被蓄积在一切商品中的劳动,尽成了无差别的一样的劳动,它在诸商品体中便成了共通的属性,现在就是因为被看作那种共通物的结晶而成为价值物(成为商品的价值的某物)的。劳动这东西不是价值,它是结晶于一定的对立物中时而构成那些物的价值的(后面还要说)。所以说 als Kristalle……(成为……的结晶)。我们在前面碰见的 Gallerte(胶质物)这一语,想必就和这里所说的结晶同义。马克思所以用那种文字的,也许是从生物细胞的原形质那种胶质物中想到的。总之和生物细胞的原形质相当的东西,在商品上(资本家社会的富的细胞上)就是人类劳动的单纯胶质物。至于这里指诸商品所共通的"舍象的、人类的劳动"为"社会的实体",那是因为种种劳动的具体诸形态的舍象,就是那些劳动生产物之全面让渡的一种社会过程的产物之故。已经说过,制造桌子的木匠的劳动,建筑房屋的建筑师的劳动,纺纱的纺织劳动,等等,其形态都不相同。然而那么一切种种的具体劳动所生产的无数的物,因为是商品,便不得不互相交换,既然互相交换,那些无数的生产物，便可在一定的比上彼此相等。因为能够那样，一切种种的劳动才能不顾互异的具象形态，才能还原为一样的人类的劳动。所以，一样的人类的劳动那东西，不外就是各种生产物之全面让渡的一种社会过程的产物——基于历史行为的产物。在《资本论》第一版上，曾说："诸商品若成为使用对象或财，那就是有形的不同的物。反之，它们的 Wertsein（价值存在），却形成它们的 Einheit（统一）。这统一并不是从自然产生的，乃是从社会产生的。在种种使用价值上，实在只有那种种方面把自己表示出来的社会实体，才是劳动。"在商品生产社会虽然一切劳动生产物，都成为它的生产者私有物而对立，但那些私有物由于被互相交换而转形为社会物，那些物的生产上所费的劳动，便被舍象它的具体性而为舍象的、人类的劳动那么一种等质物所统一。这种统一，是由于成为劳动生产物的那全面的让渡所送来。所以说，"这统一，不是从自然产生的，乃是从社会产生的"，舍象了的具体的个别的有用性的劳动，就是诸商品所共通的"社会实体"。

马克思接着还说了交换价值和价值的关系，借把上面所述之点告一段落。他说：

> 在诸商品的交换关系自身中，诸商品的交换价值，以那完全离开它们的使用价值而独立的某种东西呈现于我们的眼前。我们如果现实地舍象种种劳动生产物的使用价值，则我们正获得上面所规定了的那种价值。就是说，在商品的交换比率或交换价值上自己表示出来的那种共通东西，就是商品的价值。我们随着研究的进行，虽然要回到那成为商品价值之必然的表现方法或现象形态的交换价值上去，但商品价值却应首先离开那种形态去考察。①

我们用以上的方法，从交换价值出发到达了价值，从交换价值的现象形态到达了它的本质——价值。我们还要在第三节标题为《价值形态并交换价值》的项下，说明价值为什么必然地采取交换价值这现象形态。不是太阳绕

---

① 考茨基版，第 6 页，参看陈译中文本，正文第 9 页。

地球而旋转,乃是地球绕太阳而旋转,单只说明这件事,还没有完全把问题解答出来。我们必须更加说明:为什么发生地球绕太阳而旋转的那种现象形态,才算完全解答了问题。不过暂时是想离开那种现象形态,先研究价值这东西,更加说明以下诸问题的。

四、成为价值的商品——其二,价值的分量

我们在前面只把那成为使用价值的商品,用质、量、尺度的顺序考察了一下。考察成为价值的商品,也应在那种顺序上去作。这就是说,我们在前项所作为问题的,是价值的品质——具有一样的品质的价值实体是什么——所以只把价值完全从其量的方面离开来独立地考察了一番。"相异物的大小,还原为同一单位后,才成为可在分量上被比较的东西"。明白了价值的实体即是"一样的人类的劳动"的我们,现在应该依次地进而考察它的分量而测定分量的尺度。

不把那种考察顺序弄错,在我们是很紧要的事情。马克思在种种场合都注意这件事。这里,举出一两个例来看看!"要发现一个商品的简单价值表现如何隐藏在两个商品的价值关系中,我们首先就要把这个价值关系,完全从其量的方面离开来独立地去考察。可是,人们大概都用和这正反对的办法,只在价值关系中,看见两种商品的一定分量在它上面被作为互相等于价值的那个比率。人们所看漏了的事情,就是相异物的大小,还原为同一单位后,才成为可在分量上被比较的东西。只有成为同一单位的表现,相异物的大小才是具着同一称呼而可用同一单位去测定的大小"[1]。英国正统派经济学的缺点,其一也就在于看漏了上述的关系。"诸劳动之单是分量的差别,以它们的品质的统一或平等为前提,即是以诸劳动朝着舍象的而同时是人类的劳动去的还原为前提,正统派经济学便没有注意这件事。"[2]"价值的大小之分析,完全夺去了他们的注意"[3]。我们应该注意的事情,就是我们要说明了价值的一样的品质,以下才能把它的分量作为问题。

---

[1]　考茨基版,第16页;参看陈译中文本,正文第31—32页。

[2]　考茨基版,第43页;陈译中文本,正文第95—96页。

[3]　考茨基版,第44页。

所以,马克思说:

> 要之,一个使用价值即财货,所以具有某种价值的,不外于舍象的而同时是人类的劳动在其中被对象化或物质化了的缘故。然则它的价值的大小,是怎样被测定的呢?那是由它内中所含的'形成价值的实体'之分量,劳动分量所测定的。①

然则劳动的分量又为什么所测定呢?"劳动那东西的分量,为劳动时间的继续所测定,而劳动时间,又以时间的一定部分如时、日等为尺度"②。

照这样说:"或许有人以为:一个越懒惰、越不熟练的人,他在那商品制造上越发要花较多的时间,所以他的商品价值就越发要大。不对!形成价值实体的劳动,就是一样的人类的劳动之支出,同一的人类的劳动力之支出。在商品世界的价值总和上表示着自己的社会的总劳动力,虽由无数个人的诸劳动力所成立,但在这时候,作为一个同一的人类劳动力是妥当的。"所以,规定一个商品价值(价值的大小)的,虽说是它的生产当间所支出的劳动分量,而那个劳动,这时候,却是指的成为社会的平均劳动的那种一样的人类劳动,所以,规定一个商品价值的,终归是它的生产上所费的社会的必要劳动的分量(即劳动时间)。这里所谓社会的必要劳动时间(Gesellschaftlich notwendige Arbeitszeit),"就是指的在各种时候,以社会的正当的生产诸条件和劳动的熟练及强度之社会的平均程度,生产某种使用价值所必要的劳动时间,说一个比喻吧!假定英国从采用蒸汽织机后,要把一定分量的纱转变为织物,只需以前所费的劳动约半分就够了。可是,英国的手织工,尽管为着同一的转变,实际上通前后都是需要同一的劳动时间,而其个人的劳动时间的生产物,现在却仍只表示着往时半分的社会劳动时间,因此,便减少了它以前的半分"③。

因此,尽管同品质同分量的商品,——例如同品质的一石小麦,——生产上需要种种不同分量的劳动,而其价值(其价值的大小)却受规定于这种东

---

① 参看陈译中文本,正文第9页。
② 参看陈译中文本,正文第9页。
③ 参看陈译中文本,正文第9页。

西,即它的生产上所必要的劳动种种不同的分量,被用社会全体平均下来的东西。比如对于那为生产小麦而被使用的土地,作为有上中下三个等级,那么,在上等地生产出来的小麦,所费的劳动当是比较的最少量,在中等地生产出来的小麦,当比上等地多费一点劳动,至于在下等地生产出来的小麦,则所费的劳动就比较的是最多量了。但是,如果从社会全体去看,作为中等地生产物的分量占支配地位,上等地生产物和下等地生产物恰好余补不足,则小麦一石的价值,便为中等地生产上必要耗费的劳动分量所规定。所以,在上中下三等地上所生产的小麦,尽管生产上所费的劳动分量各不相同,而其价值却都是同一的。"总之各个商品,这时候作为那商品种类的平均样本是妥当的。"①

"所以,我们达到的结论:是一个商品,所以具有某种价值的,就因为它是社会的劳动之结晶。它的价值的大小即它的相对价值,是依存于它的内中所含的那种社会实体的分量之大小的,换言之,是依存于它的生产上的必要劳动之相对额的。所以,诸商品的相对价值,受那些商品上所耗费的劳动、所实现的劳动、所凝结的劳动之种种量或额的规定。凡可以用同一劳动时间生产出来的诸商品的种种分量(在价值上)都相等。换言之,一个商品价值对别的商品价值的关系,就是凝结于前者的劳动分量对凝结于后者的劳动分量的关系",在"工钱价格及利润"上是这么说的;在《资本论》上则更简洁地把同一情形表现如次:"因此,含着等大的劳动量或可以在同一劳动时间内生产出来的诸商品,便具着同一的价值大小。又,一个商品价值对其他各商品价值所具的关系,等于那商品生产上的必要劳动时间对别的商品生产上的必要劳动时间

---

①　陈译中文本,正文第10页。"社会的必要劳动时间"这一语,以后还被用在别的意义上。如《资本论》第三卷第二分册(德文本,第176页)上,曾说明"必要劳动时间这一语,这里具有别的意义……";又,《剩余价值的诸学说》第一卷(参看德文本,第233—234页)上,说明:"从这一见地看来,必要劳动时间,具着一个别的意义。"这几处就是例子。关于这一点,请参看拙著《社会问题研究》,第46册,通页第1625页以下及第61册,通页第2124页以下。还有作为和剩余价值相对立的"必要劳动时间",请看《资本论》第一卷,第17章,脚注29。我们并不是在这里把价格作为问题的。价值由货币所表现的价格,尚属以后去研究的范畴。然而如果预先就这一点说一句,那就和从前说过的一样,One price in a market(一个市场内的一个价格),便是市场价格的原则。就是说:"无论商品生产的条件,在个个生产者看来,是如何的不同,而市场价格对于同种类的一切商品,却都是一样的。市场价格,不过在生产的平均条件下,为了供给一定货物的一定量于市场,表现那被当作必要的社会劳动之平均量而已。那是要从一定种类的商品全体去计算的。在这一限界内,一个商品的市场价格便和它的价值一致"(工钱,价格及利润)。

所具的比"①。

因为一个商品价值的大小,那样受着它的生产上所必要的劳动分量的规定,于是一个商品价值的大小或一个商品的价值(价值的大小),对其他商品价值(价值的大小)的关系(即诸商品的相对价值),就成了和劳动生产力密切联络的东西。②

这里所谓劳动生产力(Produktivkraft der Arbeit)的,已在"《社会问题研究》第85册说明过,它和所谓劳动的 Produktivität"(生产度)或 Produktivvermögen(生产能力)同义,它是由生产上所费的劳动分量(这由劳动时间所测定)和这劳动分量所生产的生产物(使用价值)分量的比表现出来的。就是说,如果同一分量的劳动所生产出来的使用价值增加了,或——同一的事情——生产同一分量的使用价值所必要的劳动分量减少了,那就是劳动生产力提高了,和这相反的场合便什么都相反。

所以,马克思说:"所以,如果某商品生产上的必要劳动时间不变,那商品的价值之大小也就依然不变,常常是一样的,但是,生产上的必要劳动时间,每随劳动生产力上的一切变化而变化。劳动生产力,为多种事情所规定,尤其为劳动者熟练的平均程度,科学及其技术上的实用性之发展阶段,生产过程的社会组织,生产手段的范围及作用能力,并许多自然事情所规定。……这就一般地说,劳动生产力越大,某种物品的产出上所必要的劳动时间便越小,而结晶于这劳动生产物中的劳动分量也越小,这物品的价值也随之而小。反之,劳动生产力越小,某种物品的产出上所必要的劳动时间便越大,而它的价值也越大。所以,一个商品价值的大小对那在它身上实现出来的劳动,是与其分量为正比例与其生产力为反比例而变动的"③。

---

① 参看陈译中文本,正文第 11 页。

② 我在前述的文句中,曾两次在"价值"一语下,用括弧注明"价值的大小",这想法已引起了读者的注意。这一点的意义,实因我们在商品价值的一种场所,往往是指着价值的大小。这就《资本论》的本文说,例如所谓:"如果一个商品的价值,受它的生产当间所支出的劳动分量所规定……",像这种场所的商品价值,就是指的价值的大小(价值量)。所以,那和说舍象的、人类的劳动之结晶就是价值的一种场所的价值,所指的东西不同。我们今后将屡有不说价值的大小,而只说价值的时候,不能因此便把质的问题和量的问题混同起来。

③ 参看陈译本,正文第 12—13 页。

一个商品价值的大小或一个商品价值,对于其他商品价值的关系(即诸商品的相对价值或诸商品相互间的价值关系),像这样和劳动生产力具着密切关系,这件事,通《资本论》全卷、通资本家社会的全领域,都具着根本的意义。现在要明白这件事,就有两点应该理解。

就这一般地说,凡属于人类支配下的生产诸力(Produktivkraft)——供生产使用价值(财富)用的种种力——就是人类对于自然开始积极动作的根本动力,现在人类不仅是用那种生产诸力,"去对自然发生关系的。他们只有靠在一定的方法上共同动作,相互交换他们的活动去生产。他们为了从事于生产,相互地投入在一定的联络及关系中,并且只有在此等社会的联络及关系的内部,才能成立他们对自然的关系,才能从事生产"①。所以,生产诸力的发展,既使人类对自然的关系变动,同时又变动人类相互的关系(生产诸关系)。所以,马克思在《政治经济学批判》的序文上说:"人类在其生活的社会生产上,……把适应于他们的物质的生产诸力之一定发展阶段的生产诸关系,作为给予了的东西去接受"。但是,能够供人类向自然行加工用的种种力(生产诸力),现实地在自然上动作的时候,无论何时都要人类的劳动作媒介。所以,那属于社会的生产诸力之发展,原则上,都表现为社会的劳动生产力(生产能力)之向上。所以,所谓生产诸关系,"适应于生产诸力的一定发展阶段"这件事,就和生产诸关系适应于劳动生产力的发展阶段这件事一样。

其次,再把它就资本家关系去观察,它的基础的社会关系,已经说过,就是商品交换关系。可是,那支□商品交换关系——商品与商品的交换关系——的,是诸商品的价值关系,而各商品价值的大小,又"和那些商品上所实现着的劳动生产力为反比例而变动"。我们从这件事上面,便可知道:资本家社会内的基础的生产关系,是以商品的价值变动为媒介,适应于劳动生产力的发展程度,适应于□□的生产诸力的发展程度的。社会的生产诸关系适应于生产力的一定发展阶段这种一般的关系,就是这样在资本家社会,以商品价值为媒介而实现的。对于价值的理解,其所以在理解资本家社会诸关系上具有决定的重要性,就是这个缘故。

① 《工钱劳动与资本》。

资本家社会的生产诸关系中最重要的东西，就是资本家阶级和工钱劳动者阶级的关系，它在经济上——以后我们或许还详细地观察——依存于劳动作力的买卖，所以又是依存于劳动作力的价值，仍是依存于劳动作生产力的。

*　　　*　　　*

《资本论》第一版上，马克思在这种地方说明如下：

> 现在我们知道了价值的实体，那就是劳动。我们又知道了价值大小的尺度，那就是劳动的时间。把价值恰刻印为交换价值的那种价值形态，应该分析出来看看。不过在分析它之前，应该把已经发现的诸规定，更加深入地说明①。

接着那种文句的后面，在第一版上，还写着和以后的改订版大略相同的文句。其文如次：

> 某种物品虽不是价值，却可是使用价值。凡对于人类的效用不是由劳动作媒介的时候，就是那种物品。例如，空气、未垦地、自然草地、野生树林等等便是。某种物品虽不是商品，却可是有用物而且是人类的劳动生产物。那用自己的生产物满足自己本身的欲望的人们，就只创造了使用价值，没有创造商品。若要生产商品，他便不仅生产使用价值，还须生产供别人用的使用价值即社会的使用价值。
>
> 最后，无论什么东西，它若不是使用对象，它就不能是价值。如果一个物件是无用的，它中间所含的劳动也就无用，那便不能算劳动，而且因此不能形成何等价值②。

这件事，想已经无须另加说明了。在第一版上，虽还接着说明"商品所表示的劳动二重性"，而第二版上则把它作为第二节独立了。所谓在考察价值形态之前，应该"更加深入地说明"的，主要就是指的这劳动二重性。属于这

---

① 《资本论》，第一版，第6页。
② 参看陈译中文本，正文第13—14页。

件事我们也应该另设一节去论究。不过我们在论究这件事以前,更列举一些对于我们在上面所考察过的社会价值说的主要疑问,借以说明我们对于那件事的见解,或许便利些。

第三节　对于劳动价值说的异论的分析

我在上面,对于马克思的劳动价值说,已经解释过一下,我还想在本项,分析那对于劳动价值说的主要异论。

一、马克思给库格曼 Kugelmann 的书简

对于马克思的劳动价值说,有各种各样的反对论,然当我们还没有分析那些反对论之先,若把马克思给库格曼的书简熟读一下,或者更便利些。

列宁对于这封书简,曾于 1907 年 2 月 5 日,在《马克思给库格曼的书简》的序说中,有如下述的注意。

　　1868 年 7 月 10 日的(马克思给库格曼的)书简,对于马克思主义广而且深的认识,提供了卓越的兴味。那书简中,马克思以对于俗流经济学者论争的评论形式,很富于含蓄地说明他对于所谓"劳动价值说"的见解。在《资本论》的素养最缺乏的读者所首先流露的,以及被教授式的资产阶级的科学之一打代表们所最顽强撑持的——对于马克思的劳动价值说的各种异论,在此处,则由马克思简洁的、单纯的,而且非常明白地分析出来了。马克思在此处为要达到价值法则的阐明,他指示出应采取怎样的手段,或不得不采取怎样的手段。他利用最流行的异论,教给我们理解他的方法。如价值说,他把外观上那种纯粹理论的抽象的问题,和要求"混乱的永久化"之"支配阶级利害"的联络,已经弄明白。凡是要精研马克思而开始试读《资本论》的人们,一面要研究《资本论》的最初的且最困难的几章,同时还要反复熟读上述的书简,那真是最有希望的。① 在《资

---

① 《给库格曼的书简》,德文本,第 516 页。

本论入门》第三分册的序言上所引用的一句,是根据的林房雄氏的译本,那与在这里所举出的有多少不同,因为此处是据德文本译出的缘故。

列宁这样诚恳而且有力地向我们介绍马克思的那封信,现在试于必要的范围内引用一段如下。

……就"中央新闻纸"说来,如果他们一想到关于价值上的某等事情,就不得不承认我的结论,从这点看来,已属最大的让步。在一般可怜的人们所没有观察到的,就是:在我的著书中,纵然没有特设关于"价值"的何等章节,然而我所提供的现实的各种关系的分析,实是包含现实的价值诸关系之明示和论证的。那些一定要明白表示价值概念而喋喋不休的人们,不外是对于当作问题的事件,以及科学的方法最为无智的人们。不要说一年,尽管几星期,如果停止了劳动,恐怕任何国民都要死掉,这是什么小孩子都知道的事情。又,适应各种欲望的各种生产物的数量,是以社会总劳动的各种数量,且是分量上被规定的数量为必要的,这也是什么人都知道的事情。把社会的劳动在一定的比例上分配着的这种必然性,决不能被社会的生产之一定的形态所废除,宁可说是只改变了那个现象的方法,这也是自明的事实。自然法则,总是不能废除的。在历史上不相同的状态之下所能变动的,只有该法则贯彻自己的那种形态。而社会的劳动之联络,如在个人的劳动生产物以私的交换显现着的社会状态之下,则劳动的这种比例的分配贯彻自己的那个形态,恰是这些生产物的交换价值。

科学,恰是在说明价值法则怎样贯彻自己的当中成立的,所以,若是我们入手就想阐明该法则中的外观上矛盾着的一切现象,那我们便不得不于科学以前提供出科学来。李加图在他的著作内关于价值的开头一章上,把那待到说明展开之后才发生的一切可能的范畴,当作一定的前提,想从价值法则上论证那一切范畴的调和,正是他的错误。

俗流经济学者,一点儿也不感觉到现实上日常的交换比率和价值的大小是不能直接同一的事。资产阶级社会的本质,正是在生产之意识的社会的统制,先天上决不能显现的当中成立的。合理的以及自然的东西,(在这种社会)只是以盲目的平均作用贯彻自己的。所以俗流学者们,不暴露内的联络,专主张事物在现象上(所谓法则)是不同地表现着,且认为那是他们伟大的发现。其实他们的得意,是由于他们只捉住了假象,反认假象为最后的东西的缘故。如果是这样,那么,科学的功用是什么?

然而,事态在这里,也还有其他的背景,因为一旦洞察到内的联络,那对于现存诸状态之永久的必然性的一切理论上的信仰,在(现存诸状态的)实际的崩坏以前,就已经被颠覆完了,所以,就是在这里,那使无思想的混乱永久化的事,也是支配阶级绝对的利益。那些在经济学的范围内,都只知道拿一张不须思索的牌来赌胜而喋喋不休的饶舌家们,究竟是为着什么而被雇佣的呢?

恩格斯对于上面所引用的马克思书简的冒头上所谓“那些一定要明白表示价值概念而喋喋不休的……”那一节,他在《资本论》第三卷的序文上有一段话,是很可注意的。

Es versteht sich ja von selbst, dass da, wo die Dinge und ihre gegenseitigen Beziehungen nicht als fixe, sondern als veränderliche aufgefaßt werden, auch ihre Gedankenabbilder, die Begriffe, ebenfalls der Veränderung und Umbildung unterworfen sind; dass man sie nicht in starre Definitionen einkapselt, sondern in ihrem historischen resp. logischen Bildungsprozess entwickelt.

事物及其相互的关联,既不是当作固定的去把握,而是当作变动的去把握,那么,关于思维上的映像和概念,同样,也得感受着所谓变化和变形;又,我们不可把它概括于凝固了的定义中,应当在所谓历史的、论理的形成过程上去展开,凡此一切,都是不言而喻的。

关于价值概念的形式论理的定义之没有摆在《资本论》中的,就是基于上述的理由。

列宁当取玻璃杯为例而叙述如下:“玻璃杯,无疑的是玻璃制的圆形筒,是饮水的器具。但是玻璃杯,不但具着这两个属性、特征,或方面,还具着无数的属性、特征、方面,并和玻璃杯以外的全世界的相互关联,及'媒介'。……在学校中,我们只学到那里为止的(更附带的说一句,在低级中是不得不学到那里为止)形式论理,是采取形式的各种定义,为最普通使用的,或常在眼前的东西所引导,而且只在那里就停顿了。如果我们在那时候,采取两个或两个以上的若干定义,后来偶然把它(圆形筒和饮水的器具)统一起来,那我们虽然得到表示对象物若干方面的折中的定义,可是此外就什么东西都得不着了。辩证法的论理,是要求我们更前进的。……"①

我们注意了这段话之后,以下,试以对于马克思劳动价值说的异论中近来在日本出现的主要论述为批判的对象,同时,使上述的马克思书简的意义由此更加明了。

二、由于把马克思的"舍象的、人类的劳动"误解为单纯抽象的概念的异论

庆应义塾大学的小泉信三氏,对于马克思的劳动价值说,是屡唱各种异论的。现在检阅氏所著的《价值与社会主义》(序文上标明为大正十一年十二月),曾有下述的一段。

……那么,对此(马克思劳动价值说的"论究法"——河上补)应下怎样的批评? 说起来,劈头一个疑问,就是这两点:在相互被交换的货物当中,"共通物的同量某物",果然只是劳动么? 不是劳动生产物,然而相互被交换的交换比率,是由什么东西来说明的呢?

可是认作共通的某物之一的,就是利用(效用、使用价值——河上补)。马克思屡屡地极力说着所谓使用价值的抽象,譬之满足食欲或防御寒暑用的特定用途,虽然都是因各种商品而不同的,可是和马克思不把各个商品看作建筑劳动、纺绩劳动、木工劳动等的各个特定的劳动产物,而看作一般的抽象的人类劳动的产物一样,不认为是满足食欲或衣欲的

———————————

① 列宁:《关于辩证法的唯物论》。

286

东西,而认为是一般的有满足人类欲望的力的东西,于这件事中探求相互的共通点,试问这与以劳动为共通要素,不能在同一程度上被许可么?

其次,马克思对于虽能买卖交换,但不是劳动生产物的,又是怎样说法?他是把这种财货从它的价值法则除外了的。譬之他说:土地虽然有价格,但无价值,何以?因为它非劳动生产物的缘故。原来,在这种特定局限了的意义上把价值这名词来使用,也是人们的随意,然而,除开劳动生产物之外,剩下来的东西,即商品,它所共通的特征是什么呢,对于这个发问的回答说那就是劳动生产物一事,那归着岂不是;集合具有某一特征的东西,别人问这许多东西的共通特征是什么时,又答复他就是那个一特征?由这种的论究上,我们的认识一点儿也不能进步。

由此看来,被小泉教授"劈头发生疑问"的有两个。一是:马克思虽然把劳动当作价值的实体,然而据他的研究法看来,效用(使用价值)不也可以被看作价值的实体么?另一是:马克思的眼中,只拿劳动生产物来达到价值法则的阐明,这使我们的认识一点儿也不能进步。现在我们试来研究研究小泉教授"劈头所发生的疑问",果然是否列宁所说的在《资本论》的素养最缺乏的读者,首先所流露的,以及被教授式的资产阶级的科学之一打代表们,所最顽强支持的——对于马克思的劳动价值说的各种异说?

姑且试研究他的第一疑问。

在相互能交换的商品当中之共通的某物果然只有劳动存在么?……可以认作共通的某物之一的,不是除劳动之外还有利用[效用]么?"这是他第一个疑问。我对于他的答复如次:

效用是否各商品体中所共通的性质,马克思在商品分析的冒头上就说过。如说"商品,第一就是一个外界的对象,是一种可以用它的诸性质去满足人类的某种欲望的物件",商品的分析就是这样开始的。至于各商品在具有某种效用,是某种使用价值的一点上,不用说,是有其共通点的。

但在他方,那又绝不是仅仅商品中所共通的要素。不问它是否具有商品形态,总之任何财富都是有效用的,乃是一个同义的反复。马克思以商品交换的方程式为基础,在相互能交换的商品之中探求共通的某物,绝不是由那种见地所得到的那种意义的共通物。

如果那是由那种见地所得到的那种意义的共通物,那么,劳动也绝不是仅仅商品中所共通的要素。设若"对于人类自身的效用是由劳动所媒介的",那便不问它是否具有商品形态,总之任何财富都是劳动生产物,劳动便是被含在那些东西当中的共通要素。

"在相互能交换的商品当中之共通的某物,果然只有劳动么? ……可以认作共通的某物之一的,不是除劳动之外还有利用(效用、使用价值)么?"的疑问,乃是由于不了解马克思所探求的共通物的意义,和不了解马克思当作共通物提示于我们的劳动的意义。

马克思在这里所当作问题的,就是:在商品的交换关系——价值关系——中,现实上,所被处理的那存在于双方能交换的商品中之共通物是什么? 所以,此际所探求的共通物,并不是使那些商品成为使用价值之"几何学的,物理学的,化学的,乃至其他自然的属性"。何以?"商品之物体的属性,一般成为问题的,乃在这种属性能使商品有用,因此,(所成为问题的)仅仅是限于使用价值的范围"。某种物品所以由其所有者为交换而当作商品捧出的,因为它在所有者手中无用(非使用价值)的缘故,那为交换而以商品捧出时,它的使用价值已被其所有者舍象(忽视)了。自然,如果那于他人不为使用价值,更不能与他人的所有物相交换,基于这个关系,"为要生产着商品,就不可不为他人生产着使用价值,即不可不生产社会的使用价值"。然而,它正是因为使用价值被其所有者舍象(忽视)了的缘故,才成为商品。该所有者对于该物品所以承认其意义的,并非由于该物品在他看来是某种使用价值,只是因为在该物品的生产时费了劳动的缘故。此际,商品之物体的属性,是现实地被该所有者放在问题之外的。

他方,譬之一斛小麦,在商品交换关系的内部,现实上或是与二磅靴油,或是与二码绢,或是与二分之一翁士金子等相等的。又,假定二分之一翁士金子称为十元时,那一石小麦,便为十元,同时,二磅靴油和二码绢,也各是十元。一石小麦、二磅靴油、二码绢等,彼此的分量都不相同;又,尽管那"几何学的,物理学的,化学的,乃至其他自然的属性"彼此各异,总之都同样地是金十元,所以都成了相等的。但在他方,小麦、靴油、绢、金子等,那些东西既是以商品互相对立,在现实上,就不会被处理为效用相等的东西。何以?因为交换只是显现于效用各别的物品之间的,所谓效用相等的交换,是与交换自身的本质有矛盾的,因之在交换关系的内部,各种商品也非以互相不同的使用价值对立不可。当我们在互能交换的各商品中探求某共通物时,首先把使用价值放在问题外的,那就是由于商品交换的这种客观的事实。

所以,为小泉教授所质问的:"马克思屡屡地极力说着所谓使用价值的抽象,譬之所谓满足食欲,或防御寒暑的特定用途,虽然都是因各种商品而不同的……不认为是满足食欲或衣欲的东西,而认为是一般的有满足所谓人类欲望的力的东西,在这件事中探求相互的共通点……不能在同一程度上被许可么"那一套话,完全是误解了事态的。离开现实的交换关系,譬之拿小麦和绢来说,由于把那些东西单看作某一种物体作自然科学的观察,去发现那些东西的当中所共通的是什么性质,这件事如果是当面的问题,那诚如教授所说,一般有满足人类欲望的力,当然成了各商品中所共通的性质。然而我们的问题,并不在此。

若是把上述的那些东西就现实的交换关系来看,那就和上文所述的一样,商品所有者对于该商品的使用价值,完全是舍象(蔑视)去的。譬之当小麦所有者拿小麦和铁交换时,那它的问题,绝不是小麦和铁的属性在"一般有满足人类欲望的力"的这一点上是共通着的事情,宁可说是那个反面。在他看来,他所有的小麦乃非使用价值,反之他人所有的铁,于他是使用价值,所以他把他的小麦拿来交换他人的铁。至如在"一般有满足人类欲望的力"的这一点上两者相等的情形,此际是不成为问题的。换一句说,在成为商品的交换关系内部上,那些东西实际上并不被当作这种问题讨论的。

我在上面关于小泉教授的疑问,曾说他是"由于不了解马克思所探求的共通物的意义,和不了解马克思当作共通物提示于我们的劳动的意义"。我对于那句话的前半截的理由已经说明了,以下试来说明后半截。

在小泉教授所说的把各个商品……不认为是满足食欲或衣欲的东西,而认为是一般的有满足人类的欲望的力的东西,在这件事中探求相互的共通点,试问这与把劳动当作共通要素,不能在同一程度上被许可么?那半面,就是由于他对马克思当作商品价值实体的劳动不理解。教授虽然又说:"和马克思不把各个商品看作建筑劳动、纺织劳动、木工劳动等的各个特定的劳动产物，而看作一般的抽象的人类劳动的产物一样……"，然而马克思并没有从所谓建筑劳动也是人类的劳动，纺织劳动也是人类的劳动，木工劳动等也是人类的劳动的这一点上，抽象这各种劳动所共通的"一般的、舍象的劳动"。关于这点，我在本书第一章（第一之四）——"成为最舍象的范畴的商品，和成为具象的活着的全体的资本家社会之不可分离的同时存在"——项下，已经论述过了。这里，只提及那主要的论点就行了。

马克思曾说："劳动，全是一个极简单的范畴。在这一般性上的（成为劳动一般的）它的表象，也是极陈旧的东西。虽然如此，而经济上在这种简单性上被理解的劳动，与创出这简单的舍象的东西的诸关系（社会的诸关系）一样，都是一个近代的范畴。"

关于这点，我曾经说过这样的话："所以，我们在这里所视为问题的舍象的范畴，与形式论理上所认为普遍的表象之舍象的概念——丢去各种东西相互被区别的特殊性，而由固守着同一共通性所成立的舍象的普遍性（黑智儿）——完全不同。即如就劳动去观察吧！如果我们把成为这种普遍的表象的劳动一般来当作问题，它便绝不需要商品生产之完成了高度发展的社会形态。任凭在某一时代，我们的劳动力多少都是在相互不同的具体形态之下被支出的，所以，假使把捕获鱼类的劳动、生产谷物的劳动、织布的劳动等特殊诸形态的劳动，集合起来而制出所谓劳动一般（严密地说来，那是具体的劳动之一般，还不是马克思所谓劳动一般的意义）的抽象的概念来，那正和从实际存在的林檎、梨、甜莓、李子等，制出成为一般的表象的果物来一样，在任何时代都是可能的。在那个意义上，这一般性上的（成为劳动一般的）它的表象，也是很旧的。"然在马克思所视为商品价值的实体之一般的劳动，却不是在这种形式论理上被认为普遍的表象之一般的劳动。那与创出这简单的舍象的东西的诸关系（社会的诸关系）一样，都是一个近代的范畴。在资本家的生产方法支配着的诸社会中，一切种类的劳动生产物之全面的让渡显现出来的结果，在那些生产物中对象化了的"现实的各种的劳动"，现实上是形成"极发展的一个（具体的）总体性"的，而且人类的劳动要以这样最丰富的具象物的一面，实际上才真实地获得最稀薄的舍象性（成为舍象的、单纯人类的劳动之存在的一面)。"把具象物和舍象物的对立在这种统一上(同一性)把握着的事情,此际根本上是重要的"。

为把现实的(实际上真实的)范畴之一般的劳动,和在形式的论理上被认为普遍的表象之一般的劳动的区别,更加阐明起见,试引用《神圣家族》第五章第二节"思辨的构成之秘密"这一节。

> 如果我们从现实的林檎、梨子、甜莓、李子等制出所谓果实的一般的表象来,如果我们更进一步把我们从现实的诸果实得到的抽象的表象之果实,认为是存在于我们外部的本质,认为是梨子、林檎、李子等的真实本质,那我们——若为思辨上的说明——怕要把单纯的果实说明为梨子、林檎、李子等的实体罢。由是,在我们所称为梨子的,便不是本质的梨子,所称为林檎的,也不是本质的林檎了。果实方面的本质的东西,不是果实的现实的感觉上,所得直观的存在的本质,宁可说是那些东西被我们抽象出来的,且是于果实当中被更换了的本质(das von mir aus ihnen abstrahirte und ihnen untergeschobene Wesen),即是我们的表象的本质之单纯的果实,所以……特殊的现实的诸果实,宁可认作假象的果实,那真实的本质,则当作实体,即当作抽象的果实。
>
> 在这种方法上,我们决不能达到诸规定的特殊的丰富程度。矿物学者,把他的全智识被所谓一切矿物都是单纯的矿物那见解所限定,恐怕他只是想象上的矿物学者。思辨的矿物学者,无论遇着什么矿物,只在口中说单纯的矿物,而他的智识一遇着现实的矿物,就不过反复说单纯的矿物这名词。

这样,就是"一般的、抽象的表象"的本质,我们以这样的表象之一,从种种现实的果实上,可以抽象"一般的、抽象的果实","单纯的果实"。

现在小泉教授把马克思的"一般的、舍象的劳动",好像理解为这种抽象的表象了。"把各个商品……不认为是满足食欲或衣欲的东西,而认为是一般的有满足所谓人类欲望的力的东西,在这件事中探求相互的共通点,遂把劳动当作共通的要素,试问这是在同一程度上所能许可的么?"的质问,好像就是从那里发生的。但在马克思所视为商品价值实体的"一般的、舍象的、单纯人类的劳动",决非这种简单的抽象的概念。如果是这样,那恰与"从所谓单纯的果实之抽象的表象上,制出现实的果实"为不可能一样。从所谓单纯的人类的劳动之抽象的表象出发,而要制出在资本家的社会之现实的诸关系(精神上再生产资本家社会的事)来,当然也是不可能的。

在一斛小麦的商品和二吨的铁的商品相交换的方程式中,那是显示"同一大小(分量)的某共通物,存在于二者各别的东西之中,即存在于一斛小麦中,与存在于二吨铁中的都是一样"。那么,我们的问题就是:那同一大小(分量)的某共通物,到底是什么的问题。因为在那里,分量已经成了问题,所以那某共通物,第一,不得不被还原为品质相同的同一单位的某物。因为"不同物的大小要被还原为同一单位之后,才能作量的比较"的缘故。现在小泉教授,竟说那某共通物,是除劳动之外还有所谓利用(效用)的,但是各种物的效用(满足人类某种欲望的性质),和它的劳动可用时间去测定分量是不同的,是还没有还原为同一单位的。比之为满足食欲的食物的效用,和为防御寒暑的衣服的效用,决不能还原为同一单位,同时,对于一定的食物或一定的衣服就是甲乙都认为有效用的,也决不能还原为同一单位,因之便不能相互地比较大小了。尤其采取限界效用说学者们,他们的前提,往往是把那不可能的事件当作可能,譬之维札①,把一定的人们对于一定的物的限界效用的大小,惘然以某种数字表示出来,但是各种人对于各种物所认识的效用,要怎样才还原为这种共通的单位,也还有说明的必要,他却一点儿都不感觉得。又如贲巴卫②,在用以说明他所谓"价格形成的根本法则"的例子上,突然拿"弗罗林"(英国的二先令银币)单位的货币量,来表示限界效用的大小。然而货币的密输入,此际不过使事态更加恶化罢了,何以? 因为要在货币上表现出各种人对于一定的物所认识的效用的大小,而各个人对于该货币所认识的效用的大小,首先就不得不成为问题的缘故,那毕竟不过把物的效用的测定,暗中换作货币效用的测定罢了。

---

① Wieser,*Der näturliche Wert*.1889.S.27,28.

② Böhm-Bawerk,*Positive Theorie des Kapitals*.3te Aufl.1912.S.365.

要之,想把食物和衣服,"不认为是满足食欲或衣欲的东西",却认为是"一般的有满足人类欲望的力的东西",从那些东西当中抽出所谓共通物的效用来,那犹之从现实的果实抽出所谓单纯的果实之抽象的表象一样,把这种抽象的表象,看作是各以一定分量存在于各种商品中的,完全是一个空想。马克思说:从现实的果实制出所谓单纯的果实之抽象的表象来,本来就没有理由,然若从所谓单纯的果实这种抽象的表象制出现实的果实来,那尤其困难。如果不排弃那个抽象物,要从抽象物移到它的反对物,可说完全不可能。所以思辨的哲学者,虽然排弃着单纯果实这种抽象物,然而他们……好像是外观上在排弃,实际上并没有排弃。① 采用界限效用说的学者们,毕竟不得不和这事一样。

上述的小泉教授著书之后数年,又出现了东京帝国大学教授土方博士的《马克思的价值论之排击》(1927 年 8 月刊行)。一读那本书,则土方教授所反复提供出来的疑问,竟与小泉教授所提供出来的疑问一样。教授说:

> 上述的从商品体抽象了使用价值,剩下的即为劳动的马克思的蒸馏法或抽象法,……大概就是一度对于这方法的证明和论述。
>
> 由抽象法除去了不相等的东西之后,所剩的实体,单只是劳动呢? 抑还有其他的东西同时剩下来呢? 总之由以上的证明,不很明了。
>
> 如果像以上的蒸馏法得能应用,那么或者由同样的方法,也可以证明除去了使用价值的不同质的性质之后,所剩下的还是一般的使用价值罢。②

这是教授"信为最根本的论点"(第 55 页参照),然和我已经批评过的小泉教授在数年前所提供出来的论点是一致,毕竟不外列宁所说的"在资本论的素养最缺乏的读者,首先所流露的,以及被'教授式'的资产阶级的'科学'之一打代表们所最顽强支持的——对于马克思的劳动价值说的各种异说"中之一罢了。那是由于根本上不能把握最舍象的范畴之现实性的缘故。我为证明他这种毛病,试再引用教授的几句话。

---

① 《神圣家族》。
② 《马克思的价值论之排出》,第 52 页。下引只注页码。

"劳动平常只是在什么人怎样的劳动那种具体性上存在着的,所谓抽象的劳动,事实上就没有存在过"(第 54 页)。可见教授还不能理解这一点,——即无数人类的劳动之被连结为社会的,在它的总体性上,是现实地具有所谓舍象的人类劳动之一面的。

"劳动,如果不顾及各个的特殊形态,而能认作是所谓抽象的、一般的东西,那么,同样,在使用价值上,不也能够不顾及特殊的自然形态,而认作是抽象的一般的使用价值么?"(第 59 页)——从种种使用价值中抽象出所谓一般的使用价值之抽象的表象来,固然也能,但是那种事情,不是在这里被当作问题的。

"我以为蒸馏法就是表现马克思所思考出来的思考的结果,然而又听说绝不是凭单纯个人的头脑的抽象。那么,原来是凭何人的头脑抽象的呢!"(第 72 页)——在现实的交换关系上,商品所有者是舍象(蔑视着自己所有的商品的使用价值)的。当马克思于互相交换的诸商品中探求某共通物时,所以首先把使用价值放在问题外的,就是基于商品交换的那种客观的事实。想就是教授所指的所谓"不是凭单纯个人的头脑的抽象"。

教授又说"无论是抽象的使用价值一般,或抽象的人类劳动,总之都是概念的所产,在事实上不能有的事,是不变的"(第 931 页)。"所谓抽象的劳动现存于社会的情形,如果换一句说来,那与所谓抽象的鲶鱼是实在的情形同一逻辑"(第 179 页)——这恰是显露教授对于马克思学之最无理解。我为容易了解起见,试取货币的例来说,货币是舍象的富,因为它能交换任何具体的财富,它在这种资格上是代表一切种类的具体的财富的。在这种意义上,舍象的富是现实地"现存于社会"的。所谓抽象的鲶鱼,与这不同,它是现实的种种鲶鱼之一般的表象。在现实上所以没有存在着的,恰与离开各个房屋之后,房屋一般在现实上不存在一样。教授似乎彻头彻尾都不能理会这种区别,且还傲慢地说着"尽我的能力,理论上(?)终觉得还有争论的余地"(第 87 页)。真如列宁所说"资产阶级科学,说马克思主义是被排斥了,粉碎的东西,连听都不愿意"。

三、对观察对象限于劳动生产物的非难

我们现在再看小泉教授所提供的第二疑问,那在上面已经揭出,兹试录在下面。

马克思对于虽能卖买交换,但不是劳动生产物的,又是怎样说法? 他是把这种财货从它的价值法则除外了的。譬之他说:"土地虽然有价格,但无价值,何以? 因为它非劳动生产物的缘故",原来,在这种特定的被局限了的意义上把价值这名词来使用,也是人们的随意,然而,除开劳动生产物之外,剩下来的东西即商品,它所共通的特征是什么呢? 对于这个发问的回答,说那就是劳动生产物一事,那归着岂不是:仅集合具有某一特征的东西,人问这许多东西共通特征是什么时,又答道就是那一个特征么? 由这种的论究上,我们的认识一点儿也不能前进。

这恰与最近(昭和四年三月)发表的大山千代雄氏题为《马克思的价值说不死么》①论文中,写着"贲巴卫批评马克思的骨子,大概如下"的一部分相当。兹录于下:"把交换价值所共通的东西弄还原的方法,实与人以奇异之感。因为他从最初只特别选出那含有'共通要素'的物品放在筛子内的缘故。即,他是把探出交换价值的实体的领域限定于商品中的,当作商品是劳动生产物,使之与自然产物相对立。至如土地、木材、水力、煤田、石山、温泉、金矿等自然的恩惠物,虽也能够交换,然马克思则毫无理由地把它们除开了"②。

照这看来,好像马克思在他的价值论上,有各商品中"共通的特征"为"劳动生产物一事"的主张,然而那种事情是在那里不会成为问题的事情,现在怕也没有缕述的必要。马克思在那里曾说过商品价值的实体,是舍象的人类的劳动,却没有说一切商品都是以劳动生产物为其共通特征的话。

＊　　　　　＊　　　　　＊

原来被小泉教授们所视为疑问的,或者就是:马克思为什么首先只以劳动生产物为问题的这件事。那么,为要解答这个疑问,最要紧的,首先就要明白:在这里被当作问题的,那就是成为"社会的劳动之一形态"的价值。

于是我们不得不将上项说过的马克思的书简移到这里来讨论。所谓"对于当作问题的事项以及科学的方法之完全无智"的,究竟是指的什么?

---

① 《经济研究》第 5 卷 2 号所载。
② 《经济研究》第 5 卷 2 号,第 172 页。

马克思说:"不要说一年,尽管几星期,如果停止了劳动,恐怕任何国民一概要死掉,这是什么小孩子都能知道的事情。又,适应各种欲望的各种生产物的数量,是以社会总劳动的各种数量,是以分量上规定出来的数量为必要的,这也是什么人都知道的事情。把社会的劳动在一定的比率上配分着的这种必然性,决不能被社会的生产之一定的形态所废除,宁可说是只改变了该现象的方法,这种事也是自然明白的事实。自然法则,总是不能废除的。在历史上不相同的状态之下所能变动的,只有该法则贯彻自己的那种形态。而社会的劳动之联络,如在个人的劳动生产物以私的交换显现着的社会状态之下,则劳动的这种比例的配分之贯彻自己的那种形态,恰是这些生产物的交换价值。"

如果把上述的话分开来说,马克思在那里所指示的,便是下面的事情。人类为着活下去,无论如何,非用劳动造出自己所必要的东西不可。如果停止了这一切的劳动,不到一年的光景,任何国民都要死掉。譬之专就食物来说,都会上的人们,手中所存贮的,不过是支持若干日的食粮。如蔬菜和肉类,每日还要购入那必要的分量。至于新闻和牛奶等,每天且要早晚两次的配送。所以,就单是停止了配送那些东西的劳动,都会上的人马上就感觉得生活困难。所谓不要说一年,尽管几星期,如果停止了劳动,恐怕任何国民都要死掉的话,就是这个意义。又,我们是有着各种欲望的,所以社会全体的劳动为要适应各种欲望,而生产种类各别的各种生产物,就不得不于各种生产部门内用一定的比率分配。这是一个自然法则,只要人类以今日的生理构造而栖息于这个地球时,在任何社会组织下都是妥当的。无论是在奴隶制之下、封建制之下、资本制之下,这点上总是相同的。至因社会组织的变异而变化的,乃是自然法则采取怎样的现象形态的表现方法。以上的事情据马克思的话说来,就是所谓"任何小孩都知道"(weiss Jedes Kind)以及自明(ist self evident)的事件。

以上说的任何小孩都知道的自明的事实,现在是以对人类社会的物质的生活之研究的根本前提摆在我们面前了。"我们的观察方法,不是无前提,乃是从现实的前提出发,瞬刻间都不看漏它的。那个前提,不是在某种空想的闭锁性和固定性上的人类,乃是在一定的诸条件下之下的现实的,经验上能够看

见的发展过程中的人类。"①就是现在，当我们观察商品社会时，那个观察方
法，也绝不是能够无前提的，我们常是把任何小孩都知道的自明的事实——
"纯粹在经验的方法上被确定的"事实——当作前提，是"瞬刻间都不看漏它"
的。所谓"这件事，是马克思的经济学上的唯物论的出发之特征，极为重要
的"话，我已经在本书的绪言上指摘出来了。关于价值论的考察，瞬刻间都不
看漏这个前提，尤其根本的重要。

＊　　　　＊　　　　＊

在这种前提之下来观察我们现今所住的资本家社会，的确，在生产着必要
的物质以维持我们的生存上，是不断地消耗着劳动的。而且社会的总运动，要
以一定的比率配分为制铁、造船、纺绩、织物、农业、矿业、水产业等的生产部
门。然在现社会，这些社会的生产物，一切都是被当作商品生产出来的，社会
的生产都是为商品生产的方法所支配的。即，各个生产物首先是以个人的生
产物而属之于各个生产者的私有，那些东西要成了所有者相互间所行私的交
换的结果，才转形为社会的东西，才成为满足社会欲望的东西。至劳动生产物
不仅是使用价值，且还有交换价值的，是因那些东西都能当作商品互相交换的
缘故，而且交换价值，是规定向着各种生产部门去的社会的劳动分配，而把那
些劳动不断地从交换价值的低部门推向高部门的。所谓"社会的劳动联络，
在个人的劳动生产物以私的交换显现着的社会状态之下，劳动的这种（向着
各种生产部门去的）比例的配分之贯彻自己的那个形态，恰是这些生产物的
交换价值"，就是指示的以上的事实。我们的问题，就是在于阐明这些生产物
的交换价值和社会总劳动的内的联络的情形。阐明自然法则在商品生产的社
会上贯彻自己的形态，——为社会的劳动之特殊形态的交换价值，——就是这
里"当作问题的事项"。所以，我们先以劳动生产物的交换为观察的对象，在
劳动生产物之外的，暂且就把它放在问题外。

如果我们忽视了这里当作问题的某种事项，那我们的观察方法也得是种
种各样的。譬之，如果观察的目标是：于目前的社会上，聚集着以商品形态表
现出来的一切种类的东西，从那些东西当中抽出共通的要素，由是制出关于具

---

①　《德意志的观念形态》，德文本，第 240 页。

有商品形态的一般的抽象的表象来,不错,当可抽出像使用价值一般的东西来。但是把从另一见地所得的另一结果来当作掩护的,那对于马克思的价值说一种非难的强辩,就恰是马克思所说的不外是"由于对当作问题的事项之完全无智"。

自然,商品生产发展到了某种程度,在商品形态之下,差不多也要表现到劳动生产以外的东西。就在那个以敬神闻名的 12 世纪里面,也时常在这些商品当中出现着极奢华的物件,所以当时一个法国诗人,对那些出现于兰地市场上的种种商品,除开衣服的材料、靴子、皮革制品、农具、兽皮等之外,还算上了娼妇(Femmes folles de leur Corps)①。"那些本身算不得什么商品的东西,如良心、名誉等,都能够被它们的所有者对货币行贩卖,因此,也就能够靠着它们的价格,获得商品的形态"。又如"并没有何等的人类劳动在它中间对象化,因之没有何等价值的未开地",也在形式上具着价格,能够获得商品的形态②。然而这许多现象,与下述的生产价格和价值的关系一样,要首先阐明了价值法则之后,才可入于被说明的范围。但是"如果我们人手就想解答和这个法则外观上相矛盾着的一切现象,那我们便要在科学之前提供一个科学了"。譬之石头和棉花,即令具着同一的重量,而落下的速度还是不同,这要先了解引力法则,随后由于把空气的压力放在考虑上,才能说明该现象。入手就想解答外观上和法则相矛盾着的一切现象,那不外是代表"关于科学方法之完全无智"的人们。

四、价值法则与现实上的商品交换比率之不一致

关于小泉教授"最初发生的疑问"中所提出的两个疑问——其中一个是土方教授"信为最根本论点"的东西,——我们已经讨论过了。但在小泉教授除开他这种"最初发生的疑问"之外,还有被称为"我视为最重要"的论点。那据教授的话看来,"由上述的那种论理的过程(指的资本论第一卷第一章第一节)所证明的价值法则,必然支配着现实的商品交换比率,而商品必然是能够

---

① 《资本论》第一卷,考次基版,第 48 页;参看陈译中文本,正文第 105 页。
② 参看陈译本,正文第 142 页。

在其价值上被买卖的这一点。如果上述的马克思的价值法则证明法是正确的,那就一定也能够适用于生产价值上的商品的现实交换比率。生产价格如果离开了价值,那么,当初的价值法则本身,就被破坏了"①。

教授在这里当作问题的生产价格,是在《资本论》第三卷上所处理的。因之关于生产价格和价值的关系之详细的说明,应当让到那个阶段上说,不过要完全忽视了上述的那般异论,而径自向前讨论时,或许于读者还嫌不深切,因之,这里于必要的范围内,作一个简单的研究。

问题是如此:马克思在《资本论》第三卷上曾说过,资本家的商品,原则上是在和它的价值不一致的生产价格上行交换的。现在在第一卷上虽然没有深入生产价格的内容,总之生产价格如果和价值不一致时,资本家的商品便是价值不相等的——因之其中所蓄积的劳动量也是不相等的——能够相互交换了。这件事,是直接与马克思在《资本论》第一卷第一章上所说的,互相交换的两个商品中,非有"同一大的某共通物"存在不可,只有劳动才是其中的共通物的话相矛盾的。那么,怎样说明这个矛盾呢? 这是问题。

以下,便是小泉教授对于这个问题的讨论。

现在假定 X 斛小麦和 Y 吨铁,是由同量的劳动所生产出来的。但据马克思的生产价格说看来,除开例外的情形之外,现实的商品交换比率,是和它的含有劳动量不一致的,有的或在它之上,有的或在它之下。假定铁的生产价格在它的价值以上,X 量的小麦,不能和 Y 量的铁相交换,而是和 Y−Y' 量的铁相交换,那么,就可把它仿马克思的方程式表现为:

X 小麦 = Y−Y' 铁(或 X 小麦 = A 货币 = Y−Y' 铁)

现在对于这个现实的交换比率,如果适用上述的马克思的蒸馏的推究法,将成为什么呢? 这使我发生了疑问。"这个方程式,究竟是什么意义?"要是依从马克思,我们对于这个方程式,便不能不答道:"那是在 X 量小麦和 Y−Y' 量铁两个相异的东西中,存在得有等量的某共通物的……"然则那某共通物是什么? 如果仍仿效马克思的推究,那我们一

① 《价值论与社会主义》,第212—213 页。

定达到这样的结论,即 X 量的小麦能够和 Y-Y′量的铁相交换的,是因该两者当中,包含得有同量的社会的必要劳动的缘故。我们从 X 量的小麦和 Y 量的铁为等价值的(含有同一分量的)前提出发,而达到 X 量的小麦是与 Y-Y′量的铁为等价值的结论。在 X 量小麦中所包含着的劳动量,也与在 Y 量的铁中所包含的劳动量相等,那就是说,也和那较少的 Y-Y′量的铁中所包含的劳动量相等,这明明白白是非论理的①。

所以小泉教授就有以下的断定:"在现实上既然是成立了离开价值的价格,由马克思的论理看来,他的价值法则就不能成立。如果是用他的证明法,要不是通同在为价值所规定的比率上施行各个商品的现实的交换,价值法则便不能维持了。"②

关于价值和生产价格的关系,土方教授本也是很注意的③,不过他的非常混乱,远不及小泉教授的非难的形式上有眉目,这里就把他的撇开了。

*　　　　*　　　　*

据小泉教授的论法看来,本和他自身所说的一样:"要不是通同在为价值所规定的比率上,施行各个商品的现实的交换,价值法则便不能维持了"。就是说,据教授的论法看来,不一定要以资本家的商品(不是单纯的商品,乃是成为资本的商品)生产价格——价值到价格的转形——为问题,无论什么商品,当它现实地行交换时,交换比率和包含于那些商品中的劳动量如不一致,便是马克思的价值论,无论何时,都不能维持了。或者这是教授的论法之必然的归结,所以就先从这点说起。

据马克思说来资产阶级社会的本质,恰是在生产之意识的,社会的统制先天上显现的决不能当中成立的。因此,在这种社会中,"合理的以及自然必然的事物(因之这里成为问题的价值法则也是一样),只有以盲目平均作用去贯彻自己"。所以,即令地被规定为资本的资本家的商品,暂时得放在问题外面,专就单纯的商品看来,它们现实上不过平均地在价值上互相交换罢了。马

---

① 《价值论与社会主义》,第 213—214 页。

② 《价值论与社会主义》,第 208—209 页。(着重号是新加的)

③ 《马克思的价值论的排击》,第 208 页以下参照。

克思指着商品生产的诸则说："据该法则看来,平均上(im Durchschnitt)是等价物同时互相交换,而且各人都只拿商品买商品"①。或指着商品生产说"那里,规则只有成为盲目地作用的无规则性的平均法则(Durchschnittsgesetz),才是能够贯彻自己的一个生产方法"②,便是那个缘故。

我们所当作问题的,就是这个平均法则。但是如果学者们只凭看见的那各个的事实,而否认着大量的观察,那"我们便可说他们是见树不见森"③了。这样,毕竟是科学的浅陋化。

我在这里,不禁要使我从拙译《列宁的辩证法》(德波林原著)上引出一节来。

列宁对于司徒维(Stunve)的论争上,把烦琐哲学两个变种的本来的性质与科学的不完全性,以卓越的方法暴露出来了。司徒维在其所著"经济价格"中,明明把价值的范畴说明为幻象,认为只有价格是值得称为事实的东西。列宁之以最高的义愤拒绝那种科学的浅陋化和冒渎的尝试,诚属得当。

据马克思所说,就是资产阶级天字第一号的代表者,也只能停留于"外观世界"的樊笼内。然而"现象形态与事物的本质如果是直接一致的,一切的科学将是赘物"。资产阶级经济学者,没有发现现象的内的联络的能力。他们是囿于外观世界的。

辩证的方法,是建立"现象形态"对事物本质之正确的关系的。列宁由这种辩证法的见地——即一方,是本质和现象之间的对立,他方是这些东西的联络或统一——出发,同时关于司徒维所提出的价格和价值的相互关系的问题,极力地说明科学在现象的外观的混沌中,到处是向我们提示基础的法则的作用的东西。"价格,是价值法则的发现;价值,便是价格法则(即价格现象所结合的表现)"。

从价格上去说明价值的独立性的,等于嘲弄科学,列宁接着说:如果

---

① 《资本论》第一卷,考茨基版,第517页。
② 考茨基版,第一卷,第63页;参看陈译本,正本第141页。
③ 考茨基版,第一卷,第153页。

表现交换关系的是价格，便不可避免地要考虑到个别的交换关系与继续的交换关系的区别，偶然的关系与大量的关系的区别，暂时的关系与长期的关系的区别。然而如果这样——这虽也是无可疑的事——我们便是以同一的必然性，从偶然的个别的关系，进到经常的大量关系，即是从价格进到价值了。……

我们在这里所视为问题的，不是"偶然的个别的关系"，乃是"经常的大量关系"。譬之掷骰子时，在个别的场合，从一方到六方究竟表现哪一方，完全是偶然的事。但是如果加以屡次的试掷——在骰子的各方绝对不倾斜时——我们或者可以发现一定的一方，于正则的六回中，以一定的比率而出现罢！又如男女的出生率也是一样，若就个别的家庭看来，完全是偶然的，在某家庭中，几乎十人都是男子，在其他的家庭，接二连三地又单是生的女子。但是如果把它在大量上，平均上观察起来，男女的出生率相互都是平均的，要是不平均，那必是某种特别的事情还继续地存在。所谓男女出生率是互相平均的法则，不因个别的家庭中有所谓不平均的事实而就不能维持。这个时候，必然和偶然是统一于辩证法上的。

*　　　　　*　　　　　*

资产阶级经济学者，没有发现现象的内的联络的能力。他们是囿于外观世界的。因此，土方教授就说："在我发生的第二个疑问，由抽象法所残留的同一物纵然是劳动量（教授通过该书的全卷，都是把劳动和劳动量混同着的。那与混同水和水量、热和热量一样，概念至为混乱。这里当然只能说得上劳动，说劳动量是错误的——河上），然而那个劳动在量上究竟是否相等，还不能明白。这个证明，应当怎样求出呢？……在我，事实上就没有目击过依据劳动量而实行交换的那回事，就是历史上的事实，虽说寡闻些，也没有看到证实出来过"[①]。教授屡屡地说着事实！事实！这诚如列宁所说："怀疑科学上有分析现代的可能性，放弃着科学，对于一般流行的认为都是好的，在历史发展的一切法则之前，则闭着眼睛，这是见树不愿见森之类的努力"的一个表现，

[①] 《马克思价值论的排击》，第60—64页。

"这里的是有一切近代资产阶级的怀疑主义的……那死沉的,无灵魂的,一切烦琐哲学的阶级的意义存在"的。教授最近发表了《日本经济研究》的庞然大著,迨我入眼一看,不禁使我想到马克思的"一览之下的资本家社会的富,呈现为一个可惊的庞大的商品之集大成"(Auf den ersten Blick erscheint der bürgerliche Reichtum als ungeheure Warensammlung)的一句,那实在是"一览之下",呈现为可惊的(ungeheuer)"事实"之集大成(Sammlung)。教授在该书的第二章上题为《商品价格个别的研究》,而从事研究米、生丝、线纱、棉花、铁、煤炭、煤油、木材、金银、电气、瓦斯等的价格,这就是教授所谓"活的经济的事实"。纵然说我们和教授的立场不同,他这种事实的叙述(因而是教授的努力)也绝不是无用的,然而我们却不可看漏他这种叙述,乃是"逃避了理论,'森林',全体,而想用单纯的事实,用'树'来满足的努力"。不错,教授在其"商品价格个别的研究"上,对于米,生丝,线纱等诸商品,不曾"目击过事实上依据劳动量而行交换",因为我们所能目击的,只是限于外观的现象形态的缘故。这本庞然大著的《日本经济研究》,和教授以先所发表的《马克思价值论之排击》,这才真是由同一著者的构想所成的作品。

*　　　　*　　　　*

在各个的场合,有时候,偶然的事物正有强大的作用。若把它就大量地观察起来,就要舍象去偶然性。不过这种说法,我们并不是拿这个价值法则,当作从现实上无数的商品交换之表面的调查,归纳地发现出来的一个经验的法则的。以大量为问题,为的要舍象去偶然性;舍象去偶然性,又不过是纯粹地考察现象的方法之一契机。问题自身,便横在纯粹地考察现象,舍象去非本质的附带的诸事情,从而把握着它的本质的上面。我们还要更进一步地阐明这件事,因为马克思在《资本论》第三卷上,曾说过资本家的商品,就在平均上,也是在离开价值的生产价格上被卖买的话,然而这件事据小泉教授说来,假是解释价值法则为平均的法则,也明明白白是与价值法则的本身相矛盾的。教授现在这样地说:"马克思的生产价格和价值的关系,不是李加图的市场价格和价值的关系。马克思的商品的生产价格,绝不是表示只是偶尔离开它的价值,随即有回复于价值上的倾向的,却有必然的理由,离开了价值的上下的。……各个商品的价格,是以不得不然的理由,离开它的价值的。绝不是和李加图的市场价格的价值一样,只是偶然一时的离开价值,随即回复于本源状态的。……马克思方面的价值,决不是价格动摇的归向中心"①。诚如教授所说,资本家的商品,不仅是偶然的一时地在离开它的价值的价格上被卖买的,就在平均的原则上也是如此。然而这件事,果然是使价值法则的维持不能的么?我们另设一项讨论这个问题。

五、价值法则,在纯粹的形态上是商品交换的法则

所谓价值法则是商品交换的法则,就是纯粹姿态上的商品交换法则的意义。此际被当作问题的商品,是纯粹的商品,交换也是纯粹的交换。

纯粹的交换是什么?我们首先要把它弄明白。那是把所谓商品和商品的交换之本质的以外的所有附带的诸事情都舍象了的商品交换。不用说,这种舍象,是由我们的抽象力显现出来的。

"物理学选择要选择那在最充实的形态上,且务必是不为搅乱的影响所搅乱而表现着的场合,施行自然的观察,或者是可能,便在保证过程的纯粹进行的那种条件之下,去施行实验"②。但是,"当分析经济的诸形态时,显微镜、化学药品都不中用,必须抽象力就代替这两者"③。如果要纯粹地观察商品和商品的交换,我们就不得不依据我们的抽象力,抽象去一切不是内在于商品交换中的偶然的非本质的诸事情。

我们试在那以单纯的商品交换而表示自己的形态上,去看看流通过程罢。在两个商品所有者交互购买商品,于支付日还清他们相互的债权之差额时,流通过程总是采取这样的形态……在关于使用价值的时候,不用说,双方的交换者此际是都有利益的。在双方的交换者看来,都是让渡那于自己无使用价值的商品,而领受自己使用上所必要的商品。……要之关于使用价值,那可说交换,是双方当事者都有利益的买卖。然关于交换价值,便与此不同了。

---

① 《价值论与社会主义》,第 207—208 页。
② 《资本论》,考茨基版,"序文"第 37 页;参看陈译中文本和"序文"第 167 页。
③ 参看陈译本,"序文"第 166 页。

舍象地来观察,即是把没有从简单的商品流通之内在的诸法则中流出去的一切事情放在圈外来观察,如果除开一个使用价值被旁的使用价值所代替的情形,那么,在简单的商品流通中,除商品的变态——简单的形态转换——以外,便什么事都不发生。同一的价值,即被对象化了的社会的劳动量之同一分量,在同一的商品所有者之手,最初是残留在他的商品内,其次是残留在该商品所转形为货币的形态内,最后是残留在该货币又转形为商品的形态内。这种形态的转换,并不包含价值的大小的何等变态。……所以商品的流通,只在制约商品的价值形态转换的范围,如果现象是纯粹地发生的,便是制约等价物同时的交换的。因此,哪怕简直不感觉什么是价值的俗流经济学,当他们用自己的方式纯粹地观察现象时,总都是假定需要和供给是一致的,即是假定需给的作用,一切都停止了的。要之关于使用价值,固然双方的交换者都有利益,然关于交换价值,他们双方便都无所得了。……不错,各种商品,许都是在离开了它们价值的价格上出卖的,但是这种背离,是侵害商品法则的表现。商品交换在其纯粹的形态上,是等价物同时的交换,所以不是增殖价值的何等手段。①

……各商品的流通过程,在其纯粹的形态上,是制约等价物同时的交换的。但是,事物在现实上,不发生纯粹的情形……②

在我们视为必要的范围内的事情,已由以上的文句无遗憾地说明了商品和商品的交换,譬之小麦和铁的交换,是以非使用价值换使用价值的情形为其本质的。小麦的所有者,觉得小麦于他不是使用价值,同时又觉得别人所有的铁于他是使用价值,所以他的小麦同别人的铁相交换。此际,交换的结果,在最初小麦所有者的手中,便有了和小麦的使用价值不同的铁,就是说,他手中的小麦已转形为铁了,只有这件事,是附随于那成为一切经验的事实之商品交换的事实,那是使商品交换有意义的。内在于商品交换中的不可缺的条件,但是同时,那种事实以外的事件,对于简单的商品交换,都是附带的事情,因此,

———————————

① 考茨基版,第114—115页。
② 考茨基版,第116页。

想把商品交换在它的纯粹形态上去观察时,那些东西当然都是被舍象(蔑视)的。所谓"舍象地来观察",所谓"把没有从简单的商品流通之内在的诸法则中流出去的一切事情,放在圈外来观察",就是蔑视那必然的本质的内在上所没有的偶然的、非本质的、附带的诸事情。并且,凡是从这种观点来看时,简单的商品交换在其纯粹的形态上,常是制约等价物的交换的。

不用说,"事物在现实上,不发生纯粹的情形",所以列宁也说:"无论在自然上或社会上,纯粹的现象不曾有过,而且也不会有的,马克思的辩证法……正是告诉我们这事。所谓'纯粹的'资本主义,在今日的世界上没有存在过,而且也不会存在。其常有封建制、小市民制以及其他某种的遗物存在"。那么,就商品交换说来,也是一样。在现实上,不断地是交换着价值不相等的东西,譬之小麦所有者,以他的小麦同别人的铁相交换的结果,不仅在非使用价值转形为使用价值的这点上有利益,或许在较小的价值交换较大的价值上还有价值的增殖。搅乱"过程的纯粹进行"的"这种搅乱的影响",在现实的社会上屡屡发生着,我们当然不否认它。

我们在前面认为互相交换的两个商品内,必须有"同一大小的某共通物"存在着,并且把某共通物看作社会的劳动(价值)这种时候的商品交换,是把它在纯粹的形态上观察的,这里已经明白了。

为要商品交换现实上是纯粹的,恐怕还有种种条件的必要,然这里,不是通同可以说明的。不过无论如何,首先必然是"各人都只拿商品买商品",至如欺诈、强制等的场合,绝不是纯粹的商品交换。在纯粹的商品交换中,"是商品所有者间的对立,而这些人们所及于相互上的力,仅仅就是他们的商品的力。各商品的物材上不同,——因为物材上不同的缘故,所以在任何商品所有者的手边,都没有他们自身的欲望的对象物,但同时他们各人的手中,却有着其他人们的欲望的对象物——就是交换的物材的动机,也就是使商品所有者们相互依存的由来"①。

为要在现实上,纯粹的形态上行商品交换,必须还要其他的诸条件,这里就不一一指摘了。

---

① 考茨基版,第117页。

＊ ＊ ＊

纯粹形态上的商品交换，更以当作问题的商品，是纯粹的商品为必要。但是，劳动生产物为在纯粹的商品的形态上表现出来，那一方，可说在消极上，非完全丢弃属于商品性质以外的一切方面不可，他方，可说在积极上，非全面地采取商品的形态不可。"物理学者选择那在充实的形态上，且必须不为搅乱的影响所搅乱而表现着的场合，施行自然过程的观察，或者是可能，便在保证过程的纯粹进行的那种条件之下，去施行实验。"同样，当我们分析商品时，一方就不可不选择"在最充实的形态上表现出来的场合（即劳动生产物全面地采取商品形态的场合）"，他方，又不可不选择"必须不为搅乱的影响所搅乱而表现着的场合（即是丢弃了生产物属于商品性质以外的一切方面的场合）"。然在商品，这两个条件是现实上不能同时实现的，因为一定的劳动生产物为要全面地完全采取商品的形态，就不可不具有得能同一切种类的人类的劳动生产物相交换的资格，但是这种事在现实上实现出来，只有在一切劳动生产物被转形为商品的，那资本家的生产基础之上才有可能，然而如果商品是为资本家的生产方法所生产的，那就当然不是单纯的商品，同时是具备了资本的性质的，因之要丢弃属于商品性质以外的一切方面，殆不可能。这件事，就是指商品完全在纯粹的形态上，不能现实地实现的意义，所以，此际不能像自然科学者得以实验。即是："当分析经济的诸形态时，显微镜和化学药品都不中用，必须抽象力代替这两者。"人们不能把价值法则像可以自击的一样，在实验上去证明，就是这个关系。

试将以上的事情，更加详细地说明。

＊ ＊ ＊

劳动生产物的商品性（纯粹商品的资格），是伴着商品生产的——也就是商品交换的——发展而发展的，因此，劳动生产物要事实上表现为"最充实形态"上的商品（事实上全面地采取商品的形态），便以商品生产之最高度的发展（那是在资本家的生产基础之上才能实现的）为其前提条件。这种条件要不能实现时，便是个人的劳动向着社会的劳动去的转型，还没达到充分地完成，也就是相互交换的劳动生产物的双方所共通的某物，是完全舍象的、单纯人类的、社会的劳动那种事态，现实上还没有完全地成立。

自然，某种劳动生产物（譬之小麦）如能与他种劳动生产物（譬之铁）相交换时，交换的两种东西当中，便不得不存在着"同一大小的某共通物"，这件事，是交换得以实现的一个先验。但是那个某共通物究竟是什么？因场合而有不同。若是某种东西并不是为交换——即当作商品——而被生产出来，是因交换才成为商品的，因之，只在刹那间具有商品资格的场合（在这种场合，生产物本是被交换之后才成为商品的，然而一被交换，就已失掉商品的资格，所以它以商品而存在，实是瞬刻间的事），那就无论小麦或铁，在其所有者看来，不为绝对的过剩时，在某种程度上，对于该所有者自身还能是使用价值。然而如果从小麦所有者的个人的立场看来，一定量的小麦较之其他一定量的铁，是较小的使用价值，要在 X 量小麦和 Y 量铁得被比较时，那些东西才是同一大小的使用价值。在铁的所有者从他个人的立场看来，当也是和上面所成立的关系一样。并且那个结果，在小麦所有者和铁的所有者之间，X 量小麦和 Y 量铁固然是能够交换的，然这种场合，相互被交换了的 X 量小麦和 Y 量铁的双方所共通存在的同一大小的某物，恐怕能够都是从各所有者的个人的立场的大小看到的效用罢。像这样从个人的立场所看到的效用，虽然不能够拿社会的尺度来测量它，但是从各个人的立场，当是能够比较它的大小的。像在这种场合，使用价值还不是完全被舍象（蔑视）的，这已如上文说明过。所以，当探求存在于被交换的商品双方中的同一大小的某共通物时，马克思的那种舍象使用价值的价值论，在这里完全不适当。在这里，就可想起被土方教授所质问的"我以为蒸馏法就是表现马克思所思考过的思考的结果，可是又似乎说绝不是凭单纯个人头脑的抽象，那么，原来是凭何人头脑的抽象呢"话头来。因为不是凭所谓马克思的单纯个人头脑的舍象，所以使用价值的舍象，在这里完全不行。

马克思明白地说着："直接的生产物交换（是不以一般的等价物为媒介的交换）的形态，是 X 使用对象 A＝Y 使用对象 B。此际，A 物及 B 物在交换以前，不是商品，因交换才成为商品"①。如上所述的"所能思考的商品之最简单的形态，就是由于 A 商品的 X 量和 B 商品的 Y 量被交换，形成彼此相等的关

---

① 考茨基版，第50页；参看陈译本，正文第111页。

系上的形态",那个关系是以 X 商品 A＝Y 商品 B 的方式表现出来的。但是物物交换的形态,就不是这种 X 商品 A＝Y 商品 B 的方式,乃是 X 使用对象 A＝Y 使用对象 B 的方式。采取所谓限界效用说的学者们,专把这种物物交换放在眼中,因此,他们只是打算在两相交换的双方生产物中,抽出当作某共通物看的"效用"来,却不能了解价值法则。他们宥于生产物交换的最原始的形态,只看到商品之瞬间的存在的情形,因之,他们的理论,只对于生产物交换的最原始的形态,可说具有瞬间的妥当性,对于商品生产和商品交换之发展的世界,简直毫无用处。可是因为他们的理论是物物交换之最初步的形态,所以他们的说明,什么人都容易了解,限界效用说之存在就在限界效用说容易入俗。

我们试再看马克思所继续说的,"商品交换的开始,是在共同团体的边界上,是在他们和其他的共通团体乃至其他共同团体的成员相接触的地点上。……但是物品一经成为对外的共同生活的商品,随着在内的共同生活上,也就反应地成为商品。那些物品之量的交换比率,最初完全是偶然的。那些物品,是由该所有者的意志行为(相互地都打算让渡它),才能交换的"①。生产物的交换比率"最初完全是偶然的",那绝不是拿包含于那些物品中的劳动量作标准的。但"在这样做的中间,就逐渐地把对于他人所有的使用对象的欲望确立起来。这种交换不断地反复,就使它成为一个正规的社会的过程"②。总之,商品的价值关系之成为问题的,是在交换成为这一种正规的社会的过程之后。这件事,到后来讨论价值形态的发展时,还要更加阐明,不过价值形态是在这个阶段上才发展为一般的形态,"这个形态,才现实地使商品互相成为价值而发生关系"③。商品交换一入这个阶段,"至少,劳动生产物也不能不有一部分被预定为交换的目的而生产出来。从这一瞬间起,在一方面,那种供直接的欲望之用的物的有用性和那种供交换之用的物的有用性之间的分离,就确立了,物的使用价值就和物的交换价值分离。在他方,那些物品被交换的分量的比率,却成了要依据于那些物品的生产自身的光景"④。

① 参看陈译本,正文第 112 页。
② 参看陈译本,正文第 112 页。
③ 考茨基版,第 121 页;参看陈译本,正文第 66 页。
④ 考茨基版,第 51 页;参看陈译本,正文第 112 页。

　　到了劳动生产物至少有一部分被预定供交换之用而生产时,生产者就从那一瞬间,对于他的生产物,舍象(蔑视)那"供直接欲望之用的物的有用性"(即是舍象那成为使用价值的意义),同时却成了仅把供交换之用的物的有用性(即仅把该物品和其他物品所能交换的事情)放在眼中的光景了。成了这种情形,"就是该物品的使用价值",现实上和"该物品的交换价值分离了",因之在商品所有者看来,就单只为生产所费去的劳动有意义了。因此,在他方"从这一瞬间起",那些物品被交换的量的比率,却"成了要依据于那些物品的生产自身(即依据于那些生产物中所必要的劳动的分量)的光景,同时那就——伴着商品之较高度的发展,因而伴着较完全程度上的个人的劳动之向社会的劳动转型——逐渐地成了依据于该物品的生产之社会的所必要的社会的劳动分量的光景。"

　　如是,劳动生产物伴着商品的发展,现实上就越发具有那成为纯粹商品的一方面了。它要能够和一切种类的人类的劳动生产物相交换,才全面地采取商品形态。那正是成为纯粹商品的形态——"在最充实的形态上"的商品形态。然而"生产物的一切,又至少是它的大多数采取商品的形态,因之能够相互被交换的,只是在某特殊的生产方法——资本家的生产方法的基础上"①。因此,在纯粹形态上的商品,只是从资本家的生产抽象出来的存在,因之"价值法则,正是在资本家的生产基础上,才自由地展开自己的"②。

*　　　　*　　　　*

　　这样,在纯粹形态上的商品,我们知道现实上是待资本家社会成立(只成为资本家的商品那一面)之后,才会存在的。

　　我在本书第一节第四项上,已经这样说过:"为《资本论》研究出发点的最舍象的范畴的商品,是以'成为许多规定的总括','成为多样的统一',由思维而最后可在精神上再生产出来的具体物——资本家社会或资本家社会的富,为其前提的,那是除了成为这种'具象的活的全体之舍象的一面关系(因为舍象着某种东西,故非全面的,只是一面的)以外,绝不能存在'的。那不是资本

----

① 考茨基版,第125页。
② 考茨基版,第472页。

家的生产以前之简单的商品,也不是六七千年前开始表现于历史上的最初商品。那不是离开所谓资本家社会之'具象的活的全体'而独立存在的简单的各个商品[不是以达到高度发展的生物(譬之人类)为前提而存在的那种独立生物之单细胞动物]。不以最发展的商品生产社会为前提,就决不能存在的最舍象的范畴的商品,乃是和那离开人类的成熟体,就决不能存在的卵细胞相类似的。所以我们的研究,固然是以最舍象的范畴为始,然而那时候,不得不常把成为最丰富的具象物之资本家社会浮在表象上。"

《资本论》的冒头上所分析的商品,就是这种意义上的最舍象的范畴的商品,除以上之外,在第一节的到处,我也已经详细地说过,现在应该想起来。因为那是最舍象的范畴的商品,所以除开为商品的一方面之外,其他的一切规定,都是被舍象的,因此,便成了单纯商品的商品,恰是在纯粹形态上的商品。

《资本论》的冒头上所分析的商品,恰是如此。所以马克思在那里所说的"再取两种商品,譬之小麦和铁为例。无论它们的交换比率如何,那……随时是可凭一定分量的小麦等于某种分量铁这个方程式表现出来的。这个方程式是指示什么的呢? 是指示:同一大小的某共通物,存在于两个不同物的当中……"这段话,其中无论小麦或铁,总之不外是这种意义的商品。因此,在那里被当作问题的某共通物,就是,一样的人类的劳动,舍象的,即"单纯人类的劳动"(一切种类的劳动生产物,若不是完全都能互相交换,个人的劳动便完全不能具有"单纯的人类劳动"之一面)。"所谓劳动一般的舍象物,只有成为诸劳动之具象的总体性的结果才发生",那是"只有成为近代社会的范畴,实际上才真实地"表现出来的。这种意义的劳动,只是在商品生产达到了最高度发展的资本家社会上,才现实地存在着。若是《资本论》的冒头上所分析的商品,不是最舍象的形态(最纯粹的形态)上的资本家的商品,譬之如果是凭物物交换后才成为商品的那种生产物,便不能发现在相交换的两个商品中所共通的"一样的舍象的劳动"。此际,成为最丰富的具象物之资本家社会,就不得不当作前提而常浮于表象上。

所以马克思说:"价值法则,正是在资本家的生产基础之上,才自由地展开着自己"(考茨基版,第472页);同时又说:"这个法则,和当作生产物一般的形态看的商品一样,是从资本家的生产所抽象出来的(ist abstrahiert aus……），唯其如此，它便不能适用于资本家的生产"①。

最舍象的商品，因为是从资本家的商品中抽象出来的那单纯商品的一面（舍象了其他许多方面的），所以，不能如实地成为具象物的资本家的商品，同样价值法则，也因为是从资本家的生产诸关系中抽象出来的那一面，所以它也不能如实地适用在资本家社会。

劳动生产物还没有成为资本家的商品，——换一句说，还没有同时兼做资本的一面，——却于可能的范畴内最全面地采取商品形态的，是在资本家的生产将成立之前，即是在"商品生产以及发展中的商品流通——商业——已经达到了发展的一定高度之时"，再具体地说来，是在"世界商业和世界市场"已经成立了的第16世纪。世界商业和世界市场的成立，已是指示某种个人的劳动现实地在世界的规模上被转型为社会的劳动的，因此，在那里，"世界货币"才以最舍象的富的形态现实上存在着。

那时候，一定的劳动生产物，还没有成为资本家的商品，可是现实地在可能的范围上，已经全面地采取商品的形态了。那在简单的商品上，是具备了最充实形态的商品。基于那个缘故，在具有交换本身得以纯粹地畅行的一切条件时，价值法则就能现实地在现象上显现出自己来。然而这件事，却随着"资本之近代的生活史开端"而停止了。如是，在资本家社会内，价值法则在现象上还不是直接表现地贯彻着自己，只有由我们的抽象力所行的科学的研究，才能在媒介性上把它暴露出来。

＊　　　　＊　　　　＊

如上所述的小泉教授所最注重的一点，便在于：既当作"价值法则，正是在资本家的生产基础之上，才自由地展开着自己"，然据《资本论》第三卷所说，则资本家的生产基础之上所生产的商品（简单地说来，便是资本家的商品），又是以和价值相背离的生产价格上的卖买为原则，那岂不是前后相矛盾么？这一点。但是这个疑问，我认为已由上面的论述所解决了。

以上我们说过，价值法则在纯粹形态上的商品（因而是舍象了所谓资本家的规定之商品）交换上，是妥当的法则。但是资本家的商品，不用说，是受

---

① 《关于剩余价值的学说》第三卷，德文本，第80页。

了所谓资本的产物之规定——在商品自身中是附带的规定——的特殊的较具象的商品,那除了成为商品的机能之外,还具有成为资本的机能。像这样属于较具象的范畴之资本家的商品,除了完成为单纯商品的机能之外,且要完成为资本的机能。它不但成为商品而流通,还要成为资本而流通。因此,该运动在外观上,当然是和价值法则相矛盾的。"成为商品的商品所通用的这个法则(价值法则),迨商品一被观察为资本,即被观察为资本的生产物,换一句说,商品一旦一般地从商品进展为资本,就早已不适于该法则了"①。在这种情形之下,法则在现象上,平均都不能适用了。那因为妨碍法则之真实的显现出来的事情,在一切地方都共通地存在着的缘故。譬之若骰子单是某一面特别的轻,那所谓一定的一面,于六次中以一定比率表现出来的法则,纵然是大量地平均地观察,在经验的事实上,恐怕不会出现。又如男女的出生率,如果是行着特殊的人为的避妊,比如一般都是这种风习:在没有生育男子之前,还是听其自然地继续地生女子(就是说望生一个男子后再避妊,——译者),那男女的出生率在大量上是平均的这一个法则,在经验的事实上,也恐怕不会出现。现在我们所当作问题的资本家的商品,尽都是具有成为资本的附带规定的商品,在那些东西当中,关于妨碍成为商品的商品法则之真实地显现出来的事情,都共通地存在着。价值法则对于那些东西不能如实地适用的,不能不说是完全的当然。但是这种情形,偏于许多学者当中,成为非常的问题。这里,我不禁想起塔尔海玛(Thalheimer)的一段话②来:这本没有什么,然在经济学上,这种没有什么的事,好像使资产阶级的理解都陷于在混乱和惊异之中了。

*　　　*　　　*

我在这里,还得引用第一项所引用过的马克思的书简之一节。像在上面所说的那一般异论,——据列宁的话说来,——"这里,为马克思所简洁地,单纯地,而且非常明白地分析出来了"。他说:

科学,恰是在说明价值法则怎样贯彻自己的当中成立的。所以,若是

① 《关于剩余价值诸学说》第三卷,德文本第80页。
② *Marx-Engels Archiv*,Ⅱ,S.573.

我们入手就想阐明该法则中的外观上矛盾着的一切现象,那我们不得不于科学以前提供出科学来。……

俗流经济学者,一点也不感觉得现实上日常的交换比率和价值的大小是不能直接同一的事。资产阶级社会的本质,正是在生产之意识的,社会的统制,先天上决不能显现的当中成立的。合理的以及必然的东西,(在这种社会)只是以盲目的平均作用贯彻自己的。所以俗学者们不暴露内的联络,专主张事物在现象上(所谓法则)是不同的表现着,且以为那是他们伟大的发现。其实他们的得意,是由于他们只捉住了假象,反认假象为最后的东西的缘故。如果这样,那么,科学的功用是什么?

在以上简单的文句中,我认为这个问题已经十分明白了。这里试再补充几句。

"在商品基础上包围劳动生产物的商品世界的一切神秘,一切魔法妖术,只要我们一逃避到其他的生产诸形态上,就消灭了"①。所以,我们试假定想象着"那用共有的生产手段来劳动,而把大多数的个人劳动意识地当作一个社会的劳动力支出去的自由人类的团体"②(简单地说来,便是共产主义的社会)。那里,是"生产之意识的,社会的统制之先天的"显现着的。"以一定的比率,配分社会的劳动之必然性"——合理的以及必然的事物——在这里,不是"以盲目的平均作用来贯彻自己"的,乃是通过人类的意识计划地贯彻自己的。那一条通路,并不经过迂回曲折,而是直接的、直线的道路。"人类对于他们的劳动,以及对于他们的劳动生产物的社会关系……无论在生产上或分配上,都单纯得和透明的东西一样"③。那里,自然法则在现象形象上,直接地显现着自己。但是在资本家的社会,事态便与此完全相反了。在所谓无政府主义的那种组织之下,供社会生存用的"必然的事物",不是由社会的中央机关意识的计划地实现出来的,然而那是"必然的事物",是不能废除的"自然法则",所以固然在个别的场合上,从该法则脱出来的一切背离也可能,然在全

---

① 《资本论》第一卷,考茨基版,第 4 页;参看陈译本,正文第□7 页。
② 《资本论》第一卷,陈译本,正文第 91 页。
③ 《资本论》第一卷,陈译本,正文第 92 页。

体上,该法则一定是要贯彻自己的。"科学恰是在说明这种法则是如何地贯彻自己的当中成立的。"若是法则在各个现象之上,都是直接地显现着自己,那假如和小泉教授所要求的"各个商品的现实交换,都照价值所规定的比率施行"的一样,或如土方教授所要求的,"法则",如果是能当作"事实"去目击的一样,那么,价值法则便在任何人的眼中,一见都可明白的了,不须我们加以何等科学的研究了。"如果现象形态和事物的本质是直接一致的,一切科学便成了废物"①。如果因科学所提供的法则不直接和现象一致就不须维持,那么,"要之科学的功用是什么"?②

哪怕这样地解释了,或者还有执拗地采取上述一般论调的:小泉教授所非难的倒不是价值法则和现象不一致的情形,他的主张是说照马克思论证价值法则时所用的论法,价值法则如果和现象不一致,不是不能维持了么?但是关于这点,怕再没有论述的必要了。马克思为要发现价值法则,把在眼前颠倒着的任意的商品交换,随便摆下而不加以分析的,已为我们详细地讨论过。小泉教授如果拿教授所说的"马克思蒸馏的推究法",以为就是这样的东西,那叫马克思说来,怕是"不外基于科学方法之完全的无智"罢!

＊　　　　　＊　　　　　＊

马克思价值说的说明,当非以上所能尽。所以,如果读者中还有苦于理解的,我就希望各位在以后的说明中去求完全的理解。又,马克思的价值说由以上的说明,各位就已明了,不过因有许多学者对于马克思的价值说还提出各种各样的异论,因之各位对于异论上就还有许多不可解的,那么,我就希望诸君重读一遍上面说过的马克思简书中最后的文句。马克思这样地说着——

"事态在这里,也还有其他的背景。因为一洞察到内的联络,那对于现存诸状态之永久的必然性的一切理论上的信仰,在(现存诸状态)实际上崩坏之前,已被颠覆完了。所以就在这里,那使无思想的混乱做永久化,也是支配阶级绝对的利益。……"

---

① 《资本论》第三卷第二分册,第 352 页。
② 前出,《给库格曼书简》的一节。

恩格斯认为"唯物史观和因剩余价值而暴露的资本家的生产之秘密",是我们要感谢马克思的"两个伟大的发现"①。又据列宁说来,"关于剩余价值的学说,是马克思经济理论的基础"②,可是若更追及剩余价值说的基础,那不外就是他的劳动价值说。因此,要颠覆劳动价值说的,就是要颠覆马克思的全经济理论。不过马克思的全经济理论之"最后的穷极目的",就是"近代社会经济的运动法则之暴露"。我关于这点曾这样的说过③:"人们把他自己住在上面的地球,常以为它完全是不动的,同样,把他们自己住在当中的现代的社会组织,也觉得是永久的不能变更的,然而《资本论》所告诉我们,这被看作不动的东西,实是能动的,现正运动中。……《资本论》把受虐待的人们,从基于错觉的确信上唤醒过来,向着他们暴露那厄困的真相,并且指示出这种原因之排除的可能和路径,给他们以自己解放的希望和指针,一言以蔽之,就是无产阶级用的最重要的教科书之一。"这种理论的普及,就是颠覆"对于现存状态的永久的必然性之一切理论上的信仰"的意义。这种理论,对于那把"无思想的混乱之永久化",作为他们绝对利益的支配阶级,原来是可怕的。无论本人是否意识到自己的言论之阶级的意义,总之那为拥护支配阶级的利益,至有许多学者想排击马克思全经济论基础的劳动价值说,可说是当然的现象。马克思劳动价值说在所谓学界上得不到正当的理解的,也就是基于这种情形。但是,"学生们要刻苦之后才能得到的东西,劳动者早已本能地,照黑智儿式说来,早已直接地获得了"④。我相信就是日本的大学教授们到底不能理解的劳动价值说,或许在劳动者阶级间,一定找得出许多理解者来。马克思说"《资本论》很快地弥漫了德国劳动者阶级广大的范围而找着了理解者,是对我的工作之最上的工钱"。这本解说书贡献于日本劳动者阶级之前,哪怕少点儿,只要能实现那样的结果,当然对于我的工作也是无上的报酬。

---

① 《反杜林格论》。
② 《马克思主义的三个源泉》。
③ 《马克思主义经济学》,《马克思主义讲座》,第六册,第7页以下。
④ 恩格斯:《给休米特的书简》。

第四节　在商品上表示出来的劳动二重性

一、引言

我们由以上完结了第一章第一节的研究,以下,便入于在商品上表示出来的"劳动二重性"的研究。①

在本节的冒头上叙述,如次。

最初,商品是以使用价值和交换价值的一个二者斗争物,表现于我们的面前的。随后又明白了:劳动,凡是它在价值上被表现时,早已没有和属于使用价值创造者的劳动相同的特征了。被含在商品中的劳动的这种二者斗争的性质,从我开始有批判的证明。这点是理解经济学的枢轴,所以在这里非更进一步地阐明不可。

最初,我们从商品的现象形态出发,由是,我们看到了商品首先表现为使用价值,其次表现为交换价值。我们更由分析交换价值这现象形态,把握了那价值的本质,便又发现了价值的实体,就是被对象化于商品中的舍象的人类的劳动。因之又明白了劳动,也是以使用价值的创造者,并价值的创造者而具有

---

①　第二节的标题,我们在《岩波文库》本上的译文,是"商品方面表示出来的劳动二重性",现已改为"在商品上表示出来的劳动二重性"了。因为原文是 in den waren,不是 in die waren,所以不是表现到何处的方向,乃是表现在何处的场所。因此,译作"在商品上……",之较译作"商品方面……"的,认为妥当些。第三篇"绝对的剩余价值之生产"的第七章"剩余价值率"第二节的标题,本是 Darstellung des Produktenwerts in proportioneilen Teilen des Produkts,而我们不译作"……生产物比例的诸部分方面的生产物价值之诸构成分子"的表示,特译作"……在生产物比例的诸部分上的生产物价值之(诸构成分)的表示"的,也是基于同一的理由(《岩波文库》本,第391 页参照)。

在讨论"价值的表现"时(因而在讨论价值形态的一项下),认为特别有明了这个区别的必要。关于这点,旧译文上往往有不注意的区处,所以此后常要有这种的订正,不过每次都忽略了这种的指摘,现在总括于此,请读者注意。

英译本上,许多地方对于上面的注意,似觉周到。譬之这里当作问题的第一章第二节的标题是 The two-fold Character of the Labour Embodied in Commodities(含在商品中的劳动二重性质)。又,第七章第二节的标题 The Representation of the Components of the Value of the Product by Corresponding Proportional Parts of the Product Itself 把原文的 in 译作 by。

二重性质的。而且这一件事——即发现"含在商品中的劳动之这种二者斗争的性质"——在我们是最要紧的,诚如恩格斯所说的,马克思主义的见地,"是在劳动发展史当中,认识了对于社会全历史之理解的关键的"①。这种劳动在商品生产社会——在商品形态上生产着生产物的社会——上,既生产着使用价值,同时又生产着价值。换一句说,商品生产社会的劳动,在它自身中就包含着"充满了矛盾,互相排斥的对立倾向"。如是,商品生产社会的"劳动发展史",就是成为这种对立物斗争过程的劳动之"自己运动"的历史,而在这种历史当中,横有对于资产阶级社会之"全历史理解的关键"。因此,所以说"这点是对经济学的理解上的枢轴",所以又说"在这里非更进一步的阐明它不可"。②

所谓"含在商品中的劳动之这种二者斗争的性质,从我开始有批判的证明",马克思在这里是指的他著的《经济学批判》。他又在《资本论》第一章第四节的(三一)注上,对于正统派经济学述说如次。

　　　　只拿关于价值一般的范围来说,正统派经济学决没有在什么地方明白地并且用明了的意识,把那种在价值上表示出来的劳动和那种在其生产物的使用价值上表示出来的劳动区别着。自然,在事实上它却是行着这种区别的,为什么呢?因为它把劳动那种东西,时而从量的方面,时而从质的方面,考察着的缘故。但是其中没有注意的,就是一切劳动之单是分量的差异,是以一切劳动之品质上的统一或平等(即是向舍象的人类的劳动之一切劳动去的还原)为前提的这一点。……③

---

①　《费巴哈论》,德文本,第58页参照。

②　我把本文中所表现的 Zvieschlachtig 一字,译作"二者斗争的"这一语,是含有辩证法的对立物意义的旧名词,现在是不用了的。在马克思所作的《黑智儿法律哲学的批判》一文中,也用过这样的名词。

Der vorige Paragraph belehrt uns dahin,daß diekonkrete Freiheit in der Identität(sein sollenden,zwieschlächtigen)des Systems des Sonderinteresses(der Familie und der bürgerlichen Gesellschaft)mit dem System des allgemeinen Interesses(des Staates)bestehe.——Marx Engels Gesamtausgabe,Erste Abteilung,Bd.1,Erster Halbband,S.403.

把运动当做那成为对立物的竞争过程的自己运动去把握,是辩证法的根本特征之一,这已反复说过了。所谓二者斗争,就是指的这种对立物的斗争。

③　陈译中文本,正文第95页。

含在商品中的劳动,就是创造使用价值的劳动和创造价值的劳动的那种对立物的统一(Einheit der Gegensätze),而本节的主眼,就在把这两个对立物弄明白,但于这种对立之前,它的同一性却有被看漏的危险,所以我且对于这点先说一下。

掘出一吨煤的劳动,是创造使用价值的劳动,掘出十元煤的劳动,是创造价值的劳动,然而这两种劳动,不用说,都不是分别地存在的。人们并不是在先掘出了几吨煤,后掘出了几元煤的状况之下,而时间各别地显现出那创造使用价值的劳动和创造价值的劳动来的。从掘出了煤几吨的时候,同时就是掘出了煤几元的时候,这两样的劳动,毕竟不过是一个劳动的两方面,在那个意义上,该两方面是同一的。列宁说"对立物的同一性,更正确的说来,就可说是'统一'——尤其'同一性'和'统一'的表现,在此际并没有何等本质的区别,在某种意义上说来,两者都是正确的。……",就是指的这种关系。

那么,在这种注意之下,我们试在下面把马克思的本文看看!

二、当作创造使用价值的有用的劳动看的劳动

　　二种商品,譬之试采取一件外套和十码亚麻布为例。前者,是作为有十码亚麻布两倍的价值的。

我们首先试从使用价值的观点上,来看这两种商品(或是说来看造出这两种商品的劳动)。

"外套,是(满足某特殊欲望的)一种使用价值",它不是在什么上面都能够作用的,乃是为满足某特殊欲望——譬之所谓御寒,装饰体面的欲望——的东西,所以为适应这种欲望的特殊性,它的本身就不可不具有特殊的形态。同时,为造成它的材料(譬之织物),并加工于其上的劳动手段(譬之剪子、针等),也不能不都是特殊形态的东西。所以,生产它的劳动,因被这些材料和劳动手段所制约,也不得不是特殊的形态的东西,这种劳动的效用,就在该生产物"是满足某特殊欲望的一个使用价值的一点"。"像在这种生产物的使用价值上,即是在该生产物是使用价值的这一点上表示其效用的劳动,我们简单地称为有用的劳动(Nützliche Arbeit)"①。

---

① 　这句话把旧译文订正了,参照《岩波文库》本,第49页。

　　如是，无论就外套看来，或就亚麻布看来，彼此都是同样的事。所以，"外套和亚麻布是质不同的使用价值，同样，媒介它们的定在（Dasein）的劳动，也是质不同的劳动——裁缝劳动和机织劳动"。如上所述的，生产物本是由于互相交换的情形才成为商品的，但是为要相互能交换起见，它们就不可不是质不同的使用价值。"外套对于外套不能交换，同一使用价值不能对同一使用价值交换"，所以生产物只要是相互以商品而对立着的，那么，它们便不可不是质不同的使用价值，且不得不是"质不同的有用的劳动之生产物"。

　　这些不同质的各种有用的劳动，在"以独立生产者的私事，彼此无关系地"被经营着的时候，那些有用的劳动总和固然形成一个自然发生的社会的分业，但在这种范围内，那些劳动生产物是以商品而互相对立的。构成社会的各种成员，虽然是相互经营着不同质的各种有用的劳动，但在各自私有着该生产物时，各人便都会发现自己的所有物是满足它人欲望的使用价值，他人的所有物是满足自己欲望的使用价值。因此，在他们当中，便不得不施行那些生产物的交换，由这种个人的生产物交换，私的劳动便转型为社会的劳动（应社会需要的劳动），各个的劳动，便综合成为"一个复杂的体系，一个社会的分业"。于是在互相不同的门、科、属、种、亚种等使用价值的总体内，和它们一样地成为互相不同的许多门、科、属、种、亚种等有用的劳动之总和的一种社会的分业也表现出来了。那些东西形成了一个全体性，所以形成了一个错综分歧的社会分业。

　　这种社会的分业，是商品生产存立的条件。人们如果是从事于同一种类的劳动，是生产着同一种类的使用价值，那些生产物便不得成为商品。不过虽没有行商品生产，也能显现出社会的分业来。"在古代印度的共同体内，曾有生产物并没有成为商品，而劳动却行着社会的分配。或举最近的例说来，在任何工场内，劳动虽是被系统地分配着，然而这个分配，却不是由于劳动者交换个人的生产物的情形所媒介的"。在前者的场合，纵然是行着社会的分业，然以社会采取共产制的组织之故，劳动是直接地当作社会的劳动显现出来，因之劳动生产物不是当作私有物生产出来，是直接地当作社会物生产出来的，所以它没有采取从私的转形到社会的那种形态（商品形态）。至近代社会则与此不同，虽然它是立在生产物的私有制之上的，工场内的工银劳动者，对于他们所处理的生产手段以及他们所生产的生产物的所有权,都是被褫夺了的。因此,纵然在他们当中是显现着的分业,纵然是劳动对象不断地从某劳动者之手移转于别的劳动者之手,总之那些运动并没有采取商品交换的形态(马克思把商品生产社会中这样种类的分业,称为工场内的分业——Arbeitsteilung innerhalb der Werkstatt——把它和社会的分业区别了)。即社会的分业,虽是商品生产的存立条件,反之商品生产却不是社会的分业成立的条件。

＊　　　　　＊　　　　　＊

凡是生存着的人类,在其生活上,一定需要特殊的使用价值。而这些特殊的使用价值之存在,"一定常是由特殊的合目的的生产活动——使特殊的自然物材适合于特殊的人类欲望的活动——所媒介"。所以使用价值的生产,在被当作为商品而生产之前,就已显现过使用价值的生产,人类的生产诸关系——社会经济的构造形态——无论变化到怎样的状况,只要人类的存在是不得不维持的,即,"劳动在其为使用价值的形成者,在其为有用的劳动上,是从一切社会形态独立的、人类的一个生存条件,是媒介人与自然间的物质代谢之永久的自然的必然,也就是媒介人类生活的一个永久的自然的必然"。

人类于其生存上——在生理的构造之要求上——受这种自然的必然之强制。他为他的生存,常不得不经营着某种的劳动。所以"自由的王国,事实上,要在不须为必要和外部的合目的性所规定的劳动之时才开始,那是横在事实的性质上、本来物质的生产领域之中的。野蛮人为满足他们的欲望,为维持他们的生活而行再生产时,不得不和自然相斗争,这在文明人也是一样,而且文明人不得不在一切社会形态之中以及一切可能的生产方法之下和自然相斗争。于这个必然的领域之中,适于自己的目的的人类的力之发展,真正的自由王国,才开始。然而那只有在该基础的必然的领域上才能开花"①。

这件事,就是指示:在包含于商品内的对立物之中,——即在为使用价值的形成者的有用劳动,和为价值形成者的舍象的人类的劳动之中,——有用的劳动是更有力的劳动。要之,描写着辩证法的斗争过程之对立物的一方比之其他一方,本来是更有力的。如果把它就当面的情形说来,在商品生产社会之

①　《资本论》第三卷,德国本第二分册,第355页。

中,供生产使用价值用的劳动,同时就不得不是生产着价值的劳动,但是生产使用价值的要求和生产着价值的要求,如果至于酿成根本的冲突时,则因后者为前者所牺牲的情形,商品生产本身——这种物质的生产方法——便不得不被废止。因为生产使用价值的有用劳动,在人类生活上是"永久的自然的必然",如果它为其他的所牺牲,在以人类生活的发展为前提的范围内,是断然不可的缘故。所谓在为生产商品的劳动所包含的对立物之中,一方的比之其他一方的更有力的话,就是恩格斯所说的"经济的发展(生产力的发展),是无例外地而且残酷地开辟自己的血路前进"的一例。

*　　　　*　　　　*

以上所说的有用的劳动,"不是从它生产出来的使用价值的、物材的富之唯一源泉"。这件事,必须和劳动在当作舍象的人类的劳动之资格上是价值的唯一源泉,明白地区别出来。从来常有人把马克思的劳动价值说当作是只认劳动为富的唯一源泉的学说而加以非难,这自然是误解(好在今日基于这种误解而加以非难的,殆已经绝迹)。

各种使用价值(物料的富,即商品体),是天然存在的物材和人类的劳动这两种要素的结合。所以"如果除去了含在外套、亚麻布等中一切各种有用的劳动之总和,随后无论在什么地方,所残留的就是没有人类的协力而天然存在的某种物质的基础。由于人类在天然存在的某种物质上,加上他的劳动,而运动着这种物质,于是使该物质的形态恰变形为他所希望的形态"。一切人类生产的活动,都是从运动外界物体的情形成立的。这件事,老早就为詹姆士·弥勒指摘过。譬之我们要做出米来,首先就在耕田,然而耕田的那件事,是从运动犁和锹这种"物"、运动土壤这种"物"成立的。在已耕的田上播种的那件事,是运动种子这个"物",而把它从贮藏的地方移到田上去的,稻一成长,便要施以肥料,而运动肥料这个"物",也是从某地方移到田上去的。刈取芜草,也是运动芜草这个"物",而把它从田上移到旁的地方去,割下成熟了的稻,那是要运动镰这个"物"而切断稻根的,再收获稻子时,要由运动车马这种"物"。而运动被割下来的稻穗这个"物",使之从一个地方到他一个地方。这样,从稻种播下以至于做出米来,凡是人类所做或能做的,无非都是运动外界的"物"而已,除此之外,都是自然在完成它的作用。再米从做成饭的一方面看来,道理也是一样。为要烧饭,我们先就要把米放在锅中,那就是运动米这个"物"。再者米放在锅中,水也是要放在锅中的,那就是运动水这个"物"。就是擦火柴,也是在运动"物",把火柴的火移到柴上,也是运动着"物",人们于锅中放米放水,随将锅放在灶上,随将柴放在灶内,随将灶内的柴点上火,总之这完全只是运动着"物"。然而人们只要有这种运动,于是柴因其固有的性质由燃烧而发热,水因其固有的性质由受热而沸腾,米因其固有的性质由周围的水沸腾起来而发散着蒸汽,经多少时间便成为饭了。而米之成为饭的和纱成为织物。织物成为衣服一样,要之不外是"物材之某形态的变化"。

在这样的理由上,生产的劳动是由于使一切外界物体的运动而成立,又所谓富的生产结局,也不过使天然存在的物材形态变化罢了。所以为要生产着财富,人类当然非运动他的肉体不可,然而(只是由所谓精神作用而运动外界物体的,却不可能)仅仅只是他们自身的运动,还是不够,一定要由他们把那个运动加在外界某特定的对象上,从而使那个对象运动才行。如是,在富的生产上,一定要有人的要素和物的要素两种。"所以劳动不是从它生产出来的使用价值的物材的富之唯一源泉。如威廉·配第所说的一样,劳动是贫之父,而土地是富之母。"①

三、创造价值的人类的劳动之劳动

生产商品的劳动,在一方是创造使用价值的劳动,在这样的资格上,是由品质的互异而表现为无限多样性的具象的特殊的劳动,同时,在他方却是创造价值的劳动。在这样的资格上,是由品质的互同而均有平等性的舍象的一般的劳动。《政治经济学批判》上,表现这种情形如次。

> 定立交换价值的劳动,是在成为一般等价物的各种商品的平等性上被实现出来,而成为合目的的生产活动的劳动,则是在各种商品的使用价值之无限的多样性上实现出来。创造交换价值的劳动,是舍象的,同时即

---

① 马克思这里所引用的配第的话,多半是指的 Treatise of Taxes and Contributions——1677 年版,第 47 页——所看到的 Labour is the Father and active principle of Wealth as Lands the Mother.

一般的,而且等质的劳动;反之,创造使用价值的劳动,是伴着形态和材料的各异,而分为无限不同的劳动方法之具象的且特殊的劳动①。

这里,所谓"成为一般的等价物的各种商品的平等性"的,就是指的无论什么商品的交换价值,都是值金几元,因之各种商品只要是保持了它那一定的分量上的比率,彼此都被看作相等。这件事,与各劳动的使用价值的品质表现出无限的多样性恰是相反。如是,创造价值的劳动,完全都是品质相等的舍象的一般的劳动;反之,创造使用价值的劳动,完全都是品质不同的具象的特殊的劳动。两者完全是反对的,是有相互排斥的性质的。可是生产商品的劳动,是前者,同时又是后者,是这种对立物的统一。以下我们试就创造价值的劳动,加以更深切的观察。

*   *   *

当观察商品的价值时,分量的问题还在次,第一是品质的问题。因为"不同物的大度,要到该物被还原为同一单位之后,才能在量上比较的缘故"②,所以马克思当观察商品价值——因之又是观察形成这种价值的劳动——时,首先所述的是:"如照我们的假定,外套是含有 10 码亚麻布的二倍的价值的。然而如此,只是量的差异,还不是我们当前的问题。因此,如果一件外套的价值有 10 码亚麻布的价值的两倍大,那么,我们便想到 20 码亚麻布,是含有和一件外套相同的价值的"③。就是说,我们首先试就具有同一大小的价值之一件外套和 20 码麻亚布来观察。

"外套和亚麻布在价值上,是由同样的实体、同样的本质所成的物,是同种劳动之客观的表现。"为生产外套所费去的裁缝劳动,为生产亚麻布所费去的织物劳动,它们在创造价值上,都是同样的实体,都是属于同种的劳动。这些劳动,既是同样和同种的,自能还原为同一单位而在量上被比较。

"但是裁缝劳动和织物劳动,是不同质的劳动",这点是毋庸疑惑的。然则像这样在一方是不同质的劳动,在他方又怎样能成为同质的劳动呢? 那就

---

① 《政治经济学批判》,德文本,第 12—13 页。
② 考茨基版,第 16 页。
③ 考茨基版,第 11 页。

是：任凭怎样不同的具象形态的劳动，总之在人类的劳动力之支出的这点上，都是具有同一资格的缘故，马克思关于这点，说明如次。

"裁缝劳动与织物劳动，是不同质的劳动。但是同一的人类交互地或做着裁缝，或织着织物，因之这两种不同的劳动方法，不过是同一个人的劳动之变形的那种社会形态"。在这种场合中，裁缝劳动与织物劳动，尽管是相互不同的形态，总之在人类的劳动力之支出的这点上都是具有同一资格的这件事，是极明白的。"从此，本是一见就明白的事，然在今日资本家的社会上，因劳动需要的方向变化，而人类劳动的一定分量，变化不定地或以裁缝劳动的形态，或以织物劳动的形态而供给着。"换一句说，一定数的劳动者如果想到他在昨日是从事某种劳动的，在今日又是从事他种的劳动了。在这种场合中，明明裁缝劳动和织物劳动无非是成于同一人类的劳动之支出。如果我们要不顾及为这种劳动之生产活动的规定，并其有用的性质，那所剩下的便只是人类的劳动力之某种的支出。"裁缝劳动与织物劳动，虽是不同质的生产的活动，然而两者都是人类的脑髓、筋肉、神经、手等的生产的支出，而且在这种意义上，两者都是人类的劳动。那不过是关于人类的劳动力之支出的两种不同的形态"①。

以上所述的裁缝劳动和织物劳动，在两者都不过是支出人类劳动力的两种不同形态的意义上，两者都是人类的劳动。"但是，商品的价值，是表示人

---

① 马克思在此处插入这样的句子："自然，人类的劳动力为要在各种的形态上被支出，所以人类的劳动力不可不发展到某种程度。"关于这点，《政治经济学批判序言》（德文本，"序言"第40页以下）中，有详细的说明。我在上面因为已经引用了那上面的主要的部分，所以这里就不重述，只注意下面所述的就行了。

现实上，人类的劳动力在各种形态上被支出，和人类的劳动力能在各种形态上被支出的这两句话，不可不明白地加以区别。"所谓野蛮人具有被使用于一切劳动的素质，和所谓文明人自己从事于一切劳动，这两件事是有很大的差异"的。所谓人类的劳动在各种形态上被支出，是要伴着商品生产的发展，才能够实现的。因为商品生产未发展时，我们不得不为着生产自己的生活必要品而劳动。所以，即令我们的劳动力，具有能在任何形态上被支出的素质，然而事实上，我们总是不得不从事于某种被限定的劳动的。

由是，我们便明白以下的事实了。创造使用价值的有用劳动，最初是于任何社会状态之下都能存在的，然创造商品价值的，因而代表一切劳动诸形态的舍象的人类的劳动，——虽是当然的事情，——是要伴着商品生产的发展才现实上存在的。

类的劳动那东西,表示人类的劳动力之支出一般"①的。那不是以某种被限定了人类的劳动力之支出的劳动为内容的。就是说,商品价值所表示的人类的劳动,是"没有完成特殊发达的普通的人类,各自平均地在其活着的有机体内所具着的、简单的劳动力之支出",一言以蔽之,就是"简单的平均劳动"。只有这种简单的平均劳动,才是规定商品价值的品质的。因此,一切商品的价值,都可还原为同一单位。然则各种劳动,要怎样才被换算为这种简单的平均劳动?

在商品社会,"复杂劳动只当作自乘起来,或加倍起来的单纯劳动看,是妥当的。因之复杂劳动之较小的分量,等于单纯劳动之较大的分量,不断地显现着这种换算——还原——的,是经验上的告诉"。因为"某种商品纵然是复杂劳动的生产物,而其价值是使该商品与单纯劳动的生产物相等的,因之它自身,只是表示单纯劳动的一定分量"的。

我们并不是说复杂劳动,得能换算为单纯劳动,乃是说在商品社会,经验上是不断地显现着这种换算的。一切种类的生产物,——也就是如何复杂劳动的生产物,——在商品社会内,由于全面上都能交换的情形,故于一定分量的比率上都是被看作相等的。由是,任何种类的生产物,只要是保持着一定分量上的比率,价值上都是被看作相等的。这所说的,就是生产那些商品的各种劳动,在一定的比率上,可以还原为共通的平均单位的意义。为这种平均单位之单纯的平均劳动,"固然在相异的各国和相异的文化时代,性质不是一样,然在某特定的社会上,却是一定的"。

当我们在上面为探究价值的实体,而舍象着诸商品的使用劳动时,曾反复地说明这种舍象,不是在我们头脑之中,随便主观地显现着的(第二节之三,第三节之二,到处都说得有)。那就我们现在在这里当作问题的——即就种种具象形态的生产的诸劳动还原为单纯的平均劳动看来也是一样。这里,因

---

① 我在这里所译出的"人类的劳动、人类的劳动力之支出一般",是据第一版原文的 menschliche Arbeit schlechthin, verausgabung menschlicher Arbeitskraft überhaupt。在第二版上,把第一版的"人类的劳动力之支出一般",改作"人类的劳动之支出一般",而考茨基版也是根据的第二版。但在恩格斯版上,乃与第一版的一样,还是"劳动力",同时在法国旧译本上,也仍译为 purement et simplement le travail Travail de l'homme, une dépense de force humaine en général。因为劳动所支出了的,就是劳动力,所以我在这里,认为第一版和恩格斯还妥当些。

为有我们所说的客观的论理之特征,有马克思主义经济学上的实践和理论之统一的一面,所以我们不得不再三请读者注意。

《政治经济学批判》,把以上的情形表现如[①]。

"为要在商品所包含的时间上来测定诸商品的交换价值,各种劳动的自身,就不能不还原为无差别的、一样的单纯劳动,简单说来,即不能不还原为品质上是相同的,因而单是分量上被区别的劳动。这种还原好像就是一种抽象,然而那是在社会的生产过程之中,日常被完成出来的一个舍象。一切商品分解为劳动时间,比之一切有机体分解为元素,虽然绝不是程度较大的舍象,而同时却是和它同一程度上的实在的舍象。如是,为时间所测定的劳动,实际上不是表现为各种主体的劳动,可说就是劳动着的种种个人表现为劳动本身的单纯器官。换一句说,在交换价值上表示着自己的劳动,是得以表现为一般的人类的劳动的。所谓一般的人类的劳动这种舍象物,在一定的社会之平均的个人各自能做的平均的劳动上,现实地存在。"

一定的复杂劳动,相当于这种单纯劳动的几倍? 是由一切商品的交换过程来规定的。关于这点,亚丹·斯密察明如次。

要确立在两个分量不同的劳动之间的比率,往往是困难的。仅是这两种不同的工作中所费去的时间,无论何时都不能决定这个比率。所忍受的困难的程度和加上去的机巧的程度,都非同样地加入计算中不可。在一小时的困难工作内,较之两小时的轻易工作,还得要更多的劳动,又如要花费十年的劳动才学会的职业,在这个职业中从事一个月时,较之通常容易学的一个月的勤劳,还得要更多的劳动。……当交换各种劳动的各种生产物时,对于劳动的困难程度和机巧的程度,通常要加以若干的斟酌。但是,那不是被何等精确的尺度所调节,单是凭市场的机谋和交易——不是精确的,只是依日常生活所得的一种近似的方程式——所调节的[②]。

---

① 《政治经济学批判》,德文本,第500页以下。
② 《原富》第一卷,卡南版,第33页。

看到竹内谦二氏的译本,对于这段话加的小注是:"本问题很长的议论于第十章上简直没有提及,真是奇妙"①。但是《原富》的第十章,是讨论工银的,所以那与这里的问题,完全不同范畴。马克思好像预见了竹内氏的误解似的,在这里加上的小注是:

> 读者不可不注意的,就是:在这里不是就劳动者对于一劳动日(一日的劳动)所领受的工银价值说的,乃是就他们的劳动日所对象化了的商品价值上说的。工银的范畴,在我们所叙述的这个阶段上,还完全不存在。

工银的范畴,要到劳动力成为商品、单纯的商品生产成为资本家的生产阶段时才发生,而且那是关于第二篇第四章以下的问题。

马克思在这里把以上所述的概约如次。"如是,在成为价值的外套和亚麻布上表示着自己的劳动,是要舍象去那些东西的使用价值之差异的,同样,在这些东西的价值上表示着自己的劳动,也要舍象去那些东西的有用诸形态——裁缝劳动和织物劳动——之差异。成为使用价值的外套和亚麻布,是一定目的的生产活动和布与纱的结合,反之,成为价值的外套和亚麻布,却是单纯一样的劳动胶质物,因之在这些价值中所包含的劳动,所以具有劳动的资格的,不是由于对布与纱的生产行为,都只是人类的劳动力之支出。裁缝劳动和机织劳动之为使用价值的外套和亚麻布的形成要素的,正是依据于那些劳动的各种质,而这种劳动之构成外套的价值和亚麻布的价值之实体——基础——的,就是在舍象去那些特殊的质、只具着两者平等的质——所谓人类劳动的质——上。"所谓为生产着商品的劳动之一面——创造使用价值的劳动,和其为其他一面的创造价值的劳动,恰与阴电气和阳电气一样,是相互排斥的对立的两极,由此便明白了。

＊　　　　＊　　　　＊

以上,我们说明了关于形成商品价值的劳动的质,以下试说明它的量。

----

① 同氏译本,第52页。

在形成使用价值上,问题便在:劳动是具有怎样的质,反之在形成商品价值上,一切劳动"都已经还原为不出乎所谓人类的劳动之外的质了",品质上就成了一切无差别的平等,所以它们"只具着量上的资格"。因此,分量较多的劳动常是形成分量较大的价值,而分量较少的劳动常是形成分量较小的价值。然而,如果劳动生产力一增加,便会发生分量较少的劳动,却能生产分量较大的使用价值来。不用说,所谓劳动生产力就是有用的劳动之生产力,它是由这种劳动于一定的时间内生产出来的使用价值的分量——物材的富之分量——所规定的。所以劳动生产力一增加,便会发生下述的事情,即较以前分量还少的劳动,能生产出较以前分量还多的使用价值来,因之较以前分量还多的使用价值,不过只含着较以前分量还少的劳动,所以也就只有较以前分量还少的价值。"价值的大度之同时的减少,适应于物材的富的分量之同时增加",这种对立的运动之所以发生的,便因商品中所含的劳动是具有"二者斗争的性质"的缘故。

*　　　*　　　*

最后的结束,在第一版上便有下述的一节。

> 由以上的叙述,便发生以下的事件,即商品当中固然没有包含着不同的两个种类的劳动,可是同一的劳动,或被关联于当作生产物看的劳动的使用价值,或被关联于单是当作该生产物的对象的表现看的商品价值,因之被规定为相异的而且对立的东西。商品为要是价值,首先就不可不是使用价值,同样,劳动为要具有成为人类的劳动力之支出,成为单纯的人类的劳动的资格,首先就不可不是有用的劳动——目的一定的生产的活动。

如果生产商品的劳动不是以生产使用价值的有用劳动为必要的,那么,商品生产,——完成了充分发展的现代资本家的生产,——或者不碰上那因生产价值便不得不生产使用价值所发生的,难得避免的矛盾也可以的。要之分析生产商品的劳动中所含的矛盾,就是分析资本家社会的一切矛盾——乃至一切矛盾的萌芽——的前提。

第五节　价值形态及其发展

一、论理的进行之出发点

我们在以上（就《资本论》的本文说来，是在第一章的第一节及第二节）明白了价值的概念，于是以此为界，以下将从事于由概念所订正的现实历史的发展之反映于思维的，理论的展开。此际，我们便"从历史上、事实上所提示于我们的最初而且最简单的关系出发"。在这种意义上，价值形态的这节上最初表现出来的最简单的价值形态，是论理的展开上的最初的出发点。我在本章的"第一，成为研究出发点的商品"一项下，虽然说过也是《资本论》的出发点，然因立言标准不同，曾说那个当中，应包含着三样的内容。即，被放在《资本论》第一章第一节发端上的商品，那毕竟是叙述发端的意义上的《资本论》的出发点；又，我们在这里所要当作问题的价值形态的发端（最简单的价值形态），是为论理的进行之出发点，所以在那个意义上，又是《资本论》上的论理的发展之出发点；最后，包含第一章及第二章的第一篇全体（即《商品及货币》），在成为第二篇以下所处理的资本本身的出发点的意义上，那又可说是形成《资本论》的出发点的。在以上三样的出发点中，我们现在本节的冒头上，打算一述第二出发点。

关于这点，列宁说明如次（"马克思、恩格斯、马克思主义"）。

所谓价值是什么的一件事，只有由某一定的历史的社会组织之社会的生产关系的体系见地，以及由数十亿次反复着的集团的交换现象之中所表现的关系之见地，才能理解。成为价值的商品，不过单是凝结了的劳动时间的一定分量。

马克思详细地分析了体现于商品中的劳动二重性之后，随即分析价值形态及货币。

马克思在这里的主要任务，是价值的货币形态发生之研究，以及交换展开的历史的过程之研究。即是从各个偶然的交换形态（"简单的、单一的或偶然的价值形态"，即一商品的一定量，能够同他商品的一定量相交换的场合)出发,直追究到各种商品所能同某一定的商品相交换的一般的价值形态之发展,以及金子在此际成为一定的商品、一般的等价形态的价值之货币形态的发展。成为交换和商品生产的发展之最高生产物的货币,是欺瞒并蒙蔽着个人的劳动之社会的性质,以及为市场所结合的各个生产者间之社会的联系的。马克思极详细地分析着货币各种的机能。并且在这里(虽然通《资本论》第一卷最初数章的全部,都是一样)特别应注意的,看到好像是抽象的、纯演绎的说明的形式,实际上就是再现着关于交换和商品生产的发达的历史上之庞大的事实的材料。

在这短小的词句中,就已包括了《资本论》第一篇"商品及货币"的全体的内容。"所谓价值是什么的……",恰当于第一章的第一节;"体现于商品中的劳动二重性……",恰当于同章第二节;从"各个偶然的交换行为……"以至于"追究到价值之货币形态的发展……",恰当于同章第三节;"成为交换和商品生产之最高生产物的货币……欺瞒并蒙蔽着社会的联系",恰当于同章第四节;而最后"……货币的各种机能",恰当于第三章全部。而且每简单的一句话,无论何时,我认为都是得能正确地应用的。我在这里特别引用它的缘故,就是因为列宁说过在价值形态以下的"马克思主要的任务",是"交换展开的历史的过程之研究",而且"在这里应特别注意的事件",就是"看到好像抽象的、纯演绎的说明的形式",其实不外"庞大的事实的材料"在思维上的反映。我认为这一点,是最紧要的。

我关于这点,试更加上若干的说明。第一章第一节的"商品的二种要素——使用价值及价值",并第二节的"在商品上表示出来的劳动二重性"这两节,据列宁的话说来,就是"所谓价值是什么"的一个问题。而这个问题,是"只有由某一定的历史的社会组织之社会的生产关系的见地,以及由数十亿次反复着的集团的交换现象之中所表现的关系之见地,才能理解",因之在那里所分析的商品,如上面再三说了的一样,不是历史上所表现的最初的商品。那是商品生产完成了最高度发展的近代社会之最舍象的范畴的商品,是从资本家的商品上舍象去所谓资本家的规定而观察的商品。

然而从资本家的商品舍象去所谓资本家的规定的,就是简单的商品(einfache Ware),而这种简单的商品,在资本家的社会成立之前,它自身就已经以一个历史的事实,而且以那自身内包含着往后发展的萌芽的东西存在了约七千年。就是说,资本论冒头上所当作舍象的范畴看的商品,是"得能表现比较未发展的全体之支配的诸关系的,即是得能表现着那全体还没发展到由较具象的范畴所表现的侧面时,就已经在历史上存在的诸关系"①。

但是,虽然如此,而《资本论》的冒头上所分析的商品,却不是表现于七千年之前的最初的商品。如果要探求最接近历史的事实之简单的商品,那《资本论》的冒头上所分析的商品,不得不是最充实的形态上(in der prägnantesten Form)之简单的商品。然在简单的商品还没转型为资本家的商品,而在最充实的形态上存在着的,是在资本家的生产成立的前夜。就欧洲的历史具体地说起这回事来,这一个时期,恰是相当于世界商业和世界市场已经成立了的第16世纪。在这种状态之下存在着的商品,是将要转型为资本家的商品之前的商品,资本家的生产是以它为确定的前提,而从那里出发的。那在简单的商品生产上,是完成了可能范畴的全面发展的最成熟的商品,从所谓简单的商品流通的立场看来,就是它的"发展过程之最后的结果"。

在第一章的第一节和第二节上,已经明白了"所谓价值是什么"之后,据列宁的话说来,便当继续讨论以"价值的货币形态发生之研究,以及交换展开的历史的过程之研究",为"主要任务"的那第一章的第三节以下诸问题。即,如果已经明白了价值的概念,我们这回当更进而追踪那——从商品发生的原始的最初的时间开始,直到看见世界货币的成立的——商品交换的发展过程。因为"商品流通就是资本的出发点",而"为商品流通的最后产物的货币",就是"资本最初的现象形态"。一言以蔽之,货币或(简单的)商品流通,是"形成资本成立的历史的前提"的,而这确定了的前提之内,正横着从该前提出发的资本家社会的一切矛盾(乃至一切矛盾的萌芽),因之详细地分析这种摆着的前提自身之中所内在的诸矛盾,是我们所必要的工作,并且因此,我们不可不根据历史的顺序(从最简单的范畴,逐渐到比较复杂的范畴),去求分析这种前提的成立过程,详细地说来,就是不可不分析从那最简单的萌芽形态,直到

① 《政治经济学批判序言》。

那最后结果的货币形态成立的发展过程。从《资本论》第一篇第一章的第三节"价值形态"以下，直到本篇末尾的诸节，都是作这种分析之用的，并且只有在那里的研究，才能拿原始的最初商品来起头。成为商品出发点的共产体与共产体之间所交换的生产物，正是横在这里。列宁所谓"马克思在这里的主要任务，是价值的货币形态发生之研究，交换展开的历史过程之研究"的，就是这个关系。如是，从"简单的，单一的，或偶然的价值形态"开始，直到"一般的价值形态"，以及"货币形态"的发展的顺序，是论理的，同时也是历史的。考茨基关于这点，曾说明如此①。

"马克思无论在商品上，或劳动上，总是从商品或劳动的社会的形态上，撇开那不是依据于当时的社会诸关系之商品或劳动的自然的形态，如是，到价值完全有了认识的可能之后，他再就移在商品的诸机能上去观察商品，考察交换价值的各种发展，而从它们当中导出经济的诸范畴来。于是在那里所呈现的发展，就不仅是论理的，且是历史的。简单的价值形态，被扩大了的价值形态，一般的价值形态，最后的货币——这一切不仅单是论理上，且是历史上相互地继续着的。"

＊　　　　　＊　　　　　＊

我在这里，更想尽可能的极力阐明这种论理的顺序和历史的顺序之适应关系。

首先要注意的，就是：在这里所展开的论理的顺序，和在其他的许多场合一样，明明白白是适应历史的顺序的，但是那绝不是历史本身的叙述。因为"世界史，本来就不一定是存在于成为世界史的结果——历史上的东西"②。

问题，是在理论上叙述着的商品（简单的商品）的自然史的过程之步骤，所以历史本身或当作历史在思维上的反映看的文献史，不是在那里如实地被叙述出来的。现实的历史，"往往是飞跃的，而且是锯齿状地进行着"，而理论的展开，是沿着顺序直线地进行着的。恩格斯说"政治经济学的批判，据马克思所得的方法，也可以两种方法上去计划，即是可用历史的和论理的方法去计

① Neue Zeit, IV.1886, S.52, K.Kautsky,"Das Elend der Philosophie"und"Das Kapital".
② 《政治经济批判序言》，第 68 页。

划。……"（然而在马克思）却只行了论理的处理方法,便是为此(是恩格斯于
马克思发表《政治经济学批判》的那年,为介绍该著述所写的文章)。

　　但是——恩格斯继续地说——那在实际上,不外就是脱除了历史的
形态和成为妨碍的偶然性之历史的处理方法。思维的道路,也不得不以
这种历史所开始的地方而开始。而思维更向前地进行,不外就是这种历
史的反映——而且是由于各个契机可以在其十分成熟性、模型性上去观
察,而现实历史的经过自身所提供于我们的诸法则加以订正了的反映。

　　我认为这实在是富有含蓄且是极正确的叙述。因为我们在此处,不是
"以我们的头脑中所单独发生的抽象的思维过程"为问题,乃是以现实历史的
可能范畴的忠实反映之思维过程为问题的,所以我们的理论的展开,自然不得
不适应于历史的发展过程。现在马克思在第一章的第一节、第二节上,既已阐
明了价值的概念(价值法则),以下,当考察这种价值的现象形态(价值形态)
之发展时,先从(第一)最简单的价值形态出发,其次(第二)进到被广大的价
值形态,再次(第三)进到一般的价值形态,最后(第四)进到货币形态。往后
本还有重述的机会,在此处只简单地说一下。即,这许多形态中,第一形态:
"实际上是商品生产物单由偶然的或临时的交换所转型为商品的原始发端时
发生的"①。又,第二形态:"某劳动生产物譬之家畜,早已不是例外的,却是习
惯得到了已经能够和其他各种商品相交换,而事实上才发生的"②。但在劳动
生产物分析为有用物和价值物的第三形态:"交换已经充分地扩大而获得了
重要性,于是有用物都为交换而被生产出来。因此,物的价值性质,到了生产
那个东西,最初就被放入考虑时,才实际上表示出那个形态的实在"③。即在
现实的历史上,第一价值形态是在商品成立的"发端上发生的",以下的各形
态是伴着商品生产以及交换的发展挨次成立的。恩格斯所说"论理的处理,
实际上不外就是脱除了历史的形态和成为妨碍的偶然性之历史的处理方

---

① 参看陈译中文本,正文第9□页。
② 参看陈译中文本,正文第9□页。
③ 参看陈译中文本,正文第 103 页。

法"，而且，"思维的道路，也不得不以这种历史所开始的地方而开始，而思维
更向前的进行，不外就是这种历史的反映"，便是指示的这种关系。

＊　　　　　　＊　　　　　　＊

然则"往往是飞跃的，而且锯齿状地进行着"的现实的历史，是被什么整
理之后，才转型为一个有系统的自然史的过程呢？那是由于把现实的历史材
料所反映于头脑中的混沌的诸表象，在概念上醇化的这件事。

因此，为要研究商品交换（价值形态）之自然史的发展，首先就不得不明
白价值概念。恩格斯上面所说的，就是阐明这点的，兹试录在下面。

> 思维的道路，也不得不以这种历史所开始的地方而开始。而思维更
> 向前地进行，不外就是这种历史的反映——即是由于各个契机可以在其
> 十分成熟性，模型性上去观察，而现实的历史的过程所提供于我们的诸法
> 则，加以订正和反映。

恩格斯在这里所说的"由于可以在其十分成熟性、模型性（Klassizität）上
去观察……"的，是第一值得注意的。他并且又说"现在我们把商品——而且
（und zwar）这个商品不是在两个原始共产体之自然发生的物物交换上刚发生
的那种商品，乃是十分发展了的商品——如果从不同的方面去观察，商品便在
使用价值以及交换价值这两个观点之下向我们表现出来……"（恩氏介绍《政
治经济学批判》的论文）。就是说，在《资本论》的冒头上所分析的商品，就现
实的历史说来，恰是适应于简单的商品的，然而那却不是"在两个原始共产体
之自然发生的物物交换上刚发生的那种商品，可说就是当作能在它的十分成
熟性、模型性上去观察"的简单的商品看，"而十分发展了的商品"。商品生产
物在这种发展阶段上，才具有成为使用价值及价值的完成的现象形态。所谓
价值的实体，是舍象的单纯人类的、劳动这件事，不是当作"在两个原始共产
体之自然发生的物物交换上刚发生的商品"去观察所能知道的，那只有在世
界规模上就各种繁多的劳动生产物成为交互相等的状态上，才能够看取。
"各商品在世界商业上，普遍地展开了它们的价值。各商品独立的价值形态，
因此，在这里又成为世界货币而与各商品相对立。货币在世界市场上，才成为

这种商品(它的自然形态同时即舍象性上的人类的劳动之直接为社会的实现的形态),在十分包括性上显出机能来。货币的定在方法,于是与它的概念"相适当(第三章第三节)。于是所谓舍象的单纯人类的劳动之价值实体,才成为眼中看得到的东西现实地存在。于是货币这特殊商品的定在方法,才完全适当(adäquat)于价值物的概念。而且价值的概念,至少要从那使这种货币的定在方法有可能的见地上,即一定历史的社会组织之社会的生产关系体系的见地上,才能理解。

与商品的历史一同开始的"思维的进行",就是由这样获得的"法则所订正了的历史的反映",恩格斯这么说。这或许等于说"概念上醇化了"的历史的反映。

明白了价值法则或价值概念之后,为历史发展的反映的思维的道路(Gedankengang)才开始。在这个时候不用说,思维的道路是从商品发生的原始发端上出发的。所以恩格斯以先曾说:"我们把商品——而且那不是在两个原始共产体之自然发生的交换上,刚发生的那种商品,而是十分发展了的商品——如果从它的不同的方面观察,商品是在使用价值及交换价值的两个观点之下,表现于我们之前的……",在同一文中,又说"思维的道路,也不可不以历史所开始的地方而开始",又说"在这个方法上,我们是从历史上、事实上所提示于我们的最初而且最简单的关系出发,即,在这里是从我们所发现的最初的经济关系出发"(Wir gehen bei dieser Methode aus von dem ersten und einfachsten Verhältnis,das uns historisch,faktisch vorliegt,hier also von dem ersten ökonomischen Verhältnis,das wir vorfinden)。又说"经济学是以商品开端,即是以生产物——无论是由各个人,或由自然发生的共产体——互相交换的瞬间开端的"(Die politische Ökonomie fängt an mit der Ware,mit dem Moment,wo Produkte-sei es von einzelnen,sei es von naturwüchsigen Gemeinwesen-gegeneinander ausgetauscht werden)。

如是,在关于历史发展的反映之思维的进行上,是以共产体与共产体之间偶然上、孤立上所显现出来的最原始的生产物交换为其端绪的。然而这种历史的事实之分析,已经由我们所得的价值概念显现着。

譬之我们登时就要观察的最简单的价值形态,它只是从某商品的一定量和他商品的一定量互能交换的那个关系上成立的，它与其他各种商品价值关系没有何等的联络，它"实际上仅是劳动生产物因偶然的而且临时的交换所转型为商品的原始发端上发生的"，因之，它虽然可称为简单的单一的或偶然的价值形态，然而在这种形态上，"是各种规定都被蒙蔽着，是未展开的，是舍象的"，总而言之，是完全横在萌芽的状态之中的。现在我们得能发掘这些规定，得能把未展开的东西当作展开的萌芽去认识的，就是因为我们已经明白了价值概念，因为我们把含在这种形态中的各个契机，在它的十分成熟性、模型性上去观察，因为我们把完全处在潜伏状态的蕾，能够在它和其开了花的最后姿态的联络上去观察的缘故。譬之在单是 20 码亚麻布和 1 件外套相交换的最简单的孤立的关系上，认识一件外套是立于等价形态的，因之在此际，认识生产外套所费的一定的具象的劳动，就是"它的反对物的现象形态，即舍象的人类的劳动之现象形态"的，完全由于我们已经明白了价值概念的缘故。要不然，假使我们单是观察的原始共产体之间所显现的偶然的生产物之交换，我们在那里，怕到底不能认识舍象的人类的劳动之现象形态罢！因为在此际彼此所能相等的，只是限于生产亚麻布和外套所费去的劳动，至如人类劳动的一切种类在一定的比率上被看作相等的那种关系，事实上是完全不存在的缘故。蕾之被认识为蕾的，就是因为我们已经明白了蕾的发展的最后结果那开花状态的缘故。就是说，现实历史的反映被转形为一个理论的展开之过程的就是因它为法则所订正，在概念上被醇化的缘故。

＊　　　　＊　　　　＊

最后还得注意的，不是一获得了价值概念，往后，概念自身就能独自发展的，这句话固然不须乎说。马克思在资本论第一版上，曾说"只有黑智儿式的'概念'，不须外界的物材而能把自己客观化起来"，且于脚注上，从百科全书中引用黑智儿的话："概念在最初本不过是主观的，然而它不需要外界的物质或物材，凭它自身的活动，可使自己客观化地向前进行。"①如是，"在黑智儿看来，于观念的名义之下，转化到一个独立主体的那种思维过程，就是现实的创造主，而现实的事物，不过是这思维过程的外的现象"，然在马克思，则"反之，

---

① 《资本论》初版首章。

所谓观念的,不外是在人的头脑中被移置、被转置的物质的东西"①。所以,当作价值概念的客观化的过程看的价值形态的发展之叙述(那是以"货币的定在的方法,在世界货币上适当于那个概念的"一点为终结的),在马克思看来,是意识地以关于生产物的交换和商品生产发展的历史上庞大的客观的材料之理论的反映而显现着的。那就是列宁所说要特别注意的一点,他说:"这里(通《资本论》第一卷最初数章的全体,都是一样)更应注意的,就是看到好像是抽象的、纯演绎的说明形式,实际是把关于交换和商品生产的发达史上之庞大的事实的材料,再现着的事情"。在这种意义上,理论和实践的统一是被实现着的,我们的理论才具有把人类总实践当作理论上再现的东西的客观性。

"交换价值,在作为范畴上,有罗亚(Noha)洪水以前的存在。所以,在意识上——哲学的意识,被这样规定着,即认定认识的思维,才是现实的人类,被认识了的世界,才是现实的世界,所以在意识上——范畴的运动,被认为是生出世界来的现实的生产行为(前面引用的黑智儿方面,正是如此认定——河上)。——可惜(?)那也是从外界得着某种刺激,——那只在作为思维总体性的具体的总体性,作为一个思维具体物的具体的总体性,事实上是思维的产物认识的产物时,才正确。然而这绝不是指的在直观和表象之外,或超越直观或表象之上,而思维且生产自己的那种概念的产物,可说是指的概念上的直观和表象的精化"②。

二、简单的价值形态之分析

(一)引言

在未入本文之前,得预先申明一句的就是:《资本论》上题为价值形态的部分(在第一版没有成独立的一节),在第一版和第二版上是有很多不同的表现的。关于这点,在第二版的跋文中,曾有下述的说明。

---

① 在《资本论》第二版跋文上的这句话,我们在《岩波文库》版上最初的译文是错译了。因为从来都把(übersetzte)译作"被翻译了"的缘故,遂使我们也为它所拘束,然而这里,是 das umgesetzte und übersetzte Materielle 与 umgesetzte 有联络的,所以现在为要表现在双方共通的 Setzte,译作"被移置,被转置……"。在旧法译本上,是 transporté et transp sé dans le cerveau de l'homme. Umsetzen 与 übersetzen,怕都是在头脑中,或从右至左,或从上至下换置的意义。

② 《政治经济学批判序言》。

第一章之三(价值形态),完全被改写过,那在第一版上的二重叙述,已经使这点成为必要。——顺便还要说明的,这个二重叙述,是基于在汉诺唯住的朋友库格曼博士的劝导。1867年的春天,我在他家中做客的时候,适从汉堡送到最初的校样来了,于是他说为许多读者起见,还有加上补遗的,尤其是讲义式的价值形态的说明之必要,便把我说服了。

这里所谓二重叙述的,是指的本文和附录的叙述。那叙述的究竟是什么?已由大原社会问题研究所出版了《资本论初版首章及附录》的今日,读者当能详细知道,故略而不赘。

*　　　　*　　　　*

本节以下的目的是:"正使商品价值成为交换价值的价值形态"之研究。商品的价值自身,因为不是外的现象,所以不能用我们的眼去直接地看见。因此,我们在本章第一节,先从价值的现象形态之交换价值出发,由于把它加以分析,于是努力于探出深藏在商品中的价值的实体。但已经知道了价值的实体是什么的我们,到现在,又不可不回头来阐明:这个价值的实体为什么一定要采取交换价值那现象形态。我在本书的绪言之一上曾经说过:"比如我们眼中所见的,好像地球不动而太阳动,但是(那是现象形态)实际上却完全不同,竟是太阳不动而地球动(那是事物的本质)。我们不仅要说明这种情形,同时,还要明白为什么真实的事件,映在我们的眼中至于这样地颠倒(那是现象形态和本质的辩证法的统一),具有那种任务的就是科学。"现在我们想在本节以下,把价值的实体和现象形态之辩证法的统一弄明白。

这种问题,就正统派经济学中,最初就没有当作一个问题。关于这点,马克思在第一章第四节的注(三二)上,说明如下。

在从商品的分析尤其商品价值的分析,探出那正使商品价值成为交换价值的价值形态上,没有收到效果的,是正统派经济学根本的缺陷之一。像斯密和李嘉图那种正统派经济学的最好的代表者们,况且把价值形态看作完全无关轻重或与商品的性质无关系的东西而处理着。其理由,倒不仅是价值大度的分析完全夺去了他们的注意,种根还在更深的地方。劳动生产物的价值形态,就是资本家的生产方法之最舍象而又最一般的形态,资本家的生产方法,由是获得成为社会的生产之特殊方式的特征,同时,又获得历史上的特征。因此,如果把资本家的生产方法误认作社会的生产之永久的自然的形态,那就定要看漏价值形态的特殊性,因而看漏商品形态的特殊性,以及更发展形态之货币形态的特殊性,并资本形态等等的特殊性。……①

正统派经济学,因为属于阶级斗争未发展时的产物,所以和阶级斗争采取露骨的威吓的形态以来的俗流经济学不同,他们能够无忌惮地渗入现象的深处。因此,"虽然不完全些,而实际在分析价值以及价值的大小,并发现这些形态中所包含的内容"上,却是收了效果的。但是他们仍不能有那种深入的研究的,就是因为他们"不把资本家的秩序,当作历史的过渡的发展阶段去理解,反把它当作社会的生产之绝对的,且终局的形态去理解",因为彼时资本家的秩序在永久维持上,还没感受何等动摇,所以当然的结果,他们不能把那给资本家的生产以如此特征(社会的生产之历史的过渡的一形式)的商品价值形态,从那种"暂时的方法去把握",却认为劳动生产物在任何社会中,都只采取这种形态的。因此,为什么这种特殊的形态,一定只限于商品生产社会才成立的情形,他们开头就没有当作一个问题去处理。

我在上面曾说过(第二节之三):我们第一当作的问题的,就是把一切商品,"首先从其表现为交换价值的形态,独立地当作价值去观察",又曾注意过:"我们伴着研究的进行,怕要回到商品价值的必然表现方法,或现象形态的交换价值上面去——这体事"。本节以下,就是基于上面的规定,再回到价值的现象形态之交换价值的考察上去的。

＊　　　　＊　　　　＊

"商品的分析,阐明了它是一个二重物即使用价值及价值的情形。所以某种东西要采取商品的形态,它就不得不采取两重形态即使用价值及价值的形态"(第一版附录的冒头)。任凭什么东西,如果不是具有这种二重形态的,

---

① 考茨基版,第 44 页。

便不能表现为商品,不能具有商品的形态。

成为诸商品的使用价值的形态,"就是它的原型的自然形态"。如称为钟表、帽子、靴子、书籍等的各种商品体中所具有的原型的自然形态,各种商品之成为使用价值的那种形态,一方是感性的,同时,也因商品的不同而不同,钟表、帽子、靴子、书籍等,它们都是各别的商品,因之都具着相异的形态,不是一个相同的形态。

成为商品的使用价值的形态,是商品的自然形态;反之,商品的价值形态,是商品的社会形态。如在上面所说的,商品价值的实体是从一般的人类的劳动那种社会物成立的,所以单是拿着一个商品,任凭怎样的抚弄,终于是看不出该商品的价值来。那"只是在商品和商品的社会关系内才能表现的"。譬之如果 A 拿他所有的商品外套一件,和 B 所有的商品亚麻布 20 码相交换,那么,外套的交换价值,才被看作是 20 码亚麻布。即由于外套这商品和亚麻布那商品结成了社会的关系,外套的价值才采取 20 码亚麻布的现象形态而表现于吾人之前。外套不能把它自身的自然形态,当作它的价值形态。某商品为要具有某种的价值形态,便不可不和其他的商品结成社会的关系。

还有一层,如上面所说的一样,一切商品虽然在使用价值上实具有各种各样的自然的形态,然而它们的价值形态,在今日的社会上,都是被统一于一个共同形态——货币形态——的上面的。即钟表、帽子、靴子、书籍等各种各样的商品的价值,在今日的社会上,每每都是一样被表现为金几元的。

如是,成为商品的使用价值的形态和成为价值的形态,完全是互相对立的。不用说,那是商品中所包含的使用价值和价值之互相排斥的对立物的必然结果。

*　　　　*　　　　*

问题不是在商品成为使用价值的形态,问题是在分析商品的价值形态。但是把它"要加以正确的分析,我们不可不从它的最简单的、最未发展的形态出发"(第一版附录)。

但是,"一个商品之最简单的关系,明明只是它自身对于一个某种的其他商品——那是什么商品都行——的关系。所以两个商品的关系,就是对于一种商品提供最简单的价值表现"(同上)。上文已经说了的,一个劳动生产物只要是孤立时,它就不能有价值形态,也不能有商品形态,因之也不能表现为商品。至少,如果它不是和一个其他的劳动生产物在交换关系上相对立时,便不能具有为商品所必要的价值形态。所以尽可能地简单的商品存在形态(也就是尽可能地舍象的商品的存在形态),是:

$$xWA = yWB(x\text{ 量的商品 }A,\text{值 }y\text{ 量的商品 }B)$$

现在于我们最要紧的,就是从这种价值表现之"最简单最不显著的形态"出发,把它的发展直追到"它的完成形态"——"灿烂的货币形态"上。

我在上面曾这样的(第一节之一的末尾上)说过,"在商品生产的社会上,人与人的物质的社会关系,是成为物与物的交换关系表现出来的,所以无论你是追求资本家社会的劳动生产物为怎样的形态,抑追求资本家社会的物质的社会关系为怎样的形态,要之问题都是一样。那么,我对于前一形式所质问的答案,就可说它是商品形态,对于后一形式所质问的答案,就可说它是商品交换"。但是,我们为要从事这种商品形态的分析,或商品交换的分析,在以上诸节,本是先从商品的"形态"或"交换"的现象,独立地观察了商品的构成分子那东西的,现在却打算以那个观察的结果为基础,借以理解劳动生产物的商品形态(价值形态)或商品的交换关系(一商品因其他商品而成为交换价值的关系)这现象。所以,如果把以上作为关于商品生产社会的细胞构成分子的研究,则本节以下的问题就不外是关于商品生产社会的细胞形态的研究。

这种细胞形态的分析,颇为困难,然而因为那是理解商品生产社会构造的基础,所以我们在这里,非细密地从事显微镜的解剖不可。关于这点,第一版的序文上说明如下:"价值形态——那完成的形态是货币形态——是极无内容、极简单的东西。然而人类的精神,在二千年之前,为要探明价值的形态,就已经继续了许多无益的尝试。不过他方,却于内容较丰富、较复杂化了的各种形态的分析上,至少也有近似的成功,何以?因为成熟体较之体细胞容易研究的缘故。而且当分析经济的形态时,显微镜和化学的药品都不中用,必须抽象力来代替那两者。但是在资产阶级的社会,劳动生产物的商品形态或商品的价值形态,就是经济上的细胞形态。对于那种形态的分析没有素养的人们,或者以为那只是在从事微细的区别之内徘徊着的东西。不错,当从事那个分析时,一定是以从事微细的区别为问题的,然而那与在显微镜的解剖上被当作问题的完全相同。我们在这种注意之下,以下试详细地从事于价值形态的分析。那虽然极其麻烦,然于理解资本家社会的全构造上,是不可少的前提。"

（二）价值表现之对立的两极

如上所述的,最简单的价值形态,是:

$$x\text{WA} = y\text{WB},\text{或 }x\text{ 量的商品 A, 值 }y\text{ 量的商品 B。}$$
（20 码亚麻布＝1 件外套,或 20 码亚麻布值一件外套）

但是,"一切价值形态的秘密,都是隐藏于这个简单的价值形态之内的"。所以,价值形态之简单形态以上的发展,暂且让到次节再说,在本节上,先把这个最简单的形态研究一下。然而因为那是极简单的萌芽形态,所以在那里,"各种规定都被遮蔽着,而是未展开的,舍象的东西,因之,只有累张抽象力的全力,才能区别它们,才能确实它们"（第一版）。

即令不用特别的分析,开头明明白白的事情就是:这种价值形态,是由辩证法的对立物——相对的价值形态和等价形态——所构成的。

"此际,种类不同的二种商品 A 和 B,用我们例说,即是亚麻布与外套,明明尽着两种不同的任务。亚麻布在外套的上面表现出它的价值,外套就为这种价值表现的材料之用。第一商品,尽能动的任务;第二商品,尽受动的任务"。A 和 B 本来都是商品,然在这种关系上,其机能是各别的。而且看取该机能的差异,于我们是紧要的。此际,"第一商品的价值,被表示为相对的价值"。就是说,这种商品不能由它自身,要由第二商品才能表示它的价值。换一句说,要由它对第二商品的相对的关系,才能表示出它的价值来。我们于是把它称作相对的价值形态上的东西。反之,"第二商品,以等价为机能",即,它是表现着等于第一商品 x 量的价值（等价）的。我们于是把它称作等价形态上的东西。

这个相对的价值形态和等价形态,是在一个价值表现上被统一起来的对立物。它们"虽然都是在同一价值表现上互相从属、互相制约的不可分离的契机,然而同时却是互相排斥,或互相对立的极端——两极,它们每每是:在价值表现使之互相关系的那种不同的商品之上配置自己的"。

为什么那两形态"是同一价值表现上互相从属、互相制约的不可分离的契机"？A 商品孤立时不能表现出它自己的价值,犹之人们不能看见自己的面孔一样。如果要看见自己的面孔,便非对立于自己之外的镜子不可,同样,A 商品为表现它的价值,一定要对立于其他的 B 商品之上,而和它缔结价值关系。又,镜子虽有映出物品来的机能,却也不能把自己的形态映出来(立于等价形态的商品,后面详细所说明,不是表现自己本身的价值的),它要把映出某物的机能发挥出来,便不能不对立于能够映照的其他商品。所以,A 和 B 的双方,都是为了表现 A 的价值的不可分离的契机。

然则为什么,那两形态同时是那同一价值上表现上的"互相排斥,或互相对立的极端——两极"呢？那两者犹之阳电气和阴电气一样,一方虽是相互不可分离的关系,然而同时却是固执着互相背离、互相排斥的关系的。譬之 A 商品若立在相对的价值形态上,B 商品就一定要立在它的反对之一极的等价形态上。同一商品 A,不能同时立在相对的价值形态和等价形态的双方。如果是能的话,那照我们的例说来,便是 20 码亚麻布＝20 码亚麻布了,那一点也没表现出 20 码亚麻布的价值来。为要表现出 20 码亚麻布的价值来,须由亚麻布对立于使用价值不同的其他商品(譬如外套),才能形成这样的——20码亚麻布＝1 件外套的关系。不用说,在这个关系当中,还包含着相反的关系,1 件外套＝20 码亚麻布。但是前一方程式和后一方程式,在数学的公式上固然是同样的,然在表现价值关系上,却又是另一种了。在后一方程式上,只能表现外套的价值,不能表现亚麻布的价值。此际,亚麻布不过成了外套的等价物,成了为表现外套的价值之用的材料罢了。即,方程式一颠倒,亚麻布遂代替外套而成了等价物。A 如果立在相对的价值上,B 一定立在等价形态上;反之,B 如果立在相对的价值形态上,A 一定立在等价形态上。"如是,同一商品在同一价值表现上,同时要登场于双方形态是不可能的事情。可以说双方的形态,恰如一个直线的两端一样,绝对是互相排斥的。"

我们以下,试把在同一价值表现上所统一的以上的对立的构成分子,进而作个别的观察。

（三）相对的价值形态

立于相对的价值形态上的商品，是把它的价值立于能动的表现地位的。此际的问题，就是：它的价值以什么品质表现出来，以及它的分量怎样的表现出来。我们为着分析地考察这些问题，首先不可不离开第二问题，独立地去考察第一问题，何以？"因为不同物的大小，要让它们还原为同一单位之后，才能在分量上比较"的缘故（我在前面已经说过，参照第二节之四）。如果我们入手就完全只把分量的规定放在眼中，我们便什么结果都不能达到。所以当前，无论是 20 码亚麻布 = 1 件外套，或 = 20 件外套，或 x 件外套，换一句话说，无论被等于亚麻布的外套的分量或多或少，总之那种分量上的事件，要放在问题之外。这些东西无论在什么场合，总之亚麻布这一商品在一定的比率上是被看作等于外套那另一商品的，那里，含着亚麻布和外套在某种关系上为同一性质的东西这件事。简单地说来，亚麻布 = 外套，是方程式的基础。所以立在等价形态上的商品，对于立在相对的价值形态上的商品，在某点上是被看作立在平等关系（Gleichheitsverhältnis）上无差别的平等的东西的。我们首先便不可不研究这个平等关系，是在什么点上成立的。

不用说，外套和亚麻布在使用价值上是不同质的。它们在质上之所以被看作相等的，只是在当作价值看的资格上，即，两种东西之间所成立的平等关系，不外就是价值关系。

所以在这种价值关系之中，质上被看作相等的二种商品，不能尽同样的任务。外套在这种关系之中，"具有价值的存在形态——价值物——的资格"，如上面已经反复说过了的，做使用价值的外套，是不会等于亚麻布的。外套之被亚麻布看作和自己相等的，就在这时候的外套具有当作价值看的资格一点上。所以说在这个价值关系之中，外套是"具有的价值存在形态——价值物——的资格"的（被放在这种关系中的外套，具有马上发展到货币的萌芽）。在他方，亚麻布由于和外套的这种关系，"由于对其他商品把自己作为价值而等置，遂和作为价值的自己本身发生关系"，并且亚麻布"由于和作为价值看的自己本身发生关系，同时遂把自己从作为使用价值的自己本身区别出来"（第一版）。缘亚麻布和外套所生的关系，就是自己作为价值而发生的关系，就是作为价值而把自己当作和外套相等的东西。所以说亚麻布和外套所生的关系,——因为那外套等于作为价值的自己,毕竟就是作为价值的自己本身,——就是"和作为价值的自己本身发生关系"。但是,亚麻布既是以外套为媒介,而和"作为价值看的自己本身发生关系",那么,成为商品的亚麻布的现象形态,便由此分裂为二:其当作价值看的姿态,就变成对立于亚麻布自身的外套而表现出来(于是价值成了 für sich 的东西——向自己存在的东西),只有当作它的使用价值看的形态,在亚麻布自身的固有的形态上表现出来。所以说亚麻布"因对于其他商品把自己作为价值而等置起来,遂和作为价值的自己本身发生关系",又说"因和作为价值的自己本身发生关系,同时遂把自己从作为使用价值的自己本身区别出来"的,就是这回事。这样,在"亚麻布对于当作亚麻布的等价物看的外套,或可以和亚麻布相交换的其他物品的关系"之中,"亚麻布本身的价值存在(Wertsein)表现出来,或接受一个独立的表现"。换一句说,亚麻布由于这种关系,便"把从它的直接的(定在)Dasein所区别出来的(价值形态)Wertform,放在它的(价值存在)Wertsein 上"了(第一版)。当作(一个思维物)ein Gedankending 看的价值,由此便在外物之上具着一个现象形态。如是,亚麻布这劳动生产物,在把它自身的自然形态当作它的使用价值的形态,同时又把其他劳动生产物外套的自然形态当作它的价值的形态之中。"由于把自己表示为(它自身中所分化的东西)ein in sich selbst Differenzirtes,才把自己表示为现实上的商品,同时表示为价值那种有用物"(第一版)。我们已在第一节上分析过,商品是使用价值,同时也是价值,所以某劳动生产物为要在现实上(现象上)把自己表示为商品,是除当作使用价值看的现象形态之外,还得有当作价值看的现象形态。然而现在,亚麻布由外套作了它的价值形态,自己便各别地具着二重形态,把自己本身在现象之上表示为二重物。所以说,亚麻布因此才把自己表示为现实的商品。

*　　　　*　　　　*

由以上的关系所表现出来的相对的价值形态之内包物(Gehalt),不外就是"舍象的即人类的劳动"。

"譬之外套被当作价值而等于亚麻布时,那么,被藏在外套内的劳动,便等于被藏在亚麻布中的劳动。固然,做成外套的裁缝劳动和做成亚麻布的织物劳动,实际本是不同种类的具体的劳动。不过,拿裁缝劳动来等于织物劳动的情形,事实上,就是把它们还原为双方的劳动所存在的现实的相等的东西,即是把它们还原为所谓人类的劳动那些东西所共通的性质。要绕过这种弯道之后(一旦被还原为共通的性质),才可以说机织劳动在它织出的价值范围内,和裁缝劳动并没有什么可区别的特征,因此,那便是舍象的,即人类的劳动"①。"这里所谓舍象的劳动的,是因为之包含于外套中的劳动之被规定了的,有用的具象的特性舍象了,所谓人类的劳动的,因为劳动在这里只具有成为人类的劳动力一般的支出之资格的缘故"(第一版)。

在以上的范围,还没有什么神秘的情形,问题却是在以下的区别之处。因为"要想把构成着亚麻布价值的劳动之特殊的性质表现出来,以上还是不够的"②。换一句说,把亚麻布的价值仅仅还原为舍象的人类的劳动,还没有透到问题。因为"在流动状态的人类的劳动力——人类的劳动,虽然能够形成价值,却不就是价值,那要在凝结状态上、对象形态上才成为价值。所以为要把亚麻布的价值表现为人类的劳动胶质物,亚麻布的劳动就不得不表现为一个从物件上看来和亚麻布本身不同的,同时又是亚麻布并其他另一个商品所共通的对象性。这样一来时,问题才被解决"③。

舍象的人类的劳动,由于它是舍象的,便仅是具有"必然舍象的对象性"的"一个思维物",它自身不能具有感性的物质的对象性。它是手所不能握、眼所不能看见的。所以,"如果我们说诸商品在价值上是人类的劳动之单纯的胶质物,那么,我们的分析,虽然把一切商品还原为价值舍象物(Wertabstraktion),但是,却未对于诸商品给予什么和它们的自然形态不同的价值形态"④。这种舍象物,如果没有向具象的一定的劳动生产物中对象化,便不会表现为现象形态。照我们的例说来,对立于亚麻布的外套,就是完成这种舍象物被对象化了的物的任务的。"所以外套在这个时候所具的资格,是价值在那里表现出来的一个物件,或是可以用手把握的那自然形态上表示着价值的一个物件。不用说,外套这商品体本身,即外套的本身,只是一个单纯的使用

①　考茨基版,第17页。
②　考茨基版,第18页第1行以下。
③　考茨基版,第18页。
④　考茨基版,第17页。

价值。所以一件外套那东西,不能表现着什么价值,犹之随便一块亚麻布不能表现着什么价值一样"。因为它以和站在相对的价值形态之上的亚麻布那商品相对立,站在等价形态上,才具有价值物的资格(这个外套如上面所注意的,本是说它马上便发展为货币的,然而成了货币的金子,并不是以金子的缘故,便成为货币的,只因它立在等价形态这被动的地位,从其他诸商品获着为价值表现的积极的动作,它才成为货币的)。"这件事结局不过表示着外套这商品体这东西,在它对于亚麻布的价值关系的内部时,较之它对于亚麻布的价值关系的外部,还具有更多的意义,恰恰和许多人在他们穿起金煌煌的外套这商品体时,较之在脱了这种衣服时,还具有更多的意义是一样,罢了"。这种意义倒不是由自然产生,却是由社会产生的。

"要之,由价值关系的媒介,商品 B 的自然形态就成为商品 A 的价值形态,或是 B 商品体成为 A 商品的价值之镜。商品 A 靠着它和那种当作价值体看的商品 B 和那种当作人类的劳动体化看的商品 B 发生关系的缘故,才能拿使用价值 B 为商品 A 自身的价值表现的材料"。商品 A 的价值,要被这种商品 B 的使用价值所表现,才具着相对的价值之形态①。如是,价值"是只有凭成为交换价值的那东西的表示,才能取得它自身的形态——从使用价值区别出来的形态"(第一版)。

*　　　　*　　　　*

如在上面曾经说过的,立在相对的价值形态的商品 A,本是把它的价值立在主动的表现地位的,然在这里的问题,自然要分做两起。第一,是以什么品质的东西表现它的价值;第二,是怎样地表现它的分量。在这些问题中,第一的,在以上已经为我们所考察过,以下,我们不可不考察关于第二的问题。

不用说,"所能表现它的价值的各商品,譬之 1 石小麦、100 磅咖啡等,是一定分量的使用对象。这个一定的商品量,含着人类的劳动之一定分量"。它的价值,是一定分量之价值,因此,它的价值表现不仅是在价值一般上的表现,且不可不是分量上被规定了的价值之表现。所以,譬之为要表现 20 码亚麻布的价值,则外套这商品种类不单是当作价值一般在质上等于亚麻布,并且

---

① 考茨基版,第 19 页。

它的一定的分量(譬之 1 件)还等于一定分量的亚麻布(譬之 20 码)。

不过,亚麻布的价值之大小的变动,不一定正确地反映于它的相对的价值之大小的变动。因为这件事在混同着价值和价值形态的人们是完全不会当作问题的一点,所以我们非更深切地考察不可。因为 20 码亚麻布或 1 件外套的生产所必要的劳动的分量(或劳动时间),是伴着织物劳动或裁缝劳动的生产力之一切变动而变动的,所以随着这些生产力的变动如何,而两者的价值关系的变动上,得发生各种的情形。

第一,亚麻布的价值虽是变动,而外套的价值却不变的情形(这里所谓价值的,就是"为分量上所规定的价值",即"价值的大小",或"价值量"的意义。以下,我们在这种意义上怕是要常用着价值的名词的)。即,生产一定分量的亚麻布所必要的劳动的分量——因织物劳动的生产力的变动——虽已变动,而生产那立在等价形态上的外套的一定分量所必要的劳动分量——因裁缝劳动生产力的不变——却不变的情形。在这种场合,为外套所表现出来的亚麻布的价值,是与亚麻布本身的价值之增减为正比例而增减着的,即亚麻布的价值的变动,是原型地被表现于现象形态之上的(所以后面还要详细说明:在货币材料的价值不变动时候,各商品的价值的变动,是正确地成为一般物价的变动而表现出来的)。

第二,亚麻布的价值虽是不变,而外套的价值却变动的情形。在这种场合,与第一种场合恰恰相反,被外套表现出来的亚麻布的相对的价值,尽管亚麻布本身的价值不变,它却常和外套的价值变动为正比例而变动。所以"若把一和二的各种情形比较地一看,便明白相对的价值之大小同一的变动,完全是能够从反对的原因发生的。譬之 20 码亚麻布=1 件外套的方程式,所以成为 20 码亚麻布=2 件外套的那种方程式的,就是因为亚麻布的价值倍加了,或是因为外套的劳动半减了的缘故"。

第三,亚麻布以及外套的生产上所必要的劳动分量(劳动时间),——因此也就是它们的价值(价值的大小),——同时朝同一方向(增加或减少的同一方向),而且在同一比率上变动的情形。在这种场合,亚麻布和上衣的价值无论怎样变动,而一定量的亚麻布的相对的价值(即是把它的价值拿上衣来表现的东西),却往往一定不变。所说亚麻布和外套的价值变动的话,如果不把它们和价值不变的第三种商品相比较，就不会表现于现象形态之上。

第四，亚麻布和外套的生产所必要的劳动分量（劳动时间），——因此就是它们的价值（价值的大小），——虽是同时朝同一方向变动，然而却是在不相等的比率上变动的情形，或朝反对方向变动的情形，等等。总之在这些场合中的亚麻布的相对的价值的变动，由以上列举的三个场合的应用便明白了。

要之，一商品的价值的大小纵然现实上变动，却不是由于那个供作表现它的价值的材料之其他商品的价值大小之变动如何，它便明确地且毫无遗漏地反映在它的相对的价值之大小上的。哪怕一个商品的价值是不变的，它的相对的价值却可变动。哪怕一个商品的价值有了变动，它的相对的价值却还可不变。最后，哪怕商品的价值的大小和这种大小的相对的表现，两者同时都变动起来，而两者的变动，决不限于是一致的。

（四）等价形态

任何商品，在价值上都是舍象的人类的劳动之表现，而这种劳动，既然都是舍象的，所以不能相互区别。这种劳动，是相互具有平等资格，相互能够代理，能够替换的一个同一单位。所以，所谓某种商品对于其他商品表现为价值的，不外就是某种商品得能和其他商品直接相交换的表现。

我们以先曾观察过：在亚麻布和外套的关系内，立于等价形态的外套，对于立在相对的价值形态的亚麻布表现为价值物，外套的自然形态成了亚麻布的价值形态。这件事，就是指示外套是以它的原有的形态，而直接能够和亚麻布相交换的形态的。如是，外套为要对于亚麻布表现为价值，为要具有作为价值的资格，现在更没有采取和它的直接的自然形态不同的某形态的必要了（和后面还详细说明的一样，货币对于一切商品是立于等价值形态东西，所以货币同任何商品都能直接交换。因为得能交换，就没有变更它形态的必要。但是货币以外的商品，没有直接交换其他任何商品的可能。那要一旦把它的形态转形为货币之后，才能和其他的任何商品相交换）。

*　　　　　*　　　　　*

为要表现 20 码亚麻布的价值，那不仅作为价值一般而表现出来，同时且要作为一定分量的价值而表现出来。因此，20 码亚麻布被看作等于一定分量的外套，即是等于 1 件外套。此际，亚麻布和外套的量的比率，如果要规定亚麻布的价值的大小,便要依据于外套的价值的大小。外套自身的价值,不用说,是为生产它的必要的劳动量所规定的,那和外套立于等价形态的事情没有何等关系,也不因这件事而受什么影响(对于一切商品立在等价形态的货币,它自身是独立地具着一定的价值的,一般的价值形态却没有赋予货币以价值)。

　　并且20码亚麻布的价值的大小在一定分量的外套例如一件外套上被表现出来时,只是亚麻布的价值的大小被表现出来,而"外套的价值的大小,绝没有获得什么价值的大小的表现,商品外套在价值方程式上,其机能可说就是当作一个物件的一定分量"罢了。如上所述的,立于等价形态的商品,譬之外套在和其他商品(譬之亚麻布)的价值关系的内部上,是以它如实的自然形态而对于亚麻布具有价值体的资格的,所以亚麻布的价值的大小,是用使用价值的外套之一定的分量测定出来的。但是所谓一件外套,止于表现外套这物件的分量、外套这使用价值的分量而已,不是表现外套自身的价值的大小的。外套在此际,对于亚麻布的关系上,是具有成为一个价值体的资格,具有成为人类的劳动之体化的资格的,所以,以一个物件外套的分量,对于亚麻布虽然成了表现它的价值大小的东西,然而外套本身的价值的大小,一点都没有由此表现出来。那恰与镜子不能照出自己本身的形态一样。关于价值表现,所以说立于相对的价值形态的亚麻布是尽主动的任务,立于等价形态的外套是尽被动的任务的,就是那个缘故(对于一切商品而立在一般的等价形态上的货币——譬之金子——在为诸商品的价值表现上,其机能也不过单是作为一定的金量罢了。譬之20码亚麻布在值金子二分时,那所谓金子二分,就不过是表现了金子这物体的某分量。在日本为要表现这种金量,明治以前,本是称为几两几钱,现今,则把纯金二分呼作一元了。此际所谓"元"的,也不过单是一定金量的货币名称罢了。英国,今日还是称金几磅,那是沿袭以先的秤量名称,而作货币名称的)。

*　　　　*　　　　*

　　以下,我们试研究等价形态的诸特征。这许多特征,诚如我们往后还要挨次详细说明的一样,是存在于所谓价值的现象形态(交换价值)完全采取和其本质(价值的实体)相对立的形态这件事中间的。关于这点,马克思所指摘的有四条。那在第一版附录上,列举如此:

等价形态的第一个特征　使用价值成为它的反对物,即价值的现象形态(第一版附录第三节第三项)。

等价形态的第二个特征　具象的劳动成为它的反对物,即舍象的(即人类的劳动的)现象形态(同上第二项)。

等价形态的第三个特征　私的劳动成为它的反对物的形态,即是成为直接属于社会的形态上的劳动(同上第三项)。

等价形态的第四个特征　商品形态的物神崇拜性,在等价形态上,较之在相对的价值形态上还要显著(同上第四项)。

但是第二版上,说明上述的第四个特征,是于价值形态的一节以下另外设了一节(第一章第四节"商品的物神崇拜性与其秘密")的,所以列举等价形态的特征的区处,只有上面一至三节被揭出了。但在第三章第二节①上所说的:"内在于商品中的使用价值和价值的对立;从私的劳动同时又须直接表示为社会的劳动这事上面发生出来的对立;从特殊的具象的劳动同时又只具有舍象的一般的劳动的资格这事上面发生的对立:物的人格化和人格的物化的对立"。这段话依然是记述的四个对立。我们在这种注意之下,这里只打算研究本文所列举的三个特征。

当观察等价形态时,我们眼中首先所遇见的第一个特征,就是:使用形态成为它的对立物即价值的现象形态。

譬之20码亚麻布的价值,由于被作为一件外套的情形(和20码亚麻布的价值为金子二分时的情形一样),而亚麻布的价值,便在一件外套这使用价值上被表现出来,于是外套这使用价值的自然形态,便成了亚麻布的价值的现象形态。如是,价值只有靠着它对立物的使用价值,才具着我们手所能触、眼所能见的形态。于是因为舍象的缘故不能反映于我们肉眼内的价值,才具有作为具象的外物而映在我们肉眼内的对象性。问题因为在于舍象的东西又须表现为具象的东西这种情形之上,所以它的现象形态必然成为和它的本质相反对的东西。因此,只是在现象形态上徘徊着的俗流经济学者,当然为这个颠倒

① 考茨基版,第78页。

的形态所拘束，至发生认错事物的本质的观念。

　　所谓 Quid pro quo——一物和他物的替换，即使用价值的形态被作为价值的形态这事情的——的，就是这样发生的（高畠氏的译本上，把 Quid pro quo 译作"物对物"，那没有表现出原文的意义来）。然而，不可不注意：这种 Quid pro quo 之为商品 B（譬之上衣）而发生，那只是限于和某种其他商品 A（譬之亚麻布）缔结价值关系时，而且是限于在这种价值关系的内部。我们为要阐明这件事，试取用于商品体的度量的例。

　　譬之"砂糖的物体，所以有重质，且因此而有重量，但是我们在任何砂糖中，要用眼看见它的重量，用手触着它的重量，都是不可能的事情"。那么，我们为要用眼看出它的重量，就得预先取出那重量被规定了的铁片（砝码）来，把砂糖和砝码都放在天秤的盘内，使砂糖对于砝码发生重要关系。由是，砂糖的重量在那具有砝码机能的铁片上，便表现为我们的眼所能见的现象形态，此际，铁的物体的形态，它自身是独立的，和砂糖的物体的形态一样，不是重质的现象形态。不过一旦被放在和砂糖的重量关系之上，则"在这种关系之中，铁是具有只是表示重质的物体之资格的"。就是说，铁片不是因为用作制造小刀的材料而存在，只是专供砂糖用作重质的现象形态而存在的。①

　　由此看来，在砂糖和铁的重量关系之内，铁的物体对于砂糖所代表的只是重质，犹之在亚麻布和外套的价值关系之内，外套的物体对于亚麻布所代表的只是价值一样。"但是它们的类似，也止于此，铁在砂糖的重量表现上，是代表着双方的物体所共通的自然属性，是代表着它们的重质的，然而外套在亚麻布的价值表现上，却代表着双方物的超自然的性质，代表着它们的价值，代表着纯社会的东西"。我们不可不明白这种区别。

　　砂糖、铁，都是天然地有着一定的重轻的。那就是它们双方物体中所共通的自然的属性。所以，把尽砝码任务的铁片，当作是天然自然地具有某种重轻

---

　　①　原文上，Schwere 与 Gewicht，用法是有区别的。我们在《岩波文库》上的译文，把前者译作"重"，后者译作"重量"。然在这里，是据长谷译文雄氏《资本论初版首章》的译文，把 Schwere 译作重质，使之对立于 Gewicht——重量——的。Schwere 是指物的品质的重，Gewicht 是指那被规定了的一定分量的重。可惜日文方面，没有胜任区别这二种情形的名词。"重"的名词，主要的是指后者的场合的。所以在这里，只好像长谷部氏创造"重质"的一个新语。

的东西,自然是对的,但是外套在亚麻布的价值表现上所代表的是纯社会的价值东西(价值)。所以,如果把尽等价任务的外套拿来,认为它的等价形态——所谓直接能够和其他东西相交换的性质——"和它的重的、保体温的性质同样,是天然具有的东西",便是很大的错误了。

我们在上面(第二节之三)为要探究价值的实体,曾提出在相交换的双方商品内所存在的共通物是什么的问题,我们对于这个问题,首先所求出的共通物,明白了不是使商品成为使用价值的那"几何学的,物理学的,化学的,乃至其他自然的属性"。现在,说砂糖和铁的双方都是具着重量的,那就是它们双方所共通的物理学的属性,那种属性就是它们所具备的自然的性质。但是亚麻布和外套得能交换的,倒不在它们都具有同一的自然的属性(譬之同一重量),反可说是这种自然的属性当交换的实践时,都是被它们的所有者所舍象去的东西。我们由于反映着这种实践的情形而进行我们的理论,如是,便明白商品价值的实体是舍象的、单纯人类的劳动,同时,我们还因对于劳动价值说的异论(特别是在第三节之二、五的到处)加以分析,很详细地反复说明了那种为生出当作一般的劳动来的而行的舍象,不外就是一切劳动生产物在现实上的全面的交换——这种社会的实践。总括起来说,所谓商品价值不是物之自然的属性,而纯粹地是社会的东西的,已为我们充分地了解了。那么,在亚麻布的价值表现上立于等价形态的外套,不是和其重的、保体温的性质同样,天然地具有那种形态的,乃是当然的情形。但是立于等价形态的商品,譬之外套,是以外套原有的自然形态为价值形态的,是它的本身成为价值体的。所以在外观上,"好像外套是天然地具着等价形态,具着得能直接和其他东西相交换的性质"。由于被这种外观所拘束,于是便生出各种的错觉来(后面还要详细说明的:金子,由于对所有一切商品立在一般的等价形态上——即是由于同任何商品都能直接交换的情形——,便成了货币,然而金子因为是金子的缘故,所以现出好似货币的外观。"譬之有特定的一个人,只因其他的人们对于他都采取自居臣民的态度之故,他才是国王。但是他们却反相信,因为他是国王的缘故,他们便是臣民。"和那一样,金子本是因为把它看作等价的一切商品都向它活动的缘故,所以成为货币,然在外观上,却好像因为金子是货币,所以立于一般的等价形态上的东西似的)。

　　　　　　　　*　　　　　*　　　　　*

　　等价形态第二个特征,就是:"具象的劳动,成为它的反对物的现象形态,舍象的即人类的劳动的现象形态"。

　　外套这劳动生产物,在当作使用价值的它的自然的形态上表现着价值的这回事,简直就是生产外套这使用价值所费的一定有用的、具象的劳动(裁缝劳动),如实地具有舍象的、人类的劳动之资格的那回事。如是,在为着亚麻布的价值表现上,生产外套的裁缝劳动的有用性(那就是作什么用的),那不在于它生产了那种被人们用以彰身的衣服这一点上,乃在于它作出了一个价值体的一点。

　　如上所述的,一个人想把本身的劳动所生产的亚麻布,和他人的劳动所生产的外套相交换,他不是以亚麻布的生产所费的劳动之具象的形态为问题的,他只是以费了若干分量的劳动为问题,因之在亚麻布和外套的交换关系的内部,——当决定那交换比率时——也是把外套的生产上应需若干分量的劳动当作问题的。即,在亚麻布和外套的交换关系的内部所成为问题的,是劳动的分量,此际,无论是在裁缝劳动的形态上或机织劳动的形态上,观察所及的只是所谓被支出的一定的人类的劳动力。"这件事,倒没有什么神秘的情形,不过是在商品的价值表现上,事态却被弄弯曲了。譬之,如果要想表现(做出亚麻布来的)机织劳动,它不是在机织劳动的那种具象的形态上,而是在人类的劳动的那种一般的形态上面,做出亚麻布的价值来的这情形,就得把(做出外套来的)裁缝劳动——生产亚麻布的等价的那具象的劳动——当作舍象的即人类的劳动的,用手可触到的现实形态,拿来和机织劳动对立起来。"

　　　　　　　　*　　　　　*　　　　　*

　　等价形态的第三个特征,是:"私的劳动,成为它的反对物的形态,成为直接属于社会的形态上的劳动。"

　　已如上文所说的,在商品生产社会,各种劳动生产物就是生产它的人们的私有物。在那个意义上,生产各种生产物所费的劳动,是私的劳动。但是那些生产物,在生产它们的当事者的本身看来,是非使用价值。他们打算把别人生产出来的生产物弄到手中,而以自己所生产的作交换之用的,且是打算用自己生产的物品,去在他人生产出来的各种生产物之内,交换他自己选择随意的东西的。所以,他们的生产物纵然是私的生产物,总之他们是要把私的生产物转形为社会的生产物的,在那个意义上,哪怕费在生产物上的劳动是私的劳动,总是一定要转形为社会的劳动的。然则这种转形,要怎样实现的呢? 说起来,那是由于一定的商品因其他商品而向它活动而立于等价形态的这件事。如在上文所说过的,如果外套对于亚麻布是立在等价形态,那么,做出外套来的具象的劳动——裁缝劳动,是具有舍象的人类的劳动之资格的,那时候,以裁缝劳动业经成为舍象的劳动的缘故,所以是没有具着可以和其他相区别的特征的,它和其他的劳动,譬之和生产亚麻布的劳动,是无差别地平等的,因之是能够和它相调换的。"因此,虽然那是和生产其他商品的一切劳动,同样都是私的劳动,却也无关,却直接是社会的形态上的劳动。正因为这个理由,裁缝劳动,便是在和其他商品直接得能交换的一个生产物上被表示着的。如是,私的劳动成为它的反对物的形态,直接是社会的形态上的劳动这件事,就是等价形态的第三个特征。"

现在,我们所作为分析的对象的,是最简单的价值形态,因为在这种形态上,仅仅是亚麻布和外套的对立,所以"各种的规定都被遮蔽着,而是未有展开的、舍象的东西"。因之,如果我们是诞生于这只有简单的价值形态之现实地存在着的社会,怕我们到底不能指摘出那里遮蔽着的各种规定的萌芽来罢。但是现在我们所居住的社会,是一切种类的劳动生产物全体被交换着,因之各种具象的劳动正在现实上被完全舍象去的社会,我们既栖息于这种社会,并且常把这种社会——发展过程的最后形态的现代社会——浮于表象中,以从事于商品的分析,由是便明白了商品价值的实体,就是舍象的人类的劳动(明白了价值概念),所以,"靠我们紧张抽象力的全力",能够指摘出在这简单的价值形态之中所被隐蔽的未展开的各种规定来。

那个最初把价值形态连同许多的思维诸形态、社会诸形态从事分析的伟大研究者亚里士多德,由于观察

$$5 \text{ 条裤子} = 1 \text{ 所房子}$$

的价值关系,虽然一面洞察了那"在它本身上,规定着房子被看作和裤子在品

质上平等的这件事,并规定着这些感性上不同的物件,若没有那种本质上的平等,恐怕就不能当作可以在同一单位上去测量的大小,而相互发生关系的这件事"的情形,却不能发现那共通的实体到底是什么。这缘故,就是由于他所栖息的"希腊社会,是立在奴隶劳动之上的社会,因此,便以人类和人类的劳动力之不平等性为其自然的基础"。价值表现的秘密之阐明,"要在商品形态是劳动生产物之一般的形态,于是商品所有者的人类相互的关系是支配的社会关系那样的社会上,才有可能。亚里士多德在商品的价值表现之内发现一个平等关系,这件事,正显出他天才的光荣。可惜他生活着的社会之历史的界限,妨碍了他去发展这种平等关系实际是在什么地方成立的事情"。我们的社会的意识,不外就是我们的社会的存在之反映,所以尽管具有亚里士多德的天才,总之要意识他生时还未现实上存在的那种舍象的、单纯人类的劳动,完全是不可能的。

(五)简单的价值形态之总体

以上,我们把简单的价值形态,分解为相对的价值形态和等价形态的对立物,把双方的形态作了一个个的观察,最后,我们试作一个总体的观察。

"一商品的最简单的价值形态,被包含在这个商品对于另一个异种类的商品的价值关系之内,或被包含在这个商品和另一个异种类的商品的交换关系之内。商品 A 的价值,在品质上,是由商品 B 和商品 A 得能直接交换的情形,被表现出来的。在分量上,则是由商品 B 一定分量得能和商品 A 的一定的分量相交换的情形,被表现出来"。如是,商品 A 的价值,由于被表示为交换价值,A 这商品,便表现为具了独立的形态的东西。所以,如已经反复说明了的,商品 A 孤立地被观察时,决没有交换价值的形态。看起来,我们以先在商品分析的发端上,指摘出:"在我们所要考察的社会形态,使用价值同时又以交换价值之物材的担负者而出现",叙述商品是使用价值,是交换价值的话,"正确的说来,这是错误的。商品是使用价值,或使用对象,且是价值"。而且商品的价值,是要拿其他的商品体作它的现象形态,才表现为交换价值的。

在一个商品 A 中所含着的对立物,是使用价值和价值,然当那种商品与其他商品 B 缔结价值关系时,则含在商品 A 中的内的对立,就由被配置于商品 A 和商品 B 的双方的情形,而变成外的对立。在这种关系之内,于是商品 A 的自然形态,就只具有成为使用价值之姿态的意义,同时,商品 B 的自然形态,就只具有成为价值姿态的意义。如是,20 码亚麻布的交换价值,就被看作是 1 件外套。此际,20 码亚麻布,就是自身的价值要表现出来的商品,1 件外套,就是以它自身表现出价值来的商品。20 码亚麻布,是一定分量的使用价值,而当作这种一定分量的使用价值看的 20 码亚麻布的交换价值,就被看作是 1 件外套。"如是,一商品的简单的价值形态,就是含在该商品内的使用价值和价值相对立的简单的现象形态。"

商品,只有把它自身中所含着的内的对立,像这样在现象上表现为外的对立,才现实地成为商品。"如果我说,在商品上,亚麻布的使用价值和价值时,那是由于分析所得的关于商品性质的我的判断。反之,在 20 码亚麻布 = 1 件外套,或是在 20 码亚麻布值 1 件外套这种表现上,亚麻布便表示着自己:(一)是使用价值(亚麻布);(二)是与此不同之价值(和上衣相等的);并且(三)是这种两差别的统一即商品"(第一版附录简单的价值形态第五节)。"现在我们知道这件事了:前面那种商品价值的分析对我们所说过的一切话,只要亚麻布那种商品一旦和别的商品开始了交换,亚麻布自身也可说这一切的话了"①。只有靠商品那样自己说是商品的情形——只有靠我们用眼看得到的现象之上所表现的是商品的情形——才现实地成为商品,才具备着商品的形态。

所以商品形态的发展,是与价值形态的发展一致的。换一句说,伴着商品生产的发展,而价值形态也发展,同时,一定的劳动生产物之表现为使用价值和价值那种对立物的统一所必要的价值形态,是伴着商品生产的灭亡而灭亡的(价值形态是和劳动生产物所被转型为商品的一个历史的社会的生产形态相适应的现象,因此,譬之在共产主义的社会,恐怕一切生产物不会接受值金几元的那种价值表现象)。

以上,我们关于最简单的价值形态已观察过了。以下,我们试研究研究这种价值形态,是怎样适应于商品生产的发展而发展的。

---

① 考茨基版,第 18 页;参看陈译本,正文第 33 页。

三、简单的价值形态之向扩大了的价值形态去的变态

我们在前项所分析的简单的价值形态,是最未发展的萌芽形态,那要"经过一系列的变态(Metamorphose),才成熟为货币形态(价值之货币的形态)的"①。以下,我们的工作,便追踪这种变态的系列。②

"只要睁眼看过,简单的价值形态之不充分的情形,便明白了。"因为仅在商品 B 上表现着商品 A 的价值,那只是把商品 A 的价值,从它自身的使用价值区别出来,因此,又只是把商品 A 放在它对于和它本身种类不同的某种单一商品所行的交换关系之内罢了,并没有表示商品 A 和其他一切别的商品之质的平等和量的比率即商品 A 的价值,只是在极被限制的狭隘的方法上表现着,那在价值上却还没有充分地表现着自己。这件事,又恰是和对于立于 A 的 B 在成为等价形态上还很不充分的情形相适应的。"外套,在亚麻布的相对的价值表现上,不过是关于单一的商品种类亚麻布,具有等价形态,或直接得能交换的形态了。"立于等价形态的商品,因为是一般的、人类的劳动之现象形态,所以那应该是具有和一切其他商品直接得能交换的形态的,然在简单的价值形态内部,不过单是对于 A 商品具有那种关系罢了。

但是单一的(即简单的)价值形态,自己(von selbst)会推移到较完全的形态。盖"一个商品 A 的价值,在以这种单一的价值形态为媒介时,不错,只是在他种类的单单一个商品上被表现的","但是这第二商品究竟是怎样的种类,或是外套,或是铁,或是小麦,总之都不必过问"。而且事实上,最初仅仅只能和外套交换的亚麻布,到后来所以能够和铁、和小麦交换的,那是伴着生产物交换的发展自然地发生出来的。于是"商品 A 便和这一个商品种类或那一个商品种类结成价值关系,因而于一个同一的商品中,生出各种简单的价值表现来。商品 A 可能的价值表现数,只是受着和它不同的商品种类数的限制

———————————

① 参看陈译本,正文第 57 页。

② "变态"这句话,原来是动物学上的术语,而马克思在《资本论》的各处,尤其在第二卷第一节的题名下使用。动物学上所谓的"变态",是动物从卵子发生达到一个完成的状态,因时期而变更其状态的情形,譬之昆虫从幼虫变成蛹,更从蛹变成虫之类。马克思明明白白是转用动物学上的这术语,所以译语也应该和动物学的用语相同。

罢了"①。这种商品的价值表现数,"随着新登场的商品种类的数目之增加而增加"(第一版)。"因此,商品 A 那种个别的价值表现,便会转到各种简单的价值表现——得能延长到任何区处——的系列"②。不过这个形态,"是内藏着一个本质的进展的,即在这个形态之内所横着的,不仅是亚麻布把它的价值偶然地有时靠着外套,也靠着咖啡等表现出来,且是亚麻布把它的价值和靠着外套一样而靠着咖啡等,或靠着这个商品,或靠着那个商品,或靠着第三商品等表现出来的"(第一版)。即在那里,价值的表现,业经前进了一步,那种进步,就是向一个新的形态之进展。如是,简单的价值形态之走向扩大起来的价值形态的变态就实现,卵子就变成了幼虫。

在这种场合的价值形态的变态,就是从量到质的转化(由单纯分量的增加,惹起品质变化的情形)的意义。因一个商品 A 而成立了各种简单的价值形态,那么,单是在它的简单的价值形态的数目增加上,所谓

> X 商品 A＝Y 商品 B
> 的价值形态,便转形为
> Z 商品 A＝U 商品 B,或是＝V 商品 C,或是＝W 商品 D,或是＝X 商品 E,或是＝其他商品等等。

别种的价值形态,"就在这里,也与自然科学一样,也能确明黑智儿在他的论理学上所发现的法则——单纯量的变化一达到某点,就变成化为质的差异的法则——之正确"③。

那么,我们试进而分析从新所得的形态——"总体的,或扩大起来的价值形态"(totale oder entfaltete Wertform)。

首先试就具有相对的价值形态之亚麻布看来,亚麻布的价值,现在表现如次。

---

① 考茨基版,第 27 页;参看陈译本,正文第 58 页。
② 考茨基版,第 27 页;参看陈译本,正文第□页。
③ 《反杜林格论》第一篇第十二章"辩证法,量与质"参照。

20 码亚麻布＝1 件外套,或＝10 磅茶,或＝40 磅咖啡,或＝1 斛小麦,或＝2 翁士金子,或＝1/2 吨铁,或＝其他,等等。

即一个商品亚麻布的价值,为各种分量的外套、茶、咖啡、小麦、金子、铁等的"商品世界内无数其他的(亚麻布以外的)诸要素所表现着。各个其他的商品体,便成了映出亚麻布的价值来的镜子"。生产外套的劳动,生产茶的劳动,以及生产其他、小麦、金子、铁等的一切的劳动,虽然相互都是自然的形态不同的特殊的劳动,然而那些劳动被对象化的、彼此使用价值不同的各种商品,此际在各个一定的比率上都被看作是等于 20 码亚麻布的。即形成亚麻布价值的劳动和其他各种劳动,具着同一资格的这件事,此际在现象上,"表现地①被表示出来"。"如是,亚麻布的价值本身,才真正表现为无差别的,即人类的劳动之胶结体"②。像这种情形,在止于是 20 码亚麻布被等于 1 件外套的这种关系的第一形态上的简单的价值表现上,还没有表示出来。"在 20 码亚麻布＝1 件外套的表现上,外套含有在亚麻布中对象化了的劳动的现象形态之资格。如是,含在亚麻布中的劳动,便等置于含在外套中的劳动,所以又被规定为相等种类的、人类的劳动。不过,虽然如此,这个规定总没有在表现上(ausdrücklich)出现过。第一形态,只是把含在亚麻布中的劳动对于裁缝劳动直接地从事等置;然在第二形态则与此不同。亚麻布在那些相对的价值表现之无限地、不断地得能延长的系列上,和那自身所含的劳动之单纯的现象形态的、一切可以存在的商品体发生关系。所以在此际,亚麻布的价值,才真正表示为价值,即人类的劳动之结晶一般"③。

所以亚麻布,更由它从新获得的这种价值形态。"已经不单是对其他个别的单一的商品种类立在社会的关系上,可说是对于商品世界而站在社会的关系上的。成为商品的亚麻布,就是这种商品世界的一员。同时,在亚麻布价值的表现之无限的系列当中(那个系列当中包含着各种的使用价值),又包含着这个情形:商品价值,是它对于那所借以表现自己的使用价值的特殊形态不

---

① 此处疑有排印错误。——编者注
② 考茨基版,第 28 页;参看陈译本,正文第□□页。
③ 《资本论》第一版。

留意的事情"。即如上文所说过的,价值形态的发展,就是指示商品交换的发展的。现在亚麻布至于具有被扩大的价值形态的,就是指示那里成立了一个以亚麻布为中心的商品世界,而亚麻布对于这种商品世界——换一句说,不是对这或那的那个别的商品种类,乃是对于以亚麻布为中心而形成着的商品世界——立在社会的关系上的。同时,又是显示着以亚麻布的商品所有者为中心,而各种商品所有者和它成立了社会的关系的。

这种社会的关系一成立,换一句说,以亚麻布为对手的各种交换关系一旦大量的出现,同时就有代替偶然性的必然性出现。"所谓价值是什么的这件事,……只有从无量次数被反复着的集团的交换现象之中所表现出来的关系之体系的观点上,才能理解"(列宁)。现在我们对于这种状态接近了一步,即"在20码亚麻布＝1件外套的第一形态上,该二种商品得能以一定的量的比率交换的,可算偶然的事实,然在第二形态上,马上就现出和这种偶然的现象本质上不同而且规定它(偶然的现象)的背景,亚麻布的价值,无论是在外套、咖啡、铁等哪一件的上面被表示出来,即无论是在属于各种所有者的多数不同的商品中哪一件的上面被表示出来,总之它的大小是一样的。两个个人的商品所有人之间的偶然关系,被废止了。不是交换规定着的商品的价值的大小,反是商品的价值的大小规定着它的交换比率,这件事,也变得明白了"①。各个商品所有者,——恰如俗流经济学者还在考虑中的一样——或许意识着是凭他们的意志,规定交换的比率的。但是伴着社会的关系之形成,便成了不依据于他们的意志,和他们所不能意识的自然法则,支配那社会的一切关系的情形。如是,在偶然的现象背景上,就出现那和它本质上不同的必然性,偶然性便和它的对立物之必然性被统一于辩证法而存在。

因扩大的价值形态而生的亚麻布的价值之相对的表现,具有以上的特色,和这种情形相对应,而对立于亚麻布的如外套、茶、小麦、铁等的商品,各成了"和多数其他的东西相并立的一个特殊的等价形态"。关于这点,马克思所述说如下:"外套、茶、小麦、铁等的各商品,在亚麻布的价值表现上,具有成为等价的资格,因之具有成为价值体的资格。这些商品的被规定了的自然形态,现

---

① 考茨基版,第29页;参看陈译本,正文第61页。

在是和多数其他东西相并立的一个特殊的等价形态。和那一样,那含在多种多样的各种商品体中之被规定了的、具体的、有用的劳动,现在,恰是具有如数的人类的劳动本身之特殊的实现形态,或现象形态之资格的"①。那么,像这种多数被并立着的特殊的等价形态,在价值表现上究竟有什么缺点? 我们以下将继续地考察。

总体的,或被扩大了的价值形态的缺点如次。

首先试把它就商品的相对的价值表现上看来:(一)譬之表现亚麻布的相对价值的表示系列,因为是伴着新登场的商品种类的数目增加而增加,得能延长到任何区处的,所以这种表现,无论待到何时都是未完成的表现;(二)亚麻布的相对的价值之表现,不是一个简单的东西所统一的,即 20 码亚麻布的价值,或是在 1 件外套上,或是在 10 磅茶上,或是在 40 磅咖啡等上被表现着的,所以这个价值表现的连锁,"形成一些分散而种类互异的价值表现的驳杂的镶嵌物";(三)在这个形态上,亚麻布的相对的价值表现,譬之

$$20 \text{ 码亚麻布} = 1 \text{ 件外套,或} = 10 \text{ 磅茶,或} = 40 \text{ 磅咖啡,或} = 1 \text{ 斛小麦,}$$
$$\text{或} = 2 \text{ 翁士金子,或} = 1/2 \text{ 吨铁} \cdots\cdots$$

是这样由无限的系列成立的,又,一件外套之相对的价值如果也是在同一形态上被表现的——且是不得不如此的——那又是从

$$1 \text{ 件外套} = 10 \text{ 磅茶,或} = 40 \text{ 磅咖啡,或} = 1 \text{ 斛小麦,或} = 2 \text{ 翁士金子,}$$
$$\text{或} = 1/2 \text{ 吨铁,或 } 20 \text{ 码亚麻布} \cdots\cdots$$

的系列成立的。第一系列和第二系列,虽然在无限的一点上都是相同的,然其内容则不一样。

扩大起来的相对的价值形态之缺点,反映到和它相适应的等价形态。如在前面所说的一样,在扩大起来的价值形态上,被一个东西所统一的一般的等

---

① 《资本论》初版附录"总体的价值形态"第三节。

价形态,还没有存在着。那里有许多特殊的等价诸形态,个个都是在互相排斥的当中并存着的。所以在那些东西当中任取一个来看,"被含在各种特殊的商品等价中之被规定了的、具体的、有用的劳动种类,不过是人类的劳动之特殊的(因而是不十分完全的)现象形态"①。不用说,在那些无数特殊的等价诸形态的总和之中,人类的劳动虽然应该是具着完全的或总体的现象形态的,然而"它还不至于具有一个统一的现象形态"。

四、被扩大的价值形态之走向一般的价值形态的变态

在前项所说的第二价值形态(扩大起来的价值形态),明明是由第一价值形态(简单的价值形态)之无数的总和所成立的。详细说来,那就是:

$$20 \text{ 码亚麻布} = 1 \text{ 件外套}$$
$$20 \text{ 码亚麻布} = 10 \text{ 磅茶}$$
$$20 \text{ 码亚麻布} = 40 \text{ 磅咖啡}$$
$$20 \text{ 码亚麻布} = 1 \text{ 斛小麦}$$
$$20 \text{ 码亚麻布} = 2 \text{ 翁士金子}$$
$$20 \text{ 码亚麻布} = 1/2 \text{ 吨铁}$$

等等的合计。即它的根源要素(Urelement),就是第一的简单的价值形态。

但是,以上的各种方程式上的东西,在相反的关系上,又是含着:

$$1 \text{ 件外套} = 20 \text{ 码亚麻布}$$
$$10 \text{ 磅茶} = 20 \text{ 码亚麻布}$$
$$40 \text{ 磅咖啡} = 20 \text{ 码亚麻布}$$
$$1 \text{ 斛小麦} = 20 \text{ 码亚麻布}$$
$$2 \text{ 翁士金子} = 20 \text{ 码亚麻布}$$
$$1/2 \text{ 吨铁} = 20 \text{ 码亚麻布}$$

---

① 考茨基版,第 29 页;参看陈译本,正文第 62 页。

等等的方程式的。尤其前一方程式与后一方程式,在数学的公式上虽是一样,然在表现价值关系上就不一样了。在以先的各种方程式上,是表现着亚麻布的价值的,然在以后的各种方程式上,则是挨次地表现着外套、茶、咖啡、金子、铁等的价值。但是在实际上,"如果一个人把他的亚麻布和其他许多商品相交换,因之就把亚麻布的价值在其他许多商品的一系列上表现出来(因为交换一定是双方行为的缘故),那么,其他许多商品所有者们,又一定把他们的许多商品和亚麻布相交换,因之一定又在亚麻布上表现出他们的各种商品的价值来"①。所以从这些商品所有者的立场看来,他们的各种商品的价值之表现出来,就是亚麻布尽的等价的任务,所以像在后面的相反的关系上的各种方程式,实际就是被含在前面的各种方程式之内的。

但是在这些相反的关系上的各种方程式内,各商品的——外套、茶、咖啡、金子、铁等的——相对的价值表现,如果把它一个一个地分开来看,例如 1 件外套＝20 码亚麻布一样,总之都是回到第一形态(简单的价值形态)的形态上去的。然而在这里所以显现着本质的展开的,倒不仅是因为外套,并因其他许多商品都同样而且同时以亚麻布为等价的缘故。那么,我们为要容易了解起见,得把这些关系表示如次。

$$
\left.
\begin{array}{l}
\text{1 件外套} = \\
\text{10 磅茶} = \\
\text{40 磅咖啡} = \\
\text{1 斛小麦} = \\
\text{2 翁土金子} = \\
\text{1/2 吨铁} = \\
\text{X 商品 A} = \\
\text{其他} =
\end{array}
\right\} = \text{20 码亚麻布}
$$

马克思把这个新获得的形态,叫作一般的价值形态(Allgemeine Wert-

①　参看陈译本,第 63 页。

form）。

从扩大了的价值形态到一般的价值形态之变态，也是从量到质的转化之一例。在前一形态上的一商品（例如亚麻布）的相对的价值之表现的系列，伴着那些为了和该商品相交换而登场的其他商品的数目之增加，遂逐渐地被延长而达到某限度时，方程式自然地被颠倒起来，至变态为表示一般的价值形态的东西。如是，便实现了幼虫到蛹的变态。

＊　　　　＊　　　　＊

价值形态之论理的展开，就是现实上历史的发展之反映，这已经如上所述。恩格斯在评马克思的《政治经济学批判》的论文中，曾说过："看罢！试看在这个方法上，论理的展开，如何，不须纯粹地停在抽象的领域上，反之，这个方法，乃以历史的例证，以及和现实不断的接触为必要的"①。那么，已经从第一形态出发进到了第三形态的我们，当要明白这一点。

在最原始的、最初最初的时候之生产物的交换，"一方虽具着简单的价值表现的形态，然在他方，却还没有具着这个形态。简单的价值表现的形态，已如上文所述，就是 X 商品 A＝Y 商品 B。但是直接的生产物交换的形态，乃是 X 使用对象 A＝Y 使用对象 B。此际，A 物及 B 物，在交换以前还不是商品，要由交换才成为商品"②。像这种状态，现实上乃是"在自然发生的共同团体的交界上，这些共同团体和其他共同团体，乃至其他共同团体的成员相接触的地点"发生的。在这种地方被交换的生产物，因为最初就不是以交换为目的而生产出来的，所以"在交换之前，还不是商品"，因之最初就不是具着商品形态——价值形态的。那要在被交换之后，才成为商品，那时候虽是具着最简单的价值形态的，然而那一旦被交换完了之后，那一刹那间又失掉了商品的性质，所以这种生产物的价值形态就只有瞬间的存在。"那种形态，明明实际上，仅仅是在劳动生产物被偶然的而且临时的交换所转型为商品的那种原始发端时发生的"③。

最初在共同团体和共同团体之间所显现的完全是偶然的临时的交换，不

---

① 原文对译《唯物辩证法》，第 172 页。
② 考茨基版，第 50 页。
③ 考茨基版，第 30 页；参看陈译本，正文第 65 页。

久,便在共同团体的内部上也发生出反作用来。即"物品一旦在对外的共同生活上成为商品,该物品遂反应地在内部的共同生活上也成为商品"①。得能和其他共同体的生产物相交换的生产物,在共同体的内部,便很快地也成了商品,于是这种生产物,早已不是偶然地并临时地和各种其他的一切商品相交换,乃是日常地并习惯地和各种其他的一切商品相交换的情况了。而被扩大的价值形态,便是在这种状态之下成立的。那种形态,"到了某劳动生产物(例如家畜)早已不是例外地和各种其他的一切商品相交换,却已经是习惯地和各种其他的一切商品相交换时,事实上才发生出来"②。"例如荷马时代,一个物的价值是由各种物的一系列所表现出来的"③。

我在拙著《经济学大纲》上所引用的关于条山(Dusun)族(称为腊头族的波略士人中最占优势的)的记事,曾列举出"主要被欢迎的财产形态"之"古铜制的铜锣"、"中国古瓶"、克利斯(kris 武器名)等来,并且有以下的叙述。"这一切东西是特别地被需要着,但从前的交易,因为完全是以物物交换的方法表现着的,所以较高的物品便被说明要值较低的物品的几倍,譬如一双铜锣值几匹水牛,一个瓶值黄铜弹的几匹克(匹克是重量单位的称呼),一个克利斯值织物的几科亚(Knya 对于织物一疋的称呼),由于这种情形,逐渐就会成为一种价值标准。……"这个记事虽不充分的正确,然而我想多半是指示

1 双铜锣=X 匹的水牛,或=其他

1 个瓶=Y 匹克的黄铜弹,或=其他

1 个克利斯=Z 科亚的织物,或=其他

这些被扩大的价值形态之几个系列并存着的情形的。

但在某一定的商品,到了和无限的多数的其他一切商品相交换时,方程式便被颠倒起来,而新成立为一般的价值形态。试看《大日本货币史》(本庄荣治郎氏校订本)上和铜五年的条下所引用的,"十日乙丑,诏曰,务使行旅人携

---

① 考茨基版,第50页;参看陈译本,正文第112页。

② 考茨基版,第30页;参看陈译本,正文第66页。

③ 参看陈译本,正文第58页。

钱为资,以免重担之劳,知用钱之便"(《续日本纪》)。"闰十二月,由诸国所送之调庸等,概换以钱,准以钱五文换布一常"(《续日本纪》)等的记事,且有下面的叙述。"从钱币代替物品的史上所见的,到显宗天皇时,就已有了稻斛银钱一文的记事,然在和铜五年,有行旅人务须带钱之诏,六年,又有卖买田地以钱作价,禁以他物作价之诏。那么,就在这个时代,也看得出来有拿钱以外的东西作卖买之用的。例如行旅,不是有携带米粮而代替钱币,卖买田地的,不是有用布疋而代替钱币的吗?……"如果这个记事是正确的,那么,当时就不仅是米粮和布疋等在某一定的范围内尽了一般的等价物的任务,并且金属货币之排斥那些东西而自己要独占着一般的等价物地位的倾向,已可看到开始实现了。

*　　　　*　　　　*

我们试进而研究这一般的价值形态之变化的性质。

首先把它就相对的价值形态看来,那里,各商品的价值表现,才成为简单的且统一的,为什么呢?第一,因为在被扩大的价值形态上,一商品的价值表现虽是由相对的价值之无限的系列所成立,然在这里,是一切商品把它们的价值都只用一个商品表示着的。第二,因为在被扩大的价值形态上,表现 A 商品的价值的系列中所含的商品种类,和表现 B 商品的价值的系列中所含的种类虽然是相互不同的,然在这里,是一切商品把它们的价值用在同一商品中表示着的。

一切商品既都是一致共同着把它们的价值,只是在一个商品且是在同一商品(例如亚麻布)上表示着的,所以在这个形态上,各商品的价值,总之都是被表现为等于亚麻布的。如是"各商品的价值,现在不仅是从该商品自身的使用价值(它自身的自然的形态)上被区别出来,还要从一切使用价值上被区别出来,而且正由这个事实,才表现为亚麻布和一切商品所共通的东西。因此,这个形态才于现实上使诸商品互成为价值关系,且使诸商品互表示为交换价值"[1]。而诸商品之全般的交换,只以那些商品都被包容于这种价值形态之故,且只有在该形态的范围内,才是可能的(参照第二章"交换过程")。那就

---

[1]　考茨基版,第 31 页,同陈译本,第 66 页。

是指一切商品由于这种价值形态,才现实上相互成为商品的意义。

无论是简单的价值形态,或被扩大的价值形态,总之都是"把每一个商品的价值,或是在和它种类不同的单单一个商品上,或是在和它不同的许多商品的系列上表现着的"。"不论在该二种形态上的哪一种形态之下,商品采取某价值形态的,说起来就是一个一个商品的私事,该商品没有其他一切商品的协力,而完成了这种形态。""反之,一般的价值形态,只有作为商品世界的共同事业才成立的。"某种商品,不是生来——因它含有特定的自然形态的缘故——就成为一般的等价物的。要一切商品一致共同着把它们自己的价值,在"从商品世界上被选拔出来的一个同一的商品上"表现着,"而且新出现的所有商品种类,只因为一定要模仿着它",——换一句说,只有登场于商品世界的一切种类的商品,对于特定商品都当作自己的等价物而发生同样的作用,且全面地都和该等价物缔结社会关系,——那么,特定的商品才成为一般的等价物,而其他一切商品,也都因为和一般的等价物有了价值关系,所以把它们的价值在一般上表现着,因之才又相互表现为商品。

所以,各商品为要现实上成为商品,它的等价形态便不可不是当作"适合于社会形态"看的一般的价值形态。价值形态只是在具着这样一般的性质上,"才是适应价值概念的",因为"价值形态虽然是各商品之无差别的、相等种类的、人类的劳动之单纯的胶结体,即虽然不可不是为同一的劳动实体之物的表现而相互表现的一个形态",然而价值形态只是在具着这样一般的性质上,"这件事到这里才被完成的"缘故①。

在这个形态上,"现在一切商品,不仅单是表现为品质上相等,表现为价值一般,同时且是表现为分量上得能比较的价值的大小的"。譬比之如果 10 磅茶 = 20 码亚麻布,如果 40 磅咖啡 = 20 码亚麻布,那么,10 磅茶是 = 40 磅咖啡的,即可以知道在一磅咖啡当中,不过只含了一磅茶所含的价值实体——劳动——的四分之一罢了。

＊　　　　　＊　　　　　＊

等价形态也适应着相对的价值形态之变化了的姿态而变化其姿态。

---

① 第一版附录,《一般的价值形态》第一节。

在被扩大的价值形态上,立于等价形态之上的各种商品,不过形成了各个特殊的等价形态。然在现今,立于等价形态的,是一种特定的商品。该特定的商品对于其他一切商品,形成一般的等价形态。等价形态,现在从特殊的进展到一般的。登场于商品世界的一切商品的价值的姿态,就是亚麻布的自然的形态。"亚麻布的物体的形态,是具有当作眼中所能看到的一切人类的劳动的化身,那一般的社会的蛹化之资格的。"因此,亚麻布不必改换它自然的形态,就直接得能和所有其他的商品相交换。即它的自然的形态,是有和其他一切商品直接交换的可能性的形态的。因此,其他一切商品,凡是在亚麻布对于那些商品占一般的等价形态时,由于先同亚麻布交换的情形,即以亚麻布为媒介,相互地完成了全面的交换。

*　　　　*　　　　*

如是,"等价形态的发展过程,是适应着相对的价值形态之发展程度的。——但是,——应该注意这件事:等价形态的发展,不过是相对的价值形态的发展的表现和结果罢了"①。"发动(die Initiative)是出自后者的"②。在第一形态上,因为某一种商品不过是在他一种商品上表现它的价值的,所以那是使立于等价形态的商品成为单一的等价物的。在第二形态上,因为某一种商品是在其他一切商品上表现着它的价值的,所以那是使许多商品都成为特殊的等价物的。最后在第三形态上,因为所有一切商品都是在某特殊的一种商品上,表现着它们的价值的,所以那是使该特殊的商品成为一般的等价物的。

此外,"价值形态的一般一发展,而其两极的相对的价值形态与等价形态之间的对立,也是同程度地发展着"。这两极虽然有相互不可分的联络,同时也是互相排斥的,不过这种排斥的对立,都随着价值形态的发展而硬化起来。

就在第一形态的 20 码亚麻布 = 1 件外套,的确该两形态就是互相排斥的。即亚麻布如果是立在相对的价值形态,外套便不可不立在等价形态;反之,若是外套立在相对的价值形态,亚麻布便不可不立在等价形态。但是,无

---

① 考茨基版,第32页;参看陈译本,第69页。
② 第一版附录,《简单的价值形态》第三节。

论是亚麻布或外套,都不是固定于那一个形态上的,"由于从左或从右读同一个方程式,而两个商品极——亚麻布和外套——的各个,如果以为现在是相对的价值形态罢,掉眼却又是等值形态"。所谓20码亚麻布得能和1件外套相交换的,同时也就是指示一件外套得能和亚麻布相交换的意义。所以在亚麻布看来,外套虽然是等价物,然在外套看来,亚麻布也是等价物。那么,等价形态不是固定在外套或亚麻布的那一边的。

但在第二形态,"无论何时,每每只是一个商品种类——以其他一切商品对于它都成为等价形态之故,且只限于那种时候——能把它的相对的价值形态在总体上扩大的情形"。这里,颠倒着价值方程式的情形——不是使它从第二形态转化到第三形态的情形——早已经不可能了。即相对的价值形态与等价形态的对立,已经有到某程度的硬化了。

在第三形态,"凡属于商品世界的一切商品(只要除开某种例外),一被一般的等价形态所除外",同时,由于那个缘故,而且是在那个范围内,作为一般的等价物的任务,便为那被除外的某特定的商品种类所限定,所固定。反之,那当以一般的等价物发生机能的商品,"是被商品世界之统一的,因之又是被一般的相对的价值形态所除外的"。它不能和其他诸商品并行地,和其他诸商品一样,把它的相对的价值在一般的形态上表现出来。如果要想表现它自身的相对的价值,那么,我们便不能不把第三价值形态颠倒过来,把那特定的商品放在相对的价值形态之上,又把其他一切商品放在等价形态之上。这样一来,我们现在为要表现那特定的商品之相对的价值,就应该获得第二被扩大的价值形态。关于这点,就下述的货币看来,是完全相同的情形。

五、从一般的价值形态到货币形态的推移

从第二价值形态到第三价值形态的转化,是一个质的转化。我在上面曾形容着它的变态,而说是幼虫变成蛹了,然而还不如说是蛹变成了成虫,因为"一般的价值形态,是发展的价值形态,因之又是发展的商品形态"的缘故。但在以下所欲述的从一般的价值形态到货币形态的推移,不是指示这种质的变化——变态——的,这种推移虽然说来已经就在向成虫变态着,然而不外是更完成一段成熟的过程罢了。

　　"在第二形态与第三形态之间的单纯形式的差异,已经就是表示着某种特征——那是第一形态和第二形态所不能区别——的。"在第一形态,譬之亚麻布商品的所有者,以外套的他种商品为他的商品的等价物的情形,可说是他的纯主观的过程。因之外套商品的所有者,怕也要以亚麻布作为他的商品的等价物罢。在第二形态,某一种商品虽是挨次地拿其他一切商品作为它的等价物,然而就是这种情形,也可说是一个纯主观的过程——"譬之把自己本身的商品的价值在其他一切商品上评价着的亚麻布所有者的纯主观的过程"。但在第三形态,是某特定的一商品种类被其他一切商品当作一般的等价物所除外了的,而"这种除外,就是离开被除外了的商品而独立的客观的过程"①。这种事态的发生,是离开各个商品所有者的意图,意欲独立着的。一般的等价形态,所谓现实上总是固定于特定的一商品种类的,乃一个客观的社会的历史的过程之结果。"所以,在商品形态的历史的发展上,一般的等价形态,得交互地或属于这个商品,或属于那个商品"②。然而"那在终局上一旦被一个特殊的、特别的商品所限定,从那个瞬间起,商品世界之统一的相对的价值形态,才获得了客观的固定性和一般的社会的妥当性"③。如是,一般的价值形态便与某特定商品之自然的形态相吻合,而和它成为不可分的合体,只有该特定的商品,在商品世界的到处,并无论何时(即没有地方的和时间的限制),都成了一般的等价物的机能。即这种机能,已成了该特殊的一商品种类的独占。而且那就是指示一般的价值形态已经完成了它的成熟的情形。

　　"现在等价形态在它的自然形态上吻合于社会的那种特殊的商品种类,便是货币商品(Geldware),即有了货币的机能"——一般的价值形态到货币形态的推移。于是物材上完全不同的劳动诸生产物,要到了它们的价值在这种货币形态上被表示时,才表现为商品的完成的姿态,因此,在交换过程上一切劳动生产物之全面的交换,才有了完全的可能。

　　属于价值形态之最高阶段的货币形态(Geldform),表示如下:

---

①　第一版附录,《一般的价值形态》第五节。

②　第一版附录,《一般的价值形态》第五节。

③　考茨基版,第3□页;参看陈译本,第73页。

$$
\left.
\begin{array}{l}
20 \text{ 码亚麻布} \quad = \\
1 \text{ 件外套} \quad = \\
10 \text{ 磅茶} \quad = \\
40 \text{ 磅咖啡} \quad = \\
1 \text{ 斛小麦} \quad = \\
1/2 \text{ 吨铁} \quad = \\
X \text{ 商品 A} \quad =
\end{array}
\right\} = 2 \text{ 翁土金子}
$$

那与一般的价值形态,本质上倒没有何等的区别,形态上唯一的差别,只是现在金子代替亚麻布而成了一般的等价形态。其进步,只是在这点上,即直接的一般的交换可能的形态———一般的等价形态,现在由社会的习惯,终局上和商品金子的特殊的自然形态相吻合的这一点①。

"一个商品,譬如亚麻布,在另一个已经当作货币商品而发生机能的商品上如在金子上的简单的相对的价值表现,就是价格形态"(Preisform),即在价格形态上表现亚麻布的价值的,是

$$20 \text{ 码亚麻布} = 1 \text{ 钱金子}$$

而金子一钱如果在货币上是金五元的名称,那末,就是

$$20 \text{ 码亚麻布} = \text{金 } 5 \text{ 元}$$

此外,我们关于一般的价值形态上所已经看到的,都适合于这个货币形态。

"在货币形态上的理解的困难,就在于理解一般的等价形态,因此,总而言之,在于理解一般的价值形态,即形态 C。形态 C 又复归地把它自己分解为形态 B,即被扩大了的价值形态。而这个形态 B 的构成要素,它的根本要素,却是形态 A,即 20 码亚麻布 = 1 件外套或 X 商品 A = Y 商品 B。所以简单的价

---

① 考茨基版,第 34 页;参看陈译本,正文第 75 页。

值形态,就是货币形态的萌芽"①。"但是我们如果知道使用价值和交换价值(价值)是什么(为要知道那是什么,《资本论》便设第一章的第一节和第二节——河上补),便晓得这第一形态,就是为把某种任意的劳动生产物——例如亚麻布,表示为商品,即表示为使用价值和交换价值(价值)这样对立物的统一的最简单最未发展的形式。如是,同时,20 码亚麻布 = 1 件外套的简单的商品形态,为要获得 20 码亚麻布 = 金 2 磅的完成的姿态 ——货币形态,就不可不通过变态系列的这回事,也容易明白了"②。

第六节　商品的物神崇拜的性质及其秘密

一、引言

《资本论》第一章末节的标题为 Der Fetischcharakter der Ware und sein Geheimnis。先就这标题中所使用的 Fetischcharakter 字义说明一下。这个字,在高畠氏的译本,本是译作"魔术性"③,但是这样译法,怕是不很适当的。所谓 Fetischismus 一语,原含有"物神崇拜"或"拜物教"的意义,这与在别的地方④所说的 Personifizierung der Sache und Versachlichung der Personen(物体人格化和人格物体化),以及(第三卷第二分册第 417 页)所说的 Verdinglichung der gesellschaftlichen Produktionsbestimmungen und die Versubjektivierung der materiellen Grundlagen der Produktion,welche die ganze kapitalistische Produktionsweise charakterisiert(为全体资本家生产样式的特征的那个社会的生产诸规定的物体化和生产的物质的基础的主体化),当系指的同一的事态。而这里的 Versachlichung 或 Verdinglichung 之语,虽然向来被译作"事物化"⑤,虽然因此而"事物化意识"的名词,现在已成了某范围内的一种流行语。但是那个语句当中,并未含着所谓事情的意义,所以事物化的译语,怕是不很妥切,那就应当译

---

① 参看陈译本,正文第 76 页。
② 第一版附录,《货币形态》第三节。
③ 改造社版,第 41 页。
④ 第一卷第三章第二节 a 项末,考茨基版,第 73 页。
⑤ 例如福本和夫氏《论唯物史观》,第 184 页。

作物化的或物体化的。又在长谷部氏的译本（例如，第 266 页），Fetischcharak-ter，是被译作"偶像性"，Fetischismus，是被译作"偶像崇拜"。但我以为拿"偶像"来代替"物神"，也不一定十分妥善。原来 Fetisch，是被视之为神而礼拜的禽兽或无生物（山、川、木），所以译作"物神"要较之译作"偶像"为适切，马克思在这里使用的本意，至少也要含着 Versachlichung 或 Verdinglichung（物化或物体化）的意义。因此，我在这里，还是想维持"物神"的译语。然则"商品的物神崇拜性"，是指的什么呢？关于这个的详细情形，还要在后面说明，但为着读者便宜起见，当在这里先述其大体。

"劳动诸生产物的商品形态及价值关系"，"不外是人类自身之特定的社会关系"，而这些社会关系，就是人类自身相互结合着的东西。可是在商品世界，这样的关系"是采取着所谓物与物的关系的那样幻影的形态"。本来这样的关系，原为人类自身的生产物。然造出这样关系的人类，却看作是从他们当中而独立存在着的自然的东西。这个事情，便是现在问题的要点。"所以为着觅得一类的事例起见"——马克思说——"我们必须逃避到宗教世界的梦幻境去。在那个境内，人类头脑的生产物，显得好像是一些被赋予了一个固有的生命，彼此相互地结着关系，并且还和人类结成关系的、独立的姿态似的"①。

人类的劳动生产力在极幼稚的时代，原不能由人类为苦干的自然的加工，因而自然便成为人类不可制御的东西，而和人类对立起来。并且被放在这样关系下面的自然，复反映于人类的头脑中，而成了古代民族所崇拜的各神。这些神们，固然不外是"人类头脑的生产物"，然却以为是从人类当中独立着的"一些被赋予了一个固有的生命"的东西，因此这些神们便成了彼此"相互地结着关系还和人类结成关系"的东西。古代的物神崇拜教，就是因为这样而成立的，然"在商品的世界，（代替人类头脑的生产物）人类的手的生产物，也

---

① 参照陈译中文本，第 80 页。在第一版的附录（长谷部氏译本，第 267 页），为 Hier erscheinen die Produkte des menschlichen kopfes als mit……之语的，而在今日的版本（考茨基版，第 36 页），却成了 Hier scheinen die Produkte des menschlichen Kopfes mit……。即是 erscheinen als……（显现为……），被改为 scheinen……（好像是……）。这是马克思意识的把 erscheinen als 之语，想用 scheinen 来区别的一个事例。

是如此"(参照陈译中文本,第80页)。所以马克思说:"我把它叫作物神崇拜教,即劳动生产物一旦当作商品而生产,即便缠在劳动生产物上面的并且因此而和商品生产不可分离的,物神崇拜教(Fetischismus)"。

我为着便利读者起见,"来把后段的问题预先说在前面",试就商品形态之"以外的发展形态——货币形态,资本形态",而说明这样物神崇拜性的一般。

前面已经说过,一定的金属,例如金子,是因其他诸商品所有者们把金子当作他们所有的商品等价形态而活动起来,所以才由独占一般的等价形态而成为货币的。换句话说,就是因一切的商品所有者,先选定了金子,为可和他们的商品相交换的对手,然后金子才成了和任何商品都能相交换的东西——货币。更简单地说,金子是仅在特定的社会关系之下,才得成为货币的。因此,例如鲁滨孙漂到了孤岛上的时候,他的衣袋中所放的金币,哪怕仍旧和他出发母国时的形状一样,但是那个金币已经不能为货币了。在不能觅到交换对手的孤岛上,那是不能成为购买什么东西的手段的。所以金子成了金子,因之就不是货币。可是在商品世界的内部,却看作正和物体具有重量一样,以为金子好像是由金属之自然的性质而能成为货币的东西。关于货币的幻想,便是从这里产生,这就是货币形态的物神崇拜性。

还有"傲慢地冷笑着货币制度的近代经济学,也是一经处理资本,马上就露出他们的物神崇拜性来"①。我试列举其一二个例子如下。

在山崎博士的《经济原论》(大正六年刊行,第64页以下),是像下面的说法:

> 这里所称为资本的……就是说的因生产而使用或保有的一切生产物,而必须加入若干人类劳动的东西……然则什么种类的财产,可看作为生产资本呢?下列各项便是(在各项之下的说明,省略引用——河上)。
>
> 一、各种原料
>
> 二、器具机械之类
>
> 三、家畜之类

① 参照陈译中文本,第101页。

四、生产事业所用的建筑物之类

五、在土地上所施的改良

六、舟车之类

七、货币

这即是很明白地,资本已被当作了单纯的物。这样,资本就被当作了在人类的生存期内,可以永久存在的东西。

在田岛博士的《经济原论》(大正十四年刊行,第 14 页以下),也是像下面的说法:

> 一切生产的最终目的,是在造出适于满足我们欲望的财货。这种生产手续,有直接和纡曲的分别。直接生产手续,就是:例如我要饮水时,直就溪泉掬而饮之的场合……纡曲生产手续,就是:例如想获得饮料水时,先掘井,后挂吊桶,或因导引溪泉而制造水管架设水管,从开始着手生产一直到最后消费之间,有许多中间生产物的场合。这些中间的生产物,统叫作资本。纡曲生产手续,便叫作资本的生产。

这和贲巴卫 Böhm-Bawerk, Kapital und Kapitalzins, Zweite Abteilung: Positive Theorie des Kapitales 所说明的完全一样。他说:Die Produktion, die kluge Umwege einschlägt, ist nichts anderes als was die Nationalökonomen die kapitalistische Produktion nennen, sowie die Produktion, die geradeaus mit der nackten Faust auf das Ziel zugeht, die kapitallose Produktion darstellt. Das Kapital aber ist nichts anderes als der Inbegriff der Zwischenprodukte, die auf den einzelnen Etappen des ausholenden Umweges zur Entstehung kommen(3te Aufl., S.21)。即是依他所说,一切循着迂路的生产,不外是经济学者名为 kapitalistische Produktion(资本的生产)的那样东西,而所谓资本,即不外是侵入这个迂路的某某阶段的 Zwischenprodukte(中间生产物)之总称。这样,据他看来,也是极明白地把资本当作了不外是单纯的物。马克思所谓"傲慢地冷笑着货币制度的近代经济学,也是一经处理资本,马上就露出它们的物神崇拜性来",就是指的这些

人们而言。

物神崇拜性，是"劳动生产物一旦当作商品而生产，即便缠在劳动生产物上面的东西"，是"并且因此而和商品生产不可分离的东西"。所以在商品生产遂行着高度发展的现代资本家社会，那个物神崇拜性，便缠着在一切的劳动生产物上面。机械因为成了机械即被当作资本的，完全是这个缘故。

现在本节所阐明的，是上述意义中的"商品的物神崇拜性"和"其秘密"。

可是还当注意的，就是本节，如看一看第二版的跋文①，就可明白——在那跋文中说"第一章的末节'商品的物神崇拜的性质……'，曾经大部分变更"——不但与第一版有显著的差异，并且在第二版时才成了独立的一节。我在前面说过，第一版的附录中列举等价形态的特征有下面四种（本书《价值形态及其发展》的节中）。

第一特征——"使用价值，成了它的反对物——价值的现象形态"。

第二特征——"具象的劳动，成了它的反对物——舍象的即人类的劳动的现象形态"。

第三特征——"私的劳动，成了它的反对物的形态下面——直接地社会的形态下面的劳动"。

第四特征——"商品形态的物神崇拜性，在等价形态下面，较之在相对的价值形态下面还要显著"。

在第一版的附录，是在说明价值形态中的"最简单的价值形态"条下——在说明那第三节的"等价形态"的地方——把这四种特征一并说明了的②。这就是商品的物神崇拜性的问题，在第一版的附录中，不过是作为最简单的价值形态中之等价形态的一个特征而叙述过。但是在本文，于说完从最简单的价值形态发展到货币形态以后，接续地便论及商品的物神崇拜性，即是它的位置，和第二版以后的位置相同。然在前面说过，它的内容，却已加入了不少的

---

① 参照陈译中文本，第173—174页。
② 参照长谷部氏译本，第260页以下。

变更,并且在第二版时,才成为独立的一节。

二、商品的物神崇拜的性质,是从何处产生?

"商品的神秘的性质,不是从它的使用价值产生",这样的事,老早就已明白。"在商品单是使用价值的时候,无论在什么见地之下去观察它,或是在由它的诸属性来满足人类欲望的那个见地之下去观察它,或是在成为人类的劳动生产物而得到这些诸属性的那个见地之下去观察它,那都没有何等神秘的地方。"

例如人类以木材制造棹子时,即把木材的形态改变,而做好一张棹子。这虽的确是一件革命的事情,可是木材成了棹子后,那棹子仍旧是木材,仍旧是没有什么不可思议的一个普通感觉的东西,绝不是超感觉的神秘的东西。然而木材和棹子,一旦成为商品——是使用价值,同时又是价值的那样东西——而表现出来,它便变成 ein sinnlich übersinnliches Ding(是感觉的,同时又是超感觉的一个东西)了。这些木材和棹子成了商品时,一方面——把它从使用价值的观点上观察时——依然是感觉的东西,我可以用眼见着它,用手握着它。但是另一方面,这些东西既然是商品,便是人与人的社会关系,通过这些物而表现出来,此时这样人与人的社会关系的东西,绝不是可以用眼见着、用手握着的,而完全是超感觉的东西。例如一张棹子,它既成了商品,它仿佛已经"不仅是用它的脚直立在地上",而是用头逆立着,具着和别的一切诸商品的关系。"而且从那个木材头脑中,展开一种不可思议的幻想,即一种比那张棹子自己跳舞起来时,还要更加不可思议的幻想"——马克思在这里所说的棹子用它的脚站在地上的话,是指的成为使用价值的棹子而言,这时候,它自然是用自己的脚,在地上站立着。然棹子一旦成了商品,它一方是使用价值,同时又是价值,然在它单是价值的时候,便是具着和其他诸商品的超感觉的社会关系,这一点,就和它成为使用价值而存在是感觉的一点正相反对,在这种意义上,它是逆立着的。①

---

①　在我们的译本《岩波文库》版第 105 页(二五)的注释,应当改为"我们……把别的一切世界看作都像静止着的时候,为着鼓励别的(Pour encourager les autres),中国和棹子都跳舞起来——"。就中把 China 做陶器的,更是误解(参照李札诺夫对于 Unter dem Banner des Marxismus. I.Jahrgang.S.372.Marx:Ueber China und Indien 的序文)。

商品是使用价值，又是价值。可是老早就明白的事，不仅是如前面说过。商品，"神秘的性质，不是从它的使用价值产生"，并且"那又同样地，也不是从价值规定的内容（第一版——从它本身被观察的价值规定）产生"。这里所谓"价值规定的内容"，就是与后面所说的价值规定的形态对立着的。做成商品价值的实体的东西，我们已经知道，是支出人类劳动力的一般的舍象的劳动，而这样的劳动本身，却没有带着什么神秘的性质。"各种有用的劳动或生产的劳动，无论是怎样的不同种类，却都是人类的有机组织体的机能，而这样的机能，复不问其内容和形式如何，在本质上，都是人类的头脑、神经、筋肉、感官等的支出，这两件事，便是一个生理学的真理"，这也不是什么不可思议的事情。又为规定商品价值大小的基础的东西，本是因生产商品所支出的劳动分量，然这样的劳动分量，却能够和它的品质分别考察出来，也没有问题。为了生产我们的生活资料，固须以怎样品质的劳动为必要，而为了生产一定分量的生活资料，还须以怎样分量的劳动为必要，这样的事，不仅在商品生产社会为然，并且"在一切的社会状态之下，而对于人类都不得不有利害关系"。劳动时间成为问题的这件事，它本身绝不仅仅为决定商品的价值的虽然有程度的差异，而在任何社会却都是一样的成为问题，最后，"只要人类以某种方法彼此协同劳动时，他们的劳动，也就采取着某种社会的形态"。现在的一切商品是价值，是能当作价值而被测量的东西，而诸商品的这样共通的价值性，又使各商品相互地在一定比率之下，结成了价值关系。这样的事，不外就是表示商品生产者们，相互地结成特定的社会关系的意义。并且，如果商品生产者们"彼此协同劳动"时，他们的劳动就必然会采取着特定的社会的形态。

这样看来，商品的神秘的性质，既不是从它的使用价值产生，自然也不是从它的价值规定的内容这一点产生的。

然则劳动生产物，一经采取着价值形态，马上就发生出来的这个谜的性质，究竟从哪里而来呢？

那是"很明显地从这个形态本身而来"。劳动生产物，一经采取着商品形态，那上面所列举的劳动的社会诸规定，马上就以特殊方法、特殊形态表现出来。第一,在这时候,是"人类劳动的平等性,采取着劳动生产物的平等价值对象性的那个物的形态"。详细些说,就是在各种劳动生产物中,被对象化了的种种有用的劳动不问它是怎样的不同种类,而在人类劳动力之支出上什么都是一样的、平等的、这件事,在这个时候,便是任何的劳动生产物,都是当作价值而彼此同其品质的东西,不管是贵妇人头上所饰的宝石,或是劳动者脚下所穿的皮靴,不管是贵妇人所住的宫殿,或是劳动者所用的靴油,都是当作价值(虽然有大小的差别),而以所谓金几元的形态表现出来。第二,在这时候,是"人类劳动力支出的(即劳动分量的)那种靠着时间长短而行的测定,将取着劳动生产物的价值大小的那个形态"。换句话说,就是在特定的劳动生产物,把耗费多少时间的劳动这件事,而以这东西的价值是金几元(或米几斗)代替了。劳动时间,不是直接地以劳动时间的本身表示出来,却是以某种劳动生产物(例如金子)的特定分量表示出来。最后,生产者们的劳动的社会诸规定,本是由于那些生产者间的关系所确立的,但在商品生产的时期,这个生产者的社会关系,便"采取着劳动生产物的社会关系的那个形态"。在这时候,例如亚麻布生产者和外套生产者的社会关系,就是以 20 码亚麻布 = 1 件外套,或 20 码亚麻布值 1 件外套的那样物与物的关系表示出来。总之在这时候,人的东西,都是被表示着为物的,而商品物神崇拜性的渊源,就在这里。

"这样,那商品形态的神秘,只是在这件事里面成立的,即商品形态,把人类自己的劳动的社会性质当作是劳动生产物本身的对象的属性,当作是这些物件的社会的自然属性,反映于人类的眼中,因而也就是把生产者们对于总体的社会关系,当作是存立于他们外部的对象物的社会关系,反映于人类的眼中,这一件事里面"①。外套、亚麻布、小麦、铁等有用物,是价值,是被规定的价值量,并且当作价值而相互地发生关系出来。这样的事,自然只有在我们把那些东西彼此交换的时候,才是那些东西所具有的属性,绝不是像重量和保温的那个属性一样,而为天然所具有的。可是在商品交换的内部,却以为这样社会的属性——只因媒介了人与人的社会关系,那些东西才具有的属性——恰恰像是那些东西之物理的自然的属性一样。所以把人与人的关系,当作是独

---

① 参照陈译中文本,第 79 页。

立存在于他们外部的对象物相互的关系,而反映于人类的眼中。这就是马克思所说的 Quid pro quo(即一物与他物的误解),由于这样的 Quid pro quo,而劳动生产物便成了"一面是感觉的,同时是超感觉的或社会的那样东西"。

三、为商品生产者社会存在的反映的物体化意识

"劳动生产物一旦当作商品而生产,即便缠在劳动生产物上面的,并且因此而和商品生产不可分离的物神崇拜性",是由商品生产者们的社会的存在,反映于他们的头脑中而产生的,这就是在商品生产社会的他们的社会存在所规定的、这种历史上被规定出来的社会生产方法所适应的、他们的社会意识。"第一,他们的关系(特殊生产方法——商品生产——的生产关系),是实际地存在着。可是第二,因为他们是人类,所以他们的关系,便成为对于他们的关系而存在着的他们的关系,对于他们而存在着的或反射于他们头脑中的(特殊的)方法,就是从关系本身的(特殊的)性质中产生的"①。我们当进而把这些商品生产者间所结成的生产关系之特殊性,探究明白。我们要究明不是太阳围绕地球的周围而行,反而是地球围绕太阳的周围而行的那件事,同时还要究明何以在我们的眼中所见着的,好像是太阳围绕地球的周围而行一样呢?我们就想更进一步地完成这件工作。

商品生产者们的劳动,是在特殊的方法上面而为社会地结合的。人类是社会的动物,他们为了生产他们的生活上的必要物质,一定是在特定的社会联络之下而劳动,这在任何的社会形态当中,都是相同的。可是在商品生产的社会,便把这样劳动的社会联络,以特殊的方法实现出来。即是商品生产者们的劳动,一面是"彼此独立地被经营着的私的劳动",一面是要通过那生产物(独立地被经营着的这样私的劳动的生产物那东西)的交换过程,而转型为它的反对物,即转型为社会地联络着的社会总劳动的可除部分。这样,只有通过了物,只有以物为媒介——即不是直接的而是间接的——才成立社会的联络,这种情形便是商品生产社会的特征。

使用对象物,也不能说在任何时代都是采取的商品形态。它只有在它是

---

① 长谷部氏译本,第146页。

相互独立地被经营着的私的劳动的生产物的时候,才能成为商品。例如在将来的共产主义社会,靠着私有生产手段而相互独立的私的生产者,已经完全无存。这时候,一切人的劳动,最初就是直接地形成社会劳动的可除部分。由这些劳动生产出来的东西,原来就是社会的生产物,是属于社会所有的生产物,不是属于个人所有的私的生产物,所以这些东西,便不能成为商品。在这样的社会,因为商品这东西既不存在,所以为商品社会之必然产物的货币也不存在。因为货币既不存在,所以各种物品也不受着如所谓金十元、金二十元的价值表现了。这样的社会,唯一的只有使用价值,而商品价值这东西,是丝毫不存在的。但是在商品生产的社会,那个把社会需要的使用对象物生产出来的劳动,是彼此相互独立的私的劳动,并且因为这些劳动是满足社会需要的,不是适应生产者自身需要的,所以必须为社会的结合。在这里,那相互交换这些生产物的一件事,即便发生,因此而彼此独立的私的劳动,才成为相互结合而构成社会劳动的全体的可除部分。某人生产棉花,某人纺纱,某人织布,以及他人造米,他人饲养家畜,他人制订书籍等,实在是无数的人们、各个独立的生产各种各色的生产物。可是这些生产物,在仅被生产出来的时候,那还是生产者各人的私有物,而不是社会的生产物,唯有把这些生产物相互地交换后,那才成为维持生产者以外的人们——即社会的人们之生活的东西。这样,那彼此独立的私的生产者,便靠着他们的劳动生产物之交换,开始侵入于社会的关系当中,因之而他们的私的劳动之特殊的社会性质,也开始在这些生产物交换关系当中表现出来。

如我们由以上的商品分析所已知道的,例如在这里有一个当作商品的时钟,那时钟的价值实体,就是时钟所包含的社会劳动,那时钟的价值大小,就是由时钟所包含的社会劳动的分量所规定。但是为了生产那个时钟,不过只是某私的生产者费了他的私的劳动。若说这样私的劳动,怎么会成为社会的劳动? 那便不是由于劳动本身,却是由于相互地交换劳动生产物的关系。并且某私人的生产物,其所以能和社会中所生产的别的各种生产物相交换的,就是因为那个生产物,已成了那个生产者以外的人们——即社会——所必需的缘故,所以对于那个生产物所费的私的劳动,便转化为它的反对物——社会的劳动,便形成商品价值。假若我所造的东西,于谁都没有用处,则我的劳动便不能成为社会地必要的劳动,因而我虽费了多少的劳动,然我所生产的东西,却是没有价值。我为着生产特定的物品而费了特定的劳动,并且这个物品已成了我以外的别人所必需,那才能把它和别的物品交换,例如被人以所谓五元、十元的价钱买去,这样,便能证明我的劳动,具有全体的社会的劳动——一般的舍象的劳动——之构成分的资格。

以上这样情形,就是商品生产者们实际上存在的社会关系。这样的关系,由于照样地反射到他们的头脑当中,便成了"对于它们的关系",成了他们的社会意识。"因此"——马克思说——"在生产者们看来,他们的私的劳动的社会关系,是当作它为事实上现存的东西而表现出来,即不是当作他们的劳动本身里面的人们的直接地社会关系,反是当作人与人之间的物的关系及物与物之间的社会关系而表现出来"①。换句话说,就是在商品生产者们的眼中,反映着他们的私的劳动的社会关系,的确像事实上现存的一样,即是反映在他们眼中的,不是把这种关系当作生产者们在他们劳动的时候他们彼此之间直接所结成的社会关系,宁是当作人与人之间的物与物的交换关系(即物的关系),或从物的方面说,宁是当作物与物之间所结成的社会关系。这在本质上,本来就是人与人的关系,然在现象形态上,便成了物与物之间的人类关系。一方面的人拿着时钟,另一方面的人拿着金子,因为两个人把这两种东西彼此相互地交换起来,所以那种关系到底成了物与物的关系。而且这样物与物的关系,就是因为那些东西在社会上被交换的关系,所以那种关系到底成为物与物的社会关系——不是物理的关系——而表现出来。在共产主义的社会,人们之间的这样劳动联络的社会关系,是照原样的直接地——不经生产物交换的媒介——表现出来的。假如日本有8000万人口,其中可任劳动的人口为4000万人,那么则一日可利用的社会劳动的总量,如以每人每日劳动5小时计算,合计就是为20亿小时。现在专把这些时间的劳动,适应社会的需要,如以几十万时间生产米、几万时间生产时钟的那样分配方法,而分配于各种的生产部门,这就是直接地去经营社会的生产。因此,在这时候,人们的劳动,便是直接地行其社会地联络的关系,一点也不经过物的媒介,所以反映于眼中的关

① 参照陈译中文本,第81页。

系,即成为事物的固有的真相。可是在和这种社会不同的商品生产社会,便是各人相互地分别独立——不是在社会的统制之下,乃是各人随着自己的便利——而从事于生产,并且是一面以各自的生产物为自己的私有物,一面为社会地联络,所以这些各个人,总是要靠着各自的生产物之交换而为结合,因而人与人的关系,必然地成为物与物的关系而表现出来。

＊　　　　＊　　　　＊

总之,商品的物神崇拜的性质,是由商品生产者们的社会存在,反射到他们的意识当中而发生的,那件事,我们已经究明了。我们更当进而究明商品生产者们的这样的社会存在,是在他们没有意识着的当中,离开他们的意识、意图而独立成立的东西。

各种劳动生产物,仅在相互地交换它们的过程内部,才获得社会的平等价值对象性,即获得从它们的感觉上各种不同的使用对象性当中区别出来的、社会的平等价值对象性,这时候,人们是有意识地进行这个生产物的交换,那是不消说的。但是仅由这样交换的过程,这些生产物才获得社会的平等价值对象性的那件事,却是他们所未意识着的。

社会上所生产的各种劳动生产物——即钟、布、米、酒等——的使用价值,实在是各种各色。可是这些东西,由于以特定的比率相交换,便在这个比率之下,成了彼此相等的东西。各种不同分量的钟、布、米、酒等,每每都是值金若干,例如值金十元。所以在价值上,就只有分量上的差异,在品质上都成了一样的东西。这样,那原为一个统一物的劳动生产物,便要分裂为有用物和价值物——这样的两个对立物了。不过这样的分裂,若不是生产物的交换,已经达到了某种程度的发展后,实际上就不会发生。因为由于某种事情,过剩地生产了生产物在生产者的必需以上,而那个过剩的部分,偶然成了商品,在这样情形之下,生产者当生产那些生产物时,所谓把那些东西看作具有若干价值的商品那件事,他本身是完全没有考虑到的。他只是生产的使用价值物,而不是生产的价值物。可是"交换已经得到了充分的扩张和重要的程度,便成了为着交换而生产着有用物,所以物的价值性质、就在生产那有用物的当初便被加以考虑过",于是劳动生产物的有用物和价值物的分裂,才实际地把它的真实表示出来。例如某生产者生产有用物的布帛时,他是把他所生产的布帛能够卖金几元的事加以考虑后而从事于生产的。从他本身的立场说来,他并不是为他自己而生产有用物,乃是生产所谓金几元的价值。在这种意义上,他是"把物质的物还原为舍象物的价值"的,这时候,劳动生产物便在实际上分裂为使用价值物和价值物了。而从实际上行使这样分裂的瞬间,"生产者们的私的劳动,就在事实上获得了一个两重的社会的性质"。"它在一方面,便不得不当作特定的有用劳动,去满足某种特定的社会欲望,因而它本身,便不得不尽其为总劳动的——社会分业之自然发生的体系的——肢体之实在的责任。"换句话说,它不是为着满足劳动者本身的欲望,反而是为着满足社会上别的人们的欲望的东西,因而它在当作自然发生地成立的社会分业之一肢体,而成为社会的总劳动之一个可除部分时,便一面是私的劳动,同时复要尽其为社会的劳动之实在的责任。"在另一方面,各个特殊的有用的私的劳动,是能和各个有用的私的劳动相交换的,因此,它只有在和那些私的劳动具有平等资格的时候,才能使它本身的生产者之各种各样的欲望得到满足。"换句话说,各个私的劳动,一方面是不得不成为特定的有用劳动,以满足社会上别的人们的欲望的,同时在另一方面,这些私的劳动正因为能够相互交换,而彼此具有平等的资格,所以为满足他人欲望而从事于劳动的劳动者,由于把这样特定的劳动提供于他人而和他人交换,就可基于本己的自由选择,以各种各样的他人劳动来满足本己的种种欲望。可是"相隔天渊的一切劳动的平等,只有由于那些劳动的现实的不平等的抽象,即只有由于把那些劳动当作人类劳动力的支出,当作舍象的即人类的劳动,而还原到那个所具有的共通性质,才能成立"[1]。"人们为要把他们的生产物,当作商品而相互地发生关系出来,就不得不把他们的种种劳动,等置于舍象的即人类的劳动。他们虽然没有意识着这件事,然而他们,却是由于把物质的物还原为舍象物的价值而遂行了这件事的"[2]。因为这样,所以各个生产者的私的劳动,又在这一方面获得了一个社会的性质。

前面说过,"成了为着交换而生产着有用物,所以物的价值性质,就在生产那有用物的当初,便被加以考虑过",从那个瞬间,"生产者们的私的劳动,

---

[1] 参照陈译中文本,第 82 页。
[2] 长谷部氏译本,第 144—146 页。

就在事实上获得了一个两重的社会性质"。可是"私的生产者的头脑中,只有在那个实际上的交易当中——在生产物交换当中——所表现的诸形态下面,才能把他们的私的劳动的,这样两重社会性反映出来"①。即他们的私的劳动不得不当作特定的有用劳动以满足社会上人们的欲望这件事,"只有在劳动生产物不得不为有用,且不得不对于他人为有用的那样形态下面,才能把这个有用性反映出来",又他们的特殊的有用的(具象的)私的劳动,和其他各个有用的(具象的)私的劳动具有平等资格这件事,"只有在这些物质的不同的诸物即劳动诸生产物的共通的价值性质那样形态下面,才能把这个平等性反映出来"。所以他们所意识着的,不是他们的劳动本身,在社会的联络上获得平等性质这件事,只是他们的生产物,具有共通的价值性质这件事。

　　"总之,人类并不是因为他们的劳动生产物,具有当作等质的人类劳动之单纯的物的外皮之资格,才把这些生产物当作价值使之相互的发生关系的。事情是正相反的,是由于他们把他们的不同种类的生产物,在相互的交换中当作价值,而成为等置一事,才把他们的种种不同的劳动,相互地当作人类劳动而成为等置的。"他们当把他们的不同种类的生产物,当作商品使之相互地发生关系时,把那些东西在一定比率之下作为彼此相等的东西时,必然地要把他们的具象的劳动,还原于舍象的即人类的劳动——即还原于价值的实体。"他们虽然没有意识着这件事,可是他们却这样的遂行了"②。"所以加利亚尼说'价值是两个人格者间的关系'的时候,他应该加上'是隐藏在物的外皮之下的关系'一句话"(注27——第二版的补注)。因为这种价值的关系,是隐藏在物的外皮之下,所以人们仅仅意识着那个外皮为止,那个内容便没有意识着它,而把它实现出来。"这就是从他们的物质生产的特殊方法和由于这样的生产他们被移置到那里的诸关系所必然发生的他们头脑中之自然发生的,因而是无意识的本能的一种作用"③。"所以在价值这东西的额上,没有刻着价值是什么的字。"④这个价值,固然是由于他们本身的行为而生产出来的

---

① 参照陈译中文本,第82页。
② 参照陈译中文本,第82页。
③ 长谷部氏译本,第146页。
④ 参照陈译中文本,第82页。

东西,但因他们,没有意识地生产这个价值,所以价值是什么,他们便不能理解。"宁肯说,价值,是把一切劳动生产物转化为一个社会的象形文字。到了后来,人类才想猜透这个象形文字的意义,才想讨探他们本身的社会的生产物——当作使用对象物的价值之规定,完全与言语一样,是他们人类的社会的生产物——之秘密。"①其结果,"劳动生产物,在它是价值时,便都是在它的生产上所支出的人类劳动之单纯的物的表现之这样后世科学的发现"便被产生出来。

这样科学的发现,"在人类发展史上,是划时代的东西"。因为人类根据这样发现,才能把他们经过几千年的历史,而次第造出来的他们本身之社会生产物的内容,理解清楚的缘故。但是这样科学的发现,固然已为亚丹·斯密、李嘉图等正统派经济学者所完成,然因他们"被囚于商品生产的诸关系之中",所以"仅在这个特殊生产形态的商品生产时代为妥当的东西",在他们看来,却是"这样发现后,还是和从前一样仍然看作是有最终决定力的东西"。我们在后面考察别的样式的社会生产诸形态时,还当究明价值完全是适应一个历史的生产形态的东西。

      *   *   *

以上我们已就劳动生产物的价值的规定(舍象的社会的劳动形成价值实体的这件事)说明了,我们更当由此以说明价值大小的规定。

"生产物的交换者们,第一实际上感着利害的事,就是他以自己的生产物给别人的时候,果可领受他人的生产物多少,即生产物是用怎样的比率相交换的这个问题"。简单些说,就是价值大小的问题。

可是劳动生产物成为商品的价值大小,虽由生产那些生产物的社会的必要劳动时间所规定,然那些生产物的交换比率,却常常地动摇着,试就各个时候的交换比率看看,那完全是偶然地被决定的。即价值法则,不过是通过这些偶然的且不绝动摇的交换比率,成为规律的平均的法则以贯彻自己罢了。"这样,那个依劳动时间为标准的价值大小的规定,便是隐藏在相对的价值的现象运动背后的一个秘密。"所以劳动生产物的交换比率,"一旦达于成熟而

---

① 参照陈译中文本,第83页。

获得了一定习惯的固定性,它就要显现得好像是从劳动生产物的性质中产生出来的东西一样,举例来说,就是显现得好像一吨铁和二温士金子的价值相等这件事,恰和一磅金子与一磅铁虽然具有不同的物理的并化学的属性,然而重量却是相等这件事完全一样"。还有一层,在事实上,诸商品的价值大小是"离开交换当事者的意志、预见,并行为而独立着",并且是不断地违反他们的意志、预见而行着变动的,他们靠着自己的力量而制御这样变动的能力,便已完全失掉。因此,这时候,"生产者们自身的社会的运动,对于他们,是采取着一种物的运动的形态,即不是他们制御这个运动,反是他们立在这个运动的制御之下"①。

如上所述,"以劳动时间为标准的价值大小的规定,是隐藏在相对的价值的现象运动背后的一个秘密"。这一秘密,在后来,虽由经验本身生出来的科学的洞见所阐明。可是"这种秘密的发现,虽然废弃了劳动生产物的价值大小单单偶然地被规定的那种外观",究明了支配那个变动的规律的法则,"然它却绝不是废弃了那个物的形态"。人的关系,依然被物的形态遮蔽着,因而历史的形态,便显现得好像是自然的形态一样。

我们已先就价值的品质,次就价值的分量,考察了那个物的形态,最后须就价值形态加以考察。

大凡"关于人类生活诸形态的考察,以至于这些形态的科学的分析,一般地,都是走着和现实的发展相反的一条路线,这就是 post festum(从背后)开始,因而就是本着发展过程的既成诸结果,而开始"。所以关于商品价值的科学的研究,也是以充分发展的商品生产为前提,这种研究,是要等待属于价值形态最后发展阶段的货币形态之成立,才能开始进行的。即是"引导到价值大小的决定的,不外是商品价格(由于商品价值的货币所表现)的分析,又引导到诸商品的价值性质的确定的,不外是诸商品的共同的货币表现"。详细些说,要货币成为独占一般的等价形态时,那具着各种各样的物理的及化学的属性的种种劳动生产物,才一样地靠着成为等于金几十元这件事,而又成为彼此相等。这样,那些劳动生产物在价值上只有分量上的差异,没有什么品质上

---

① 　参照同上译本,第 84 页。

的差异,已是非常地明白。在这时候,那些种种不同的劳动生产物中共通的东西是什么才成为问题;并且由于考察这个问题,而一切商品的价值性质是什么,以及价值的大小,为什么所规定,这样的几种问题,才被解决。"可是商品世界的这种既成的形态——货币形态——,却是实在地未把私的劳动的社会的性质,并且因此未把私的劳动者的社会的诸关系,阐明出来,反而是把它们从物的观点隐蔽着"①。因为货币形态,不外是等价形态的最完成的姿态。然"等价形态这东西,是以某商品的物体的或自然的形态,直接地(原来就是那样)具有社会的形态之资格,具有和别的商品相交换的价值形态之资格这件事,为它的实在的本质。所以在我们的交易的内部,某物件采取着等价形态的这件事,便当作是那个物件的社会的自然属性——当作是那个物件天然具着的一个属性而表现出来……因此,例如金子的迷的性质所以发生的,那是看作和它的别的自然的诸属性——它的光灿的颜色、比重、在空气中的不酸化性等——一样,好像也是天然地具着的等价形态,即好像是天然地具着的能和其他一切商品直接相交换的那个社会的品质"②。这样,所以那些形态,在人们未把它作为问题以前,"好像早就具有社会生活的自然形态的固定性"。所以那些形态,"简直早已经被他们看作是不变的东西了",因而"那些形态的历史的性质",也不能作为问题了。正统派经济学的一个根本缺陷便是横在这里。"如亚丹·斯密和李嘉图那样的正统派经济学的最优代表者,尚且把价值形态是什么的问题完全当作是无关紧要的东西,或当作是和商品性质本身无关系的东西去处理。其理由,并不仅在价值大小的分析,完全夺去了他们的注意的一件事上面,而理由还生根在更深的地方。劳动生产物的价值形态,为资本家的生产方法之最舍象的而且最一般的形态,由于这种形态,资本家的生产方法才得着当作社会生产的一个特殊样式看的特征,同时也才得着历史的特征。因此,如果把资本家的生产方法,错看作是社会生产的永久的自然形态,那么,就必然地也会把价值形态的特殊性疏忽看过,因而也会把商品形态以及更较发展的货币形态、资本形态等的特殊性,一齐疏忽看过。所以我们在那些关于

---

① 参照同上译本,第 86 页。
② 长谷部氏译本,第 268、270 页。

价值大小靠着劳动时间去测定一事而意见完全一致的经济学者之间,可以看出他们对于货币即一般等价的完成的姿态,行着种种极复杂的并且极矛盾的观念"①。资本家阶级学者,至今还是被放置在不外把资本推定为单纯的物的那样状态之下的,也是这个缘故。

总之,把人与人的关系看作是物与物的关系,这样的物神崇拜性是一种特殊的社会意识,即一种适应商品生产的"这个历史上被规定着的社会生产方法的生产诸关系"之特殊的社会意识。在被囚着于商品生产诸关系中的人们头脑里面发生出来这样特殊的社会意识这件事,是渊源于他们的关系本身之特殊的性质而来。这便是属于"不是人类的意识,规定他们的社会的存在,反之,是他们的社会的存在,规定他们的意识"这件事的一种特殊的情形。

四、商品生产社会以外的生产诸形态下面的劳动

我们曾在前面说过了"商品的神秘性质,不是从它的使用价值产生的,也不是从价值规定的内容生产的",那只是从这样内容被社会地规定的形态产生这件事。我们又曾说过了社会劳动的这样规定的形态,那是称为商品生产的这个历史被规定着的社会生产方法的生产诸形态,使这规定的形态成为必然的东西的这件事。大凡这些事情,我们一旦观察了商品生产以外的其他生产诸形态,马上就会明白。所以马克思说出"在商品生产的基础上,包围着劳动生产物之商品世界的一切神秘、一切魔法妖术,我们一旦逃避到其他生产诸形态的下面,马上便会消灭"的一段话,便是教导我们去游览商品生产社会以外的各种形态的社会的。——以上费了不少的页数,已把商品的物神崇拜性,不过只是适应商品生产的特殊生产方法之社会意识形态一事,谆谆地说明了,但如果还不理解,便没有方法。那么,试一度离开商品生产社会,去看一看其他社会的情形。这样,便可明白一切生产物受着所谓金几元金几十元的那样价值表现的,实在是商品生产社会中的固有现象了,又可明白社会的生产方法若有变动,那与之相适应的社会劳动的规定形态,也就趋于变动了。这就是马

① 参照陈译中文本,第97页。

克思的意旨。

《资本论》第一卷的全体，差不多都是本着这个意旨进行的，其最后一章（在今日的版本为第二十五章）的"近代殖民论"，就是为着这样目的而设。在马克思分析资本的生产过程而耗费了数百页的纸张以后，如果对于这样的说明还难理解，便要离开资本家的社会，走到新开地的殖民地去看一看，因为这个缘故，所以设置了这个最后一章。马克思说：生产手段和生活资料，若是当作直接生产者即劳动自身的所有物，绝不是资本，那些东西，只有在把它同时用作榨取和支配劳动者的手段的条件之下，才能成为资本可是寄宿于这些东西里面的资本的灵魂，却在经济学者的头脑当中，和那些东西的质料的实体紧密地融合起来，因此，他们就把这些东西在一切的时候——在和资本为正反对的时候也是一样——都叫作资本。现在的威克费特也是这样……然他就殖民地中首先发现了的一件事，就是：一个人纵令具有货币、生活资料、机械及其他一切生产手段，如果为其补充物的劳动者，即自发地迫不得已出卖自己的其他人们缺少时，便不至于成为资本家。此外还有为他所发现了的地方，就是：资本不是物，而是由物所媒介的人与人之间的社会关系。据他在我们的面前叹息道："庞尔氏携带达于五万磅额数的生活资料和生产手段，从英国走到西澳洲的士温河，此外还带有劳动阶级的男女和儿童三千人，用意已很深远。但是一旦达到了目的地，'庞尔氏所处的状态，便是替他铺床或汲水的一个婢仆，也不可得'。不幸的庞尔氏，虽然是留心一切了，终没有把英国的生产诸关系，输出于士温河。"①他所带去的三千人，在那里恰是为他们本身，得能独立的经营生产，却没有任何人为他而出卖劳动力，所以他所携带的五万磅生活资料和生产手段，便不能在那里成为资本。因此，如马克思在那最后一章结论中所说的"如果从旧世界走到新世界去看一看，那资本家的生产方法，便是以基于自己的劳动私有财产的破坏为前提的东西"这件事，就格外明白了。又在这里，那所谓一旦离开商品生产社会，去看一看那个以外的生产诸形态，则这个物神崇拜性完全是商品社会特有的东西这件事，也是一样的一目了然。因为这个缘故，便来叙述以下的说明。

---

① 《资本论》第一卷，考茨基版，第693页以下。

　　"在这里首先来看一看鲁滨孙的孤岛生活罢。"他尽管生来就是一个恬淡寡欲的人,但是,总得要满足种种的欲望。因此,他就不得不制器具、造家具,不得不驯骆马、采鱼贝,以及进行其他种种的有用劳动。这些劳动,原来本是相互地异其具象的形态,但是他却"能够知道这些劳动不外是同一鲁滨孙之不同的活动形态,因而也就不外是人类劳动之不同的方法"。再者他的劳动分量——每日能够工作的劳动时间——大约是有一定的,所以他就不得不把劳动分量,按照必要的情形,而分配于他的不同各机能之间。所以为了生产种种生产物的一定分量而他所必要的平均劳动时间,也就不得不明白地达于他的意识当中。这样,"鲁滨孙和他手创的财富———一切物品———之间的种种关系,在这时候,是很简单明了的","可是在这样种种关系当中,却包藏着价值的一切本质的规定"。究竟价值的一切本质的规定,为什么包藏在这个当中呢? 这种缘故,第一,是因各种有用的劳动或生产的活动,无论怎样异其种类,都是人类的有机组织体(这时候,是一个鲁滨孙)的机能。第二,是因生产生活资料所必要的劳动时间,在人类看来(这时候,在一个鲁滨孙看来),是有利害关系的问题;因而种种生产物,便适应其生产所必要的平均劳动时间而成为有价值的东西;这些的一切情事,对于孤岛中的鲁滨孙的生活,也是一样,这时候,凡是"价值的一切本质的规定",以及"价值规定的内容"和"本身被考察出来的价值规定",在鲁滨孙的方面,也和商品生产者们的方面一样,是被包含在人与生产物的关系当中的。其不同的地方,只是这样的内容为社会的所规定的形态。在商品生产社会,那是必然的采取所谓交换价值的那样现象形态的,然在生产物没有交换对手的鲁滨孙世界,那所谓以金几元表现他的生产物价值的事便不能存在。于是生产方法的不同就被表示出来。

＊　　　　＊　　　　＊

　　"其次,我们来从鲁滨孙的光明的孤岛,移到黑暗的欧洲中世看一看。"在这里,我们看到:像农奴和领主,家臣和封建诸侯,俗人和僧侣,等等,无论哪个,都是人的依存这件事。这时候,"人的依存,把物质的生产之社会的关系,并把那些建筑于其上的各种生活领域,都给了一个特征。可是因为人的依存关系,形成了一定的社会基础的缘故,所以劳动及生产物不一定要采取一种和那个社会现实相异的幻想的姿态"①。例如农奴,在一星期当中假定以三日为耕作自己所保有的土地而耗费,其余三日,便是耗费在耕作领主直辖的土地上面,自己所保有的土地收获物是自己的东西,是拿来维持他和他的家族生活的东西,而领土直辖的土地收获物便全部属于领主所有。农奴除了上面的定期劳动义务外,还负担不定期的特别劳动义务,石滨知行氏在《经济史概论》②中,曾记述英国的庄园状况。依据这个记述,在 13 世纪的牛津某庄园内保有 30 英亩土地的一个领民,对于他的领主所负担的义务如下。

（一）Week-work（一星期的定期劳动）

一星期为二日乃至三日的劳动,每年为一百二十二日和二分之一的劳动。

（二）Boon-work（定期劳动外的特别不定期劳动）

（1）一人为六日的特别劳动

（2）以二人为一日收获

（3）搬运麦子和干草

（4）一英亩的锄耙劳动

（5）被呼作格拉塞的锄劳动

（6）一日的苗麦田耙劳动

（7）一斛的麦芽制造

（8）一日的洗濯和羊毛洗涤

（9）一日的除草

（10）三日的刈草

（11）一日的搜集果实

（12）一日的堆积柴草劳动

（三）gafol——材木一驮

（四）税——每年依领主的意思课税一次

---

① 参照陈译中文本,第 89 页。
② 参照第 114—118 页。

据上面所举的一例,也能了解在这个时代,"劳动和生产物是当做赋役和实物贡纳(以原始的特殊的具象形态)而走入社会的机构当中的,在这里,只是劳动的自然形态——不是像在商品生产的基础上一样的劳动一般性,而是劳动的特殊性——成为劳动的直接的社会的形态"①。农奴对于领主的社会关系——一方对于他方提供劳动的关系,是以固有的形态表现出来的,农奴的劳动是以劳动自然的形态编入于社会的总劳动当中的。这时候,人与人的劳动联络,不是通过劳动生产物交换的那样形态而进行。"所以,在这种社会里面,关于人类相互对立的种种装扮,不问像怎样的去判断,而人们在那劳动当中的社会的关系,无论如何时候,都是当作他们本身的人的关系表现出来,并不是假扮在物的——劳动生产物的——社会的劳动里面的。"②为着维持人类生产,每年以一定的劳动为必要,并且这些劳动又不得不适应社会的必要,而具着种种具象的形态。这样情形,无论在中世封建社会,或在近代商品生产社会,都是一样。其彼此不同之点,就是在商品生产社会,人与人的劳动联络,仅以物与物的交换为媒介,才得实现,因而这时候人们在劳动当中的社会的关系,不能不假扮在物的——劳动生产物的——社会的关系里面。

再进而远溯古代,则有一个特殊的劳动生产的共产体。这时的劳动,最初便是直接地被社会化了的。可是我们"要想考察共同的直接地被社会化了的劳动",不一定要像这样的"远溯到存在于一切文化民族的历史之初的形态上面,即劳动的自然发生的形态上面去。最近的实例,便有专为自家的需要,而生产谷物、家畜、丝、亚麻布、衣服等的农民家庭的农村的族长的产业"。如日本的飞弹白川村的大家族——在今日,多少已被卷入于商品交换社会的影响之下——就是一个典型的例子。这个大家族中,家族成员的劳动,划分为耕作、畜牧、纺织、机械、裁缝等,而形成家庭总劳动的自然发生的分业,这样的一切劳动,即以那自然的固有形态完成社会的机能。在总体的上面行着分业这件事,虽和商品生产社会一样,但是这样一切劳动的生产物,却不是彼此同伙之间,当作商品而对立着的。又在这个大家族中,虽是"性别和年龄别,以及

---

① 参照陈译本,第89页。
② 参照陈译本,第89页。

那些伴着季节变更而变动的劳动的自然条件,规定着家族内部的劳动分配和各个家族员的劳动时间",“但是在这里,个人的劳动力支出,靠着时间长短去测定的这件事,最初就是当作劳动这东西本身的社会的规定而表现着的,为什么呢?因为个人的劳动力,最初只是当作家族的共同劳动力的器官而发生作用的缘故"①。这一点,便和商品生产社会不同。在商品生产社会,社会各成员的劳动力最初还是彼此独立的个人的私的劳动力,不过由于相互地交换其生产物这件事,这些劳动力才被联络为劳动的,才事实上成了社会全体劳动力的一个器官。

*　　　　*　　　　*

“最后,我们为一新眼界起见,试想象一种自由人团体——即一种用共有的生产手段而劳动的,并且意识地把那团体的许多个人的一切劳动力,当作一个社会的劳动力而支出的自由团体(将来的共产主义社会)——看看。在这个团体中,虽然是往复行着鲁滨孙的劳动的一切规定,可是那却不是个人的行着,反而只是社会的行着。"我们试研究这一点。

鲁滨孙,是住在自己一个人的社会中的,所以他一个人代表着社会。从他看来,便是以他自身的种种具象的劳动,代表社会的总劳动,他的种种生产物便是直接地为他的使用对象。但是“现在我们作为问题的这个团体的总生产物,却是一个社会的生产物",这种生产物已被生产之后,就当受着社会地处分而分配到各成员的当间。最先,“这种生产物的一部分是从新当作生产手段去供用的,所以这一部分专是社会的东西"。即不是充作社会各成员的消费而分配的东西。“但是另一部分,却作为团体员的生活资料而供消费,所以这一部分,就不得不被分配于各团体员的当间。"然则这一部分,到底是依怎样的样式而分配呢?那就要照应着生产诸力的发展程度而不一样。我们为想使它和商品生产容易比较起见,来看一看第一期的共产主义社会。这种社会,就是“哥达纲领批判"中所说的“从资本家社会初生出时的共产主义社会",“这种社会的一切状态,无论经济的、道德的、精神的,都还没有脱离它所借以产生的母胎——旧社会的遗风。所以各个生产者——关于除去了社会所保留

---

① 参照陈译本,第90页。

的部分后,而应当分配于各成员的部分——都把他给予社会的东西精确地将回来。他以给予社会的东西,就是他的个人的劳动量,例如社会的劳动日,是从个人的劳动时间的总计而成,各个生产者的个人的社会时间,是他对于社会的劳动日中所给付的部分,即是他对于社会的社会日中所占有的部分。他(扣除对于劳动公积的劳动后)从社会当中领受给付了一定时间的劳动证书后,便拿着这种证书,向消费资料的社会仓库取出相当于他的劳动量的东西,即他把在一种形态下面对于社会所给予的相同的劳动量,另以别种形态收回来。这样,那是很明白地行着和支配商品交换——它是在等价物同伙的交换时——同一的原则。自然,情形是完全改变了的,因为无论何人,不得具有于自己的劳动以外所能够提供出来的东西;另一方面,除了个人的消费资料以外,也没有什么东西能够为个人所有,所以交换的内容和形态,都是一律地生了变化的。不过就分配个人的消费资料于各个生产者之间的一点说来,便是和等价商品交换行着同一的原则,便是一种形态的同量劳动和他种形态的同量劳动相交换"①。在《资本论》中,关于以上的事情,简单地为如次的叙述。"劳动时间,是当作生产者对于总劳动的个人参与的尺标使用着的,因而同时又是当作生产者对于共同生产物中个人消费的部分而为个人所占有的尺标使用着的"②。另一方面,在这个共产主义社会当中,为要"在种种劳动机能和种种欲望之间,保持着一个正比例",而劳动时间又成了分配社会全体的劳动到种种生产部分的一个规准。即是在这里,"劳动时间,成了演着两重任务的东西"。但是"人类对于他们的劳动和对于他们的劳动生产物的社会关系,在这里,无论在生产方面,或在分配方面,还是依然单纯得像透亮的一样"。

以上我们已经就鲁滨孙的孤独生活、中世的封建社会以及农民家族族长的产业和共产社会,总括地说一句,就是已就种种的生产形态,顺次地考察过了。可是无论在什么时候,那个价值规定的基本的内容,总是一样,其不同的只是为社会的所规定了的形态。马克思致库格尔曼的下列的一封信(已经在本书前面引用过),就是说明这件事的。

---

①　水谷氏译:《哥达纲领批判》,《马克思主义丛书》第十二册,第13、14 页。
②　参照陈译中文本,第92 页。

不要说一年,只是几个星期停止了劳动,恐怕无论什么国民也要死掉,这件事是任何小孩子都能知道的。又适应种种欲望的生产物的数量,须以社会总劳动的种种数量,且为社会的所规定了的数量为必要:这件事也是谁都知道的。把社会的劳动为一定比例分配的这个必然性,决不因社会生产的一定形态所废除,只是变更着它的显现的方法,这件事也是明白了的。自然法则,总是不能废除的东西,其能在历史地不同的状态之下而发生变化的,只是这个自然法则贯彻自己的形态。在社会劳动的联络,当作个人的劳动生产物之私的交换而行着的那样社会状态之下,劳动的这种比例分配所实现的那个形态,正是那些生产物的交换价值。①

五、现实世界宗教的反映

我们研究"商品的物神崇拜性及其秘密"一节的各项,现在已将告终了。我们在这里,就要注意到这一节,是完全处理商品世界之特殊的社会意识的这一件事。

关于这一件事,更当注意两点。第一,不是人类的意识规定他们的存在,反之是人类社会的存在规定他们的社会意识,这是史的唯物论的根本问题,那么,商品世界的社会意识,自然是专从这个观点上去说明的。第二,《资本论》虽以究明资本家社会的经济构造为目的,但在和这样经济基础有直接联络的范围内,却说明了那法律的政治的及社会意识诸形态的上层建筑和经济基础的联络。例如 Gewalt(经济外的权力),它本身虽被放在《资本论》的范围外,但是它的形态为经济基础所规定一点,却已言及②。又这个权力的本身,在经济基础上面发生反作用的这一点,也曾详细地细述过(例如第一卷第二十四章《所谓原始的蓄积》的全部)。

现在在这里,其所以处理商品世界的特有的社会意识——所谓物体化意识的,因为它在商品世界中为人类的社会的存在之直接的反映,而和这个社会的存在(生产诸关系——成为生产关系总和的社会的经济构造)有直接联络

① 原文对照《唯物辩证法》,《马克思主义丛书》第十册,第 178 页。
② 例如第三卷第二分册,恩格斯版,第 324、325 页。

的缘故。这是和在《德意志意识形态》(Marx-Engels Archiv.Ed.I.S.239)中所说,"观念、表象、意识的生产,最先,是直接地被编入在人类物质的活动和物质的交易之中的,这便是所谓现实生活的话。人类的表象、思维、精神的交通,在这里,还当作他们的物质的行动之直接的流出物而表现出来"的一段话相照应的。

可是在"商品的物神崇拜性……"一节中,以后还说明了我们所要说的那个现实世界之宗教的意识。这正和在《德意志意识形态》中,接着前面所载的话而说明的相当,据在那里接着说:"这种情形,就是那些用一种国民的政治、法律、道德、宗教以及形而上学等的言语所表示出来的精神的生产,也是同样的妥当。"宗教,为人类头脑中的生产物,它和由于人类变化了自然形态而造出的物质的生产物不同。可是宗教所以成立的这件事的本身,是由人们栖息于其下的社会的经济构造所制约,所以在说明和这宗教意识有许多类似点的商品世界之物体化意识的因缘当中,来说明宗教意识的发生条件。

＊　　　　＊　　　　＊

列宁在《人民之友是什么?》的当中,就《资本论》中所处理的一切问题,为以下的说明。

> 马克思怎样的完成这个根本观念(关于社会——经济的形态的自然史过程的根本观念)呢? 他是从社会生活的各种领域中,把经济的领域区分出来,即从一切的社会诸关系中区分"生产诸关系",为决定其余一切诸关系之基础的本源的关系,因之而完成了这个根本观念①。
>
> 他从种种的社会——经济的形态当中,把握着一种形态,即把握着商品经济的体制,而基于很丰富的材料(他还研究了 25 年以上),将这种形态的应用及其发展的诸法则,为最详密的分析。这个分析,是被社会成员间的生产诸关系所局限了的。马克思为想说明问题,一点儿也不诉之于站在这些生产诸关系外的某契机,而是就社会经济的商品组织怎样发展,这个组织的发展(已在生产关系的领域内)在创造资产阶级和无产阶级

---

①　川内氏译本,第 11、12 页。

的对立阶级当中怎样转化为资本主义的组织,又这个资本主义的组织怎样促成社会劳动的生产力发展,并且怎样由这件事的本身对于这个资本主义组织的基础招来难以解决的矛盾的要素,这些的一切,都给予了解的可能性。

这是《资本论》的"骨骼"。可是问题的主要点,却存于这样的当中,即马克思并不是仅仅只充实了这个骨骼,并不是局限于普通意义的一个"经济原理"。乃是一面"专"从生产关系去说明所给予的社会形态的构成和发展,一面还常常地到处详考着适应这些生产诸关系的上层建筑,以血与肉包围这个骨骼……这是把资本主义的社会形态……看作是包含着生产关系内在的阶级对立之现实的社会现象,看作是包含着拥护资本家阶级的支配之资本家阶级的政治上层建筑,看作是包含着自由平等等资本家阶级的观念以及资本家阶级的家族关系——这些一切活泼泼的形态,而展开于读者之前的……。①

《资本论》它的内容不局限于"普通意义的经济原理"的这一点,便是它所具的一个特征。

我们在以上的注意之下,来就现实世界宗教的反映看一看马克思的说明。

"商品生产者们的一般的即社会的生产关系,它的本质是把他们的生产物看作商品,因而是看作价值去处理,并且是在这样物的形态下面,把他们的私的劳动看作平等的人类劳动,使之相互地发生关系。"在这里,生产者们的社会关系,固然是他们自身所造出,可是他们并不能制御这个,反而是站在这个的制御之下。依亚丹·斯密的话说,他们是被"一双看不见的手"所指导的。这时候,便是"人类相互间的,及人类和自然间的不透明的关系",围绕着人们。所以那必然地要产生出来一个神秘的宗教意识。在商品世界,由于人们头脑之无意识的本能的作用,而现实地并且无意识地行着一切具象的劳动之特殊性的舍象,那当作一种规制的自然法则而贯彻自己的价值法则,"恰和房宅崩落在人类头上时的重力法则一样"的作用。"在这样社会,那崇拜舍象

---

① 川内氏译本,第17、18页。

人的基督教,特别是成为资产阶级的发展的新教、理神教等,是最相适应的宗教形态"①。

"在古代亚细亚的以及古代希腊罗马等的生产方法,那生产物转变为商品一事,只是演着从属的任务,因之人类成为商品生产者的存在,也只是演着从属的任务。"这时候,或者像古代共同体一样,是以人们停滞在"个人还未和别的个人断绝血族的联系脐带的程度上",而没有成熟为个别的人类这件事作为那个社会的生产组织的基础,或者像古代奴隶社会一样,是以"直接支配的隶属关系"这件事作为那个社会的生产组织的基础。因此,虽然"这样古代社会的生产组织,比之资产阶级的生产组织极为简单、极为透明",但在这里,还是要发生一种宗教意识的,就是因为这时候的劳动生产力的发展还极幼稚,而与之相适应的生产关系——"在物质生活的生产过程内部,人类相互间及人类和自然间的关系"——极为狭隘的缘故。例如就人类对于自然的关系说来,那劳动生产力发展幼稚一事,就表现着人类还不能怎样地征服自然,因之也就表现着他们,常常地被环绕着他们的并且是他们不能理解的把握的自然,威吓其生存。这样,所以崇拜自然的那个古代的自然宗教便成立了。

"现实世界宗教的反映这件事,总而言之,只有在实际的日常生活诸关系,把人类相互间及人类和自然间的透明的合理的关系,每天对人类表示着的时候,才能消灭"②。商品世界的生产诸关系——这样社会的经济构造——是栖息于其下的人们之无意识的产物,那是离开人们的意志、预见、行为而独立的,是不断变动的,是非常复杂、非常不透明的。所以在这样的社会里面,常常存在着某种宗教的意识。"社会的生活过程的构造即物质的生活过程的构造,它只有到了成为人们以自由意志所组织的社会的产物,而站在人们意识的计划的管理之下时,才能脱去其神秘的霞衣",将来的共产主义社会,便是这样。可是这样的社会,为要在其充分成熟的程度上成立起来,"它本身,又必然地要有社会的物质的基础,或一系列的物质的生存诸条件,这样物质的基础或生存诸条件,却是亘于长期的,并且充满了痛苦的发展史之自然发生的产

---

① 参照陈译本,第92页。
② 参照陈译中文本,第9□页。

物"①。因此,在现实世界宗教的反映——即宗教——归于消灭的社会,马上就是阶级,因而又是权力、国家归于死灭的社会。

六、资产阶级经济学的根本缺陷

物神崇拜(或是劳动的社会诸规定之对象的外观),是劳动生产物一旦当作商品而生产,即便缠在劳动生产物上面的,并且和商品生产不可分离的东西。所以我们如被束缚于商品生产的领域时,换句话说,不是把商品生产看作社会生产的历史上被规定了的过渡的暂时的生产形态,而是看作永久的自然的生产形态时,更简单些说,我们不晓得站在辩证法的见地去把握商品生产社会时,我们终是不能脱离商品的物神崇拜性的。因为这样,那资产阶级的经济学,一般地便要具着物神崇拜的共通性。

英国的正统派经济学是阶级斗争没有发展时的产物。属于这一派的经济学者,曾能本着"什么东西都不怕"的科学精神,去分析过资本家社会。因为正是在阶级斗争没有发展的状态下面,是没有人把资本家社会的永久的存续当作问题的,因而就这样社会之毫无忌惮的剖解,也就没有引起什么人不安的理由。所以"经济学,虽然是不完全,而实在地分析了价值和价值的大小,发现了包含在这些形态中的内容"②。可是使正统派经济学什么都不怕的科学的分析的那种,对于资本家社会之永久存续的信念,同时,在另一方面,又成了于他们的科学分析中加上了一定的界限的东西。为什么呢? 因为"在那个不把资本家的秩序当作历史的过渡的发展阶段去理解,反而是当作社会生产的绝对的并且终局的形态去理解时",便是把仅能适合于商品生产社会的种种特殊的范畴,都看作了是绝对的永久的东西,因之为什么会见到这样范畴成立的这件事,那是最初就没有当作问题的缘故。经济学,在仅是资产阶级的经济学时,那不但不能解决某种问题,并且把问题都没有当作问题去意识的,便是基于这个理由。因此,经济学,虽然"实在地分析了价值和价值的大小,发现了包含于这些形态中的内容",但是"为什么这种内容会采取那样的形态? 为

---

① 参照陈译本,第 94 页。
② 参照陈译本,第 94 页。

什么劳动会这样地把自己在价值里面表示着？为什么那种靠着时间的长短所为的劳动测定,会把自己在劳动生产物的价值大小里面表示着？这些问题,经济学都未曾当作问题处理过"。例如:"佛兰克林以为物件具有价值,犹之物体具有重量一样,都是自然的事,从他的立场说来,问题只在发现这种价值,怎样才能尽可能的最正确地被测定这一事。"①因此,"从经济学的资产阶级意识看来,那些在额上写着字,表明他们是属于这样一个社会构造——即生产过程支配人类,人类还未支配生产过程的一个社会构造——的种种形式,便和生产的劳动本身一样,已被看作是自明的自然的必要"了。马克思关于这件事,曾在《哲学之贫困》中,为如次的说明。

> 经济学者们,是把资产阶级的生产诸关系、分业、信用、货币等,当作固定的不动的永久的范畴而表示着的。……经济学者们,虽说明了人们在这些一定的关系当中怎样地进行生产,但他们对于这种关系是怎样被产生出来的一事,即促成这种关系发生的历史运动,一点儿也没有说明②。

> 经济学者们处理事物,却是用的奇妙的方法。从他们看来,只是存在着两种制度,即人为的制度和自然的制度。封建制度为人为的制度,资产阶级制度为自然的制度。在这一点,他们就像区分宗教为两种的神学者们一样,以他们的宗教以外的一切宗教为人类的发明,反之他们自身的宗教却为神的启示。经济学者们,把现存的诸关系——资产阶级的生产诸关系——称为自然的时,他们因此所要表示着的,便是:财富的生产和生产力的发展,是在这些关系之下,依照自然法则而进行着的。因为这样情事,他们即以这样关系的本身,看作是和时代影响没有关系的自然法则,并是常常可以支配社会的永久法则。因而遂成了所谓历史这东西,以前虽曾存在过,然在今日,已经没有历史存在了。……③

---

① 参照陈译本,第95页。
② 浅野氏译本,第168、169页。
③ 浅野氏译本,第24页。

在《资本论》中，曾简单地说明了这个后面的事情，据说："因此，所以社会的生产组织之资产阶级的前期诸形态，其所受的经济学的看待，正和基督教以前的诸宗教所受的教父们的看待一样。"

关于"一部分的经济学者，怎样大大地被那缠绕着商品世界的物神崇拜所欺，即怎样大大地被那社会规定的劳动对象的外观所欺"的实例，因为已在本节的"引言"中叙述大概，在这里不再赘述了。

我们在以上，已把《资本论》中最难解的第一章"商品"分析终结了。在第一版中，还于这个最后的地方，好像要唤起第二章（在第一版为第二节）"交换过程"的样子，被安放了下列的一段。

　　商品，是使用价值和交换价值——这样的两个对立物——之直接的统一，所以这是一个直接的矛盾，商品不是像以前一样分析地——有时在使用价值观点下，有时在交换价值的观点下被考察的，乃是当作一个全体看的现实上一经和他商品发生关系，这种矛盾自不得不展开的。可是各种商品相互的现实关系，就是各种商品的交换过程。①

以下我们当进而讨论第二章《交换过程》。

---

① 长谷部氏译本，第170页。

第二章　交换过程

引　言

我们已在上面把第一篇第一章讨论完了,以下再讨论到第二章。

第一篇的题名是"商品及货币"。因为这个商品及货币,为第二篇以下所处理的资本成立之前提条件,所以在研究资本这东西以前,首先把这个商品和货币作为资本的出发点而加以研究。可是在第一篇中,是以第一章题名"商品",第三章题名"货币",而第一章和第三章的当间,却设着第二章"交换过程"(第一版,是"诸商品的交换过程"),这是什么缘故呢?

简单说来,第一章是分析商品,第三章是分析货币,夹在这两章之间的第二章,便是说明"从商品发生的货币之起源",而架着一座桥于第一章和第三章之间的。我在前面,已引用过第一版中(第二版以后,已被削除)的下列的一段。

商品,是使用价值和交换价值——这样的两个对立物——之直接的统一,所以,这是一个矛盾,商品不是像以前一样,分析地,(即)有时在使用价值的观点之下,有时在交换价值的观点之下,被考察的,乃是一经成为一个全体而现实地和他商品发生着关系,便不得不展开这样的矛盾。然诸商品相互的现实的关系,就是各种商品的交换过程。①

在《政治经济学批判》中(向来我于这个著作的题名,译为《经济学批判》,

---

① 第一版,第44页。

但为了想把原名 *Zur Kritik der politischen Oekonomie* 的意义明了地表现出来，所以译成《政治经济学批判》），与这一段相当的语句如下。

> 以前的商品，是在两重观点之下，或作为使用价值去观察，或作为交换价值去观察，总之都是一方地被观察的。但是商品既成为商品，便是使用价值和交换价值之直接的统一，同时，又是只有在其他诸商品的关系当中才成为商品。诸商品之现实的关联，就是诸商品的交换过程①。

这是马克思自己的说明。我还想不避画蛇添足之诮，再为说明一下。为什么？因为从第一章推移到第二章当中，我认为尚有方法论上应当注意的问题。

商品，是使用价值和价值——这样的两个对立物——之直接的统一物。这个统一物，就是一个矛盾物。可是在第一章中，只是分析地观察了商品，即在某种地方，仅从使用价值的观点观察了商品，在某种地方，仅从价值的观点观察了商品。我们当要分析对象时，不就那个对象的种种方面同时去观察，却于种种方面的当中首先抽出某一方面，只把它作为问题，而把其他方面暂时放在问题以外，所以这就是一方的观察。关于这个的分析，那不能用显微镜或化学药品去观察经济现象，那是靠着我们的抽象力而遂行的。可是，如果把这样对象的种种方面各别的分开，它便成了死的、静止的、不动的东西，成了不是生存着的现实。这样被各别分开了的种种方面，在现实地，确是形成着一个统一的全体，因而在它本身当中便内包着矛盾，而这样矛盾，即是运动之母，所以它便成了动的、生存的、现实的东西。

恩格斯在《反杜林格论》中②，有以下的说明。

> 我们把一切事物当作休止的无生命的东西，而就它们的各个本身，并列的顺次分别观察时，我们自然在那些事物当中，什么矛盾都碰不着。固

---

① 德文本，第19页。
② 德文本，第120页；河野、林两氏所译：《马克思主义丛书》第八册，第187页。

然我们在那些事物中,能发现一部是共通的特定诸属性,一部是相异的,否,是彼此互相矛盾的特定诸属性。但是这时候,那些的诸属性却是被分配着在种种的事物上面,所以在各个事物本身的当中,什么矛盾都没有包含着。在以这样观察的领域,即为已经足时,那时候,我们仅依普通的形而上学的思维方法,也是没有干不了的。可是我们一旦把一切事物在它的运动、变动、生存当中,在它的相互间的交互作用当中,去观察,而事情便完全不同了。在这个时候,我们马上就会碰着矛盾。运动这东西,便是一个矛盾。在已经是简单机械的场所运动,那还是只有由于某一物体,同样一个时间在某场所,而又在其他场所这件事,即只有由于在同样一个场所,而又不在这一个场所这件事,才能遂行。而这样矛盾之不绝的设定和同时的解决,正是运动的。

现在我们因为想在第二章中,要把诸商品"在它的运动、变动、生存当中,在它的相互间的交互作用当中"去观察,所以,我们在这里,就要像下面接着说明的一样,一览之下,便碰着难以解决的矛盾。并且成为我们的问题的诸商品之交换过程,即不外是"这样矛盾的展开,同时又是解决"①。换句话说,就是现实的商品中所包含的"矛盾之不绝的设定和同时的解决",为以下成为我们的问题的诸商品运动之交换过程。并且这种的交换过程,又像后面要详细说明的一样,"同时是货币的形成过程"②。

在这样的联络之下,这个交换过程一章,便要横着在商品章和货币章的当间。

在交换过程一章的起头,有应当注意的一段如下。

诸商品,不能够自己跑到市场去,也不能够以自己交换自己。因此,我们就不得不寻找它们的保护者,即商品所有者们。诸商品都是物件,并且因而都是对于人类没有抵抗的。如果诸商品不肯顺从,人类是可以用

---

① 《政治经济学批判》,第 23 页。
② 《政治经济学批判》,第 32 页。

强力的,换句话说,是可以抓住它们的。为要使这些物件成为商品而相互地发生关系,那商品保护者自己,就要把他们的意志当作寄托在这些物件里面的人格者而相互地发生关系出来。这样,就只有一方面的人得着他方面的同意,即只有双方合意的共同的意志行为才能把自己的商品让给别人,同时把别人的商品占为己有(第一版"……商品保护者自己,把他们的意志当作在这些物件里面保有一个定在的各个人而相互地发生关系出来,各保护者只有以自己的意志和他人的意志,因而只有以他们的双方合意,才能由让渡自己的商品而占有他人的商品,并且因为占有他人的商品,即不得不让渡自己的商品")。所以,他们便不得不相互地承认彼此为私有权者。这种法律关系——虽然不论立法上是否发达,而那个形式都是契约——是反映着经济关系于其中的一个意志关系(第一版"不过是一个意志关系")。这种法律关系或意志关系的内容,是由经济关系本身所给予的。这时候,人格者只是相互地成为商品代理者而存在着,因而只是成为商品所有者而存在着(第一版,"这时候,人格者只是由于他们把一定物体当作商品而相互地关联着,才相互地关联起来。所以这种关联的一切规定,是被包含在当作商品的那物件的规定当中的。这时候,那一个人对于他人,只是成为商品代理者而存在着,因而只是成为商品所有者而存在着")。我们随着我们的说明进行,当可一般地看出:人格者的经济的各种装扮,都只是经济诸关系的人格化,他们都不过是当作这种经济关系的担负者而彼此对立罢了。

我们在这里,是以商品的"自己运动"作为问题的。在社会的生产物,依着商品生产的方法(因而最先就当作各生产者的私有物)而生产出来的社会当中,这些生产物因为成了商品而自身包含着矛盾的缘故,所以就要为着这个矛盾而运动(即是为自己运动)起来,所以就必然地彼此交换起来。现在我们虽然是以这种诸商品的交换过程作为问题,可是"诸商品不能够自己跑到市场,也不能够以自己交换自己"。所以商品的交换,必须以商品所有者的行为作为媒介,换句话说,商品的自己运动,唯有通过商品所有者的行为才能进行。并且,"感动着人类的一切东西,都须通过于他们的头脑当中——譬如饮食,那也是由头脑媒介所感到的饥渴结果而发生,并同样地由头脑媒介所感到的饱满结果而终了"①。因此,那种使商品生产方法,成为必然的商品相互的交换(商品之必然的自己运动),也是以商品所有者头脑中的一种机能——意志作用为媒介。这种意志作用,在当事者的主观上,便当作基于他们自己的自由意志的契约而表现出来。因此,在物质的生产过程中所构成的经济诸关系的内容(虽然这些关系的全体构成,完全离开各个人的意志和意识而独立),便在法律的形式上,成为观念的意志关系——成为所有者间互相承认的所有关系——而被反映出来,我们把这种意志关系,叫作竖立在"实在的基础"上面之观念的"法律的上层建筑"。这时候,我们必须注意的事,就是:不是观念的意志关系规定物质的经济关系,反而是先被给予了经济关系的内容,它在形式上便成为意志关系而被反映出来。

关于这一点,在最近译出的蒲列哈诺夫的《史的一元论》中,有下列的说明。

基于生产诸力的一定状态,而构成某种生产关系。这些生产关系,便在人类的法的概念当中,并有些在"抽象的规则"当中,在不文法和成文法当中,观念地表现出来(以上傍点,系新加的)。……如果一旦究明了人类的法的概念,是怎样地由他们的生产关系所造出,那马克思的下面几句话:"不是人类的意识,决定他们的存在(即他们的社会的生存形态),反而是社会的存在,决定他们的意识",在我们看来,早已成了当然的事情②。

读者应该想一想私有财产,是怎样地(从共产制度当中)发生出来的。生产诸力的发达,把人类委之于一切关系的当中,在这样关系下,某物件为个人占有,就成了生产过程中较为有益的事,因此,而原始人(习于共产制的原始人)的法的概念,便发生变化。社会心理,与社会经济相适应,于是在被给予的经济基础的上面,宿命地耸立着与之相适应的意识形态的上层建筑③。

以上我们已专举出财产权方面的例子子,说明了马克思的思想。这

---

① 恩格斯:《费尔巴哈论》,德文本,第□3页;佐野氏译本,第70页。
② 《史的一元论》,第244、245页。
③ 《史的一元论》,第264页。

种财产权,无疑地仍然是意识形态(傍点是新加的),但是这种意识形态,是初等的,即所谓下级的意识形态,然则马克思对于高级的意识形态,即科学、哲学、艺术等的见解,应当怎样地去理解呢?①

恩格斯关于同样的事,也有如此的说明。

> 市民社会,和个人一样。个人的行动发动力,为要使他实地行动起来,就不得不通过于个人头脑当中而变化为意志的动因。市民社会——不管是什么阶级支配着——的一切要求,为要在法律形式上获得一般的效力,也就不得不通过于国家意志之中。这种情形,为问题的形式方面,那是很明白的事。但是较难明白的问题,还在这几点:这个单单形式的意志——无论为个人意志,为国家意志——具有怎样的内容? 这种内容从哪里而来? 为什么意欲着的不是别的内容而只是这种内容? 当究明了这几点时,在近代历史上,从全体当中看一看国家意志,便知道不管是由市民社会的要求变化所决定,或由诸阶级中的某种优势所决定,结果,都是由生产诸力和交换关系的发展所决定②。

> 国家和国家法,既是被决定于经济关系。而私法自然也是一样,那是不待说的……这样,那资产阶级的法规,不过是把社会经济的生活条件,以法律的形式表现出来的东西。……③(以上所引用的说明中的傍点,都系新加的)。

据上说明,那马克思所说的"这种法律关系(关于让渡商品的契约关系),是反映着经济关于其中的一个意志关系。这种法律关系或意志关系的内容,是由经济关系本身所给予的"这一段话,其意义当可明白了。这一件事,就是马克思在《政治经济学批判》序文中的唯物史观公式内所说"生产诸关系总和的社会经济构造,为竖立一种法律的上层建筑于其上的实在的基础"这几句

---

① 《史的一元论》,第 266 页。
② 佐野氏译本,第 189 页。
③ 佐野氏译本,第 141、142 页。

话的一个具体的例子。我在前面曾提及过,"《资本论》虽以究明资本家社会
的经济构造为目的,但在和这样经济基础有直接联络的范围内,却说明了那法
律的政治的及社会意识诸形态的上层建筑,和经济基础的联络"这件事。在
这里,又见到了这样的一个例子。

还有一层,商品所有者们的意志关系的内容,因为是由经济关系这东西所
给予,所以在诸商品交换过程的内部,便是"人格者,只是相互地成为商品代
理者而存在着,因而只是成为商品所有者而存在着"。而且这件事情,并是表
示着商品所有者之某种"人格者的经济的装扮",都只是商品交换关系之"经
济关系的人格化",是表示着他们都"只是成为这种经济关系的负担人而相互
对立着"。这就是马克思所说的"生产关系人格化"的意义。我们已在前面,
说明过《资本论》第一卷第三章第二节中①,有"物体人格化和人格物体化"那
句话,以及第三卷第五十一章中②,有"社会的生产诸规定物体化和生产的物
质基础主体化"(Verdinglichung der gesellschaftlichen Produktionsbestimmungen
und die Versubjektivierung dermateriellen Grundlagen der Produktion)那句话。
关于这几句话中间的"人格物体化"及"社会的生产诸规定物体化",已于"商
品的物神崇拜的性质"项下叙述了。现在这里的问题,就是"物体人格化"及
"生产的物质基础主体化"。这样的事情,本是一般商品生产社会的特征,如
果商品成为资本的生产物而生产出来,那便益加显著了。在《资本论》第三卷
将终的地方③,有下列的叙述:"由上面所说明的看来,那资本和工钱劳动是怎
样地规定这种生产方法(资本家的生产方法)的全部性质,便已明白,把这个
的论证予以改变的事,是无用的。这种生产方法的主要当事者本身——资本
家和工钱劳动者,其所以成为这种东西的,只是资本和工钱劳动的人体化、人
格化。这是社会的生产过程刻印个人之特定的社会性质,这是特定的社会生
产诸关系之生产物。……在资本家生产的基础之上,他们生产的社会性质,对
于直接生产者大众,便以严厉地规定之权力的形式…… 对立起来——但是这
种权力,不是像以前的生产诸形态一样,把那个负担人当作政治的或神政的支

---

① 考茨基版,第73页。
② 恩格斯版,第三分册,第417页。
③ 恩格斯版,第4□6、4□8页。

411

配者而赋予,只是当作与劳动对立起来的劳动诸条件的人格化而赋予的"。
现在在这个交换过程章中所提及的"我们随着我们的说明进行,当可一般地
看出:人格者的经济的装扮,都只是经济诸关系的人格化,他们都只是成为这
种经济关系的担负人而相互对立着"一段话,便是指的这样情形而言。此外
在第一版的序文中①,又说,"我决不用鲜明的颜色,去描写资本家和土地所有
者的姿态。但是在这里,人物成为问题的却只限于他们是经济诸范畴的人格
化,是特定的阶级关系和阶级利益的担负人的时候。因为我的立场,是把社会
的经济构造的发展,当作一个自然史的过程把握着的,所以我的立场能使个人
对于社会关系——在主观上,无论个人怎样想超越社会关系,然在社会的观点
上,他却还是社会关系的被造物——负责,比之站在别的任何立场的都是较
少",这也是基于同一旨趣的说法。

　　总之,在通过物与物的交换,才能结成人与人的社会关系的社会当中,一
方面是人与人的关系,成为物与物的关系表现出来(行着人格物体化),同时
在另一方面便是行着物体人格化。因为生产物是放在特定的生产关系下才成
为商品或资本,劳动也是放在特定的生产关系下才成为工钱劳动。所以凡是
像商品、资本、工钱劳动那样的经济范畴,毕竟它只是表现着特定的生产关系,
而商品所有者、资本家、工钱劳动者等,在我们的研究当中,也就只是成为这种
经济诸范畴的人格化而表现出来。这些商品所有者、资本家、工钱劳动者等,
纵令自己意识着是怎样地超越社会关系,专靠自己的自由意志而行动,但在客
观上,他们的意志内容一切都是由生产关系所给予。所谓"生产的物质基础
主体化",就是说的这种事情。

*　　　　*　　　　*

　　这样,那商品所有者,不过就是商品代理人罢了。但是他却有一点,和商
品这东西不同。商品这东西,是"天生的平等者",金刚石成为商品,便是金几
元,靴油成为商品,也同样的是金几元。因之金刚石和靴油,限于特定的量的
比率上而存在着的时候,双方都是完全平等的,都是能够互相交换的。"天生
的平等者无耻者的商品,常常地等候着想和别的一切商品——哪怕别的商品,

---

① 考茨基版,"序言"第39页。

比玛利托伦(Maritorne——顿,基和忒故事当中的丑女)还要不愉快些——相交换,不但想交换精神,并且想交换身体"。即是"在商品方面,缺乏了对于商品体的具体性的感觉",不管是金刚石,是靴油,都成了当作金几元的一样的东西,都成了可以相互地交换的东西。所以它的本质,虽是金刚石或靴油,但是成为商品后,那便完全不关心于这事了,那便不是什么和什么应该交换的那样情形了。至于商品所有者却不然。他是"用他自己的五官和其他的感觉补足了"商品这东西对于商品体的具体性所缺乏的感觉。详细些说,A商品的所有者,是想把在他看来非使用价值的A,去和在他看来是使用价值的特定商品Z相交换的,即不是把A商品去和B,C,D,E……V,Z等诸商品中的不论哪一种相交换,却是想和这样无数诸商品中的某种特定商品,例如Z,相交换的。可是一切商品所有者,如果是这样的相互行其交换,他们就必然地会碰着一个矛盾。我们当再进而考察这个矛盾。

第一节　在诸商品的全部交换中所含的矛盾

生产物成为商品,即不得不走入交换过程当中。并且某种生产物因为是商品,也就不得不一方面是使用价值,同时又是价值。这件事,我们在第一章曾详细说明过。可是特定的生产物,它不是仅以被生产了的理由,就具备着商品的资格的。它最初存在于那生产者手中时,还没有成为使用价值。关于这样的事,在《政治经济学批判》中,有如下的叙述。

> 商品是使用价值,即是小麦、亚麻布、金刚石、机械等,但成为商品的,它同时又不是使用价值。如果它在那所有者看来是使用价值,即如果是为满足他自身欲望的直接手段,那么,它便不是商品了。它在所有者看来,只是非使用价值,只是交换价值之单纯的物材的担负者,即交换手段……它只有具着交换价值的资格这一点,在所有者看来,才有使用价值。所以它是要到后来才开始对于别人变成为使用价值的。[①]

① 德文本,第20页;宫川氏译本,第31页。

关于以上的事,在《资本论》中,即以如此的话来表现出来。

> 他(商品所有者)的商品,在他看来,是没有什么直接的使用价值的。不然,他便不会把它运到市场去了。他的商品,在别人看来,是具有使用价值的,但在他看来,它所具有的一种直接的使用价值,不过因为是交换价值的担负者,即因为是交换手段的缘故。①

例如我是完全不会喝酒的,但我为要卖给别人,却又制造着酒,这样,那我所造出的酒,便不是直接满足我的欲望的东西,这个酒的本身,便是为我不作用的东西。即,在我看来,它是"非使用价值",是"没有什么直接的使用价值"的。所以我就为了把它当作商品出卖,而搬运到市场上去。如果它"是满足我自己欲望的直接手段",那么,我自己便会消费那个酒了。因此,"它就不是商品",我就决"不得把它搬运到市场上去"。

我自己虽不喝酒,而又常常制造着酒的,就是要想把它和别人的生产物相交换的缘故。我虽不喝酒,可是世界上喜欢喝酒的人却多得很,在这些喝酒的人们看来,我所生产的酒是具有使用价值的,所以这些人们便把他们的生产物和我的生产物——酒交换起来。由于这样的事情,我就能够获得自己所必要的东西,因而我就常常生产着在我看来没有直接的使用价值的酒。这样,我所生产的酒在我看来,"它所具有的一种直接的使用价值,不过因为是交换价值的担负者,即因为是交换手段的缘故"。举例来说,它只有具着每一升为一元的交换价值这一点,我才不把它看作是无用的东西。

所以特定的生产物,虽已当作商品生产出来,但是尚在生产者的手中时,还没有成为使用价值。"它是要到后来,才开始对于他人成为使用价值而生成的。"换句话说,它是唯有转移到生产者以外的人们手中,才开始成为使用价值的。

因为像这样的"一切的商品,在那个所有者看来,是非使用价值,在那个非所有者看来,是使用价值",所以"那一切的商品,就不得不全部地把所有者变更着"。各种生产物,既已当作商品而生产出来,则把那些商品,通同相互

---

① 考茨基版,第 48 页;参照陈译中文本,第 106 页。

地变更其所有者这件事,即诸商品的全部的交换这件事,就是伴着商品生产方法之一种必然的过程。

但是,"一切商品的交换,是把它们当作价值而相互地关联起来的,并且是把它们当作价值而实现出来的"。举例来说,20 码亚麻布和 1 件外套相交换的这件事,就是把这两种商品包含于 20 码亚麻布 = 1 件外套的这样方程式中,就是 20 码亚麻布,值得 1 件外套,就是把这样两种商品,"当作价值而相互地关联起来"。亚麻布和外套只有在一定比率上当作价值而成为彼此相等的东西时,才能在一定比率上把这两种东西交换起来,不然,这两种东西彼此能够相交换的比率,也就不能决定了。

既然像这样的"一切商品的交换,是把它们当作价值而相互地关联起来的,并且是把它们当作价值而实现出来的",所以商品在生产者手中时,最初并不是使用价值,它是靠着交换而转移于生产者以外的人们手中,才能当作使用价值而实现出来。可是为着这样的交换,以前——即"在能够当作使用价值实现出来以前"——是"不能不当作价值而实现出来"的①。关于这种事情,在《政治经济学批判》中,是用下列的语句表示出来的——"当作使用价值的诸商品之生成(das Werden),就是以它们的全部移转,即以它们深入到交换过程为前提的,可是为着交换之它们的定在,就是当作交换价值之它们的定在。所以一切商品,为着把自己当作使用价值而实现出来,就不得不把自己当作交换价值而实现出来"②。

可是又有和这事恰恰相反的,"在另一方面,一切商品在它们能够当作价值实现出来以前,又不能不把使用价值这件事确定起来"。为什么呢? 例如我虽为了生产着酒,耗费了一定的劳动。但是,如果这个劳动不是以"对于他人有用的形态"支出了的,换句话说,如果由这个劳动所生产出来的酒在他人看来没有使用价值,那么,我的劳动只是无用地被浪费了,我的劳动就不能构成社会上有用的(社会所必要的)劳动之一部了,因而也就不能形成价值的资格了。"商品,只有在它被耗费了一定分量的劳动时间的范围内,因而也就只

① 考茨基版,第 49 页;参照陈译中文本,第 107 页。
② 德文本,第 21 页;宫川氏译本,第 32 页。

有在它被对象化了的劳动时间的范围内,才是交换价值(价值)。不过诸商品的实在情形,只是具着特殊内容的个人的劳动时间的对象化,并不是一般劳动时间的对象化"①。但是形成价值实体的东西,却是一般的人类的劳动,而具着某种特殊内容的个人的劳动,又只有在以社会的有用的形态支出时,换句话说,就是只有在由劳动所生产的东西是为他人的使用价值时,才具有一般的劳动——价值实体——的资格。

然则生产某种东西所费的劳动,"到底对于他人是不是为有用的,这只有靠着它的交换才能证明,因而它的生产物到底能不能满足他人的欲望,也只有靠着它的交换才能证明"。

这样,我们一览之下,就会碰着不能解决的矛盾。为什么呢?"商品,它是只有把自己当作交换价值而实现出来,才能形成使用价值的;但另一方面,它又是只有把自己在让渡中当作使用价值而实现出来,才能把自己当作交换价值(价值)而实现出来的"②。换句话说,一切商品,一方面,"在能够当作使用价值实现出来以前,就不得不把自己当作价值而实现出来",可是另一方面,"在它们能够当作价值实现出来以前,又不能不把使用价值这件事确定起来"。"这样,在一方的解决以他方的解决为前提的这件事中,不仅是问题的错误的循环之出现,并且为满足某一条件的和满足它的反对条件的直接地结合起来,宁可说是一个全体的矛盾要求之出现"③。

以上的那样矛盾,也是从下列的观点去说明。

任何的商品所有者,都只有对于商品的使用价值可以满足这个商品所有者欲望的那样别的商品,才肯把他的商品交出去。例如酒(A)商品所有者甲,只有对于他所需要的米(B)、布疋(C)、煤炭(D),才肯把他的商品(A)交出去。在这样的范围内,交换在 A 商品所有者甲看来,"不过只是个人的过程",然这样交换,却只有在米(B)商品所有者乙、布疋(C)商品所有者丙、煤炭(D)商品所有者丁都需要酒的时候,才能实现出来。所以在这时候所成立的价值形态,便是如次的扩大价值形态。

----

① 《政治经济学批判》,德文本,第 21 页;宫川氏译本,第 33 页。
② 《政治经济学批判》,第 22 页;宫川氏译本,第 33 页。
③ 《政治经济学批判》,第 23 页;宫川氏译本,第 35 页。

$$
\text{特定量的 A（酒）}\left\{
\begin{array}{l}
= X \text{ 量的 B（米）} \\
= Y \text{ 量的 C（布匹）} \\
= Z \text{ 量的 D（煤炭）}
\end{array}
\right.
$$

这样，A 就成了站在特殊的相对的价值形态下面的东西。

可是问题不是着落在这个里面的。为什么呢？因为他不仅想以需要他的商品 A 之乙、丙、丁三人为对手，而把他的商品 A 和 B、C、D 相交换，还要想和 E、F、G、H 等，都能相交换的，并且这时候的 A 对于 E、F、G、H 等的商品所有者具有使用价值与否，完全都搁置在问题以外的缘故。即，他不仅"只有对于商品的使用价值可以满足他的欲望的那样别的商品，才肯把他的商品交出去"，而在另一方面，"他是不管他自己商品对于别的商品所有者实际上有使用价值没有，都是想把他在一切具有同一价值的商品里面实现着的"[①]。所以从这个见地看来，"交换，在别的商品所有者看来，便是一般的即社会的过程"。换句话说，就是在别的商品所有者看来，那种"只有对于商品的使用价值可以满足他的欲望的那样别的商品，才肯把他的商品交出去"一件事，不能够实现出来。

可是如以上的要求，不仅是 A 商品所有者为然，而一切商品所有者也是有同样要求的。所以结果，虽然不得不形成"同一的过程，同时对于一切商品所有者只是个人的过程，又只是一般的即社会的过程"这件事，但是这种事情，到底不能够实现出来。[②]

毕竟，A 在以上的场合，不仅要站在如前面所表示的特殊的相对的价值形

① 参照陈译中文本，第 108 页。

② 我们的译文是这样："另一方面，他是想把他的商品当作价值实现出来，即是，他不管他自己的商品对于别的商品所有者，实际上有没有使用价值，他总是想把他的商品，在具有同样价值的一切别的任何商品里面，实现出来的。在这样的范围内，交换，在他看来，是一般的社会的过程。但是同一的过程，同时对于一切商品所有者不能只是个人的，也不能只是一般的社会的过程，这件事，是不能够有的。"在这个译文中，所谓"他"，就是指"别的商品所有者"而言，是不能理解的，并且因为这事，便把全文都弄得不明了。所以这里的译文（并把别的地方也加以订正），当如下面的译法："……在这样的范围内，交换，在别的商品所有者看来，是一般的即社会的过程，但是同一的过程，同时对于一切商品所有者只是个人的过程，又只是一般的社会的过程，这件事，是不能够有的"。

态下面,并且还要站在如下面所表示的一般的等价形态下面的。

$$
\left.\begin{array}{l}
\text{B 的 X 量} = \\
\text{C 的 Y 量} = \\
\text{D 的 Z 量} = \\
\text{E 的 V 量} = \\
\text{F 的 W 量} = \\
\text{其 他} =
\end{array}\right\} \text{特定量 A}
$$

可是这样的要求,不仅是限于 A 的,所有 B、C、D、E、F 等一切商品,都是同样的具着的。所以把以上的情形,"如果更为深切的注意,那么,在各个商品所有者看来,别人的商品,任何种类,都具有成为他的商品之特殊的等价物的那个资格,因而他的商品也具有成为一切别的商品之一般的等价的那个资格",这件事,正是这种情形所要求的。我在前面,已说过"甲当交换的时候,是想使他的商品,简直就和货币具着同一效果的",但是,如果把这件事换句话说出来,便是甲想使他的商品具有成为一切别的商品之一般的等价物(能够和别的一切商品直接交换的物)的那个资格。并且,甲既想使他的商品,成为一切别的商品之一般的等价物,那么,他同时便是想使别人的商品之任何种类,也成为他的商品之特殊的等价物(参照一般的价值形态项下)。"但是,因为一切商品所有者,都做同样的事情,所以就弄成任何商品,都不是一般的等价物,因而就弄成一切商品,也都没有具着一般的相对的价值形态———一切商品借以把自己当作价值而成为等置的,并且借以把价值的大小行着比较的价值形态———"①。我们在前面说明一般的价值形态时,曾叙述过这样的事:如果某特定的商品演了一般的等价物之任务,那么,此外的一切商品,因为一致共同地把它们的相对的价值在这个一切特定的商品里面表现着(即因为具着一般的相对的形态),才能不仅成为质的相等、成为价值一般显现出来,并且同时,还成为能够量的分较着的价值大小,显现出来。又曾说过:"诸商品的

---

① 考茨基版,第 49 页;参照陈译中文本,第 108—109 页。

全部的交换,是由于它们被这个价值形态所包容的缘故,并且只有在这样的范围之内,才成为可能"。但是现在我们认作问题的他方,就是因为各个商品所有者,都想把他的商品成为一般的等价物,而结果便弄成任何的商品都不是一般的等价物,所以一切的商品就不能彼此当作价值相互地关联起来,又不能彼此当作交换价值显现出来。"这样一来,所以它们都不能当作商品而相互对立着,反要当作生产物或当作使用价值而相到对立着"①,结果,诸商品的全部的让渡就成为不可能了。这种情形,便是我们所碰着的矛盾。

第二节　解决矛盾之唯一可能的货币之形成

当诸商品要为全部的交换时,到底会碰着什么矛盾? 已如前面叙述了。可是,"我们的商品所有者,逢着这种困难,就照福奥斯特的那样想着:在太初,已有了行为。因此,他们在他们未想以前,已经有了实行"。

我在第一章的第六当中,曾经像下面的那样说过:"各种的劳动生产物,它们只有在相互交换的过程内部,才能获得从它们感觉上的各种各色的使用对象性当中区别出来的那个社会地平等的价值对象性。这时候,人们意识地行着这个生产物的交换,虽然是不待言,但是只有由于这样的交换过程,那些生产物才获得社会地平等的价值对象性这件事,却不是他们所意识着的。"此外我关于这点,在同章第六当中,又曾引用过第一版中的下列的两段话:"人们为着使他们的生产物成为商品相互地关联起来,就不能不把他们的种种不同的劳动等置于舍象的即人类的劳动。他们虽然没有意识着这件事,但是他们由于把物质的物,还原于舍象物的价值,却已实行着这件事。""这就是从他们的物质生产的特殊方法,和由这样的生产把他们移置到那里的诸关联当中,而必然地生出来的一个作用——即必然地生出来的他们脑髓中自然发生的因而是无意识的本能的一个作用。"

这种作用,无论何人,都是不能够预先意料的计划的。"商品性的法则,靠着商品所有者之自然的本能而起作用。商品所有者,只是使他们的诸商品

---

① 考茨基版,第 49 页;参照陈译中文,第 109 页。

在当作一般的等价物之某种别的商品里面对立地关联起来,才能使他们的商品成为价值,因而成为商品,相互地关联起来"①。

这样的事情,我们已在第一章考察过。所以马克思在这里说:"这件事,是商品的分析,已经证明过的。"在这里,我很希望读者去参考本书第一章第五《价值形态的发展》,尤其希望参考那个当中的《四,扩大的价值形态走向一般的价值形态之变态》以下。我在说明一般的价值形态项下,已为如此的叙述。在这种价值形态下面,"因为一切的商品,都是一致共同的把它们的价值,只用一种并且同样的商品(例如亚麻布)表示出来,所以各商品的价值,无论何种,都当作和亚麻布相等的东西表现着。因此,各商品的价值,现在不但从这个商品本身的使用价值(它本身的自然的形态)中区别出来,还要从一切的使用价值中区别出来,而且正因这种事情,那亚麻布和一切商品就成为共通的东西表现出来。所以这种形态,才开始使现实地诸商品彼此成为价值,相互地关联起来,或使诸商品彼此成为交换价值显现出来,并且诸商品的全部的交换,是由于它们被包容在这个价值形态当中的缘故,而且只有在这样的范围之内,才成为可能。这就是表示着诸商品,只有靠着这个价值形态,才能现实地相互地成为商品"。

问题是这样的,前面说过,如果各个商品所有者都是相互地想使自己的商品,对于一切别的商品具着一般的等价物的那个资格,那么,便是不论什么商品,都不能成为一般的等价物,并且一般的等价物的商品,如果既已不能成立起来,那么,一切商品就不能共同一致地把自己的价值用一个同样的商品表现着,因而一切商品,也就不能现实地把自己当作价值而成为等置,并且把价值的大小行着比较,简单些说,就是不能现实地相互当作商品而彼此对立起来。在这里,解决这个问题,只有用唯一可能的方法。即,一切的商品,彼此抛弃想使自己成为一般的等价物之要求,共同一致地选出某种特定的商品,而全部地活动于这种只是一个并且是同样的商品上面,就把这种特定的商品当作是一般的等价物的这种方法。由于这种方法,才能把这个问题的解决实现出来,这样,那一切的商品在走进交换过程以前,首先都要以这个共通的一般的等价物

---

① 考茨基版,第49页;参照陈译中文本,第109页。

表示着它的价值,并且当交换的时候,首先都要以这个一般的等价物(在和一切物品交换可能的形态下面的物)为对手,把自己转身为一般的等价物。它自己既已转身成了一般的等价物,它就具着了和一切物品交换可能的形态,所以以后无论和什么东西,都可相交换了,诸商品的全部的交换,是要靠着这样的一般的等价物(货币)为媒介,才成为可能的。

马克思就以上的事件,在这里,有像下列的简单的叙述。"能够把特定的商品弄成一般的等价物的,只是(诸商品的)社会的行为。这就是一切别的诸商品之社会的行动,会排除一个特定的商品,即排除那个可以全部地表示它们的价值于其上面的特定的商品。由于这样的排除,这个商品之自然的形态,便成为社会的妥当的等价形态。成为一般的等价物这件事,复由社会的过程,便成为被排除的商品之特殊的社会的机能。因此,这个商品,就变成了货币"①。问题,只是由于货币的成立,才能够被解决的。

所以某种特殊的商品转变为货币,因而商品世界分裂为普通商品和货币的两个对立物这件事,是交换过程之必然的产物。在以商品生产的方法——把生产物当作商品生产出来——为前提的范围内,货币成了不可缺的东西,同时,这个货币,又必然地由特殊的商品而成立(随着商品交换的发展,便引起了节约货币的欲求,这个结果,在某时候,货币就要呈现着只是和纸片一样的那个现象。可是当作商品看的货币——从商品成立的货币——在商品生产的存续期内,决不能够被排除出去。我们在后面,还当详细叙述一件事。

"货币结晶,是交换过程——种种劳动生产物,借以在事实上彼此互相等置,因而借以在事实上转化为商品的那种交换过程——之一个必然的产物。历史上的交换的扩大和深化,展开了蛰眠在商品里面的那个使用价值和价值的对立。为想交通这样对立的缘故而外部上表示出来之这个欲求,就要使商品价值的一个独立形态成为必要,并且那个欲求,在这样的形态,还未由于商品的二重化——商品向着商品和货币去的二重化——而成为终局地确立以前,是决不会静止和休息的。因此,商品转变到货币的实行,是和劳动生产物

---

① 考茨基版,第49页;参照陈译中文本,第109页。

转变到货币的实行同一尺标的"①。

第三节　矛盾的展开及其同时的解决（问题是和 它的解决的手段同时发生）

如前面所说的"蛰眠在商品里面的使用价值和价值的对立"之展开，是伴着交换的扩大和深化而发生的，因而授予包含在诸商品中的价值以外部的现象形态（价值形态），使之成为和当作使用价值的一切商品形态完全区别出来的一个独立的形态这件事，简单地说，就是"商品向着商品和货币去的二重化"的这件事，也是伴着交换的扩大和深化而发生的。这就是"商品转变到货币的实行，是和劳动生产物转变到商品的实行同一尺标的"。因此，诸商品的交换过程，便是货币的形成过程（我们接着就要见到的第三章的标题，虽在第一版中，原来为"货币及交换流通"，但在第二版以后，却已改成"货币或商品流通"，这就是想把上述的关系更弄清楚的缘故。我们译作"或"字的，在原文，是 oder。这里的或字，就是"即"字的意义）。以下我们当循着这种过程的发展而加以讨论。

＊　　　　＊　　　　＊

最原始的因而是最简单的生产物交换，是直接的生产物交换（即不以一般的等价物为媒介的物物交换，在我们的译文中，译作"不以货币为媒介的物物交换"，这是稍微有点不正确的）。在这样最原始的生产物交换的时候，价值的表现，也只是成为最未发展的萌芽而潜在着，这就是"一方面，具有简单的价值表现的形态，另一方面，却还未曾具有这个形态"。

"简单的价值表现的形态"（简单的价值形态），就是像前面所说那样的 x 商品 A＝y 商品 B。但是直接的生产物交换的形态，却是 x 使用对象 A＝y 使用对象 B。这时候的 A 和 B 两种东西，在交换以前不是商品，只是由于交换才成了商品。这些东西不是当作商品而生产的，因而当它们彼此交换时并不是当作商品而对立着，却只是当作使用对象而对立着。在这时候的 A 和 B，除了

---

① 考茨基版，第 50 页；参照陈译本，第 110 页。

当作使用价值的形态以外,是没有具着价值形态的。因为这些东西,不是属于既是使用的价值同时又是价值的商品,所以那种特定生产物为了在现象上具备商品形态而常常必需的价值形态,便是没有具备着。这些东西,虽然是由于交换才成为商品,但因一面为相互的交换,同时,它们立刻就成了仅具有当作使用对象之资格的东西,所以这些东西又早已不是商品了。即,特定的劳动生产物一面因交换成为商品,同时,在交换的刹那间,又停止了成为商品的事。最端初的(最原始的)商品的存在,就是完全像这样的一个瞬间的东西。

为了直接的生产物交换,而能够提供出来的生产物之最初的存在的方法。即,"一个使用对象,从它的可能性看来是交换价值的最初样式"(是把我们原来的译文"一种使用价值,能够为交换价值的最初状态",像这样的改正的),是"当作非使用价值的这东西存在着,当作超过生产物所有者的直接欲望之分量的使用价值这东西存在着"①。在发生了这种过剩生产物(最初,完全是偶然的过剩,例如因意外的天时所招致的丰收结果)的时候,生产物才能当作非使用价值,而搁置在生产者的手中。这是属于单纯的量的增加,招致质的变化的时候之一个例子。使用对象,一经增加它的分量到某程度以上,就要停止着使用价值而转化为它的反对物(邪魔物)了。如果在这个时候,有和它不同种类的过剩生产物之别的所有者,并且这些所有者们相互承认对手为私有权者(如果不然,就发生掠夺),那么,就能在这些所有者们之间行着交换,而这些生产物也就能因此成为商品。

这样情形,就是生产物交换的发端。但是在自然发生的共同团体的内部,它的成员间,并不相互承认为私有权者,所以在最初的共同团体中,便没有具着生产物交换的条件,所以交换这事的开始,"便是在这种共同团体告终的地方,便是在他们和别的共同团体,或别的共同团体的成员相接触的地点上"。

"可是物件,一旦在对外的共同生活上成为商品,它们马上就会反映地在内部的共同生活上,也成为商品。"因此,共同团体,便要踏上它的崩坏的第一步。

在以上的时期中,交换这东西完全是偶然的,同样,"物品的量的交换比

---

① 考茨基版,第 50 页;参照陈译中文本,第 111 页。

率,最初,也完全是偶然的。这些物品,是靠着所有者们希望把它们相互地让渡出去的意志行为,才能彼此相交换的"。在偶然地隔别行着交换的时候,因为这种交换没有成为社会的一般的过程,所以关于商品交换之社会的法则——价值法则,也还未曾实行。因此,那交换的比率,只是完全依存于当事者的意志,在这种交换当中,没有表现着一定的规则性,而是由于各时候的事情如何,完全各不相同。

可是在反复行着交换的当中,"对于别人所有的使用对象之欲望,就渐渐确立起来"。即交换,生产了对于交换的欲望。同时,交换又成了"一个有规则的社会的过程"。并且交换,如果已经成了一个有规则的社会的过程,那么,"劳动生产物的至少一部分,(最初)就不得不为着交换的目的而预先生产出来"。

劳动生产物的至少一部分,既要为着交换的目的预先生产出来,那么,从这个瞬间起,从生产者就他的生产物而着手生产的最初时候起,就要完全忽视着对他自身的使用价值的意义,即忽视着"供直接欲望的这个物件的有用性",同时,又要重视这个物件,专门能和别的物件相交换的事,即专门"供交换之用的这个物件的有用性"。在这样的时候,生产物的使用价值,从生产物生产的当初起,现实上(即不是"从它的可能性看来"),就和它的交换价值分离了。假如这个生产物为亚麻布,那么,它的 20 码的分量,比如值 1 件外套的这件事(换句话说,它的交换价值为 1 件外套这件事),是由生产者在交换以前预定出来的。但是在这种范围内,它于未走进交换过程以前,除具有使用价值的形态外,又当作具有价值形态(即交换价值)的东西而表现出来,因此,就与前述的过剩生产物的交换情形不同了,它不是由于交换才成为商品,却是最初就当作商品而生产着的,在交换以前就当作商品而表现着的。同时,在另一方面,从这个瞬间起,"这些物件所据以交换的量的比率,却成了要依存在这些物件的生产本身上面(即,这些物件生产所必要的劳动分量)"。为什么呢?因为在生产者看来,只是在生产物生产上面所费的一定分量的劳动这件事,才有利害关系的缘故。

生产物既是这样的要在交换以前当作商品表现出来,那么,它为了走进到交换过程当中,首先就不得不具备商品形态(价值形态),因此,也就不得不有

某种特定的商品当作一般的等价物,而从别的商品里面区别出来。我们当就
这件事情,在下面考察一下。

＊　　　　　＊　　　　　＊

直接的生产物交换(即不以一般的等价物为媒介的生产物的交换),只有
在下列的条件之下,才能实行。第一,A 所有的亚麻布,虽然在 A 看来为非使
用价值,但在 B 看来却为使用价值。同时,第二,B 所有的外套,虽然在 B 看
来为非使用价值,但在 A 看来却为使用价值。即亚麻布,在 A 看来,所以成为
"直接的交换手段"(为由直接交换而得到外套的手段)的,因为这个亚麻布在
B(即偶然想得着 A 所有的亚麻布之外套所有者)看来为使用价值的缘故,所
以亚麻布又是在 B 看来为"等价物"的东西(在和他所有的外套的关系之下,
具有交换可能的形态的东西)。同样,外套在 B 看来,所以成为直接的交换手
段的,因为这个外套在 A 看来为使用价值的缘故,所以外套又是在 A 看来为
等价物的东西。在这个时候,交换的使用价值,交换是被当事者不断的舍象了
的。A 的所有物亚麻布,在 A 看来虽为非使用价值,但在 B 看来却为使用价
值,反之 B 的所有物外套,在 B 看来虽为非使用价值,但在 A 看来却为使用价
值。所以,把 A 所有的亚麻布的价值以外套表示出来的事,就是以在 A 看来
的使用价值把它表出来的,把 B 所有的外套价值以亚麻布表示出来的事,也
就是以 B 看来的使用价值把它表示出来的。总之无论在什么地方,都是"被
交换着的物品,还未曾具有独立的价值形态,即,未曾具有从它本身的使用价
值当中,或从交换者个人的欲望当中而独立起来的价值形态",因之这些物
品,也就未曾在交换以前,具备着商品形态。

可是这种独立的价值形态,虽然未曾具备,但生产物的交换却是可能的。
为什么呢? 因为生产物是直接的交换的缘故。换句话说,就是因为在 A 看来
为非使用价值的,正是在 B 看来的使用价值,同时在 B 看来为非使用价值的,
又正是在 A 看来的使用价值——这样的条件,已在这时候成为前提的缘故。

直接的生产物交换,本来要待这个前提的成立,才能开始实行的,但在这
一点,却会束缚着它自身的发展。为什么呢? 因为像上面所说的 A 和 B 之间
的那样相互的联络,毕竟不能普及到无数商品所有者的方面。所以直接的生
产物交换,不过只是行于范围极狭的当事者之间罢了。

独立的价值形态的必要，"随着走入交换过程的商品数量和种类的增大而越发加甚"。换句话说，就是采用了直接的生产物交换的方法，那些可以交换的商品数量和种类日益增大，而生产物全部的交换，便日益困难，为什么呢？因为随着那样的增大，各个商品所有者希望自由选择的商品范围，即，当作要和自己商品相交换的对手而希望自由选择的商品范围日益广泛的缘故。诸商品在想为全部的交换时，所谓碰着的矛盾，就是这个。可是，"诸商品的交换过程，是这个矛盾的展开，同时，又是这个矛盾的解决"①。"问题，是和它的解决手段同时发生的"②。为什么呢？因为伴着商品交换的发展，一切商品所有者，由于使他自己的商品和当作一般的等价物看的别的某种商品发生关系，就能够促进那种关于价值表现的一般的价值形态——以及货币形态——之成立的缘故。也就是因为一切商品，共同一致地为了表现它的价值，都要选择某种特定的商品，由此就可把那种特定的商品，从别的诸商品中排除出去，而成为商品世界全体之一般的等价物的缘故。这样看来，一般的等价物之成立，如果不在走入交换过程的商品数量和种类有了很大的增加以后，则不得成为可能。可是直接的生产物交换之所以渐渐趋于困难的，却又是在走入交换过程的商品数量和种类之渐渐地增加以后。所以问题是和它的解决手段同时发生的，在这个意义上，人类是只能把可以解决的问题当作问题的。对于这件事的说明，马克思是像下面的那样叙述着。

"商品所有者们，把他们自己的物品，拿来和种种不同的别的物品相交换相比较的那样交易，如果各个商品所有者们的种种不同的商品，在它们的交易的内部，不和一个同一的特殊种类的商品相交换，并且不当作价值去和它相比较，那是绝不会发生的。这个特殊种类的商品，因其对于种种不同的别的一切商品成为等价物，便具着直接地——纵令在狭隘的范围内——一般的或社会的等价形态"③。

为着交换而拿出来的生产物之种类，如果很多，那么，那些种种不同的生产物中之大部分，固然只为某特定的人们所需要，但是其中的某种特殊的东

---

① 《政治经济学批判》，德文本，第23页。
② 《资本论》，考茨基版，第51页。
③ 考茨基版，第511页；参照陈译中文本，第113页。

西,却是一般人们普通需要着的。这样,便在那些种种不同的生产物之交换可能性的上面,自然地会生出来一定的差异。并且,如果把它从各个商品所有者立场说来,那种具有很大的交换可能性的生产物,纵令现在不是自己必要的物品,总之它是一般人们所需要的东西,只要有它拿在手中,他就可以由于把它提供出去,而站在无论什么时候都能容易获得自己所必要的物品之地位。所以他就要把自己的生产,首先和这个特殊的商品交换起来。还有一层,这样的事情,不仅是适合于一个商品所有者的,无论哪个商品所有者,都是一样的与之相适合,所以一切商品所有者,毕竟都要选出具有很大的交换可能性的特殊商品,作为可与他们的商品首先交换的对手。因此,商品的世界中——纵令在狭隘的范围内——便有具着"直接的一般的或社会的等价形态"的特殊商品存在着。

"这样一般的等价形态,是和唤起了它的那个瞬间的社会接触,同时成立并同时消灭的。它是轮流的并且一时的,或附属于这个,或附属于那个的商品。但是伴着商品交换的发展,它却要专门固着在特殊种类的商品上面,即结晶在货币形态之下。"因为这样,货币便成立了。并且,"货币形态,是随着商品交换突破它的地方界限的比例,因而就是随着商品价值扩张到人类劳动一般的体化的比例,要同样地移到那种在本来性质上,就适于充当一般的等价物,——社会的机能之商品上面去的,换句话说,就是要移到贵金属的上面去的"。金属货币,因此便成立了。

然则一般的等价物——以及于货币——之成立,为什么缘故会解决前面所述的矛盾? 关于这个问题,我在拙著《经济学大纲》中,已为如此的说明。因为它的详细叙述,我们在货币章中,总是要见着的。所以在这里,仅录《经济学大纲》中所叙述的而止。

货币的成立,为什么缘故会解决前面所述的矛盾? 为要理解这个问题,就不得不把某种特殊商品,例如金子,因为成了货币,才成为"唯一的现实的商品"这件事,先弄明白①。大概金子这东西,也和别的种种商品一样,能够当作特殊的使用价值,拿来供美术品及其他东西的材料之用。但是因为它成了货

---

① 《政治经济学批判》,德文本,第120页。

币,便转变为一般的、社会的,因而是形式的使用价值。这样事情的发生,是由于一切别的商品,在交换过程里面,全部地活动于那个东西的上面,而那个东西,演着特别的任务,成了一切商品价值的镜子,那才发生出来的。成为特别欲望对象的种种商品的使用价值,在让受者的手中与让渡者的手中,其意义彼此不同。但是当作一般的等价物而被排除了的商品,例如金子,却成了从交换过程这东西当中发生出来的一般的欲望对象,对于各个东西具有当作一般的交换手段之同一的使用价值,因此,也就成了无论在何人看来都不是那个特别的欲望对象。这样看来,那种转变为货币的商品,由于拿它充当价值的一点,作为它的使用价值这件事,便把它一面是价值同时又是使用价值的这样矛盾的统一,在它本身当中解决了。所以商品,由于变成了货币,才能够现实地成为商品。

因此,一切商品,现实地 werden(变成)为商品这件事,毕竟就是它现实地转变为货币这件事。现在把它的过程说明一下,如果成了货币的金子,要保持当作特种的使用价值及保持当作一般的使用价值之这样二重的存在,那么,则和它相适应的一切商品,首先就要保持在现实上当作使用价值,在观念上当作由货币所表现的价值——即在金几元这个价格上——之这样二重的存在。因此,诸商品便在金子的形态里面,彼此当作交换价值——即当作能够彼此交换的东西——表现出来。不过米 2 升＝金 1 元这件事是要在交换过程中才能够证明出来的。米,所以成为和别的任何商品都能交换的,是它现在已经转变为金子之后的缘故。所以要为 W—W(商品和商品的交换)的直接交换,首先就不得不行着 W—G(商品和货币的交换)的贩卖,从此一切商品,就能现实地转变为货币,因而这些商品之全部的交换,也就成为可能了。然就这个 W—G 的贩卖方面去观察,那虽然和就接着发生的 G—W(货币和商品的交换)的购买方面去观察,是一样的。但在这里,却是成为使用价值和价值之统一体的这样两个商品对立着的。不过在普通的商品,它的价值只是当作价格而为观念上的存在,另一方面,在成为货币的商品,固然它本身是现实的使用价值,而这时候,也只是当作价值的体现者——即当作和某种现实的个人欲望没有关系的东西——之形式的使用价值而存在罢了。即,使用价值和价值的对立,对着 G—W(货币,商品)的两极端而为排他的分立。一方面,商品拿它的观念的价

428

值,当作要在货币上面实现出来的使用价值,和货币对立着;他方面,货币拿它的形式的使用价值,当作要在商品上面物体化的价值,和商品对立着。这件事情,是显示着商品世界已分裂成了商品和货币的对立,并且是显示着商品内面所含的对立物,已分裂成了亘于商品和货币两方面之对立的关系,即,显示着已分裂成了一方面,观念上存在的东西,另一方面,却是现实上的存在;又一方面,现实上存在的东西,另一方面,却是观念上的存在之这样的排他的关系,这种情形,毕竟不外就是商品内面所含的矛盾已被展开了。所以我们说,商品内面所含的矛盾之展开,同时就是这种矛盾之解决。

再把以上的关系,更明显些说出来,也能够像下面的这种说法:在商品世界有 ABCDE……XYZ 等等的无数商品,其中比如 A 商品所有者,固然是希望把 A 和 X 相交换,但 X 商品所有者,却希望把 X 和 B 相交换,因为这样种种的关系,那些商品全部的交换,便成为不可能。但是,如果其中某商品,例如 G 商品,成了一般的等价物,它就站住了和任何商品都能交换的地位。在这里,A 商品所有者,便不必直接地把 A 和 X 相交换——直接的生产物交换,首先就把 A 和 G 交换起来。并且,如果已经由交换而获得了 G,它就能够和任何物品相交换了。所以他在把 A 和 G 交换之下,便可把他所希望的 X,获得到手。这样看来,一切商品所有者,便是由于以一般的等价物的 G 为媒介,才能够把各人所有的商品之全部的交换毫无困难地遂行着,这就是矛盾的解决。

第四节　特殊的商品向着货币之必然的转变

为了能行诸商品之全部的交换,便发生了不可不解决的问题;同时,这个问题的解决,又靠着唯一可能的——因而是必然的——方法即特殊的商品转变到货币,实现出来。因此,货币就是商品世界一个必然的产物。

货币到底是怎样成立的呢?前面说过,因为一切商品共同一致地以某种特殊的商品作等价物,所以那种特殊的商品,靠着这样一切商品之共同的活动,就开始成了货币。因此,"货币就是商品这件事",最初便已分明了的,不过它"到后来,只是在那种想从它的完成的姿态出发去分析它的人们看来,才当作是一种发现"①。可是"关于人类生活诸形态的考察,以及这些的科学的分析,一般地都是和现实的发展背驰而行。它是从后面开始的,因此也就是拿发展过程的既成诸结果而开始的"②。所以俗流经济学者们对于货币就是特殊的商品这件事,至今还是不能理解。

没有理解货币就是商品这件事的人们,必然地会触犯种种的谬误。"交换过程,它对于那种转变为货币的商品,并没有赋予它的价值,只是赋予了它的特殊的价值形态。"能作货币的商品,在未作货币以前已经具有一定的价值。一切商品,把它当作共同的等价物而活动于它的上面这件事,并不是为要创出它们自己的价值,只是对于它们的价值,赋予一般的等价形态之那种特殊的价值形态。当没有理解这件事的时候,便会生出来一个谬想,即以为货币的价值不是现实的东西,却是某种空想的东西之一种谬想。此外还要像后面(在第三章之二的 C 项"铸币,价值符号")中所说明的一样,又发生一个别的谬想,即,"特定机能上的货币"(究明货币的各种机能是后章的问题,所以在这里暂不涉及于它)。"因为是能由它本身的单纯的符号去代替的缘故,所以又发生了货币就是单纯的符号之那样别的谬想。"如果理解了某特定的商品,因其转化为那个形态,才成为货币这件事,那么,这样的谬想,想一定不会发生了。③

"某种商品的等价形态,并未含有那种商品的价值大小之量的规定这件事,在前面已经提及过。"所以"我们纵然知道金子是货币,因此可以和一切别的商品直接交换这件事,但是我们却不能靠着这一层,即知道特定分量的金子,例如 10 磅金子有多少的价值"。金子这东西,也和别的各种商品一样,只

---

① 考茨基版,第 52 页;参照陈译本,第 116 页。

② 考茨基版,第 39 页;参照陈译本,第 85 页。

③ 在最近的(到 1928 年 10 月 25 日为止)伐尔加的经济年报中,是像下面的这种说法:"在必要的时候,各国中央银行相互地借贷金子之间的计划,为要容易使用贷出去的金子起见,那就是把从一国输送到他国的金子部分地节约起来,即,不由债权国把金子输送出去,却仍旧放置库中,只把贷借额的金子,作为别的银行的财产去处理。但是这等的事情,是技术的过程,并不是经济的过程。在行着资本主义无政府的体系时,在把人与人的社会关系看作是物与物之间的关系时,在这样的见地未向社会主义让位时,金子这东西,毕竟还要保留着当作一般的等价物之性质,虽然为尽它的任务所很必要的分量,可由技术的手段减少,却不能够排除任务的本身。……"

能把它本身的价值大小，以别的商品相对地表现出来。金子本身的价值，是由它的生产上所必要的劳动时间所规定的，并且是以一切别的商品的分量——一切在它本身上凝结着同样的劳动时间之别的商品的分量——表现出来的。① 在这几点上，货币与别的商品，确是没有什么不同的地方。

货币是商品这件事，在 17 世纪后半已经知道了，这是显示着货币的分析，已经进到了相当的程度。可是"困难，并不在把握着货币是商品的这一点，却是在把握着商品怎样才是货币？为什么缘故是货币？靠着什么才成为货币？这几点"②。现在，这种困难，是由我们的说明克服了的。

总之，"诸商品的交换，是创造特定的社会生产诸关系的过程，即，由此行着社会的物材交换——私的个人之特殊生产物交换，同时在这种物件交换当中，各个人当作被给予的东西，而领受着的这样一种创造特定的社会生产诸关系的过程。诸商品在过程中相互的关联，便结晶为一般的等价物之特殊的规定，因此，交换过程，同时就是货币的形成过程"③。

第五节　商品的物神崇拜性之完成

"商品形态的物神崇拜性，在等价形态上，比在相对的价值形态上还较显著"这件事，已经在前面说过。并且我们又曾在第一章的第六节"商品的物神崇拜性及其秘密"中，把这种虚伪的外观为什么缘故才成立的过程追求过了。不仅这样，我们在那里，还"为了读者便宜起见，把后面的问题提到前面，就商品形态以外的发展形态——货币形态、资本形态，说明了这个物神的崇拜性质之一斑"。可是在《资本论》原书当中，对于货币的物神崇拜性，是现在才在这个第二章末尾提及的。我们在这个第二章末尾中，见着了下面的一段话。

"它（物神崇拜性的这种虚伪的外观）是只要那个一般的等价物一旦和一个特别商品种类的自然形态融合起来，即一般的等价物一旦结晶为货币形态，马上就会完成着的。一个商品，并不是这样显现着，即不是因为别的一切商品

---

① 考茨基版，第 54 页；参看陈译本，第 120 页。
② 考茨基版，第 55 页；参照陈译本，第 121 页。
③ 《政治经济学批判》，德文本，第 32 页；宫川氏译本，第 50 页。

全部地把它们的价值以这个商品表示出来的缘故，才成为货币，宁是恰恰相反的像这样显现着，即是因为这个商品是货币的缘故，别的一切商品，便一般地把它们的价值，都以这个商品表示出来。这种媒介的运动，是在它本身的结果当中消失净尽，毫没有留一点什么痕迹的。因此，诸商品不必赖有什么活动，就可见着它们自身的价值姿态，完成着它们的商品体，即完成着在它们的外部和它们并存的商品体。金子和银子这种东西，以它们从地底下跑出来的原形，同时变成一切人类的劳动之直接的化身，所以就发生了货币的魔术。"即金子因为是金子所以就是货币的那样虚伪的外观，便牢牢地确立起来了。

我们在前面说过："商品价值的实体，因为是从社会的东西当中——所谓一般的人类的劳动之那样的社会的东西当中——而成立着的，所以仅拿出一个商品，纵令你怎样地把它摸来摸去，总是不能用肉眼看到这个商品的价值。它的价值，只有在商品和商品的社会关系当中，才能够表现出来。"实际上，A商品的价值，只有在 B 商品里面才能够表现出来。所以可能范围内之简单的商品存在形态，是：

$$xWA = yWB(x \text{ 量的商品 A 值 } y \text{ 量的商品 B})$$

我们已在前面，从这样的价值表现之最简单的最隐微的姿态出发，现在，又就它的发展追踪到了它的完成的姿态——"灿烂的货币形态"，所以我们已把"货币偶像的谜，不外就是显现在眼中的——眩惑世人眼目的商品偶像的谜"这件事，完全理解了。

*　　　*　　　*

总括以上所述，我算已把放在《资本论》开首的"商品"和"交换过程"两章解说完了，因而也可说已就马克思主义经济学的出发点说明完了。以后关于此外的诸问题，当让诸别的作者，我的任务，从此告一结束。

责任编辑:李媛媛

图书在版编目(CIP)数据

李达全集.第七卷/汪信砚 主编. —北京:人民出版社,2016.12
ISBN 978-7-01-016664-3

Ⅰ.①李… Ⅱ.①汪… Ⅲ.①李达(1890—1966)-全集 Ⅳ.①C52

中国版本图书馆 CIP 数据核字(2016)第 212099 号

李达全集
LIDA QUANJI
第七卷

汪信砚　主编

人民出版社 出版发行
(100706 北京市东城区隆福寺街 99 号)

北京新华印刷有限公司印刷　新华书店经销

2016 年 12 月第 1 版　2016 年 12 月北京第 1 次印刷
开本:710 毫米×1000 毫米 1/16　印张:27.5
字数:440 千字

ISBN 978-7-01-016664-3　定价:139.00 元

邮购地址 100706　北京市东城区隆福寺街 99 号
人民东方图书销售中心　电话 (010)65250042　65289539